ROMANZI E RACCONTI

Valerio Neri
Anna e il Meccanico

Marsilio

© 2005 by Marsilio Editori® s.p.a. in Venezia

Prima edizione: marzo 2005

ISBN 88-317-8559-1

www.marsilioeditori.it

a Tiziana

«... ciascuno di costoro vive sempre nella testa di un altro e questa testa ancora in altre teste».

F. NIETZSCHE, *Aurora*

1.

Era la domenica *in Albis* del 1943, quando uscii su piazza della Pigna, tra la gente che andava alla funzione. Mi ero appena lavorato la nuca della signora D'Ascenzio, di cui ero pigionante alla Pensione Impero.

Si era raccolta i capelli trattenendoli con la mano sinistra a dita divaricate e scoperta la cervice chiarissima, a stento peluta di castano sulle pendici occipitali, aveva poggiato la fronte alla parete, attendendo ritta, in positura dorsale, che la mordessi sui tendini del muscolo trapezio.

I miei denti erano come coltelli, mentre il coppino dell'affittaletti risultava burroso, assai impressionabile. Le procurai un'estesa rugosità della pelle, a bordoni d'oca e una zigrinatura rilevata, di disegno incerto.

Non sapevo se c'era davvero un'irrequietudine diffusa nella materia, una specie di brivido irriflesso, che al tatto si scatenava nell'intrinseco della signora; ma i materiali mandavano segnali dal profondo, quasi fossero animati e a volte anche improvvisi rifiuti: che l'angolo di spoglio non gli andava, che truciolavano malamente. E per un perito industriale di ventotto anni come me, nella fattispecie Lucatti Bruno specializzato in meccanica, non era facile trattenersi dall'inchiesta.

I corpi risultavano misteriosi, impenetrabili e se pure riuscivo con la punta a saetta a sfondarli di un foro passante, non per questo ci capivo dentro. Era la materia stessa a farci superficiali, a noi periti macchinisti, non concedendoci l'ingresso. Il profondo rimaneva inarrivabile, e dava segni di sé sulla scorza delle cose: difettosità, vizi, ostinatezze che andavano aggirate con la perizia del mio mestiere; dovevo leggerne i materiogrammi per azzardare qualche contromossa, come in una partita con l'aldilà.

Così anche nel caso della signora D'Ascenzio che, patita l'orripilazione elettrica della schiena, aveva avventato il calcagno sinistro contro la loggia anteriore della mia gamba, ripiegandolo di scatto. «Non l'ho fatto apposta; perdonatemi» aveva detto, aggiungendo che era stata una reazione improvvisa, sgorgatale dal profondo.

«Dove ce l'avete cotesto profondo?»

«Qua» e nell'occasione si toccò i processi spinosi della colonna vertebrale; quando, in altre circostanze, aveva indicato regioni differenti; sicché compresi che per la signora D'Ascenzio il profondo si spostava di continuo, per coincidere comunque con il punto del corpo in cui, di volta in volta, provava piacere. E quel punto, noi, lo si chiamava "il goditoio".

Bicicletta alla mano m'inoltrai nella piazza, tra capannelli di vecchi e di comari che discettavano sugli ultimi bombardamenti e che, non essendo del quartiere, mi calibrarono maligni, dacché ero biondo e potevo risultare tedesco. Poi la foggia del vestito con la "cimice" al bavero e lo sguardo italiano confortarono i malfidati su che genere di ariano io fossi.

Mi trovavo ancora in tasca la lettera di mia madre Maddalena, che temeva per la sorte della nonna di cui non si era saputo più nulla, dopo il bombardamento di Pisa; ma quel giorno i casi tragici, che occorrevano a tutti e pure ai miei, non mi aggriffavano affatto. Dovevo recarmi infatti a un pranzo di borsa nera dal commendator Cerini, nel cui laboratorio aeronautico lavoravo da mobilitato civile, per consegnargli il disegno definitivo della mia invenzione: il Supporto Rotante a Supporti Intercambiabili.

Alla lettera della mamma non intendevo rispondere se non l'indomani e con una cartolina postale, rassicurante solo la mia esistenza: «Persisto» le avrei scritto, «smerigliato e bisunto. Il tuo Bruno». Ribobolino più che impreciso insensato, quale tutto l'idiotismo dei sentimenti; lingua di madre, droga di figlio, ideata in apparenza per sottilizzare sulla sua emozione, in realtà rete per la mia; una lingua arpione su bimbo pesce, una lingua tedesca dal suono italiano.

D'altra parte ero l'unico figlio di mia madre, che fantasticava di noi vergando pagine e pagine di lettere nebbiose, vibranti di desiderio, che mi s'incollavano ai vestiti come spiriti invasivi su aspiranti indemoniati. Sicché le rispondevo in meccanico, per ripulire con la benzina della mia parlata il lubricatoio di Maddalena: il lardo di cui avvolgeva corpi e fatti, la cuffia amniotica in cui carcerava l'uso corretto di ogni cosa.

Pedalavo veloce sulla bicicletta, attraverso ponte Garibaldi, quando un fischio duro e modulato mi s'infilò nelle orecchie, centrandone le membrane vibratili; senza darmi però l'impressione di udirlo un granché. Erano i muscoli stapedi che cercavano di smorzare quel segnale sonoro, perché non fosse subito inteso dal mio governo cerebrale. Intanto la scarica nervosa aveva eccitato il verme del cervelletto e già volgevo il cranio biondo a Mario Carra, che quello non s'era nemmeno cavato l'ok delle dita salsicciose dalla bocca, nello zufolo alla pecorara lanciatomi appresso.

Mi faceva gran segno di fermarmi, e anche i flessori delle mani resistevano ad addurre le falangi in pugno, sulle leve dei freni. Li forzai comunque a contrarsi e sentii che mi fermavo con fatica, nell'inattesa resistenza di tutto il mio organismo muscolare.

Avevo conosciuto Mario poco dopo il mio arrivo a Roma nel '37: alle cene che seguivano gli spettacoli di zio

11

Giulio, l'applaudito basso del Teatro Reale; Mario era il suo capo claque. Poi, nei mesi e negli anni successivi, il moto solidale dei nostri alberi motore era stato calamitato dalle ballerine della compagnia, sulle quali, sovente, ingranavamo gli stessi denti.

Disse che mi cercava da due giorni: «Giulio favoleggia di un supporto speciale per le contropunte, di tua ideazione: è vero?»

Risposi di sì: avevo i disegni con me, per consegnarli a Cerini.

«L'ex aviatore ed ex legionario del D'Annunzio: l'ex Vate? Come fai a fidarti di quel fascista. Se la tua invenzione è buona, te la ruberà al passo dell'eja, eja, alalà.»

«Ma no. Ora l'applicheremo ai torni del laboratorio e se i prototipi funzionano la bretterremo. Cerini ne parlerà con un ingegnere della Saimp di Padova; è sicuro che me la pagheranno bene.»

Mi aveva cercato, aggiunse, per suggerirmi di presentare la mia idea a dei suoi amici di Parma, che avevano un'officina a San Lorenzo e commerciavano in macchine utensili; ma, d'un tratto, ebbi una gran voglia di urinare, come se dalla conservazione di Mario venisse alla mia vescica una sferzante scossa contrattiva.

Corremmo al vespasiano che quasi me la facevo sotto. E mentre mi svuotavo, lui continuò a parlarmi con un'insistenza innaturale. Diceva di aver già riferito di me alla proprietaria dell'officina, la vedova Gatelli, gran fumatrice di Macedonia; un tipo forte, sui cinquant'anni, che aveva avanzato l'azienda da sola, anche in quei tempi bui, e cresciuto i figli, Anna e Giusto. La signora si era detta interessata e dovevo approfittarne: era gente seria.

Tuttavia, quando rimontai in sella per riprendere la corsa, mi ritrovai piuttosto inquieto e soltanto i muscoli insubordinati sembravano conoscerne la ragione. Reagivano come bestie sensitive, catturate nel sacco della pelle e pigiavano sui pedali quasi dovessi fuggire da Mario Carra, che intanto, alle mie spalle, risaliva il ponte verso via Arenula.

Cercavo di quietarmi ascoltando lo scalpore della catena, imbracciata dalla corona e dal pignone; friggeva grassa e giusta, lei, in un bel fruscio di carezza tra i capelli: quando nel timpano rimbombava l'attrito radente delle unghie sui fusti della capellatura. Italia D'Ascenzio aveva dita solide, da massaia, articolate su una mano piccola e lardosetta e quando me la passava sul capo, le arcuava a sarchiello, arando a fondo il cuoio capelluto.

«È così che gira la vostra invenzione?» mi aveva domandato qualche sera prima, continuando a muovere l'arto sulla stessa circonferenza occìpite parietale. Al ricordo di quella breve conversazione, i flessori profondi delle dita si serrarono di scatto azionando i freni: udii la frizione sui cerchi, il sibilo, l'improvviso arresto del movimento e l'«a' rincojonito» che i seguaci, per lo più ciclisti, mi gridarono appresso.

Fermo, ancora in mezzo alla strada, mi resi conto di non aver mai parlato a mio zio Giulio del Supporto Rotante, e di non averne neppure accennato a Mario, che, sebbene ingegnere, reputavo un pessimo tecnico: buono più per gli uffici acquisti del Ministero della Marina che a sguerciarsi sui tavoli da disegno. A parte i colleghi del laboratorio e Cerini, soltanto un'altra persona sapeva di quel mio lavoro ed era proprio Italia D'Ascenzio, che però non mi risultava conoscesse Mario.

Decisi dunque, nel riprendere a pedalare, che avrei inquisito la mia padrona di casa non appena possibile, e stavo appunto immaginando in che modo le avrei chiesto di Mario, quando rammentai un altro momento di un'altra sera: lei era in poltrona e io in ginocchio le succhiavo un seno. «Vi piace il nome Anna?» mi aveva domandato tutto d'un tratto.

«Sì... ma perché?» farfugliando, impedito nell'orazione.

«Nulla nulla, continuate» e non avevo capito se aveva parlato a me o alle mie labbra poppanti.

13

Frenai di nuovo la bicicletta, questa volta accostando con prudenza il marciapiede. Anche Mario, nell'incontro di poco prima, aveva pronunciato quel nome: infatti si chiamava così la figlia della signora di San Lorenzo: "Anna" sì, Anna, aveva detto.

Discesi dalla bicicletta e continuai a piedi, inoltrandomi per i vicoli più traversi di Trastevere. Volevo evitare il viale del Re, perché spesso vi transitavano i convogli militari e temevo che i soldati mi sparassero, per l'invidia di vedermi lì, a passeggiare tranquillo, invece di schiattare in qualche fosso d'Europa, quasi fossi un raccomandato o un ebreo, forzatamente disoccupato. Né avrei potuto gridare al veterano invidioso che era stata la meccanica a salvarmi: a farmi impiegare, già prima della guerra, nel laboratorio di Cerini; quello mi avrebbe tirato lo stesso, perché avevo consentito che la sorte mi cavasse dal cappello come un coniglio fortunato.

Passando per piazza di Santa Maria udii, dal portone della chiesa, il prete che declamava l'Introito alla messa e mi fermai di nuovo, in quanto cominciò dicendo: «Desiderate», quasi non fosse un invito superfluo in quei giorni di grandi bisogni, ma parola nuova, che andava incoraggiata nel popolo dei fedeli, negli ex colonizzatori incrampiti di fame. «Desiderate» diceva ai volti smunti delle madri e dei padri dei poliziotti d'Africa, dei conquistatori dell'Ellade, dei cavalleggeri, alpini, lupi dell'Armir; «Desiderate» suggeriva ai ragazzini accucciati sulle panche e ai genitori intimoriti, ex parolai zittiti, cervelli intronati da ludi ginnici; «Desiderate» garibaldini anneriti, reduci da notti sognose, aggruppati nei ventri delle basiliche a occhi chiusi, a visi chini, con le palme delle mani appaiate sotto l'intreccio dei diti scheletriti. E allora «Desiderate» pensai echeggiasse in tutte le chiese di Roma, di ogni quartiere, fino a San Lorenzo; dove c'era la gente amica di Mario che però, in quel momento, immaginai udisse un Introito appena diverso, rivolto solo ad Anna, quella loro: «Desidera come bambina neonata» dicendole, nello stupore improvviso dell'ecumène, nel farsi largo dei fedeli, nel vederla sola al centro di ogni sguardo, ancora ignara di me, che non ignoravo più lei.

Il giorno seguente sarebbe stato il mio compleanno e con Mario avevamo deciso di festeggiarlo al bordello.

Io c'andavo non tanto per eiaculare, bensì per ascoltare, e godere di quella variazione di pressione nell'ambiente del mio orecchio interno che si generava a ogni parlata dialettale della ragazza; talvolta seguita dall'intrusione della sua lingua nelle branche della mia antèlice e nella conca auricolare, fino a infilarmisi giù per il meato acustico, tra le ghiandole ceruminose.

Le donne si divertivano alle mie stramberie e mi disputavano, quando entravo nella grande cloaca dell'attesa. Io però andavo solo con quelle di cui non intendevo affatto il dialetto e che riuscivano bene nel gioco che volevo.

Mi stendevo sul letto chiedendo alla donna di spogliarmi e descrivermi, nel vernacolo avito, ogni indumento di cui mi svestiva. Lì trovavo la parola diversa: non quella oleosa di mia madre; né quella autoritaria della scuola, della radio e dei giornali: la sfarzosa verbigerazione pneumatica del regime che, simile a una pompa aspirante, svuotava nella bocca d'efflusso la già esigua sostanza della mia mente; ma la parola che era ancora un pezzo della cosa stessa: come se il nome vi fosse marcato con punzoni alfabeti e l'etichetta, fratturata dal corpo referente, fosse rimasta morsa tra le labbra della mia puttana.

La più brava era Concetta, perché si divertiva davvero a giocare con me e recitava il monologo dello snudamento con la diligenza di un glottologo e l'immedesimazione dell'attrice professionista; e quando non le veniva o non esisteva il termine cilentano per la gruccia della fibbia dei calzoni, o per l'ardiglione infisso nell'occhiello della cinta, inventava a caso un nome nuovo, bene assonanzato agli altri ufficiali del suo dialetto. E poiché la esortavo a dettagliare sempre più le definizioni delle parti o delle azioni, sempre più finiva per inventare una lingua tanto fantastica e irreale nel lessico, quanto precisissima nell'intenzione. Ne sortiva il gergo di Adamo: e io e lei, reclusi nell'alcova del bordello come nella segreta della torre di Babele, battezzavamo un mondo nuovo, mentre fuori quello vecchio si disfaceva nel caos della guerra, nell'italiano littorio, nell'incomprensibile lingua tedesca.

Concetta era donna pubblica, registrata nel repertorio del commissariato della Minerva, ma quando le chiedevo di recitare la nostra fantasiosa nomenclatura, ridendo insieme fino ad attrarre le colleghe disoccupate a unirsi a noi, echeggiando a loro volta, e nel dialetto proprio, l'elenco intonato da Concetta che mi sfogliava a brani, in un m'ama non m'ama incomprensibile, roteando sul capo i miei poveri panni, tanto più lisi quanto più denominati reboantemente "a gucaccia", "i cauzuni", "u calzerottolone" (sicché capitava fossimo anche sette o otto a pazziare insieme di parole fasulle, tutti discinti: loro mascherate e imbellettate da odalische nostrane e io in camicia, in pedalini, con la maglia di lana, più volte rammendata dalla mano premurosa di mamma Maddalena); quando tutto questo accadeva, Concetta non lavorava e non fingeva, si divertiva come me e si faceva diversa: bella, se anche non lo era. Si finiva che ci guardavamo nei sorrisi tonti, nei visi istupiditi di aver trovato una via segreta che dal mondo del dolore e della guerra ci aveva guidato al goditoio di un momentaneo appagamento; ma luogo inestensibile, questo, in ogni altro altrove e mero punto di fuga di personalità fittizie, senza fissa e mondana dimora.

Lungo la strada che ci portava al bordello, Mario ricominciò a sollecitarmi una visita a San Lorenzo per piazzare la mia invenzione. Per un po' lo lasciai parlare, sperando svelasse da solo chi lo aveva informato del mio lavoro. Infine mi stancai e gli chiesi se avesse conosciuto la D'Ascenzio.

«La tua amante? Sei geloso?» e negò, senza che capissi se mentiva.

«Chi ti ha detto del mio Supporto? Giulio no, perché non ne sa niente.»

«Ah no? E invece mi pareva di sì. Comunque che ti frega, vedi di farci qualche soldo, piuttosto.»

«Non mentire Mario, per favore. Non mi piace.»

«Bruno, io non faccio patti né alzo richieste; ormai dovresti saperlo. Però ti voglio bene; e questa deve essere una bugia vera. Non ho mai conosciuto uno che va al casino per giocare a Bisticcio, e paga pure la mezz'ora. Se non me lo avesse raccontato Concetta mica c'avrei creduto.»

Quel 3 maggio, invece, Concetta non c'era. La maîtresse ci disse che aveva avuto dei problemi di famiglia; sarebbe tornata nei giorni seguenti e nell'attesa potevo incontrare altre ragazze, già sperimentate nel gioco che amavo. Risposi di no, non volevo: qualunque altra donna avrei dovuto spronarla nel gioco; nessuna aveva la fantasia di Concetta e non mi andava di accontentarmi, proprio il pomeriggio del mio compleanno.

Dischiusi appena un'imposta della finestra e guardai il cielo di Roma, con le sagome nere degli uccelli in volo sull'orizzonte barocco delle chiese, dalle cupole mammellose, dai capezzoli seviziati di croci ed ebbi voglia di uscire.

«Dove vai?» mi domandò Mario.

«Non lo so. Non voglio più stare qui. Mi sento inquieto, forse ho dormito male questa notte. Hai sentito le sirene degli allarmi?»

«No. Che sirene? Roma non la bombarderanno mai: chi si arrischia a toccare il cupolone del papa?»

«E se invece la bombardassero? Se questa guerra fosse davvero la fine del mondo?»

«Quale mondo. Io il mondo l'ho lasciato in una fossa e ora cerco solo il rassodamento del bischero nei bordelli. Tu sei un poeta, Bruno, che cerca un nome pulito per robacce

17

inverminite. Ti senti ancora adescabile dai lemmi materni e allora fuggi nei Bisticci o nella meccanica, come anche nelle seghe che ti spari o nelle amanti che ti fai. Anzi, non ho ancora capito una cosa di te: queste terminologie, idiomi, Bisticci, che vai montando, sono armi con cui speri davvero di liberarti dal Reich della mamma o sono mascherate d'insurrezioni soltanto apparenti?»

Mario aveva occhi e ciglia così scuri che le caruncole lacrimali sembravano di un rosso vivo; e le notai di nuovo perché mi sorrise, concentrando la poca luce dello stanzone tra le congiuntive delle palpebre socchiuse, domandandomi: «Vuoi vedere Anna? Ha appena diciannove anni: è un vermino proprio nuovo di questo mondo putrescente. Ti farebbe bene; il mio poeta! Si arriva a San Lorenzo e prima dell'oscuramento siamo già a casa. Una visita alla svelta: salutiamo la signora Angiolina (come la chiamiamo tutti, mentre il nome ufficiale sarebbe Angelina: ma suona troppo diminutivo per lei), ti studi bene la figlia e magari ti sale il buon umore su dai coglioni.»

Capii che aveva solo cambiato strategia. A lui della mia invenzione non interessava nulla; voleva solo portarmi a San Lorenzo e ora usava un'esca differente.

Risposi di no, non mi andava di vedere ragazze di famiglia con il necessario corteggio di chiacchiere vane. Mario insistette, facendosi più serio: sosteneva che erano persone simpatiche e Anna, sebbene molto giovane, non appariva certo timida e noiosa. Ne descrisse le mani ossute, dalle dita lunghe e tornite; gli occhi marroni chiari, luminosi e stellanti; aggiunse che assomigliava un po' alla Clara Calamai, più ragazza però e meno fatale. Comunque ero stanco di ascoltarlo e lo lasciai di scatto, correndomene in strada.

Se avessi voluto avrei fatto ancora in tempo ad arrivare alla balera di Firmino, per ballare con l'una o l'altra delle attempate comari della compagnia. Almeno la musica mi avrebbe occupato la mente e i sensi; come faceva con lo zio

Giulio, quando gli schizzava via dal corpo, nel "fa bemolle" che terremotava tutto il teatro. Quella sera, invece, temetti che sarei sguisciato via io, dalla presa coreutica della mia compagna comare, rinculato dalla sua gran pancia.

Ogni meccanismo della mia vita si era infettato di una forza centrifuga che lo sganciava dalle guide, e quel nome "Anna" era divenuto il segnale del deragliamento. Da principio Italia vi aveva alluso; poi Carra che aveva cercato di portarmi da lei e infine Concetta, che si era presa un'improvvisa vacanza, lasciandomi da riempire un paio d'ore, giusto il tempo per andare e tornare da San Lorenzo.

Continuavo a pensare ad Anna con fastidio: doveva essere una di quelle ragazze di famiglia che ti facevano penare per dartela e che se te la davano, te la davano asciutta asciutta, piena di timore di Dio. Io invece volevo bene a Concetta e temetti le fosse successo qualcosa di grave.

Cominciai a brontolare tra me e me alcune sue parole, trovate nei nostri Bisticci e giocai da solo il nostro gioco, per tenermela vicino, come una compagna: l'unica che volessi con me, in quel mio ventottesimo compleanno.

Quando arrivai alla Pensione Impero, in piazza della Pigna, vidi da lontano Italia D'Ascenzio venirmi incontro. Con lei non potevo fare il gioco di Concetta; lei era una signora e io il suo amante, tra noi c'era un adulterio serio.

«Salirò da voi più tardi. Ci sarete?» mi chiese.

«Sì, ma vostro marito?»

«Mi tratterrò solo un momento.»

«Italia, non è il caso» le dissi.

«È il vostro compleanno, e ho un regalo per voi.»

«Siete così gentile.»

«Per me voi siete importante.»

«Importante. Perché?»

«Perché lui mi prende come una cosa nota, mentre voi, Bruno, mi cercate sempre, come fossi una persona misteriosa.»

2.

L'idea di Anna era penetrata nell'acrosoma del mio cranio da spermatozoo come il sangue nei corpi cavernosi del pene; e me ne volevo liberare eiaculando nel gabinetto per i pigionanti della D'Ascenzio, ma non provavo piacere e non ci riuscivo.

Mi tirai su i calzoni e alla fioca luce della lampada di acetilene ritrovai nello specchio la mia solita faccia bionda e cerulea, col nasetto a palla e la chiostra dei denti sciabolati a segaccio, sotto labbra che mi ridevano sempre. Quel viso lo lavavo, sbarbavo, preparavo all'esposizione sulle piazze della città, come lustravo le scarpe e spazzolavo la giacca: oggetto tra gli oggetti, senza bisogno, né capacità alcuna, di attestare una corrispondenza più intima con me stesso. Era un muso di specchio che rifletteva il di fuori e internava il di dentro: un volto pubblico che in ogni caso corrispondeva poco al me affabulante nell'oscuro incorporeo della mia intimità.

Nondimeno quel viso doveva parlare di me, rappresentarmi. Io vi leggevo invece il divorzio tra i miei segreti bisogni e le elargizioni fasciste, tra una certa mia patria, tanto remota e intima da sembrare irreale e il disillusorio Regno d'Italia; osservarlo era apprendermi figlio di un'impropria resezione tra i fatti e i sentimenti, che non mi permetteva di sentirmi esattamente qualcuno, ma solo un oggetto di pubblica fiera, espressione di anatomica, intercambiabile umanità. La mia faccia era un po' il viso di tutti quanti, quello che il mio amico Candido Pani scarnificava all'obitorio: il viso *sapiens*, dell'uomo umano.

Avevo conosciuto Candido solo due mesi prima, in marzo, quando un camion investì e uccise un giovane fresatore di Cerini, che avevamo mandato a comprare delle filiere per i canotti di sterzo. Il giorno successivo all'incidente, vennero nel laboratorio i carabinieri perché, non avendo trovato indosso al ragazzo altri documenti oltre l'autorizzazione del Fabbriguerra* con il nostro indirizzo, volevano che qualcuno li seguisse all'obitorio per dichiararne le generalità e avvertire i congiunti.

Cerini ordinò che andassi io, mentre lui avrebbe pensato ai parenti. Quando arrivai mi condussero in una camera di deposito, dove su cinque lastre di travertino, appoggiate ciascuna a un paio di colonnette di cemento, giacevano altrettanti cadaveri, ravvolti in una sìndone che lasciava scoperti solo i piedi e il viso: cinto, questo, da una benda, simile a un soggolo di monaca. E tra essi vidi il mio fresatore, con il naso schiacciato e le labbra tumefatte.

Uscii nell'androne per comunicare agli incaricati l'identità del defunto e venirmene via, ma non c'era più nessuno, nemmeno i carabinieri che mi avevano accompagnato. Chiamai a mezza voce in cerca di custodi. Poi mi diressi verso una porta opposta a quella da cui ero entrato e che mi inoltrò in un lungo corridoio, in leggera discesa.

Diversi altri ambienti affacciavano su quell'ambulacro: bui e alcuni serrati da porte lucchettate. Mi fermai incerto, non sapendo cosa fare; quando nel silenzio mi parve di

---

* Fabbriguerra: ufficio del sottosegretario per le Fabbricazioni di Guerra, che esonerava dal servizio militare, come "mobilitati civili", le maestranze utili alle industrie belliche.

udire un brusio che attivò, nella posizione dorsale dell'ipotàlamo, il centro motore del brivido. Trasalii, girandomi di scatto e ascoltai di nuovo. Sembrava un respiro, lento, un po' raschiato per la gola. Mi avvicinai a una porta socchiusa: spiai dalla fessura. Vidi un cupo stanzone di cataletti, scoperchiati e vuoti, salvo uno: appartato e dalla ribalta non bloccata. Il rantolo veniva da lì.

Il cuore mi partì in una corsa oltre i cento colpi al minuto; ero curioso più che impaurito e non disposto a rinunciare all'eccitazione che dava il timore.

Entrai nel deposito e mi avvicinai al cataletto, ne scoprii il cielo di compensato e il corpo custoditovi in decubito supino. Era di una giovane donna dai capelli crespi e corvini. Il viso non portava segni di ferite e l'incarnato era pallido, non cadaverico. Dormiva serena, riparata da un cappottuccio logoro, ancora cotennato al collo di un vello pardiglio, magari di soriano, ex miagolante a piazza Vittorio.

Sul mento e intorno alla bocca stava disseminata la mollica di una mezza ciriola; mentre l'altra metà, trattenuta ancora alle griffe della mano, le giaceva sul petto, in mezzo al pelo del gatto. Doveva essersi sfamata lì dentro, pensai, per poi addormentarsi come un neonato sulla poppata.

Avrei voluto chiedermi chi fosse e periziare con attenzione gli indizi, ma i miei cento milioni di cellule olfattive avevano già catturato gli agenti volatili della sua immagine odorosa e lei tutta mi saliva per il naso, in un'afferenza sensuale così seducente da attrarre a sé ogni mia cerebrale capacità attentiva.

Dal suo corpo si desquamavano in ondivaga e continua migrazione frammenti odorosi (forse denominabili "fragroni", perché particelle elementari di fragranza) che si lontanavano per moti concentrici, quali le onde di uno stagno dal sasso inghiottito. Partivano dai capelli, dalle diverse zone della pelle; decollavano i polverosi dai vestiti, dalle fiaccature del cappotto e del pelo del gatto; quelli fetidi dalle tarme che se lo mangiavano; gli infeltriti dalle calze di lana, i fangosi dalla tomaia delle scarpe; dalla ciriola abbocconata venivano farinosi, e acidi dalla saliva seccata lungo l'acuta morsicatura. Così si esalava l'immagine olfattiva della ragazza e vaporando lontano, si diradava, svaniva; abbracciata soltanto dalle vibrisse del mio vestibolo nasale.

Anche i fragroni del metro e settanta di pelle bianca che c'avevo profumata alla colonia, e quelli della mota insolvibile sotto l'unghia del meccanico, dovettero dilagarle per il naso, fino a sorprenderla nell'intimo del cranio: perché, senza alcun altro movimento, aprì gli occhi e mi guardò placida, come se fatto di ètere fossi stato inalato, oppioso e narcotico, nel mezzo del suo sogno.

«Buongiorno» le dissi commosso. E solo allora si risvegliò davvero: le si fratturarono i lineamenti del viso, si sgranarono le palpebre, urlò: «Candidoo.»

«Sono il perito meccanico Bruno Lucatti, qui per un riconoscimento.»

«Un riconoscimento? Candido, Candido.»

Udii sbattere delle porte e qualcuno risalire il deambulatorio: entrò piccolo, sodo, un parallelepipedo regolare, anzi un tronco di cono; con la testa quasi calva e due occhietti da topo ansioso. Mi guardò ispettivo, irrequieto, preoccupato. Capì subito chi fossi e mi disse di seguirlo nell'ufficio. Uscii dalla rimessa delle lettighe voltandomi a lei, il cui busto elevato e torto spiccava dal cataletto simile a quello di una sirena orripilata, ancora assisa sullo scoglio.

Candido mi fece firmare delle carte e indagò la mia vita. «Ah, perito meccanico: un tecnico, dunque siamo colleghi, in qualche modo. Io qui sono il prosettore anziano, e diciamo pure il factotum, tra pochi inservienti, compresa la ragazza che avete conosciuto, e pochi medici, compreso il direttore: è la guerra che ci decima.»

«La ragazza è la vostra inserviente?»

«Sì, si chiama Fosca; le consento qualche stramberia, tipo

riposare nei cataletti, in cambio di un aiuto nelle pulizie.»

Io non sapevo se la bugia fosse un fenomeno psicologico o proprio fisiologico come il singhiozzo, ma parecchi capillari nella faccia di Candido si dilatarono di colpo, operandogli sugli zigomi una specie di proiezione ortogonale della vergogna.

Quando ci lasciammo non immaginavo che appena due giorni dopo sarebbe venuto nel laboratorio di Cerini, vestito da Al Capone, con un cappotto lungo e una lobbia a falde larghe, per chiedere di me agli operai divertiti.

Questi ridendo indicarono dalla mia parte e io, stupito, gli feci segno che arrivavo. Mi disse che aveva bisogno di un consiglio per una sega a disco oscillante che funzionava male. Promisi che sarei passato all'obitorio per capire di che guasto si trattasse.

Intanto si avvicinò Cerini e dovetti fare le presentazioni. Sicché si venne a parlare del povero Geppo, l'operaio ucciso dal camion. Cerini sperava non avesse sofferto e Candido lo rassicurò, catturando l'interesse di tutte le maestranze. Disse che la coscienza di Geppo era stata dissecata via in un baleno, come in una decapitazione: anzi, con l'aggiunta benigna di un colpo storditivo. Ci raccontò come, nel forte urto, uno degli staggi della griglia esterna del radiatore del camion, avesse sfondato l'atlante di Geppo, causandone la morte istantanea. E dacché nessuno di noi aveva inteso, aggiunse che si denominava "atlante" la prima vertebra cervicale, sulla quale si reggeva il nostro globo cerebrale, come appunto sulle spalle dell'omonimo titano si era retto il globo antico del mondo.

Si avvicinò al mio tavolo da disegno e con il lapis raffigurò alla meglio il cranio umano; infine, tracciata una freccia dalla nuca alla mandibola, disse che lo speco vertebrale del nostro amico era risultato reciso di netto, fino al palato molle: ragione per cui, aggiunse, il cadavere di Geppo aveva fatto la linguaccia ai primi soccorritori.

Gli operai, a labbra arricciate e denti stretti, inspirarono in un brivido comune e tutti ci toccammo i testicoli agghiacciati, alle spalle del serafico prosettore.

Fui il primo a muovere la lingua dalla fossa del palato in cui si era rimpiattata: volevo sapere di che genere fosse l'articolazione operata dalla vertebra atlantica, ma Candido non conosceva la nomenclatura meccanica e ne dovetti disegnare qualcuna perché mi capisse. La discussione che seguì allontanò subito gli operai e anche Cerini, mentre al tavolo da disegno tracciavo manicotti e giunti cardànici, e Candido legamenti articolari a perno o a gìnglimo. Infine mi promise di mostrarmi dei disegni sui vari tipi di articolazioni anatomiche, quando fossi tornato a trovarlo e io presi impegno per il giorno appresso.

Nelle settimane che seguirono ci frequentammo spesso, discutendo di meccanica e di anatomia; aveva una conversazione dotta, allusiva, che stimolava la mia curiosità. Diventammo amici senza sapere nulla l'uno dell'altro. E soltanto una volta lo andai a trovare a casa, a Portonaccio: viveva in due camere così tristi e in disordine da far sembrare allegro l'ufficio dell'ospedale. L'inserviente odorosa, invece, la vidi poco e pensai mi evitasse; da parte mia non desideravo cercarla per rispetto a Candido, che la voleva appartata e ne dissimulava il segreto.

Tuttavia, chiuso ancora nel bagno delle stanze a pigione della D'Ascenzio, nemmeno le seduzioni olfattive che mi tornavano da quelle reminiscenze eccitarono abbastanza la mia virilità; e rivolti gli occhi allo specchio, il mio viso babbeo non mi rivolgeva che la sua faccia distratta.

Bussarono alla porta.

«Bruno, siete qua? Fatemi entrare.»

M'infilai in fretta i pantaloni e aprii. Era Italia, elegante, pettinata come dovesse uscire e invece si era vestita solo per me, per portarmi il suo regalo.

«È il fermacravatta di mio padre; lo voglio vedere indossato da voi.»

Aveva richiuso la porta, appoggiandovi il dorso. Mi carezzò il viso mentre osservavo il fermaglio. Le parevo stanco, mi trovava malinconico: cosa mi era successo? Si fece apprensiva, turbata.

La baciai, fiutando l'odore fresco dell'acqua di camelia che le saliva dalla scollatura. Reclinò il capo all'indietro, ruotandolo sulla vertebra atlantica, di cui immaginai l'articolazione a perno; arcuò la schiena e aprì le spalle. Fui sul mento, sul collo, nelle fosse clavicolari, nei rialzi del seno.

«Placatevi in me» diceva. «Non voglio che essere colmata dalla vostra smania muta. A voi non importa cosa penso, cosa credo e se vi amo; non fate mai domande, non chiedete rassicurazioni.»

Si udirono dei passi per le scale, la voce del marito che la chiamava; alzai il viso dal suo seno per trattenerla un momento ancora: dovevo indagare se si fosse mai incontrata con Carra e perché avesse fatto il nome di Anna, qualche sera prima.

«Aspettate» le dissi che era già fuori dalla porta.

Rientrò nel bagno un attimo, mi baciò, mi chiuse gli occhi con le dita della mano, e aggiunse: «Bruno, voglio un figlio da voi.»

L'indomani andavo di fretta per i portici di piazza Vittorio, cercando un cromatore amico di Cerini, quando sulla membrana del timpano martellò improvvisa la chiamata di Concetta: «Brune, Brune.» Mi voltai che l'avevo davanti, a braccia aperte, e ci avvinghiammo ridendo, nello stupore dei portici.

«Bel regalo mi hai fatto. Volevo te, ieri, al mio compleanno.»

«Neh, ti festeggio mo; portame ao bar, accattame a beve.»

Concetta era alta, con i capelli decolorati dall'ossigeno e

dunque biondicci, portati a caschetto, su un viso camuso e una frangetta tenuta apposta eccessiva, perché gli occhi verdi, sporgenti e allegrissimi, apparissero ancora più mordaci e giulivi.

Mi trascinò al bar, tra poveri avventori senza consumazione, sostanti lì solo per abitudine prebellica, e gridò: «È la festa dell'amicu miu: vino ai signori, e no de mele», poi rivolta a me: «Ce l'hai sì i quattrini, Bru'?» Cinque lire, avevo: trovate nella lettera di Maddalena e le bevemmo tutte, con quei tipi ignoti.

Erano quattro ometti anziani, vestiti alla reduce dell'Armir: barbe spinose, palpebre arrossate, diti artritici, scarpe rabberciate e Concetta, fra loro e me, come una canna tra i sassi, che stormiva allegra, dandosi il vento da sola.

«Cin, cin.» Ed essi eseguivano, sogguardando il barista, bocconi sul banco, non meno stupefatto di loro.

«Scìlate a cravatta» mi fece allusiva, «no o sienti o caldo?» ma, intimidito dal luogo pubblico, le fermai la mano che già mirava al mio colletto.

«E scìilate sta cravatta» insisteva, mentre ammiccava agli altri perché mi spronassero; i quali, stando allo scherzo, rivolsero le palme rugose verso di me, tentando la pronuncia del verbo analfabeta. «Scilàtela, scilàtela» dicevano, esibendo il recinto dei denti avariati.

Quindi Concetta cominciò il nostro Bisticcio e chiamò la giacca, finché me la tolsi; chiamò ancora la cravatta, poi la camicia, ma resistetti; cercò le "scarpedde" con i pedalini; tentò di chiamarmi i calzoni: mi aggrappai alla cintura e riuscii a fermarla; intanto il coro degli avventori batteva le mani, accompagnandola al ritmo dell'improvvisato recitativo.

Alla fine, per fermarla, l'abbracciai e tutti ci applaudirono, mentre mi rivestivo trascinando via la donna portentosa, in mezzo alla piazza, tra le poche e povere panche di verdurai, rigattieri e borsaneristi.

«Be'» mi domandò d'un tratto, «e st'Anna cumm'è? T'è piacita?»

Quando da ragazzo vedevo i cilindri della goffratrice succhiare il foglio di metallo per imprimerci sopra il fascio littorio o altro stampo, immaginavo l'orrore di infilarci la mano. Alla domanda di Concetta lo stesso campo elettrico si addensò negli effettori dei miei neuroni, e mi vidi sospinto a forza contro quel nome di donna: me ne sentii già marchiato.

«Che sai tu di Anna?»

«Che Mario te ce vole sposà. E stacce Bru'! non ci cacci lu celibato.»

«Perché? Te ne ha parlato lui?»

«Eh sì, chi voi sennò? Aòh ecco o tramme: devo annà. Ciao Bru'» e mi sfuggì, correndo alla fermata.

«Domani dalla signora...» le gridai appresso.

«No no, nun ce stacce chiù» mi rispose felice, intanto che si issava sul predellino del tram. «Me so ema... ncipita. Famme l'aguri, Bru'.»

Se ne andò così: la mano destra che sventolava dal finestrino, con il suo mignolo strano, appena sghembo, dalla falangina centrifuga; e senza che potessi chiederle spiegazioni, incerto se avesse bisticciato con le parole o se davvero avesse lasciato la vita.

Non tornai in laboratorio: il cromatore non si trovava e avevo una buona scusa per starmene in giro fino alla mezza. Decisi di recarmi da Candido per confidarmi almeno con lui e sfogarmi del clima di cospirazione in cui mi sentivo sospinto, all'esca del nome di Anna.

Quando arrivai all'obitorio Candido era occupato. Mi disse di aspettarlo sul retro e mi consegnò la chiave per entrare nel lungo ambulacro che portava alle celle frigorifere e ai cortili retrostanti. Andai verso questi, per fumarmi una sigaretta sotto il sole. Intravidi Fosca spiarmi dalla fessura di una porta, la chiamai e venne serpeggiando rapida, magra, minuta.

Era preoccupata e mi chiese più volte se avessi richiuso a chiave il portone del corridoio. Risposi sempre di sì, finché rimanemmo impacciati e in silenzio.

«Be'» feci io per dir qualcosa, «è molto che lavori con Candido?»

«Da marzo. Ci ha presentato una donna pochi giorni prima che io e te ci conoscessimo.»

«Una donna? E chi era?»

«Un piccolo angelo del Signore, sia Benedetto il Suo Nome, che mi salvò.»

Mi guardava con occhi di serpe e anche il viso ossuto si era acuminato nel pronunciamento sibilante delle poche parole. Forse credeva che Candido mi avesse raccontato un po' di lei. Oppure dovevo pensare che le pupille di brillante colubrina soffrissero di quell'aberrazione lenticolare che dicevasi "astigmatismo" e per la quale mi vedeva nella versione, smagrita e allampanata, di ieratico veggente?

«Ti offendi se ti dico che hai degli occhi molto belli: scuri, intensi e fissi, come di una piccola biscia d'acqua, quando si affaccia dalla riva? Va bene: la smetto. Allora racconta: perché c'è stato bisogno che l'angelo ti salvasse?»

«Perché dietro questi occhi di biscia mi ero prostituita e lei fu la via del riscatto, l'orma sulla sabbia del deserto.»

Forse pativa di un errore del sistema semantico, oltreché dell'ottico. Comunque, così difettosa, Fosca non era da prendersi sul serio.

«Lei chi? Sempre l'angioletto del Signore...»

«Me lo inviò con il nome di Angiolina perché non potessi travisare il segno con cui mi chiamava.»

Un piccolo rospo smeraldino, che cullato dalla brezza delle parole si era asserpolato pacioso tra le spire della sua colubrina, mi si tuffò nel cuore.

«Mica dirai Angiolina Gatelli?»

«La conosci?» mi domandò, mentre le iridi di antracite s'incurvarono sul mio viso, facendomi percepire una sensazione di formicolio, alla progressiva risoluzione della mia immagine nei suoi occhi ispettivi.

«Me ne ha parlato un amico.»

«Carra?» propose Fosca.

«Sai pure di Carra?»

«È anche amico di Candido.»

Ricordai di aver raccontato a Mario della mia prima visita all'obitorio e dell'impressione che mi avevano fatto il perito Pani e Fosca odorosa. Carra allora aveva ammesso di conoscere il prosettore, del resto molto noto all'ospedale per la competenza e la dedizione al mestiere, ma non aveva aggiunto nulla che facesse pensare a un'amicizia.

Arrivò Candido, e non ebbe il tempo di salutarmi che già lo investivo di tutte le mie domande: perché non mi aveva mai parlato di Carra? né di quei tali Gatelli? Da quanto li conosceva?

«Sono anni; perché, li conosci pure tu? Ne sarei davvero felice: sai, per me sono più che amici, direi quasi parenti.»

Sorpreso dall'ammissione, ma rincuorato dalla sincerità, gli confidai di non capire il comportamento di Mario: in particolare perché cercasse con ogni modo di farmi incontrare la gente di San Lorenzo senza spiegarmene i motivi.

Dovevo essere paziente con il carattere premeditato del nostro amico, mi incoraggiò Candido, anzi perché non seguirne le trame e lasciare che mi presentasse i Gatelli? Ne valeva la pena.

«E Anna?»

«È un'orfana, Bruno, come Fosca e come tanti in questa guerra: è soltanto una giovane donna senza padre.»

3.

La mattina seguente attendevo la circolare rossa a ponte Garibaldi. Accanto a me Carra si gettava in bocca lupini salati, che provocavano l'inibizione riflessa dei muscoli masticatori, i quali, cedendo, gli rilasciavano la mandibola facendola piombare in basso; mentre la brusca caduta, a fine corsa, cagionava una reazione da stiramento con una contrazione di rimbalzo che gliela rilanciava su, nel serraggio della chiostra dentaria. Ne sortiva un moto ciclico, particolarmente noioso, che conferiva al viso del mio amico l'espressione grulla di una sega da metalli.

«Passami il giornale» disse e data un'occhiata ai titoli di prima pagina principiò a rigurgitare insulti contro gli italiani e il duce loro, nell'anniversario dell'entrata delle nostre truppe ad Addis Abeba, che ormai era persa come del resto l'Africa intera.

«Te ti salvo, perché sei un meccanico puro: un artiere, che oggi concepisce un Supporto Ruotante come un tempo avrebbe realizzato un armillare. Per te ogni meccanismo è un problema e l'ideazione di un nuovo congegno sembra una specie di ricerca metafisica che ti comprende. Gli aviatori tipo il tuo Cerini, invece, mitomani conquistatori di cieli e gassificatori di negri, no; quelli li getterei giù dagli aerosiluranti. Per loro la macchina è potenza, arnese di dominio; credono nell'Uomo Nuovo, loro, l'Icaro redivivo

33

che glielo mette in culo al sole e non si fa squagliare le penne.»

Intanto arrivava il viscere canaliforme del tram con le sue belle fasce antioscuramento e ondeggiando sulle rotaie ammortizzate dai molloni dei carrelli, pingue del suo carico pagante.

«La tua meccanica è agnostica: è sconfitta; tanto che te ne viene una diminuzione di orgoglio, non un pavoneggiamento galliforme. In te la schiettezza della meccanica ha un esito ironico: documenta che la perfetta conoscenza, l'assoluto dirigismo, è possibile solo nel mondo fittizio e appartato di Bruno Lucatti, quando gioca con il suo meccano o bisticcia parole con la sua Concetta.»

Carra continuava la discussione pur nel miscuglio semifluido dei passeggeri, che accalcavano la piattaforma d'ingresso, nella quale, alla chiusura delle porte, fummo compressi in un'unica onda deglutitoria. Parti di quel fitto bolo tranviario lo osservavano senza capirlo, ma facevano gli occhi di apprezzarlo, perché la sua sembrava comunque una protesta, una voce di riscatto, nella progressione peristaltica del carro che ci someggiava nel futuro.

Il ventre di Mario, corpulento e sodo come una forma di parmigiano, premette il bolo tranviario, dando inizio all'onda di schiacciamento contro la strettura, ove risiedeva il tranviere di cassa. A ogni compressione solo pochi decimi di carico pagante conquistavano il biglietto da cinquanta centesimi; mentre i più erano ricacciati all'indietro: nell'antro ingressuale, privo dei villi di sostegno e dove aspri movimenti di rimescolamento fratturavano le fibre delle tomaie, slacciavano le cinghie delle brache, i bottoni dalle asole.

Oltre la biglietteria procedemmo più spediti nel chimo fluido di diverse sacche d'aria, ma, all'egresso del budello semovente, forti azioni di massa defecatoria ci cinsero da ogni parte e fino a Porta Maggiore, Carra fecaloma, io fecalito, attendemmo muti e immobili lo svuotamento dell'alvo.

«Te ti scuso, perché sei proprio di un'altra pasta rispetto al tuo Cerini; ma di una pasta che non conosco. D'altronde quello che mi piace di te è proprio questo: che non arrivo a capirti. Forse sei solo uno sfasato di tempo, un nato prima o un nato dopo, di quelli che ce n'è in ogni generazione, innocui devianti o enzimi, direbbe Candido, di una sensibilità che si va dissimilando.»

Eravamo scesi a via dei Reti, presso il carcere minorile e fatti pochi passi, prendemmo via dei Sabelli, dove gli amici di Carra possedevano l'ufficio, il magazzino e il primo piano di un palazzetto di quattro; inoltre al di là della strada, il cortile interno dell'edificio dirimpetto, il civico 111, in cui avevano l'officina. Il magazzino delle macchine utensili, invece, si trovava sul retro dell'ufficio e così, quando vi dovevano trasferire una macchina dall'officina, non avevano che da attraversare la via, dal 111 al civico 161, proprio di fronte. Il trasloco veniva eseguito su un carro basso, a due assi e quattro ruote di gomma piena, dal pianale in assito di legno inchiavardato a putrelle di ferro e con una sbarra innestata nell'avantreno per timone. La macchina era sollevata da un paranco nell'officina e poi calata sul carro; quindi, due uomini in forze trainavano quest'ultimo a superare di volata la prima cunetta di sgrondo, frenandolo, invece, alla seconda, nella rapida discesa dalla baulatura stradale, verso il magazzino. Poiché le ruote del carro non avevano alcun sistema d'ammortizzamento e le cunette erano lastricate di sampietrini, quando quelle rotolavano nella colma di queste, una forte vibrazione di metalli mitragliava per via dei Sabelli, spaventando i passanti distratti. E fu appunto un simile frastuono ad accoglierci appena svoltato l'angolo.

Il trasporto era osservato da una signora, vestita di un raion scuro, a fiorellini di pervinca, mentre scherzava con una matrona in grembiale, che protestava l'accidente che s'era presa.

«Angiolina» chiamò Carra e la signora si voltò.

Ne incontrai gli occhi verdi, cangianti, dall'iride spigata di giallo intorno al pozzo della pupilla, come nell'ostensorio di un'ostia nera.

«Ecco Bruno» le disse, e lei mi accolse con un sorriso che sapeva già cosa fare di me.

C'invitò a entrare in ufficio, dove c'erano un tipo tarchiato in tuta da meccanico, un mogio spilungone in borghese, su per giù della mia età, e una bella donna castana e chiassosa. Mi domandai se fosse Anna, ma il gomito di Carra bussò sul mio muscolo brachiale e vidi la sua testa accennarmi il no. Era Adele, invece, la cognata di Angiolina; quello in tuta il capo operaio e il borghese era Giusto: il fratello di Anna.

«È riformato quale epilettico, eppure non lo è.»

«Di chi parli?» domandai a Mario.

«Di lui: Giusto. Da quando gli è morto il padre non si sa mai se è sveglio.»

Non capivo ed eccepii sottovoce che non mi pareva per niente insonnito.

«Sì, alle volte dà un'impressione di normalità» rispose, «se però lo avvicini per dirgli qualcosa ti può capitare di beccarlo a dormire con gli occhi aperti. Soffre di una sincope strampalata, "narcolessia" mi pare. Ma Anna piuttosto? Anna dov'è?»

Cessò tutto d'un tratto di darmi spiegazioni voltandosi verso la padrona di casa ed essa prima riferì che la figlia era appena uscita per una commissione urgente, poi osservandomi: «Ho una figlia ribelle» precisò, aggiungendo infine che non si sapeva mai cosa avesse in mente.

Carra prese a illustrare il Supporto Rotante, vantando le mie doti peritali. Io intanto mi guardavo intorno: tutto aveva un'aria ben messa, con qualche pacchetto di Macedonia extra sulle scrivanie e a terra un fiasco di olio, dal valore di almeno sette lire. Alla parete di fondo pendeva l'immagine di un uomo, preso di tre quarti, molto somigliante al fratello di Anna ma ben più robusto. Doveva essere il capostipite: Luigi, il padre di cui Anna era orfana, come mi aveva informato Candido.

Nell'angolo della stanza, più vicino alla vetrata che dava sulla via, notai un piccolo scrittoio e sul piano un vaso di vetro con un mazzo di rose avvizzite. Non riuscii a camuffare la sorpresa e Angiolina spiegò: «È la scrivania di Anna: lei mi tiene lo schedario. Il vaso è un regalo; i fiori secchi pure.»

«In tedesco si dice "getrocknete Blumen"» fece Adele, orgogliosa di saperlo.

«Perché in tedesco?» domandai frastornato.

«Noi diciamo "fiori secchi" e ci fanno schifo.»

Sul cristallo del vaso era impresso in argento un bel disegno di arabesco grigliato, che sembrava trasmettere una luce prigioniera. Mi avvicinai alle rose e tutti mi seguirono, quasi a darmi spiegazioni. Mi sembrarono di cartapecora, tanto cupe e rasciutte da rompersi allo sguardo. Non pensavo che si potessero far seccare i fiori, per ammirarli nella morte. I Gatelli e i sodali ne parlavano male, non piacevano a nessuno e venivano riguardate con sospetto. Dissi che il vaso però era molto bello; non ne avevo mai visti così. Neanche loro, aggiunsero in coro e mi guardarono. Mi volsi sorpreso verso Carra, che faceva il distratto.

«Dai, mostra i disegni del Supporto Rotante» disse, «e spostiamoci su una scrivania più ampia.»

Mentre mi avvicinavo al tavolo, dove avrei spaginato i disegni, Giusto si accostò al mio fianco, vacillando come ci fosse del vento forte. La signora Gatelli chiese al capo operaio di farsi avanti e me lo presentò: «Questo qui è Adelmo. Sta con noi dal '25; da quando mio marito ha principiato l'attività.»

Cercai di sfoggiare il meglio di me e m'intesi subito con Adelmo Rabersati: gran tornitore. Invece alla signora le mie parole non interessavano affatto. Mi soppesava, più che ascoltarmi, quasi fossi un dado o una vite: se facevo sette di diametro oppure otto; se la sezione del mio filo era trapezia o se avevo la testa a brugola. Mi valutava, e non come meccanico, piuttosto come meccanismo. Nel suo sguardo non c'era alcuna curiosità; doveva solo capire se mi adattavo a un uso premeditato e qualcosa sembrava contrariarla.

Era una donna forte (tutt'altro che un "piccolo angelo" secondo l'epiteto usato da Fosca il giorno innanzi) con un disegno complesso nella mente e io, senza perché, sentivo che volevo esserne un elemento. Ma non sapevo in che modo sedurla; non riuscivo a intuire quale caratteristica potesse risultare giusta al suo vaglio. Certo era che il Supporto Rotante non le interessava affatto.

Di colpo smisi di parlare guardandola fisso negli occhi. Nessuno fiatò; lei accennò un sorriso e io giocai tutto sul mio. «Vi posso essere utile?» domandai.

«Forse» rispose, tenendo la sigaretta all'angolo della bocca, appena serrata nella commessura labiale, e quella le pendeva fumigante sul mento, come a un bullo di quartiere.

Carra suggerì che ci rivedessimo dopo qualche giorno, quando i Gatelli avessero meditato un po' sulla mia invenzione. Intanto mi consigliava di racimolare diversi cataloghi di utensileria, per mostrarli a Cerini.

Ci congedammo da quella gente salutandoci con grande calore; Giusto mi abbracciò con un vigore senza sonno e Adele mi sbaciucchiò diverse volte, dicendo che non voleva perdere l'occasione di godersi un bel ragazzo: lei, che c'aveva il marito soldato a Bari e non ne poteva più di aspettarlo. Risero tutti alla celia impertinente, abituati alle battute sfrontate della cognata, che sapevano fatue, non fraintendibili. Adele, infatti, era una di quelle civette gioviali a cui piaceva soprattutto ridere e i cui scherzi, spesso indecenti, erano goliardia senza morbo, senza vasodilatazione.

Risalimmo via dei Sabelli verso Porta Labicana, traversando quel quartiere malfamato e sovversivo, intitolato ai popoli preromani: gli Ausoni, i Volsci, i Sanniti, i Reti, gli Enotri; come se accanto al Verano, il cimitero, ovvero la città dei morti, avessero costruito una città dei vinti: gli emarginati fuori le mura, tanto dall'antico quanto dal nuovo impero. Città ariosa, però, e più in superficie di quella dove abitavo a piazza della Pigna, tra palazzi patrizi e divertigli angusti, tra vie dalle sezioni stradali ridotte, scavate nelle vicende monumentali degli edifici, soffocate dall'incombere dei cornicioni. A San Lorenzo, invece, pareva di stare soltanto sull'argine della storia, fuori dal letto profondo, chiuso nell'area golenale della suburra. Camminavo lungo l'alzaia, nel luogo in cui la corrente aveva raccolto gli scarti, gli immigrati, i marmisti anarchici, i barrocciai socialisti, gli sfollati, i proletari dai mille figli che si inseguivano sui ballatoi dei casamenti a ringhiera o giocavano a buzzico rampichino per i cantoni della strada. Eppure lì la gente sembrava assomigliarsi più che al centro, più che al Macao e alla stazione: quasi fossero di un unico tipo, un sol popolo e in attesa. Ma di che?

Mario conosceva bene quei luoghi infestati di disfattisti e per la strada i passanti lo avevano salutato. Dunque, un po' per scherzo un po' sul serio, lo misi in guardia: se gli agenti dell'Ovra* avessero saputo delle sue frequentazioni, solo per questo potevano indagarlo e magari espellerlo dal ministero, quale sospetto.

«No. Conosco bene i fascisti, so come fare.»

«Be' li conosciamo tutti: siamo stati tutti fascisti.»

«Non è vero. Forse lo sei stato tu e di certo lo fu mio padre, ma io no.»

Non sapevo nulla della vita di Mario: parlava poco di sé e giudicava molto gli altri; ma quella volta, come se avesse intuito la mia riflessione e nel mentre vagliavamo la succosità di alcune pesche al mercato pensando di comprarle,

* Ovra: Opera di Vigilanza e Repressione Antifascista.

cominciò a raccontare di una sera del 1922, quando era ancora un ragazzo di quindici anni.

«Mio padre mi portò alla festa di Sala Baganza. Con noi vennero sul furgone un paio dei suoi scherani in camicia nera. Quando arrivammo, lasciò che andassi da solo a cercarmi la compagnia.

I ballerini si gettavano nei valzer e nelle mazurche con grande foga, cozzando gli uni sugli altri. Attorno alla pista avevano posto delle panche, sulle quali un'allineata fila di boccioni di vino, lambrusco per gli uomini, moscato per le donne, dissetava i danzatori.

Incontrai un'amica di scuola e ballammo insieme, tutti seri, sai, e compìti, tra gli adulti invece villani e scatenati. Ero felice, se pure mia madre non stava con noi, ma con la nonna a casa. Lei non accompagnava mai mio padre: lui non la voleva. Anzi la picchiava spesso, anche davanti a me e se facevo per difenderla mi prendeva a schiaffi finché non ammettevo che aveva ragione, che era giusto picchiasse la mamma, se non gli ubbidiva. Aveva l'amante, e se la portava a braccetto davanti a tutto il paese: perché lui, il fascista, l'uomo nuovo, dalla nuova etica, era per l'amore libero con la donna giovane e per le legnate a quella vecchia.

Era un rivoluzionario, odiava i borghesi, la loro morale, il loro perbenismo e la società delle classi, dei ricchi e dei poveri; nel fascismo aveva scoperto un mondo opposto: agonistico, dove il valore della gente veniva stabilito solo dal grado di adesione all'idea; e anche lui allora, il figlio di contadini pellagrosi, aveva modo di diventare importante e farsi valere. Come nel calcio, mi spiegava, in cui conti per come giochi e a nessuno gliene frega niente di quello che sei fuori dal campo. Il fascismo era il suo riscatto.

Il paese odiava mio padre ma lo temeva e io fraintendevo quel sentimento con il rispetto. Impersonava il Duce di Sala Baganza: riflesso privato e parmigiano del Duce di Predappio. I rossi erano battuti: molti in galera, qualcuno accoppato; i restanti sopravvivevano ammutoliti nel ghetto dei perdenti. Mio padre li conosceva tutti: quelli fatti di terra e quelli fatti d'incenso, come diceva. I primi, contadini, operai dei salumifici, li tollerava, se non alzavano la testa; gli altri, i borghesi, li colpiva ogni volta che poteva. E pure quella sera, al ballo, ci provò.

La musica s'interruppe all'improvviso, separando le coppie dei ballerini; non capii cosa stesse accadendo, udii una voce che urlava e mi ostinai a non riconoscerla. "È tuo padre" mi avvertì la mia amichetta eccitata. Mi feci spazio tra la gente e lo vidi, in mezzo alla pista, ridere in faccia a un uomo alto e massiccio, che riparava una donna dietro di sé.

L'uomo diceva a mio padre che non si doveva permettere di offendere la donna e attendeva le sue scuse. Lui lo irrise, facendo un segno ai camicia nera, che subito s'avventarono sull'uomo, prendendosi chi un pugno, chi una gomitata sul naso e rotolando a terra con la bocca insanguinata. L'uomo si gettò su mio padre schiaffeggiandolo: ne vidi la testa ruotare a destra e a sinistra, mentre i capelli, imbrillantinati, gli inzazzeravano la fronte come a un debosciato. Infine lo prese dal bavero della giacca scuotendolo e sollevandolo da terra, con la forza delle sole braccia.

Resistetti alla scena pochi secondi, sufficienti a ricordare gli stivali di mio padre, che avevo visto colpire mia madre, scalciare nel vuoto, come fossero di un impiccato o di una marionetta. Qualcuno rise e altri chiamarono i carabinieri. Scappai via e per due giorni nessuno seppe più nulla del figlio dello spaccone umiliato.

Poi, quando la fame mi costrinse in sacrestia in cerca di un boccone, sapevo ormai di odiare mio padre e il suo fascismo, che aveva fatto di un rozzo contadino un fanatico, di un uomo comunque da poco, un buffone pericoloso.

L'uomo che quella sera schiaffeggiò mio padre, era Luigi Gatelli, e la donna che mio padre aveva offeso era sua moglie, Angiolina.»

Non ci fu tempo per commenti e domande, perché Mario, rialzato lo sguardo dai banchi dei verdurai, lo volse oltre le mie spalle e il viso, pingue e globoso, gli s'illuminò subito di sorpresa. «Eccola, Bruno: è Anna.»

Guardai anch'io verso il quadrivio di via dei Volsci, ma c'era molta gente e la strada era intralciata da un capannello di donne, che si contendevano una stoffa sciorinata dal merciaio fuori bottega. Sentii lo squillo di un campanello di bicicletta ripetersi insistente e le comari disputanti aprirsi nelle onde opposte di un mare biblico, guardando la ragazza che fra loro passava accigliata e pensosa.

Carra la chiamò e lei, quasi senza ricambiarlo di un gesto o di un avviso, piegò diritta su di lui come a investirlo. Si fermò a cavallo della canna, con la gonna larga, a fiori, che svolava in pieghe e sbuffi ariosi. Si dettero la mano scambiando poche parole e Mario le indicò che quello, lì accanto, ero io: Bruno, l'amico suo, di cui le aveva parlato.

Anna mi adocchiò con sgarbo e solo un attimo; senonché scattò nel mio ippocampo un immediato meccanismo di disinnesto, lasciandomi stordito dall'impotenza di ricordare dove, come, quando l'avessi già incontrata.

Lei ricordò, invece, un istante dopo avermi salutato: dischiuse le labbra allo sconcerto e mi fissò sbigottita. Colta la mia esitazione abbassò lo sguardo, avvertendo Mario che aveva fretta e voleva andare. Mi guardò di nuovo: seria, sdegnata, quasi ce l'avesse con me. La testa mi girava a vuoto: simile al mandrino della bobinatrice, quando, per la rottura del cavo da avvolgere, si disinnestava la frizione, isolando le spire ammatassate dal cavo residuo, dal filo del ricordo.

Le porsi lento una mano legnosa e lei di scatto mi corrispose la sua, magra, affusolata: come me l'aveva descritta Mario, due giorni prima, al bordello. Infine, con uno strattone, alzò la ruota anteriore della bicicletta per collocarla su una rotta di fuga e mi colpì il piede sinistro; risollevò gli occhi su di me, severi, interrogativi: cosa aspettavo a liberarla dall'impaccio del mio corpo? Persistetti ancora un attimo e lei mi squillò il campanello per risuscitarmi dall'ebetudine con cui stavo lì, a rimirarla, senza ricordarla; e dovetti essere ridicolo, perché costrinsi il suo viso a un'espressione ironica, dalle sopracciglia sollevate sopra le palpebre sgranate e le labbra socchiuse.

Quando mi scansai le sorrisi, se pure intimidito dall'amnesia, e solo allora i nostri occhi si fermarono un istante per guardarsi davvero: i suoi, ancora irridenti tra le palpebre lungamente cigliate, tornarono subito ansiosi, interrogativi; ma i miei restarono opachi, inerti.

Pedalò via, agile e decisa, con i capelli che le sventolavano alle orecchie e la gonna ai pedali; la sentii squillare di nuovo il campanello incrociando via dei Sardi, per volarsene giù, verso le creste pennate dei cipressi cimiteriali, irte, al cielo fachiro, come aguzzi denti di spazzole da smeriglio.

4.

— Era stata la mia prima volta. Avevo preso Carlo in me e nell'abbraccio del mio sesso intorno al suo ero calata in un tempo ricurvo, rientrante in se stesso: immagini in altre immagini, ricordi dentro ricordi, visi cari rimescolati con volti estranei e tutti in me, racchiusi tra le mie gambe aperte e aperte le mie braccia, aperte le mie labbra e l'occhio aperto del mio sesso che teneva Carlo infisso.

L'uomo adulto che aveva innamorato di sé Anna bambina, che mi aveva fatto arrossire dei miei sentimenti e della mia ingenuità; l'uomo che mi seduceva con l'incanto del solo sguardo, era crollato tra le mie gambe, al contatto del mio corpo di dentro: al piacere che vi aveva trovato.

Il sesso mi aveva conferito autorità su di lui e allora potevo anche carezzargli i capelli, consolandolo dello spavento per quel nostro contatto così profondo. Fui orgogliosa del mio corpo di donna; della potenza che custodiva e che avrei donato solo a chi avessi amato.

Vestendomi ero stupita che gli abiti mi andassero ancora bene, quasi nel frattempo fossi diventata un'altra persona. Carlo mi guardava ma non poteva capirmi: lui che tornava a indossare la divisa militare di sempre. Mi fece tenerezza: sentivo di desiderarlo così tanto che lo avrei soffocato; temevo per lui, per quanto lo amavo.

Andai in un'altra stanza per non vederlo e sopire l'esaltazione che mi dava. Continuai a vestirmi, ma non indossai le mutande: quelle almeno no, erano di Anna bambina e le seppellii tra la spazzatura. All'alito fresco dell'aria che mi carezzava il sesso mi eccitai di nuovo. Tornai a baciare Carlo, sperando che si riaffondasse in me, lì, contro il muro; però aveva già aperto la porta di casa e mi stava salutando con occhi malinconici. Io li ignorai, volevo tenermi intatta la mia felicità e uscii nel giardino fiorito, correndo al cancello, desiderosa di stare fra la gente, di scoprire se si sarebbe mai accorta che oramai anche io ero una donna.

Mi volsi a mandare un ultimo bacio a Carlo che ero già sulla strada e così andai a sbattere contro il passante. Non capii subito cosa fosse successo, mentre mi ritrovai tra le sue braccia di estraneo. Chiesi scusa e corsi via.

Seduta sulla circolare, avvertii l'odore di colonia che l'estraneo mi aveva lasciato addosso. Sollevai e rilasciai diverse volte il vestito perché un soffio d'aria salisse dal ventre a riportarmi il profumo di Carlo, che avevo conservato sulla pelle. E invece lo percepii appena, perché il fetore dozzinale di colonia lo sciupava. Mi soffiai il naso, senza successo. L'odore estraneo mi ricordava lo sguardo azzurro dell'uomo urtato, il suo volto sorpreso, in fondo simpatico. Mi parve di aver tradito Carlo con questo pensiero e tornai a ricordare lui, il suo corpo, il suo sguardo d'innamorato. Ma il lezzo di colonia era lì, nel mio naso, a distrarmi e infastidirmi.

Odiai l'estraneo che mi era capitato tra i piedi proprio in quella domenica di felicità, che doveva essere solo nostra, mia e di Carlo. L'intruso, il lacchè del mondo di fuori, che non potendo entrare nella nostra intimità mi aveva aspettato sulla strada, per rubarmela come un borsaiolo, per soffiarmi nel naso il suo puzzo da barbiere.

Avevamo ripreso il cammino, io e il mio Virgilio grasso, tutto compiaciuto, nel suo faccione di luna rossa, per avermi presentato la nostra Beatrice in bicicletta.

46

Ripensai al giorno precedente: quando, dopo aver parlato con Fosca e Candido all'obitorio, mi ero recato subito da Carra, per comunicargli che l'indomani intendevo visitare i Gatelli, e conferirgli pure il luogo e l'ora esatta dell'appuntamento. Era stata una decisione d'impulso: come se una qualche spina del mio controllo fosse stata sospinta fuori dalla sua bussola, risolvendo all'improvviso la catena dei voglio e non voglio. Mentre allora, che lo scatto era ormai avvenuto, che avevo conosciuto Anna e la sua famiglia, pensavo a me stesso non più agente, ma agito: spinotto, di nome Bruno, che una molla aveva sospinto dal punto A al punto B e che si trovava in quest'ultimo con la stessa faccetta da tondino di ferro per chiavettare nell'intacca dello spazio nuovo, come aveva già chiavettato benissimo nell'antico.

Quando fummo in viale Italo Balbo, ci sorpassò il piccolo corteo di un modesto gerarca: un'auto con i vessilli dispiegati e un solo motociclista d'accompagno. La poca gente per la strada si fermò in silenzio a vederlo passare. «Guardalo» mi ordinò Mario, «non sarebbe magnifico accendergli una bomba sotto il culo?»

Poco più avanti un uomo, che teneva per mano una bambina, tentò l'estensione rigida del braccio nel saluto fascista, ma l'arto, quasi anchilosato, si flesse e si supinò, adducendo la mano ai pochi capelli del cranio. Tutti lo osservammo, anche la nipotina, senza commenti, senza sorrisi o musi di riprovazione. E per qualche secondo, dopo che il corteo era transitato, nessuno si mosse, come non ricordassimo la strada, come attendessimo un segno rammemoratore.

Riferii al mio amico che avevo l'impressione di aver già veduto Anna, sebbene non riuscissi a ricordare dove e quando. Mario non sembrò dare peso alle mie parole; mi rispose anzi che l'amnesia era di moda: «Siamo un popolo di smemorati; è dal '22 che i fascisti ci dicono cosa dobbiamo ricordare: la patria, l'impero, le legioni; se ora gli alleati ci bombardano questi ricordi ci resta un'amnesia di venti anni. Per ricordare davvero ci vuole una logica di ricerca, un interesse concreto: altrimenti affastelli solo immagini su immagini e sogni a occhi aperti. La memoria è ideologica, è scelta, come diceva Luigi Gatelli, e oggi cosa possiamo scegliere? Privati della scelta, siamo privati della memoria.»

«È per questo che vorresti ammazzare il gerarca? Il sangue sarebbe l'antidoto dell'amnesia?»

«Sì, lo ammazzo e la mia scelta è fatta, ho imbracciato il mio destino: ho nelle mani il filo rosso che ricuce il passato con il futuro.»

«Non ti pare una scelta esagerata? In fondo nemmeno Luigi Gatelli uccise tuo padre.»

«E chi dice che abbia fatto bene. Luigi era un uomo troppo buono e per di più idealista. La sera, dopo il lavoro e la cena, insegnava a leggere ad Angiolina, attorniato dalla madre di lei e dai fratelli analfabeti, che lo guardavano quasi con spavento, come stesse tramando un attentato. Luigi alle volte interrompeva la lezione e versandosi del lambrusco li confortava spiegando cosa fosse il socialismo e cosa c'entrasse l'alfabeto. Allora ci appariva così alto, grande, sicuro di sé (sì, perché c'ero anch'io tra i giovanotti) che di certo doveva essere vero quanto diceva e poi, lo sapevano tutti, in paese, che Luigi, di padre, non nasceva contadino, ma signore.»

Ascoltavo Mario raccontare quella storia antica, che era il passato di Anna, sperando che la memoria fosse contagiosa e d'improvviso potessi dimenticare la mia amnesia.

«Perché "signore"?»

«A Sala Baganza viveva una famiglia molto ricca, proprietari di terre e di salumifici: gli Schianchi. Il primogenito, Ferruccio, si ripassò un'operaia, tra le tante. Si chiamava Elvira e fu la madre di Luigi. Ovviamente il signorino non la sposò e se ne partì invece volontario col Garibaldi.»

«Garibaldi?» domandai, preoccupato dalla cronologia e

che il suo racconto fosse frutto d'immaginazione e non vera memoria infettiva.

«Sì, il figlio di Giuseppe: Ricciotti Garibaldi; cosa avevi capito? Il libertino andò con lui a fare la guerra contro i turchi, per involare i greci al loro sogno nazionale. Non la conosci questa storia, eh?»

Forse io non ricordavo perché ero magro, pensai; d'altronde Mario, tutte quelle storie, che si sbrogliavano l'una dall'altra, dove le teneva? Nella pancia, mi risposi, che per questo era tonda e sformata come una vecchia cesta di balocchi.

«Comunque la fortuna aiutò l'Elvira e un altro uomo, un tecnico di Parma, costruttore d'impianti elettrici, Giacomo Gatelli, la chiese in sposa che era già al quarto mese; lei gli confessò la verità, e Giacomo la sposò lo stesso. Insieme non ebbero altri figli.»

«Mario, perché solo oggi mi racconti queste cose? A te e alla tua Angiolina non importa nulla del mio Supporto Rotante: dunque, cosa volete da me?»

«Voglio bene a loro, voglio bene a te: cosa c'è di strano se cerco di unirvi?»

Mario non mentiva, ometteva; e snodava le parole con la frequenza e il tono di una lenta chiodatrice. Lo guardavo, di tanto in tanto, mentre lui badava alla strada davanti a noi, come parlasse allo spazio e vi ribadisse il chiodo conficcato.

Mi chiesi se avesse senso interrogarlo sulla reticenza per la quale non mi aveva informato dell'amicizia con Candido. D'altronde mi avrebbe mai risposto il vero? Quali forme strane prendeva l'emozione nel mio amico; quanto gli faceva fredda la voce e piccoli gli occhi. Tutto pareva voluto e costruito in Mario, anche il sentimento; sembrava confidarsi per scelta, non per bisogno. Lo scoprii solitario, nel suo corpaccione di parmigiano; chiuso in un tempo senza successione: una macchina solenne e assoluta, nella perfetta ripetizione di un solo, singolo movimento per un solo, unico prodotto.

— Udii dei passi in corridoio e subito: «Italia! Italia D'Ascenzio voltatevi!»

Era Bruno che scherzava. Stava fermo sulla soglia della mia stanza, con un fascio d'illustrazioni sotto il braccio e le mani nella tasca dei pantaloni, sempre un po' larghi; con la giacca a doppio petto e la lobbia tutta indietro, alla scanzonata. Sorrideva appena, zitto e inquieto.

«Che fate qui a quest'ora?» fu la mia domanda ingenua, perché lo portava scritto negli occhi che mi voleva. E se mi desiderava, subito lo desideravo. Un brivido mi saliva fino al seno, sui capezzoli, che non sopportavano più la stoffa della biancheria.

La prima volta che venne da noi non ci tenevo affatto ad averlo tra i nostri dozzinanti; Luciano invece insisteva, perché lo raccomandava il commendator Leandro Cerini, che era uno importante, decorato dal Duce. Quando tornò, gli mostrai le stanze libere e lui scelse la più brutta, la più spoglia, che avevamo appena finito d'imbiancare e non era ancora tappezzata. Non so perché cercai di distoglierlo e gli dissi che la camera sembrava uno degli spogliatoi dello Stabilimento Roma. Lui non conosceva le cabine di spiaggia: non c'era mai stato al mare e mi chiese di descrivergmrielo. A me non piaceva il mare, così gli raccontai che c'era il vento e un odore aspro che pizzicava la pelle; l'acqua era fredda e fare il bagno faceva rabbrividire; la sabbia entrava da ogni parte e il sole scottava, ustionando la gente che si riparava sotto gli ombrelloni. Ma lui prese lo stesso la stanza: disse che ci sarebbe stato come un bagnino, sebbene non sapesse nuotare. Rise tutto allegro. La sera stessa sognai che facevo il bagno nel mare, di notte, da sola, e tremavo dalla paura. Non vedevo nulla, era buio, sentivo solo l'acqua intorno al mio corpo. Poi alzavo lo sguardo e vedevo final-

50

mente il cielo: un cielo terso, azzurro come di mattina, che si era posato su di me, scintillante e quieto.

L'indomani non ci pensavo più quando incontrai Bruno per le scale, mentre andava al lavoro; mi salutò e salutandolo lo guardai nel viso; in un attimo ricordai tutto, il mare, il buio, la luce; sì, perché lui il cielo del mio sogno se lo portava negli occhi.

Lasciai proseguire Mario verso il ministero e tornai sui miei passi, voltando per via dei Frentani, scendendo verso l'obitorio, lungo via dei Battaglioni Universitari. Forse andavo da Candido per chiedergli cosa fosse l'amnesia, forse; perché invece ebbi voglia della D'Ascenzio e un'erezione galvanica mi si arrampicò immediata all'ombelico.

Strappai un passaggio fortuito sull'autocarro di un tanghista della sala da ballo di Firmino; in compenso cercò di convincermi che nell'invenzione del tango il merito degli italiani fu grande, dacché avevano importato in Argentina la furlana, che si era fusa, secondo lui, all'habanera di Cuba e gli detti ragione, non sapendo cos'altro fare. Arrivai alla Pensione Impero che quelli dell'Unpa* suonavano le sirene, e nemmeno i vecchi facevano più caso alle esercitazioni; trassero invece la cipolla dal taschino per controllare se fosse il tocco di mezzogiorno e invece erano solo le undici di una giornata diamantina.

Non avevo alcun desiderio di fornicare; non fisiologicamente almeno. Avrei dovuto chiedere a Candido chiarimenti pure su questo fenomeno: perché cercavo sempre uno schizzo emotivo, più che seminale?

Sorpresi Italia affaccendata; vestiva il grembiule da lavoro, sbottonato sul seno, che traspariva da sotto il tessuto di cotonina come un limone di Sicilia nella sua carta velina, a castigarne la dovizia. E subito il sangue si perfuse nel pene,

* Unpa: Unione Nazionale Protezione Antiaerea.

con il lento flusso dell'olio nel circuito oleodinamico di uno stantuffo erettile.

Lei non voleva: era al secondo giorno delle mestruazioni. L'abbracciai alzandole la veste, afferrando le mutande. Infine si lasciò penetrare, appena appoggiata al tavolo della cucina. Rimasi immobile, senza alcun desiderio di oscillare, ma solo di averla così: infilata sull'acume della mia asta, per debita precauzione.

«Perché non mi avete informato che vi siete fatto una fidanzata di nome Anna? Perché avete lasciato che lo venissi a sapere da estranei?»

Il sangue mestruale cominciò a gocciolare sulle quadrelle del pavimento e lo vidi, dall'aggetto della mia spalla, formare una piccola pozzanghera.

«No. Che dite? È falso. Chi ve l'ha detto?»

«Mio marito. L'ha saputo da qualcuno; forse dal vostro principale, il commendator Cerini; vi è noto che siamo buoni amici.»

L'erezione dileguò con uno scatto da meccanismo pneumatico e il pisello, come un pennello intinto, si scolò di sangue sulla patta dei pantaloni. In mutande, pedalini e scarpe, le raccontai, mentre mi lavava le macchie dei calzoni alla cannella dell'acquaio, quello che era successo la mattina e di Carra, di Anna: che forse l'avevo già vista altrove. La pregai di domandare ancora al marito chi gli avesse parlato di Anna, perché non poteva essere stato Cerini.

«Avete più pensato a quanto vi ho detto? Che voglio un figlio da voi.»

«Non credo che sarei un buon padre.»

«Non dovreste esserlo. Per tutti, anche per nostro figlio, il padre sarebbe Luciano, mio marito.»

Quando arrivai all'obitorio era ormai pomeriggio. Suonai a lungo il campanello e nessuno rispose. Doveva esserci almeno Fosca; se pure non si affacciava mai al portone, e stava rintanata sul retro, sempre impaurita chissà da cosa. Decisi di andare all'ingresso di servizio e traversai un piccolo giardino, dove l'aria aveva un profumo dolce che scendeva da fiori di glicine e c'era uno stridio intenso, d'arrotino; erano uccelli, invece, che simili a scure mole di corindone roteavano folli, smerigliando tutto il cielo.

La porta non era serrata; entrai chiamando l'amico per nome e mi rispose che erano lì, che andassi anch'io. Trovai Candido e Fosca che cercavano di chiudere molti cadaveri in pochi frigoriferi: quasi due per cella. Mi chiesero di aiutarli, ma rimasi impalato sulla soglia di quei gelidi locali, dalla luce scialbata, che nevicava pigramente sulle cere anemiche delle salme.

Vidi corpi di donne, di vecchi e di un piccolo, magrissimo, bambino. Candido e Fosca si muovevano tra essi quali formiche tra molliconi di pane: ne sospingevano frettolosi uno lì, un altro di qua, verso l'opercolo della ghiacciaia. Lui la chiamava e lei accorreva con le mani alzate, come guantate antenne di cauccù; sollevavano insieme la barella della lettiga e l'appoggiavano al piano della cella, sospingendola nel loculo.

I cadaveri attendevano con i cartigli d'identità ai piedi e alcuni con lunghe cuciture a forca: l'asta sul ventre, i rebbi contrapposti sul torso. Li guardavo senza compassione, quasi vedessi solo maschere malfatte di persone: trucioli di una lavorazione di cui il prodotto era stato asportato altrove. Sembravano così smemorati i morti: tipo i fiori secchi di Anna sulla scrivania o la mia immagine allo specchio. La salma mi fronteggiava senza alcuna memoria scritta sul corpo, perché nessuna azione era riassumibile in un oggetto. Ecco perché Mario parlava della memoria come di una decisione: una specie di azione appunto, non una cosa che c'è o non c'è, ma una cosa che si fa o non si fa. Forse stavo cercando di ricordare Anna in un modo astratto, mentre in concreto la pensavo in un altro, per allora dimenticato.

Forse, se quei cadaveri fossero stati lasciati dov'erano morti, nell'ambiente delle loro ultime azioni, sarebbe stato più facile ricordarli persone; invece erano stati asportati via, come in un processo di astrazione mentale; poi Candido e Fosca li avevano denudati, lavati, assimilati del tutto, preparandoli a essere conserva di morte. Morti senza scelta, li avrebbe detti Mario, senza la divisa della memoria: l'appartenere comunque o al qui o al là.

«Quanti cadaveri. Un incidente?» domandai al settore, l'amico mio, il dotto Candido Pani.

«No, è che alcuni non hanno nome né documenti e senza questi un morto non lascia l'obitorio. Siamo allo smistamento qui, che credi? Solo i giudicati passano l'Acheronte o s'arrampicano per il colle.»

Pretesi delucidazioni; Candido si rivolse a Fosca chiedendole di risalire in ufficio, perché aveva dimenticato il registro delle salme. Appena l'inserviente si dileguò per il corridoio, raccolse da terra un gesso e propose: «Disegnamo l'aldilà dantesco. Mettiamo che questa sia la sfera della terra; qui, su questo punto della circonferenza, abbozzo un triangolo: è il monte del purgatorio; quassù Beatrice attende Dante, te lo ricordi? sul vertice dell'Eden. Da lì saliamo alle stelle, ai cieli fissi del cuore e della mente. Sotto, invece, al centro del mio cerchio e della terra, c'è Satana, coincidente con il centro della terra e di tutto l'universo, perché Dio, o la Verità se preferisci, sta ai margini dell'universo e non nel profondo, nel presente e non nella memoria: insomma è cosa eccentrica, se non, addirittura, centrifuga.»

Lo ascoltavamo in tre, perché c'erano ancora due morti da collocare e io, fra le loro barelle, che provavo a trattenerle con la mano, quasi il pavimento non fosse in piano e queste abbriviassero per la scesa.

«Mentre qui» continuava l'amico mio, battendo con il gesso un punto del coperchio, «qui rimane la spiaggia pedemontana dell'antipurgatorio, con la turba dei negligenti, degli indolenti e di noi irresoluti, scarsi, incompiuti. In questo luogo, quasi ancora sospesa tra la vita e la morte, posa la nostra esistenza incerta, racchiusa tra gli opposti inumani di Satana e di Beatrice; da qui, Bruno, riguardiamo il nostro tempo perso, che ci chiamò e a cui pavidi non rispondemmo; quando avari di noi facciamo minimo il mondo e la sua storia, non figliando che attesa ai nostri giorni, mentre essi infecondi ci lasciano e impotenti s'invaginano nel grembo dell'anno.»

5.

L'indomani riferii a Cerini della mia visita ai Gatelli, mostrandogli i cataloghi che mi avevano lasciato. Lui si cavò gli occhiali e osservò con attenzione il timbro sull'angolo della copertina: «Ah la Sicom: Società Italiana Commercio Macchine.» La ditta gli era ben nota, anzi l'aveva consigliata qualche tempo prima all'ufficio approvvigionamenti Wehrmacht, che cercava un'impanatrice per le chiavarde. Dunque si mostrò lieto dei cataloghi che gli portavo, anche perché, aggiunse, stimava molto quegli italiani fabbrili.

Incerto se essere sorpreso che il mio principale conoscesse l'azienda Gatelli tornai comunque al mio posto, riprendendo a disegnare.

Lavoravo a un galoppino. In meccanica chiamavamo così quei dispositivi che s'installavano nelle trasmissioni a cinghia o a catena, per garantirne il giusto angolo di avvolgimento. Per esempio, nel cambio a due leve della mia bicicletta la funzione del galoppino ce l'aveva una bacchetta, che azionavo per sospingere la catena ad agganciarsi ora con l'uno ora con l'altro dei rapporti posteriori. Per solito però i galoppini erano piccole pulegge folli e se un granello di sabbia vi si ficcava in mezzo, sterzandone appena l'asse di rotazione, niente più abboccava all'ingranaggio e cinghia catena elastico che fosse, se ne usciva del tutto. Il perito meccanico, in questo caso, avrebbe smontato e rimontato il congegno n volte, bestemmiando ogni santo e in ogni lingua, prima che gli venisse in mente di affisare l'occhio nel buio galoppino, sorprendendovi la zeppetta. Ma la mia testa non era scoperta quanto i pignoni delle bici e non c'era modo per me d'ispezionare i bottoni sinaptici degli oblunghi neuroni, imbrogliati gli uni agli altri come i capelli sul mio cranio riccioluto e biondo. Eppure la sentivo: c'era di certo quella zeppetta che aveva mandato la cinghia dei miei pensieri fuori dalle coscienti corone della mente.

«Ah sor Bru', ce sta 'n bijetto» mi gridò Nando, il garzone di bottega.

«Quale biglietto?»

«È per voi.»

Mi consegnò una bustina bianca di otto centimetri per sei, scritta in inchiostro marrone rossiccio, da una calligrafia obliqua e filante. All'interno, il biglietto diceva soltanto: «Ho molto apprezzato. Grazie». Era di Anna.

La sala da ballo di Firmino si chiamava La Pista Svizzera; stava nel retro di un negozio di ortofrutta, oltre i mercati generali, passato il gazometro. Ma d'estate si ballava fuori, sotto un pergolato di vite. Non si pagava alcun prezzo, solo le bevute al chiosco: vino se c'era o anisetta e grattachecche d'estate. L'orchestra era diretta da Elio, il violinista, accompagnato da due compari, alla fisarmonica e alla chitarra. Suonavano su una pedana strettissima, che veniva spostata dentro o fuori a seconda della stagione e che non serviva a elevare i musici sul pubblico, quanto a fare da tamburo a Elio, che ci batteva il tempo col calcagno destro.

La prima volta c'ero capitato per caso, nell'aprile del '42. L'idea era stata di un operaio del laboratorio: «Sta dommenica namo dallo Stinco: famo du zompi.» Mi ero impomatato i capelli di brillantina, ben profumato e vestito che sembravo Rodolfo Valentino in biondo; ma poi me l'ero dovuta fare a piedi, ché allora non possedevo nemmeno la bicicletta e l'Atag era un pagherò a babbomorto. Furono cinque chilometri, da piazza della Pigna fino alla Piramide e al gazometro, traversando le stradine quiete e sofisticate dell'Aventino, tra ville eleganti e giardini in fiore.

Non appena giunto alla Pista e salutata la combriccola dei colleghi, ero stato accolto da Firmino che mi aveva subito invitato a ballare con una matrona accasciata su una seggiolina di paglia. Danzai da seguidora, ovvero nel ruolo di donna, un tango lento e manierato, portato benissimo dal mio gaucho femmina. Mi fecero tutti i complimenti e mi offrirono pecorino, vino e fave.

A Carra non piaceva ballare, né a Candida Salma, il perito Pani; mentre la truppa che seguiva mio zio Giulio (il cantante lirico) preferiva i locali eleganti del centro, potendoselo permettere. Così ero il solo a frequentare La Pista, dove Firmino accettava chiunque amasse il ballo, ricchi e poveri: perfino i tedeschi e i camicia nera. «Il ballo è cosmopulito, porch'iddio!» diceva, e per questo, allo scoppio della guerra, aveva rinominato la balera, aggiungendovi Svizzera. «Siamo mica belligeranti qui, madonna pipa!» Né gli mancarono problemi con l'Ovra, per quell'idea, però alla fine l'aveva avuta vinta.

Era un friulano zoppo, Firmino, ma un ballerino e un bestemmiatore formidabile. La clàudica o meglio la zòppica, come diceva lui, era una virtù: conferiva ai suoi passi danzanti una cadenza oscillatoria che lo proiettava nello spazio, secondo una specifica vibrazione. La propagazione ondosa perturbava anche l'altro corpo della coppia, in modo che tra i due restava una dipendenza reciproca, come in un albero a collo d'oca, dove un pistone saliva quando l'altro scendeva. Era la legge del moto cedente che Firmino mutuava dalla meccanica per applicarla alla danza, in virtù di una gamba matta.

Una volta avevo cercato di disegnare in proiezione assonometrica l'onda coreutica di Firmino e il risultato, tecnicamente inammissibile, gli era piaciuto così tanto che lo aveva incorniciato tra le coppe conquistate alle gare della gioventù danzante. E spesso ci beccavo qualcuno a riguardarlo, il mio disegno, che era venuto una ghirlanda stilizzata e punteggiata dai numeri delle quote; sembrava un misterioso serto araldico: principesca benemerenza dello Stinco, come i locali del quartiere chiamavano Firmino.

Da quella prima domenica del '42, ero tornato molto spesso alla balera del mio amico ballerino, per ridere delle sue catartiche bestemmie e danzare con le silfidi adipose; così la sera di giovedì 6 maggio mi trovai alla Pista Svizzera, con il biglietto di Anna in tasca e una domanda ribattuta in testa: di cosa mi ringrazia?

L'amnesia, nel frattempo, perdurava nel chilo e mezzo di cervello che c'avevo e le spiegazioni avute da Candido il pomeriggio precedente, sistemati i cadaveri ed edottomi sull'aldilà dantesco, non mi avevano per nulla soccorso: semmai turbato, affezionandomi ancora di più all'amico settore, per quel che di sé mi aveva confidato.

«Da certe amnesie non ci liberiamo mai, Bruno» mi aveva detto, «non sono come i miei scarabocchi sui coperchi smaltati delle celle, che basta una mano a cancellarli. Né ci dobbiamo aspettare che il passato, impietosito dalle nostre preghiere, si decida a tornare. Questo è cosa morta ormai: sepolta dalla nostra fame di futuro. L'amnesia invece è una malattia del presente; endemica in questi anni insani; immaginala simile a un difetto di funerale: una pecca nel rito mortuario con cui seppelliamo i giorni passati. Non è una deficienza del ricordo: al contrario è un malfunzionamento della nostra facoltà di dimenticare. Pensa quanti fatti scordiamo quasi non fossero mai accaduti. Mentre con l'amnesia hai l'impressione mentale di un buco, vedi i contorni però il centro è buio e ti pare un pozzo; vi getti la candela della memoria cercando l'immagine che si cela. Allora credi che se avessi più luce ricorderesti ogni cosa; ma il difetto non è nel buio, è nel raggio strabico del tuo sguardo. Voglio dire che potresti accendere addirittura un faro nella mente, senza per questo ricordare dove e quando hai già incontrato Anna, se il barlume, per un vizio della lente, fosse distolto altrove. Quello che davvero cerchi non è di ritrovare il passato, quanto di ricordare il presente della tua smemoratezza. E quando infine sarai riuscito a dimenticare l'amnesia e ti sembrerà che il giorno di ieri sia tornato: sbaglierai ancora, perché a essere riemersa sarà stata soltanto la tua memoria attuale, nelle magre spoglie di un presente ricordato.

Guarda Mario: diresti che non sta dimenticando proprio nulla; ti ha narrato per filo e per segno la festa di campagna del '22, quando il padre aggredì Luigi e Angiolina Gatelli. Ma l'ha ricordata narrandotela o te l'ha descritta quasi l'avesse davanti agli occhi? Per Mario quella sera è qui e ora, non appartiene ancora al mondo di ieri. Insomma pure lui sembra soffrire di un'amnesia, e non del passato, del presente. Infatti ti pare che Mario abbia davvero la possibilità di vivere gli eventi della vita come diversi, nuovi, del tutto scollegati dalla festicciola campestre del '22? No; dunque la malattia del suo presente consiste nel vestirsi da passato; quella del tuo, forse, nel non voler accettare un passato da tumulare.

Spesso mi chiedi cosa voglia Mario da te: può darsi che ti chieda aiuto e ti voglia lì: alla festa da ballo, intendo. È che l'amnesia assomiglia alla Sfinge e se sbagli la risposta all'indovinello che ti canta, ti divora tra le sue fauci senza tempo. Anch'io lo vorrei, sai? Che cosa? Chiederti aiuto, se tu me lo potessi dare davvero! Ma la mia smemoratezza, Bruno, si è cronicizzata e da anni ormai sono sul punto di essere inghiottito dal mostro leonino, che si è dimenticato di me anche se gli passeggio sulle labbra.»

Sorrisi all'immagine di Candido, piccolo scuro e tondo – una cacchetta di mosca – che rotolava sui labbri femminei della leonessa alata. E cosa mai mi avrebbe chiesto da lassù, di così impossibile da corrispondere? Un domatore per la bestia? Un edipo incantatore?

«No Bruno. Vorrei che tu fossi la protesi sofisticata del mio pene rotto.»

La musica era partita: Elio calcagnava le berze sulla pedana come uno stallone infoiato, in un ritmo di contrattempo e un sergente, in divisa tedesca, con la giacchetta a mezzo culo, ballava al centro della sala un fox-trot in quattro tempi, che pareva una polca.

Elio, nel '20, aveva suonato a Parigi con i negri e aveva insegnato a Firmino anche il charleston. Ora aspettava che arrivassero gli americani con gli spartiti del boogie-woogie: un nuovo ballo di cui aveva udito da un nostro emigrante, ritornato dall'America volontario, per servire il Duce.

Il sergente si chiamava Rudi Kreutzer: era un austriaco molto popolare alla Pista e parlava un buon italiano. Si considerava un maestro del valzer, che eseguiva in una varietà particolare, da lui stesso perfezionata e su cui, a richiesta, impartiva sussiegose lezioni a chicchessia, nell'ilarità della sala. L'avevo già incontrato diverse volte e ne ero stato allievo, ma scarso.

Di lui non sapevamo nulla, perché alla Pista non si facevano domande personali. Tuttavia si diceva che fosse un trovarobe specializzato, una specie di Quartiermeister della Deutsche Botschaft Rom, l'ambasciata tedesca: sicché quella sera, quando si sedette accanto a me, domandai se gli fosse capitato di lavorare per l'ufficio approvvigionamenti. «Donnerwetter» cioè "càspita" rispose.

Proseguii domandandogli se per caso fosse stato alla Sicom, per cercare l'impanatrice; secondo quanto mi aveva detto Cerini.

«No no» ribatté, «però la Sicom di Angiolina sì, certo, io la conosco bene.»

Firmino intanto si era avvicinato per ascoltare la nostra

conversazione, accertandosi che non minasse il sodalizio co-reutico. Rudi parlava tranquillo: conosceva i Gatelli sin dal suo arrivo a Roma, perché avendo sempre prestato servizio agli approvvigionamenti o dell'ambasciata o dei diversi sot-tocomandi dell'esercito, aveva visitato ogni officina della città e stimava quella dei Gatelli la migliore. «Ah, ci vai spesso?» ripresi il filo dell'indagine.

«Abbastanza. Da solo o con Karl: der Oberst, il colonnel-lo amico mio.»

Firmino intervenne prendendo in giro l'austriaco, quasi questi vantasse troppi e troppo altolocati comparaggi. Senon-ché Rudi, gramolando tra le mandibole qualche granita di consonanti alemanne in forma d'imprecazione, gli rispose con orgoglio: «Der Oberst Karl von Sybel. Amico dell'infanzia!»

«È un altro Pionier come te: uno del genio, questo von; un ingegnere, un tecnico?» chiese lo Stinco.

«Nein» e il sergente fece una smorfia: no no, era un uomo importante.

«Un pezzo grosso?» continuò il nostro ospite, che facen-do le domande per me, controllava meglio che il colloquio non degenerasse.

«Ja» rispose Rudi sorridendo fiero. «Sapete voi cosa è Abwehr?»

No, né io né Firmino ne avevamo mai sentito parlare, né conoscevamo il tedesco. Allora Rudi poggiò l'indice sulla bocca e fece: «*Scscsc...* politica.»

Ma era solo una libera interpretazione del sergente: per-ché l'Abwehr era in verità il servizio segreto militare, co-mandato dell'ammiraglio Canaris.

— Pensavo in italiano: in quella lingua colorata dove le cose buie si dicevano con parole luminose e il suono delle vocali obbligava a ignorarne i significati, fin sopra gli scogli, tra gli scheletri di altri tedeschi, nel naufragio della nostra ragione.

La mia mente stratiforme, regolata a fatica da una sintassi rigida e religiosa, era una testa con il problema dello sfaldamento, che chiedeva di essere addensata dalla seduzione collosa di poche vocali latine.

Riuscivo ad ascoltare in tedesco, mentre continuavo a pensare in italiano e durante le riunioni di gabinetto, calavo i lemmi asburgici di Helfferich nella lingua inaffidabile dell'alleato. Si doveva preparare un piano per l'occupazione dell'Italia; pareva che Mussolini dovesse cadere. Però Helfferich era un pacioccone, sebbene capo dello spionaggio a Roma, e non se ne faceva convinto: comunicava all'Oberkommando poche voci equivoche, che traduceva dall'italiano e, se anche lo parlava assai bene, le sue fonti, come la lingua, parevano inattendibili. Eppure era vero: sapevo già da aprile che ambienti dello stato maggiore italiano pensavano di tradire il Reich; tuttavia io non dipendevo da Helfferich e non avevo obbligo d'informarlo; ero in Italia per una missione "laterale" su ordine diretto di Canaris e solo all'ammiraglio davo conto delle mie azioni.

Dicevo ad Anna: «Mi tradirai. Ho informazioni sicure»; lei non amava lo scherzo e tornava ad arrabbiarsi perché, sosteneva, l'avevo già tradita: io per primo, che conservavo moglie e figli a Colonia; che non l'avevo per mia compagna, ma soltanto per un'amante italiana.

Anna aveva una sola mente: la mente della madre immedesimata nell'amore per il padre; una mente di donna, che architetta il proprio sentimento in forma di cattedrale: per lei l'amore era inizio, sviluppo, storia, quando per me era ritorno, eternità, sollievo. Una testa opposta alla mia: questa mente impossibile che mi portavo dolorosa nel cranio: questa mente di serpente dimenticata nella testa di un cristiano.

Durante la notte non riuscii a dormire: il biglietto di Anna; l'incontro con Rudi; i Gatelli: intimi di quel mangiafascisti di Mario Carra, che però passavano per amici di Rudi Kreutzer e di un colonnello spia; Italia, che voleva un figlio da me per farlo allevare dal marito, un maresciallo della Dicat*, e al quale qualcuno aveva riferito che ero fidanzato con Anna: tutti questi pezzi occupavano la mia attenzione di meccanico e non scioperavano i sensi.

Il colonnello poi: nobile protettore di Rudi Kreutzer, i cui antenati avevano servito i von Sybel per generazioni; era quel colonnello ad aver regalato i fiori secchi ad Anna e il vaso che imprigionava la luce nell'argento della gratella? Il sergente lo aveva descritto poco più annoso di lui, lasciandomi immaginare un quarantenne. Riferì che il colonnello, da civile era stato uno dei direttori della Bosch di Stoccarda, i cui proprietari furono grandi amici dei von Sybel. Comunque non aveva alcuna preparazione tecnica; in fabbrica si era occupato delle esportazioni, poiché parlava bene il francese e benissimo l'italiano, tanto da insegnarlo anche a lui: l'asino viennese, come si definì.

E infine, in che modo potevo trovare sonno, commosso com'ero dai segreti che Candido mi aveva rivelato? Abbandonata la sala delle celle frigorifere, ero stato costretto a seguire il prosettore nel suo ufficio, dove teneva nascosta una "cicoria" speciale, che voleva offrirmi a surrogato del caffè. Estratta la caffettiera dall'armadio, cucinò la dubbia bevanda con un piccolo fornello da campo, che andò a collegare, tramite un lungo tubo di gomma, a una bombola di liquigas. Ma quando versò il decotto orticolo nella tazzina, fui attratto dalle sue mani piccole e tozze, che mi lasciavano immaginare i visceri cavati dai cadaveri, le cervella dai crani, le palle dallo scroto. Era ammissibile che un uomo così gentile e dolce facesse un mestiere simile? Cercai di spiegargli lo stupore che provavo e lui capì; dovevo considerare però quanto il suo lavoro fosse essen-

---

* Dicat: Difesa Contraerea Territoriale.

ziale alla medicina: almeno il venticinque per cento delle autopsie dimostravano che i medici sbagliavano diagnosi, lo sapevo?

Comunque, bevuto il sedicente caffè, aveva ripreso dall'amnesia: sostenne che da certune non si guariva mai, e la sua era delle peggiori.

«Soffro di una grave forma di dimenticanza della mia potenza virile, Bruno. Sì, hai capito bene. A volte svegliandomi da ragazzo mi trovavo eccitato; era un attimo, il tempo di accorgermene e *pum*: il pisello mi si sgonfiava con una singolare velocità, tipo una camera d'aria bucata, mancava solo il sibilo dell'aria. Ne ho sofferto? Forse, molti anni fa; e non tanto. In fondo cosa me ne facevo di un ponte carnale senza avere una terra alla quale unirmi? Però ora Bruno, amico mio, ora io ce l'ho! Dico una terra all'orizzonte di quest'anima da becchino! Ecco perché t'invidio. Sei qui, di fronte a me, così acceso come non ti ho mai visto e capisco che sei innamorato. E io, Bruno, che davvero non credevo di essere invidioso, invece lo sono: ti strapperei le vele e me ne farei un aquilone, per essere soffiato nelle braccia di questa donna terra, di cui vorrei essere l'aratro e il seme e non sono invece che una nuvola di nebbia, solo capace di nasconderla a chi la cerca.»

Cosa aveva detto? Non capivo: innamorato chi? Toccai entrambe le orecchie, per sedare gli acufeni che le rintronavano, come a volte capitava alla mia radio balilla, quando cercavo di sentirci Radio Londra mentre sparava fischi tutti italiani, con pernacchi partenopei.

«Io innamorato? Perché? Cosa dici?» mi pareva di aver protestato.

«Sulle nostre bussole l'ago è fisso: la vedi la via segnata? Le mie gambe non sono buone per seguirla, le tue sì; dunque ti chiedo di marciare per me. Eppure tu non vuoi e io non posso. Oh Bruno, che disastro!»

Piangeva; aprì la finestra; guardò la luce del tardo pomeriggio e gli uccelli mola in folle per i cieli. Dal suo piccolo volto di mela, le lacrime gocciolavano dense, come il pancotto sul bavagliolo di un bambino non ancora svezzato.

Era la bidella dell'obitorio, la donna, anzi la ragazza di cui il mio amico signorino e cinquantenne si era innamorato? Era dunque Fosca? gli chiesi. Candido mi guardò e aveva il volto brunito dalla desolazione di non poterlo nemmeno udire quel nome, senza sussultare.

«Se lei ti vuole, troverete un ponte più solido di un pezzo di carne.» E mentivo; e non ci credevo: anzi, mi veniva da pensare a Italia, quando la sfondavo del mio pistone, che era carne sì, ma che era anche di calcestruzzo. «Fanne a meno!» aggiunsi a mo' di consiglio, «non fare come me che mi sto torturando appresso a quest'amnesia che m'ha preso. Rinuncia, quasi ti fossi castrato per scelta. Tagliatelo – oh, dico così, per metafora – e fai del taglio il cuore stesso della vostra unione: sarà più spirituale.» Ipocrisia a fin di bene: meccanica consolatoria.

Candido invece mi fissò con una curiosità morbosa e mi sentii non molto diverso da un viscere, che lui aprisse con la forbice a branca bottonuta.

«Vuoi dire che se io non penetro lei, lei potrebbe penetrare me?»

Insomma; non sapevo se avevo inteso proprio quanto Candido riassumeva, comunque gli risposi di sì: che alle volte terre lontane venivano unite da terremoti ben più potenti dei nostri viadotti, cavalcavia e ponti, siano essi di metallo, di cemento o di tonaca membranosa.

Una bella luce bianca tornò a impallidirgli il viso. Mi sorrise. Sosteneva che con le mie parole gli avevo restituito la speranza, in lui fugace quanto l'erezione virile.

«Dove la nostra sensibilità si scontra con il mondo, dove facciamo attrito contro la sua durezza, ci feriamo e lì, in poco tempo, si forma un callo, che poi ci abituiamo a chiamare Io. È una struttura di tessuto ancora vivo nell'intimo, ma che per difesa ti oppone qualcosa di morto e che pertanto non duole più. È con quest'anima ispessita che t'invidiavo, Bruno e mi dispiace, davvero.»

«Di che?» feci io. «Sei un'oscura Sibilla.»

«No, è il callo dell'anima, Bruno: è solo il tuo Io che non capisce.»

6.

Arrivai al lavoro che già cercavo una scusa per andare dai Gatelli, rivedere Anna e chiederle il significato del suo biglietto. Ma appena entrato in ufficio Cerini mi chiamò: era riuscito a combinare un incontro con il direttore della Saimp di Padova, per presentargli la mia invenzione. Saremmo partiti il lunedì successivo e avremmo visitato anche altri stabilimenti del nord: sarebbe stato un viaggio utile e istruttivo; pertanto dovevo finire i disegni di tutti i prototipi: ché Cerini voleva fare colpo sui nordici schifiltosi.

Cercai di lavorare con rapidità per riuscire a essere libero almeno la domenica; sebbene, con quale scusa mi sarei presentato alla Sicom, nel giorno di festa? Carra aveva detto che i Gatelli abitavano sopra gli uffici: eppure non potevo certo arrivare lì senza invito chiedendo di Anna e magari proporle di venire con me alla Pista Svizzera o al Cinema Palazzo, per lo spettacolo delle tre. A seguire le buone maniere no; però se pensavo allo sguardo che la signora Angiolina mi aveva rivolto durante la presentazione del mio Supporto Rotante, mi pareva di esserne autorizzato, anzi mi sembrava fosse proprio quanto ci si aspettava da me.

Errai diverse proiezioni e Cerini se ne accorse, rimproverandomi; non riuscivo a tenere la testa sui disegni, mi sentivo avvolto da una viscosa sottile, una nebbia di glicerina che mi faceva lubrico alla presa di ogni pensiero.

Finalmente la domenica, verso le undici, arrivai a via dei Sabelli. Avevo lavorato di continuo, simile a un altoforno, e dalla mano laminatoio le linee dei disegni erano scivolate sulla scala millimetrata dei fogli, lasciando la ganga di scarto nel tino freddo del mio cervello, dove Fosca Concetta Italia si opponevano ad Anna e Candido a Mario, in coppie di ballerini che s'imbrogliavano i passi a vicenda.

Nel portapacchi della bicicletta portavo legato un fiasco di Chianti: regalo d'Italia, ma preda di servizio del marito Luciano, al quale raccontò di averlo rotto per sbaglio. Le bugie che la D'Ascenzio diceva al marito, per coprire i nostri incontri, mi eccitavano la fantasia quanto i testicoli con tutti i deferenti. Separavano Italia in due donne opposte, concentrando ogni eroticità in quella mia. Questa, mentendo a Luciano, mi offriva la delizia di una fedeltà inversa e ogni bacio donato a me, rifiutato a lui, valeva doppio nella mia contabilità sensuale: era un bacio a doppia densità.

Il portoncino a losanghe di legno della Sicom era aperto ed entrai chiamando a voce alta. Mi rispose un uomo anziano che parlava burino: venissi avanti, diceva, sostando su una porta in fondo all'ufficio. Lo raggiunsi e si ritirò indietro: nel magazzino delle macchine che il mercoledì precedente non avevo visitato.

Mi trovai in un grande ambiente, all'incirca di trecento metri quadrati e che prendeva il sole da cinque lucernari nel tetto. Le macchine: torni, fresatrici, trapani a bandiera, stavano assiepate sul lato di sinistra, perché a destra c'erano sei file di letti, con due brande per ognuna, cassette di legno a fare da comodino e lenzuoli issati su corde per paravento. Era l'accampamento degli sfollati: gente della Ciociaria, scappata dai bombardamenti e riparata a Roma, sicura che inglesi e americani non avrebbero mai osato colpire la città santa.

Fui accolto da Giusto, unico dei Gatelli presente nel

magazzino; sembrò felice di vedermi e fu loquace nel narrarmi la storia della gente da loro ospitata. Durante la mia prima visita, quel coetaneo lungo e allampanato, copia smunta del robusto padre defunto, non aveva pronunciato che poche sillabe, mentre ora conversava in fretta, con una sensibile ondulazione della figura filiforme. Mi chiese addirittura se poteva lavorare anche lui per Cerini, nel ramo commerciale, dacché era questa la sua specializzazione. Lo presi per uno scherzo e fui gioviale, come fosse un vecchio amico; poi, di punto in bianco, il cupo recitativo di mio zio Mefistofele tuonò per il deposito: "Suu cammiiina, cammiiina, cammiiina: buio è il cieeelo, scosceeesa è la chiinaa; su! cammiiina, cammiiina, cammiiina."

Mi volsi a cercarlo ma Giusto, sorridendo alla mia sorpresa, mi indicò un capannello di frusinati che faceva ventaglio attorno a una meravigliosa radio Ducati, una supereterodina a cinque valvole! Da lì, dal mobiletto impiallacciato in radica, con il diffusore sonoro puntato verso l'alto, saliva il canto grave e satanico dello zio Giulio, vibrando nelle coclee degli sfollati.

«Me l'ha regalata il colonnello» alluse la signora Angiolina, comparsa alle mie spalle. «Non mi posso mica permettere una radio tanto costosa, io. Però un giorno ho invitato a pranzo un colonnello tedesco, capitato qui, appresso al suo sergente, che conoscevo bene perché era dei rifornimenti e ci lavoravo spesso. La vecchia Marelli era guasta e parlando lo dico ai crucchi. Una settimana dopo mi arriva questa, con una lettera del colonnello che mi ringrazia per il pranzo. E la Ducati prende pure le onde corte per le radio straniere; perché a lui non gliene importa niente se ascoltiamo Radio Londra. Allora l'ho buttata là, tra gli sfollati; voglio che sanno che succede e se sbarcano gli americani, a farla finita con Mussolini.»

«V'intendete anche di radiofonia?»

«Certo!» rispose Anna, comparendo a sua volta da dietro

il fratello, tornato muto. «Mamma e Carra nel '35 costruirono una radiolina a galena e addirittura un trasmettitore, poi, ogni notte, per qualche mese, hanno issato l'antenna degli orfani sopra il tetto del palazzo, per lanciare i sediziosi "notiziari dei Sabelli". Si sono salvati perché i fascisti non avevano apparecchi tanto scarsi da catturare le loro onde supercorte, che arrivavano al massimo alle orecchie dei socialisti qui vicino, a via dei Sardi e che, quasi quasi, gli rispondevano a voce, con le mani a megafono intorno alla bocca.»

Era allegrissima e luminosa. Indossava un abito sbracciato, di lino giallo, sopra delle ballerine nere e spargeva un profumo di zàgara che mi si appiccicò addosso come un cellofan.

Adele intanto, uscita da una porta che intravidi in fondo al magazzino, aveva abbracciato un certo Giovanni, prima soltanto sfollato e ora operaio nell'officina Gatelli; poi, sulla musica del Boito arrivata alla notte del sabba, mentre le streghe cantavano in coro: "Rampiamo, rampiamo che il tempo ci gabba", lei solfeggiò: «Su su», spronando il frusinate a qualche passo di mazurca e sollevando il cuore dei senzatetto che cantarono con gli stregoni: «Su su svelti, su forti, che il tempo ci gabba; le nostre consorti son giunte lassù.»

Guardai con meraviglia quei poveretti che ridevano felici e con passi falsi imitavano l'ascesa al monte delle streghe, ondeggiando sotto il vento della musica simili agli abeti della montagna, nella notte di santa Valpurga.

Angiolina nel frattempo m'invitò a restare per pranzo e bere assieme il Chianti che avevo portato. Accettai e la padrona di casa, soddisfatta, si allontanò per preparare la tavola.

Il tempo di voltarmi e Giusto mi disse: «Scusa Bruno, mi devo assentare, scusa tanto» sprofondando nel coro mefistofelico. Alcuni fecero per sorreggere la pertica cascante e lo sospinsero sulla branda più vicina, dove supinandosi piombò in un sonno fulmineo e rumoroso. Feci per seguirlo, come potesse aver bisogno di qualcosa, ma la sorella mi fermò: «Dove vai; lascialo dormire.»

Una vecchia aveva raccolto il braccio destro del giovane Gatelli, abbandonato fuori dalla branda e glielo aveva ripiegato sul petto come a un morto caldo, ancora malleabile. Sebbene la musica del melodramma continuasse a fluire dalla supereterodina, nessuno più l'accompagnava con la voce e con il ballo, nemmeno Adele, nemmeno Giovanni: tutti ci ritrovammo a fissare la dormita di Giusto, che russava di pancia, come avesse inghiottito la sibilla del nostro futuro e questo dondolasse sull'altalena di una bolla di saliva, incerto se espettorarsi e dunque avvenire, o risucchiarsi nell'inspirazione successiva e finalmente annichilire.

«È malato, eppure io lo invidio» disse Anna. «Lui così se la cava sempre. Nemmeno avessi un fratello eremita, anzi monaco, che si è chiuso nel monastero del sonno e se ne infischia della nostra vita. Appena qualcosa non funziona, lui si addormenta e se ne va; imita mio padre, che difatti se ne è andato allo stesso modo: in un letargo senza risveglio.»

Ero figlio unico: non lo sapevo che un fratello, per i fratelli, era sempre il ladro della sorte migliore.

«Anna scusatemi, non ho capito di cosa volevate ringraziarmi con il biglietto che mi avete fatto recapitare nel laboratorio di Cerini.»

Mi prese per un braccio; mi allontanò dagli altri.

«Come, non avete capito? Di non avermi riconosciuto o di aver fatto finta di avermi dimenticato. Bruno, mi hai dimenticato?»

«No, no» risposi con la mia anima di callo.

— Carlo sapeva tutto. E se anche gli avevo riferito che mia madre non voleva lo frequentassi, per lui non era grave: si trovava bene nella clandestinità dei nostri incontri; io no. Quando mamma ci scoprì era trascorso quasi un anno dall'inizio della nostra storia. «Non lascerò Carlo per nulla al mondo» le dissi allora, «è il mio uomo, io lo amo.» Rispose che ero una puttana e che non dovevo parlare di sentimenti, io che facevo macello dei suoi. Giurò che mi avrebbe impedito quella relazione e non per salvarmi, ma per rispetto alla memoria di mio padre. E difatti, già il giorno successivo tornò da me, fredda e impassibile come una statua di marmo, a propormi il patto. Poiché sapeva che non avrei rinunciato a Carlo, dovevo almeno permetterle di darmi un fidanzato di facciata: la gente di San Lorenzo, affezionata alla memoria di mio padre, che fu Ardito del Popolo*, non doveva pensare che sua figlia fosse la donna che ero. Mi sembrò un'idea ridicola, di certo generata dalla mente del suo amichetto Carra. Annuii appena, ritenendo che fosse comunque una proposta impossibile. Anzi, ne avevo riso con Carlo, perché nemmeno lui aveva creduto che mamma mettesse in atto l'accordo grottesco.

Invece venne il giorno – ed era ormai la fine di aprile – che mamma e Carra mi convocarono nella stanza da letto, presso il comò, dove mio padre giaceva in cornice. Lei spiegò che avevano da mostrarmi una posa di Mario, e lui la tirò fuori dalla tasca, poggiandola sul marmo del mobile.

Presi il cartoncino tra le mani; lo osservai con stupore, perché non avevo ancora capito cosa volessero. Si vedeva Mario con altri due uomini appoggiati al muro di un casolare, in campagna: a destra compariva una pianta di glicine in arrampicata sulla parete. Mamma poggiò l'indice sul tipo al centro del gruppo: «Eccolo qui, Anna: abbiamo pensato a lui.»

Pensato a lui, e per cosa? Continuavo a non capire: non credevo sarebbero arrivati a tanto. Guardavo quel tale cercando di scoprire dal suo aspetto il senso di quanto stava

* Arditi del Popolo: movimento di resistenza antifascista fondato a Roma nel luglio del 1921.

74

avvenendo: rideva, sembrava giovane e gioviale, magro però, troppo per il vestito; vestito, era una tuta da meccanico. Non lo riconobbi del tutto, ma qualcosa della sua figura mi parve nota e, nello stesso tempo, m'induceva a ricordare Carlo, pur senza assomigliargli in nulla. Avrei dovuto capire, ricordare: la colonia, il puzzo dozzinale, l'incontro casuale di un anno prima. Invece mi colpì la solitudine della magra figurina in tuta, che contrastava con Mario e l'altro uomo: bello, alto, elegante, in un doppiopetto attillato, con una gardenia bianchissima all'occhiello.

«Chi è?» chiesi a mamma.

«L'uomo è Giulio Lucatti, il famoso cantante dell'Opera; mentre il ragazzo è il tipo che abbiamo scelto per te: ti va?»

Infine compresi e sentii che mi tremava il labbro, come mi accadeva da bambina, se stavo per piangere. Ricordai un articolo che avevo letto sulla *Donna Fascista*: diceva che nel 1910 (l'anno in cui papà e mamma s'innamorarono) capitava ancora che i genitori vendessero le figlie bianche ai bordelli del Nordafrica per sessanta lire. Allo stesso modo lei mi dava a un operaio: a chiunque! Solo un mese prima, quando mi aveva proibito di amare Carlo: «Sei una puttana» aveva gridato, e ora ecco: si era adeguata, si era messa nel lenocinio. Soltanto il disprezzo per me poteva farle credere che quel guappo d'officina mi avrebbe portato via all'uomo che avevo scelto.

«Siete malati» replicai, cercando di raffreddare la rabbia che mi bruciava il cuore. «Voi siete matti.»

«È il patto» risposero in coro.

«Pensi che mio padre ti approverebbe?»

«Sì! E te, che sei l'amorosa di un nazista, ti senti ancora figlia di Luigi te?»

«No, non è vero: non è un nazista! Ma a che serve dirvelo ancora? Sembrate due orfani: sparatevi a vicenda, così vi riunirete al vostro Luigi in una bella trinità di morti» urlai scappandomene in strada.

Aspettai che Carlo rincasasse, gli raccontai ogni cosa e lo implorai: «Portami via, fuggiamo in Svizzera. Lì saremo liberi; metteremo su una nuova famiglia: verrà un figlio nostro a farci ancora più felici, poi un giorno lo porterai a conoscere i suoi altri fratelli e pian piano, amore mio, noi...»

«Vuoi diventare madre per sostituirti a tua madre e mi vuoi alleato: demone che ti sospinga "um sie kein Ort, noch weniger eine Zeit", nel luogo senza luogo intorno, e in un tempo senza tempo che passi?»

Come amavo il suo tedesco: come il ticchettio della sveglia sul comodino, che acquietava con i tic e i tac di metallo i tonfi cupi del mio cuore, le corse confuse della mia emozione.

Sentii che mi scioglievo, perché quell'uomo magico sapeva completare le mie frasi monche. Avvertii il suo membro che si gonfiava; lo aiutai a trovare una via tra i nostri abiti; entrò in me; infilai sulla sua spina il mio corpo che solo per lui, mago, si trasformava in anima muta, placida, sfamata.

Che pranzo che fu, per il 1943. Un piatto unico e scarso, ma di carne, parmigiano, uova e farina bianca. Servirono dei *cap'lèt*, vale a dire "cappelletti": così si denominavano, anche in italiano, per la forma capocchiuta che li contraddistingueva. Erano circoletti bombati di pasta all'uovo, ripieni di carne tritata e mescolata al tuorlo e al formaggio grattugiato, cotti e serviti in brodo di gallina annosa. Mi chiesi dove fossi capitato: nel bengodi della borsa nera? Angiolina precisò che non desinavano sempre così, che alcuni parenti contadini le avevano spedito, tramite un conoscente fidato, gli ingredienti giusti per la squisitezza. Dunque ero stato fortunato a capitare il giorno giusto; e loro pure, perché era un pasto da accompagnare a un buon vino rosso.

A tavola Anna si era trasformata in modo bizzarro. Si era fatta amena e dolce, fino a imbarazzarmi. Mi aveva corteggiato sotto gli occhi della madre e dei parenti. Si era voluta sedere accanto a me, mi aveva servito di brodo, di vino e più volte aveva accostato il braccio nudo a stimolare i meccanorecettori del mio; i quali, pur sotto la manica del vestito, si erano aizzati come gatti e mi avevano innervosito il midollo della schiena, fino al pannìcolo adiposo della nuca, al muscolo lunghissimo della testa.

D'altronde Anna esprimeva il godimento con un espressionismo del piacere. Teneva le gambe un po' divaricate e la schiena arcuata, sedendo sul bordo della sedia, come in arcione; catturava i cappelletti nel cucchiaio uno a uno, assaggiandoli con un vibrato delle labbra che ne pregustavano la soddisfazione. Una leggera frenesia l'aveva accompagnata durante il pranzo: un'eccitazione papillare per il brodo di carne, un'eiaculazione salivare all'immagine del prossimo boccone da godere e udita appena, dal mio orecchio destro, nel crepitio finissimo di milioni di microbolle salivose.

Io, di nascosto, cercavo di guardarle il fianco convesso e, sotto lo smerlo della tovaglia, il grembo. Immaginai l'introito vaginale ricevere la pressione del sedile e il peso premere a divaricare i glutei, ad acchiocciarsi sul muscolo elevatore dell'ano, per schiuderlo un po': come uno stretto bocciolo quando tirato appena da un sèpalo. Profumava da darmi la pelle d'oca e se scuoteva i capelli, un soffice guanto olfattivo mi sfidava schiaffeggiandomi il viso.

La signora Gatelli aveva domandato dei miei genitori; Adele della gente di teatro; Giusto, la cui dormita non era durata più di mezz'ora, che tipo fosse il commendator Cerini; mentre Anna non mi aveva domandato nulla di personale, non aveva quasi parlato; eccetto quando disse: «Siete proprio simpatico. Mi piacete tanto. Finirò per innamorarmi di voi.» In quel momento Adele stava versando il caffè, che finì sulla tovaglia; la signora Angiolina si alzò di scatto e Giusto guardò il fondo della sua tazzina vuota.

Io ero piuttosto ignorante; dotto soltanto nella nomenclatura meccanica e un po' nell'anatomica, per merito di Candido. Tuttavia a Torrita di Siena, da ragazzo, servii da ripetitore a Verzili, un lontano cugino che doveva sostenere gli esami di maturità classica e al quale facevo le domande dai libri e dagli appunti che mi dava. In che anno fu arsa la pulzella d'Orléans? Verzili non lo sapeva; e odiava la santa come un inglese. Io invece ne ero affascinato: non c'era chi avesse la sua forza e la sua visione. Ne rammentai la storia perché cadeva la seconda domenica di maggio e traversando il corridoio di casa Gatelli avevo notato un calendario a blocchetto appeso alla parete, con i fogli dei giorni a strappo: neri i feriali, rossi i festivi. Era il 9 rosso, quel giorno, e si commemorava santa Giovanna d'Arco. E Anna aveva la sua stessa età: diciannove anni.

C'era nella giovane Gatelli che rideva ritta in arcione sulla sedia, provocante, mordace, qualcosa che richiamava nel mio cervello il memogramma della santa. Era intensa e fiera, Anna, se pure cercava di apparire frivola, e da pochi atti sfuggiti al suo governo ebbi l'impressione fosse furiosa e la sua bizzarria celasse una rabbia feroce.

Spiegai la coincidenza della data e dell'età; nessuno conosceva la vicenda e la romanzai un po'. Raccontai che Dio aizzava il cuore di Giovanna a un obiettivo impossibile: liberare la Francia dagli inglesi e dai borgognoni. Ma nessuno poteva confidare in una fanciulla e fu derisa, anche minacciata e insultata. Ciò nonostante la voce soprannaturale riuscì a guidarla fino al cospetto del delfino, che era ancora un re sconsacrato e che nemmeno la madre sosteneva: la quale, anzi, lo aveva già tradito, per abbandonare il regno in balìa degli inglesi. Giovanna, invece, nonostante l'erede al trono si fosse dissimulato tra i cortigiani per metterla alla prova, lo riconobbe subito fra la gente, poiché una voce le saliva dall'anima sussurrandole: «È lui, Giovanna, è lui il re che ho scelto.» Il delfino, stupefatto d'essere stato individuato, si fidò subito della ragazza e da allora ne seguì i consigli, fino ad affidarle il comando militare. Giovanna poté così strappare Orléans agli inglesi, riscuotere il coraggio e l'orgoglio del suo popolo, riuscendo infine a far consacrare re il delfino di Francia.

«Però raccontate bene» commentò Adele, che bella storia. Tutti mi fecero complimenti; anche Anna, che mi guardò appena incantata: avevo fatto colpo, le era piaciuto che la paragonassi alla santa guerriera.

«Chi era il re di Giovanna?» domandò.

«Luigi! era Luigi il re della santa» intervenne Angiolina, rubando il tempo della risposta e i secoli della storia. «Il delfino era Luigi, vero? Il Re Sole.»

«No» risposi; ringraziando fra me e me la cocciutaggine di Verzili e continuando sapiente come un professore: «Delfino era il titolo che spettava al primogenito di un qualsiasi re di Francia.»

«Che dottorone abbiamo qui...» fece Adele.

«Be' e allora? Scoperto che non si chiamava, guarda caso, come mio padre; ce lo volete dire il nome del re di Giovanna o lo dobbiamo cercare nell'enciclopedia?» protestò Anna.

La guardai cercando di ammorbidire la sua ironia con il mio sorriso: «Sì sì... io questa storia la conosco solo per caso, perché aiutavo a studiare un mio cugino.»

«Be', come si chiamava?»

«Verzili.»

«Noo! Il re di Francia» e risero tutti allegri.

«Carlo» risposi, «era Carlo VII il re di Giovanna.»

7.

Il treno rotolava parassitando a fatica la velocità della luce dai telai striscianti sui conduttori aerei. Eppure sfrecciava da direttissimo, sopra la fissità delle rotaie, fermate alla massa inamovibile della terra: che era un satellite e trottolava su se stessa a più di mille chilometri l'ora, avventandosi con una velocità multipla attorno alla sua stella.

«Dovreste volare» disse il mio principale, di fronte a me nel vagone di seconda classe, «almeno provarci: pilotare un aereo è l'emozione moderna e voi siete un giovane d'oggi. A meno che non siate superstizioso; ma anche se vi chiamate Bruno, quanto il povero comandante Mussolini*, mica precipiterete solo per questo.»

Leandro aveva allora cinquant'anni e li dimostrava tutti, forse perché era rimasto vedovo all'improvviso e non se ne faceva una ragione. Era un uomo alto e magro, con il naso affilato e prominente su due bei mustacchi ingrigiti.

«Sentite» aggiunse, «è qualche giorno che c'è qualcosa in voi che non va; non voglio impicciarmi, però mi dispiacerebbe vi metteste nei guai. Se posso aiutarvi ditemelo; o sono affari di cuore, che un vedovo come me non potrebbe più capire?»

---

* Bruno Mussolini, figlio del Duce, morto nel 1941 collaudando un aereo militare.

«Mi capitano cose strane. Per esempio la signora D'Ascenzio, l'altro giorno, mi ha fatto gli auguri per il mio fidanzamento: solo che io non sono fidanzato e quindi le ho domandato da chi avesse avuto la notizia errata e mi ha risposto che l'aveva informata il marito, il signor Luciano, che è vostro amico, no?»

Cerini fumava il toscano come mio padre Alfredo, che era ferroviere e che forse avremmo incontrato sul tratto di Chiusi, dove lavorava con la mansione di caposquadra deviatori.

«Va bene, Bruno. Vi dirò quello che so, perché è giusto che non gettiate la vita al vento, come faccio con questa cenere di sigaro. Sono anni duri questi, e quando la patria è in gioco non c'è spazio per il perdono.»

Un molesto cardiopalmo vibrò nel mediastino del mio tronco toracico e una sgradevole sensazione di asfissia montò alla laringe facendomi tossicchiare.

«Luciano D'Ascenzio è stato informato che voi siete il fidanzato di Anna Gatelli da un amico della polizia politica, il quale, a sua volta, lo ha saputo da un sergente maggiore della Wehrmacht.»

«Rudi? Rudi Kreutzer.»

«Non so se proprio lui. Comunque è un militare che frequenta i Gatelli e... Ma voi sapete che il capostipite era schedato quale sovversivo e socialista? Che si diceva fosse pure un Ardito del Popolo, un caporione delle squadracce sanlorenzine?»

«No.»

«Luigi Gatelli era tenuto sotto stretta sorveglianza e volevano sottometterlo al regime dell'ammonizione, finché all'improvviso è morto. Allora hanno controllato la vedova; quindi, all'inizio della guerra, non risultando nulla d'illecito sulla donna, l'hanno lasciata in pace.»

«E ora la polizia li controlla di nuovo?»

«È che controllano quel sergente.»

«Perché?»

«Fa borsa nera. È un tipo equivoco che sfrutta la sua posizione, aggravando così la situazione dell'alleato. E sapete perché non lo denunciano? Ovvio: perché è protetto. E quindi lo sorvegliano da lontano, in silenzio.»

«Cosa c'entra con la notizia che mi sarei fidanzato?»

«Non lo so. Però dovete stare attento, perché il sergente è infido e... c'è anche dell'altro.»

Intanto pensavo agli occhi di Anna il pomeriggio del giorno prima, quando avevo fatto il nome del re di Francia. Le sopracciglia sottili si erano ingobbite a mezzo cerchio e le palpebre, spalancate, avevano scostato l'ombra dalle iridi castane degli occhi fari. Io credo che in quel momento m'innamorai. Qualcosa di me precipitò per le crune buie delle sue pupille, come il sasso che un giorno dell'infanzia gettai da una cengia delle alpi bianche di Carrara, dove la colonia del partito c'aveva portato per l'elioterapia: e che vidi cadere nel vuoto fino ad arrestarsi di colpo su uno sperone della roccia, senza alcun rimbalzo, come un pezzo calamitato che di scatto si posizioni sul polo suo.

«Cos'altro c'è?»

«C'è che il sergente, la borsa nera, la fa anche con la signora Gatelli. È sicuro. E non intervengono contro di lei, per non toccare lui.»

«È così potente la protezione?»

«Pare di sì, non la conosce nemmeno l'informatore di D'Ascenzio: quindi è roba di alta gerarchia. Ma voi state attento: vi consiglio di non legarvi a quella gente. Basta che il sergente venga trasferito e per i Gatelli saranno guai.»

«Perché è stato detto che sono fidanzato?»

«Non lo so. Chissà cosa c'è dietro.»

«Leandro, anch'io voglio dirvi una cosa. Voi siete sempre stato così gentile con me e poi siete un tecnico: voi mi capite, sapete cos'è la cinematica dei meccanismi e allora voglio dirvi che penso di essere innamorato, penso.»

«Come, di già? Dunque è vero: non è solo fantasia dell'Ovra.»

«No, non lo sa nessuno; neppure io, quasi. Non c'entra niente con la diceria del fidanzamento. È solo per confessarvi che non penso proprio di riuscire a evitare i Gatelli. Io credo di essere in caduta libera, Leandro.»

«Oddio. Siete a questo punto.»

Ci guardammo in silenzio, un attimo, e i suoi occhi chiari mi accolsero morbidi come cuscini.

«So che pensate che è sempre così, che così è l'amore. Sarà; io però non sono mai stato innamorato. Non ho mai avuto l'impressione che qualcosa di me cadesse in altri, come una scheggia ferrosa attratta dal polo magnetico. E peggio ancora: come se quella scheggia fosse l'unica mia sostanza.»

«Che dite?»

«A voi sembra di essere davvero qualcosa, Leandro, come è qualcosa una pinza giramaschi? A me no; io mi sento piuttosto una regola, capite? la modalità di nome Bruno e cognome Lucatti. Tutto ciò che m'influenza o influenzo avviene secondo, come faccio a spiegarvelo?, secondo "brunitudine". Se fossi un colore, un filtro su un obiettivo fotografico, mi capireste, vero? Se non ci fossero gli oggetti a cui applicare la mia regola, non sarei niente; come se non ci fossero i treni non ci sarebbero i segnali ferroviari per regolarne il traffico. Sin da ragazzo mi è sempre sembrato di essere un complemento; mio padre, per esempio, diceva: "Cos'è una famiglia senza un figlio?", e io ero appunto il figlio. La regola per la quale la famiglia esisteva. Eppure, ieri pomeriggio, dai Gatelli, quando ho avuto l'impressione che una parte di me fuggisse via per gettarsi nella vita di Anna, fino a un'ammorsatura della sua anima, messa lì apposta per la mia scheggia in caduta: io, Leandro, ho creduto di essere qualcosa e che la parte di me in Anna, non fosse l'applicazione della solita regola, ma la mia sostanza, comprendete?»

«Va bene, Bruno; ora calmatevi. Sembrate febbricitante. Sapete, non vi ho mai confessato che siete più di un buon meccanico e un ottimo disegnatore; avete una particolare inventiva: cercate di non sprecarla; fate qualcosa di buono della vostra vita. E guardate che una donna – lasciamo perdere la propaganda di questi anni – una donna, credete a me, dev'essere molto di più della madre dei vostri figli: bisogna che sia la concubina delle vostre personalità parallele.»

— Mio marito Luigi aveva avuto un fratello, per quanto lui non se n'era mai convinto, perché non gli assomigliava per niente, e grazie!, era di altro letto. Si chiamava Ideale Salonicchio. Un giorno, sul principio del 1919, questo Ideale si presentò a Sala Baganza. Era venuto a prendere notizie sul padre, partito da lì vent'anni prima, per la Grecia; e allora tutti avevano subito ricordato il papà naturale di Luigi, cioè Ferruccio Schianchi, perché era stato il solo, di Sala, a partire appreso al Ricciotti Garibaldi. Salonicchio non sapeva dire come si chiamava il suo papà, sapeva solo che era di lì e che alla madre si era presentato con il soprannome che gli avevano dato nel reggimento: Fioccodineve (un nomignolo azzeccato, visto che messa incinta anche la greca, si era squagliato ancor prima d'essere ammazzato in battaglia). I compaesani comunque avvertirono Luigi e lui andò a incontrare Salonicchio senza di me; quando tornò, disse che per lui Ideale non gli era mica fratello, sebbene il poveretto ci credeva e l'aveva abbracciato. D'altronde, non c'era altra maniera di spiegare le coincidenze. Dov'era morto il padre di Salonicchio? In un posto detto Domoco, proprio come il papà di Luigi, *vè* che caso!

Passano gli anni finché un giorno di dicembre del '42 Rudi mi dice: «Angiolina, ho visto il tuo cognome in una lista inviata alla Gestapo» e a momenti mi prende un colpo. Però non ero io l'indiziata ma un certo, dice: «Ideale Salonicchio, rinchiuso con la famiglia nel campo di concentramento in località Ferramonti.» Nella lista, vicino al nome di quello, c'era segnato con il lapis «Gatelli», perché la polizia sapeva che il Salonicchio era conoscente di mio marito e per quei bacherozzi Luigi era un sovversivo. Allora raccontai a Rudi come stavano le cose e lui mi rassicurò che potevo dormire sonni tranquilli, perché Luigi era morto e non c'era più nessun problema; i guai invece li aveva Salonicchio. Perché? Cosa aveva fatto? Niente, però era ebreo e vociferatore disfattista, mi disse Rudi; dichiarato apolide dal Tribunale della Razza e messo in campo. Ebreo? domandai. «Sì» insisteva Rudi, «di madre ebrea da cui aveva preso il cognome, e a sua volta coniugato con ebrea. Residente a Trieste dal 1920 e cittadino italiano dalla stessa data. Insomma ebreo, anche se eroe: perché nel 1918 era venuto dalla Grecia a combattere contro l'Austria, come volontario e alla battaglia del Piave si era preso una medaglia.» Va bene, e cosa gli potevano fare nel campo di concentramento? «Niente» se restava lì, ma se li portavano in Germania: «Li gasano, Angiolina. Le SS sono belve: non puoi capire tu.» Ero confusa tra le cose tremende che Rudi diceva e il pensiero di Ideale Salonicchio, mio cognato, e la sua famiglia, i nipoti di Luigi, chiusi nel campo di concentramento.

Come aver pace dopo quelle notizie? Perciò nei giorni appresso chiamo Mario e gli racconto tutto; e solo a lui: perché c'era un bel rischio a fare quello che volevo fare. Ci mettiamo all'opera; e mica è stato facile, nemmeno a buon mercato; eppure ci siamo riusciti o quasi; non con tutti insomma, con Ideale non abbiamo fatto in tempo ma la sua figlia maggiore sì, lei l'abbiamo salvata.

Così si fa marzo del '43, che è una mattina che sono proprio felice perché Mario mi aveva telefonato da Littoria per avvertirmi che arrivava e che la ragazza era con lui: ce l'avevamo fatta davvero. Finalmente potevo sciogliere il segreto e raccontare ogni cosa alla mia famiglia, e a mia figlia. Mi vestii in un lampo e gridai che andavo io a prendere Anna alla Sold*: eh sì, ci faceva la segretaria a gratis, che ancora non aveva preso la licenza di scuola. Insisti insisti, aveva convinto la maestra a presentarla alla capo della sezione Tiburtina e l'avevano presa; dicevano che era brava, che un giorno scriverebbe sul giornale *Lavoro e Famiglia* o chessò. Io all'inizio non volevo che stava sempre tra i fascisti, mentre Mario aveva insistito che in fondo lei, lì, capiva il lavoro a cottimo, che poi ne parlava con noi e così gli insegnavamo il socialismo. Diceva anche che era un buon paravento, ed era da fare; e va bene allora: vai pure all'ufficio loro, uno o due pomeriggi per settimana. Decideva Anna quando: me lo diceva e io, tafana, gallina, consentivo; però solo se l'accompagnava Adele, l'altra tacchina, che la lasciava al portone, e Anna mica saliva su, se ne andava dove voleva con il suo colonnello in borghese, che aveva occhi e capelli castani, che non sembrava tedesco.

Lo avevo capito già da tanto tempo che il colonnello gli faceva il filo a mia figlia, perché da principio ci veniva a trovare troppo spesso e sempre con una scusa buona per portarla da qualche parte. Io speravo che finiva lì; lui era un uomo importante e sposato e lei una giovane ancora da diplomare. Intanto per non sbagliare avevo minacciato Rudi: «Guarda che tu mi devi avvertire se si vedono di nascosto e se non sono mica normali; mi hai capito? Guarda che tu ce l'hai presentato e tu rispondi del colonnello.» Lui, che aveva fatto la faccia pavonaccia, tartagliava che non ne sapeva niente, che non era successo niente.

Insomma quel giorno di marzo che ero così felice volevo andare a prendere Anna, per dirglielo io che avevamo liberato sua cugina. Per la strada corsi come da giovane correvo

---

* Sold: Sezioni Operaie e Lavoranti a Domicilio, organismo propagandistico fondato nel '38 e operante sotto il controllo dei Fasci Femminili.

da Luigi, alla fabbrica della conserva, prima della sirena, perché mi doveva trovare lì, quando usciva. E lui me lo faceva apposta a uscire per ultimo: «Ciao Angiolina» mi dicevano i suoi compagni e già ridevano, che s'erano messi d'accordo e lo coprivano perché mi voleva afferrare da dietro all'improvviso e mi alzava al cielo e mi prendeva in braccio e mi metteva sempre paura. Mo se lo amavo quell'uomo lì... *dio d'un porc lèder!*

Non aspettai al portone, salii agli uffici della Sold e chiesi di mia figlia. Venne una delle cape in divisa da visitatrice fascista, col fazzoletto al collo: Anna non la vedeva da un mese e non era bene, ci dovevo insegnare una maggiore disciplina. Inventai una scusa e scappai per le scale. Mi fermai sulla strada, contro il muro, appena fuori del portone. Avevo cognizione già di tutto; sì, l'avevo sempre saputo cosa doveva succederci; da quel pranzo maledetto, da quella volta che dissi ad Anna di accompagnare il colonnello alla basilica di San Lorenzo, perché voleva visitare le catacombe.

Arrivò la macchina; Anna scese; dietro aveva il tedesco in borghese; entrarono nel bar in fondo alla via. Mi avvicinai alla vetrata: lui la baciava sulla guancia; lei sulla bocca. Non sono stata capace di entrare; non l'ho presa a schiaffi; non l'ho portata via con me. Mi sono fatta di pietra come quando mi annunciarono che mio marito era morto, che non mi avrebbe più parlato, che se n'era andato. E peggio di lui sua figlia, che ora se la faceva con un tedesco e così sciupava il sangue di Luigi e il mio stesso sacrificio di sopravvivergli per fare da madre ai suoi figli.

Giunsi a casa; per fortuna Giusto e Adele non c'erano ancora, mentre Mario era già lì, con la figlia di Salonicchio. Abbracciai la ragazza e feci qualche lacrima; credette che mi commuovevo per la morte di suo padre: perché Ideale Salonicchio non aveva sopportato la prigionia e si era impiccato nel campo. No, di lui avevo già pianto quando Carra me l'aveva riferito. «Bambina mia» dissi, «hai una nuova famiglia: non ti lasceremo sola.» Chiesi della madre, della sorella più piccola: era ammalata e per questo non erano fuggite. Quindi presi tra le mani il viso di mia nipote, con gli occhi infossati, rossi di stanchezza: «Quanto devi aver sofferto *nanen*, perdere un affetto così grande: come se ti strappassero il cuore; lo so, mi è successo, io ti posso capire, mia povera cara, mia piccola Regina: che bel nome! mi fa pensare alla Regina di Saba. Anche questo nome dovremo nascondere insieme a te, fino alla fine della guerra. Sei così dolce, hai i capelli corvini, lucidi; ecco: Fosca eh? ti piace questo nome? Sì? Bene, ti chiameremo Fosca, bambina mia.»

Passarono giorni come denti, fabbricati con un unico garbo, di addendum spiritoso e dedendum cupo, infossato nel passo profondo del mio io, tutto callo.

Vidi gli ingranaggi, tagliati dalle grandi dentatrici Reinecker, addentare, come le mie giornate di viaggio, nei risalti della ruota che girava il mio destino di meccanico in quello evolvente e reciproco di Anna, rimasta a Roma. E sebbene alla Saimp piacesse la mia invenzione e Leandro ben figurasse tra gli ingegneri cispadani e i tecnici alemanni; nondimeno, non ci fu modo di tenere la mia capoccia bionda sulle cose che mi dicevano e sulle offerte per il posdomani. Le vie nervose, che da ogni area sensoriale del cervello correvano agli avamposti delle sensazioni, avevano retratto ogni attenzione dalle vociferazioni degli interlocutori, ai quali, pertanto, dovetti sembrare un perito ebete, rintronato dai gridi delle molatrici e dai raschi degli stozzi, quando invece lo ero soltanto dal ricordo della voce di Anna, che risuonava in me, come eco nelle stanze di una casa vuota.

«Hanno telefonato da Roma» ci aveva informato la padrona della pensione, appena arrivati a Padova.

«Per chi?» domandò Cerini spaventato.

La donna cercò nel cassetto un foglio scritto dal figlio, gli occhiali per leggerlo e la pazienza per decifrarlo storpiando il mio nome: «Lucarri?»

«Per me?» e pensai fosse morta mia madre Maddalena. «Chi ha chiamato?»

La padrona non sapeva: non era registrato sul foglietto; avrebbe interrogato il figliolo più tardi, al suo rientro. E il telefono squillò di nuovo.

«Sì? Lucatti? Eccolo qui, lo passo.» Mi prefigurai la voce roca, accentata di toscano, del dottor Taddei di Chiusi, curante della mamma.

«Siete arrivato bene? Non vi hanno bombardato? Pronto, mi sentite?»

«Sì sì, sento.»

«Be', allora parlate.»

«... mi state telefonando, Anna?»

«Mariavergine! Avete la cornetta del telefono in mano e io parlo dall'altra parte del filo, dunque sì, credo proprio che vi sto telefonando. Non avete mai ricevuto una telefonata in vita vostra?»

«Sì certo; è la sorpresa di sentirvi.»

«Ero preoccupata per voi e anche mamma, che è qui vicino a me; anzi aspettate che ve la passo, così vi saluta... Ah no: ha detto di no. Peccato.»

Leandro mi guardava come un padre il cui figlio stesse disinnescando una bomba. Quanta gente s'interessava di me e di Anna: eravamo una coppia pubblica ancora prima di esserlo in privato. E lei mi telefonava per farmi parlare con la madre, mentre Cerini m'incoraggiava con il gioco dei sopraccigli e forse Luciano D'Ascenzio, nello stesso momento, stava indagando su di noi, per riferirne a Italia.

«Dunque vi aspetto, tornate presto...» mi disse in un tono recitativo, per terminare secondo la parodia del fidanzamento; non certo recitata per me, piuttosto per Angiolina, alla quale era stata dedicata la telefonata intera.

«Anna» la bloccai, «abbiate la cortesia di dire a vostra

madre che vi ho invitata al cinema per quando tornerò e che mi mancate molto e che vi spedirò una cartolina appassionata da quassù.»

Dal ricevitore, dietro il flebile brusio elettrico del silenzio, mi parve di udirla respirare, e poi sorridere incerta. Chiusi gli occhi godendomi l'impressione di averla vicino.

«Va bene, glielo dirò... Ciao Bruno.»

«Ciao Anna.»

— «Andiamo al cinema?» mi aveva proposto Carlo, mercoledì 3 marzo, quando sulla via del ritorno mia madre ci avrebbe infine scoperti. Sì, risposi con gioia: ero sempre felice di uscire insieme, quasi fossimo una coppia normale, con lui vestito in borghese. E cosa andiamo a vedere? Mi raccontò di un nuovo regista italiano, assistente di Renoir, di cui era appena uscito un film, intitolato *Ossessione*. Cominciava con la lunga inquadratura della strada, presa dall'abitacolo di un camion in corsa, e si capiva pian piano che era un camion, che si fermava a fare la nafta, che aveva il rimorchio, che nel rimorchio c'era un clandestino, che oltre la strada c'era un'aia di una grande cascina e che questa si trovava nella campagna aperta, dentro una pianura sconfinata.

«Vedi Anna» mi aveva spiegato, «vedi come lo spazio entra all'improvviso nell'inquadratura? Nello stesso modo, inarrestabile, i casi della vita occuperanno le anime dei protagonisti.» Sì vedevo; vedevo quanto lui mi piacesse. Ricordai la sua casa piena di libri e come mi sembrasse straordinario che la mente di Carlo contenesse tutte le parole scritte in quei volumi: perché lui, che aveva letto così tanto e sapeva tante cose, lui era innamorato di me e allora mi potevo sentire bella di una bellezza misteriosa, il cui segreto rimaneva custodito nei libri che lui si portava nella testa.

Cercai di concentrarmi sulla pellicola, di seguire la trama. La protagonista stava seduta sul letto dell'adulterio, con le mani in grembo, le gambe posate a terra, gli occhi bassi, già consapevoli dell'impossibilità di quell'amore, di cui però le sarebbe stato troppo doloroso liberarsi; e alle sue spalle vedevo l'amante che giocherellava con uno stuzzicadenti, la schiena al muro e le gambe stese nel letto. Mi parve che formassero una croce: lei era il palo infisso a terra e orientato al cielo e lui il pezzo trasversale, che si reggeva solo perché era fissato su di lei.

L'uomo aveva un'espressione triste e svagata, come se il dramma non lo riguardasse, e aver fatto l'amore con la donna fosse un fatto senza futuro, in attesa che un nuovo camion di passaggio lo trasportasse in un'altra scena della vita. E così lasciava sola lei, lei che doveva avanzare nel loro comune futuro, trascinandoselo appresso, come una catena e non un compagno. Lui viveva nel presente e non capiva quando la donna lo avvertiva che il presente era subito domani, che il marito di lei sarebbe tornato, che andava presa una decisione, e allora «fuggiamo» proponeva lui; che decisione era: scappare dove? Lei comunque acconsentì e cercarono di fuggire. Ma la realtà li ricatturò subito e lei, tolte le scarpe, si massaggiò i piedi doloranti; infine tornarono indietro. Quindi la donna, disperata, nel tentativo di modificare l'adulterio in un amore lecito, lo trasformò invece in un omicidio delle cui conseguenze morì; mentre lui, l'uomo, veniva arrestato e lo si vedeva condotto via con la solita espressione nel viso di chi si trovi lì per caso, come uno che non ha capito niente, che è stato investito da una ventata e non sa più dove gli è volato il cappello.

«Un film davvero femminista» commentai sorprendendo Carlo, che invece vi aveva visto una bellissima storia d'amore, dove gli amanti erano rimasti vittime dei casi della vita: avversi, perché il desiderio, diceva, è sempre avverso alla realtà. Lo ascoltavo come a scuola avevo ascoltato i professori spiegare le lezioni, con la stessa irritazione. Carlo in quella storia ci aveva visto idee, concetti complicati: tutto meno che noi. Sfogava l'intelligenza nel capire il significato della favola cinematografica, e invece mi lasciava sola a cercare il significato della nostra. Io non ero mica sposata, non c'era un marito da uccidere, perché potessimo vivere felici; c'era la guerra, però sarebbe finita e vinta o persa non ci avrebbe diviso. Era lui invece a recitare il doppio ruolo dell'amante e dell'ostacolo. Lui, così colto e intelligente, ma così incapace di futuro quanto il personaggio della pellicola; e se io non ero nel suo futuro, dove potevo essere per lui? Solo nello spazio tra un appuntamento e un altro della sua giornata. Il nostro era un amore senza disegno e continuità: carcerato nel presente astratto delle sue idee e non in me, nella vita che a me lo legava.

«Bruno, sapete che la signora D'Ascenzio è volontaria dell'Onmi*?» domandò il principale, quando eravamo di nuovo in treno verso Roma. «È una donna che s'impegna per il bene del nostro popolo; una donna che ha dello spirito e non solo dei bei fianchi; di cui pure, credetemi, colgo ancora la seduzione. Guardate, se non fosse sposata, non ve lo nascondo: un pensiero, che dico, una speranza onesta, io l'avrei covata; oh, lo confesso solo a voi: mi raccomando al vostro senso di rispetto.»

Pensai se fosse mai possibile che anche Leandro, come Mario, soffrisse di satiriasi. No, erano proprio le specifiche concavità d'Italia ad attrarre le aduste convessità del mio principale.

«Sì, lo so. La signora D'Ascenzio è una dama visitatrice e spesso va a Sora con la cattedra ambulante di puericultura» risposi saputo.

«Penso che desiderino molto un figlio, ma che questo non venga e che pertanto lei si dedichi ai figli degli altri. Ci mette anche soldi suoi. Sì, me l'ha confessato il marito:

* Onmi: Opera Nazionale Maternità e Infanzia.

93

Luciano aveva portato a casa un fiasco di buon Chianti, regalato da Mastelloni, il gerarca della Dicat, e la signora Italia non va a regalarlo ai contadini che hanno a carico il bastardello di cui si occupa?»

«Quale bastardello?» domandai, sorridendo tra me e me della bugia d'Italia.

«Un bimbetto di quattro anni, di una ragazza madre. Be' ragazza, insomma: secondo Luciano fa la vita; comunque, un bambino affidato a una famiglia di burini a Sora. Luciano sospetta che la moglie aiuti la ragazza pure qui a Roma, passandole delle belle commende; ed è preoccupato che quella... aspettate, come si chiama? Aiello, mi pare...»

Gli feci ripetere il nome.

«Sì, Aiello, Aiello Concetta; perché, la conoscete?»

«Concetta? No no, io non la conosco.»

8.

I sibili acciaiosi delle ganasce, in presa sui cerchioni, picchiarono l'incudine del mio orecchio profondo che dormiva
e una vibrazione di ottomila cicli secondo rintronò nel cranio, raddrizzandomelo di scatto dalla sonnosa supinazione,
a fauci disserrate e a stertore cupo, in cui s'era rovesciato.

Uscii dalla stazione Termini dopo aver mollato la valigia
al deposito bagagli, con il permesso di Cerini per la restante
giornata e m'incamminai verso San Lorenzo.

Pochi giorni prima alcuni aerei nemici avevano sorvolato
la città regalandoci tonnellate di volantini e le nostre povere
Breda da settantacinque millimetri li avevano festeggiati con
allegri scoppi di colpi sui seimila metri, mentre si allontanavano tranquilli nell'orizzonte dei settemila. A terra, per via
Marsala, vidi diversi di quei gentili cadeaux plutocratici, ma
non ne avrei raccolto alcuno se non avessi notato su di essi
l'immagine di una cartina geografica con due grosse frecce
nere che convergevano su Roma, minacciando bombardamenti tanto risolutivi quanto salvifici. Il coriandolo tuttavia
non chiariva se dovessi temere o sperare; forse voleva solo
rassicurarci che gli aerei angloamericani ci avrebbero continuato a massacrare finché non ci fossimo liberati dall'alleato
germanico. Dunque allargai subito le braccia e poi, correndo lungo la via come fossi un Liberator, sparai una serie di
pernacchie per imitare lo scappamento dei motori, affinché

gli aerofoni di Anna udissero il perito Bruno Lucatti in picchiata libera: a salvarla, a trascinarla con sé nel futuro del nostro cielo. La gente mi guardò quasi fossi un pazzo o un maestro d'asilo, perché un codino di bambini mi seguiva gridando e ridendo.

Avevo appena imboccato via dei Sabelli quando vidi Anna sbucare dal portone della Sicom e voltare a sinistra, allontanandosi verso il Verano. Era vestita di bianco ed erano bianchi anche i sandali di pelle; la chiamai che aveva oramai attraversato via dei Reti, oltre il carcere minorile. Mi sorrise sorpresa, allungando la mano nel saluto e io, io l'ammirai muto.

«Bentornato.»

Trassi dalla tasca un piccolo cofanetto di raso e glielo porsi.

«Questo cos'è?»

«È per te, aprilo.»

«No Bruno, non accetto. Anzi, mi scuso. Io sono in imbarazzo con voi.»

«Al telefono ci siamo dati del tu.»

«Non sono libera, capisci? Ho scherzato con te per colpa di mia madre, con cui sto litigando. E ti ho usato, ma è stupido e non voglio mancarti di rispetto.»

«Anna» mi sentii dire, «io sono innamorato di te. Non so com'è successo, non so nemmeno cosa vuol dire. Non capisco, eppure so che è così.»

«Non fare scena, qui non c'è mica mia madre! Dai, piuttosto accompagnami dalla merciaia.»

«Non lo sto dicendo a tua madre, Anna, ma a te.»

Mi guardò seria, appena incredula, poi irosa; notai le iridi marroni, screziate di spine più scure, come petali di un raggìmetro.

«Non puoi dire di esserti innamorato di una persona che hai incontrato due volte. Comunque è meglio che non ci vediamo più.»

«Perché? Tu hai bisogno di me; tua madre vuole che io ti faccia da fidanzato e tu lasciami fare. Non ti darò fastidio. Potrai contare su un amico in più.»

«Cos'è, un contratto?»

«Non so bene in cosa posso esserti utile, però tu usami.»

«Bruno, io sono innamorata di un altro uomo.»

«Be', che vuol dire, possiamo vederci lo stesso se...»

«Se, cosa? Voglio dire che non c'è posto per te, hai capito?»

«Nemmeno per un amico, per un fidanzato di facciata?»

Abbassò gli occhi e si fece pensosa mentre mi domandavo cosa stesse valutando. Diede un bel respiro, alzò le sopracciglia e disse: «Va bene. Ma attento: la prima volta che non stai a questo patto, non mi vedi più. E non voglio che mi metti più in imbarazzo con inutili regali. Chiaro? Be'... e ora perché ridi?»

«Perché sono felice; perché una cosa così non la s'immagina nemmeno. Perché siamo complici; e presto capirai che ti puoi fidare di me fino in fondo.»

Allora sorrise anche Anna, illuminandosi in tutto il viso perché, quando ridevo, io contagiavo.

— Dovevo parlare con Anna, subito; per codardia avevo atteso troppo; dovevo avvertirla che stavo per partire e che non poteva seguirmi a Berlino; cosa le sarebbe accaduto se mi avessero arrestato? Il servizio al completo subiva l'inchiesta della Gestapo con l'apparente e ridicola imputazione di irregolarità finanziarie, mentre era il tradimento che cercavano di provare.

Dovevo rassicurarla mentendole. Le avrei detto: «Tornerò presto»; d'altra parte non riuscivo a fare a meno di lei, della sua forza, del suo corpo e in particolare del suo desiderio che fossi differente. Perché Anna era l'opposto della mia malattia senza essere la mia salute. Era la vita quale l'avrei potuta vivere se fossi stato diverso; in lei intravedevo una forma profonda della mia intimità, ma una forma non in atto e nella quale mi soffermavo come in uno specchio, che riflettesse l'immagine di ciò che sarei voluto essere, senza saperlo diventare.

Prima d'incontrare Anna, ero riuscito a conservare l'unità della mente soltanto con la rinuncia. Poi lei fu il respiro di dio sulla creta inerte della mia persona. Il suo desiderio che fossi come mi voleva, fece esplodere il castello che mi carcerava e per le strade della mia anima scoppiò la rivoluzione: da ogni portone uscì un popolo in festa, che si compiaceva di ritrovarsi, che si esaltava della propria moltitudine. Era l'esuberanza di Anna che moltiplicava in me la vita e la faceva fiorire in forma di personaggi; così, parlandole, mi accorsi che in me c'era un uomo colto; guardandola ammirarmi vidi un uomo bello; vestendomi per lei scoprii la persona elegante e nel letto, l'uomo di pelle: lo battezzai l'uomo emotivo, la scoperta più grande; perché fu questo a portarmi presso l'altro, un tipo magro, un po' scapigliato e sorridente: l'uomo contento. Fui una democrazia felice, unita nell'ideale, perseguibile, di Anna.

Lei infine si stancò di desiderare e pretese che divenissi l'uomo sognato. Mi aveva trovato bruco, ora aspettava la farfalla. Tardai. Spogliati mummia! gridò con metafora nuova. Si offese della mia lentezza; come Orfeo si spazientì del mio passo da Euridice. Confidò meno nel proprio desiderio e mi lasciò solo con il popolo delle mie persone, che si sbandò. La democrazia s'imbarbarì, le fazioni crebbero; l'unità della mia mente fu presa d'assalto e divenne la terra di conquista dei peggiori: la spia, il bugiardo, l'uomo sadico. Malattia! Sentenziò Anna: non confermi quanto prometti, non apri mai le ali.

Malattia? La sua sentenza fu la mia trovata. Scovai l'infermità per la quale invece di sprofondare subito nell'insuccesso, potevo sfuggire al giudizio della mia amata prodigandomi in sciame. Riposi la salvezza dell'innamorato nell'illudere Anna che la colpa del fallimento fosse di un altro, uno dei tanti sofisti che declamavano nella città della mia mente. Le chiesi di allearsi con il me migliore, contro la fazione dei peggiori: gli spioni, i perversi, i bugiardi. Ma lei pretendeva che almeno l'innamorato fossi proprio io, e non un altro me, fra i tanti. Allora l'inganno divenne commedia e cercai di recitarle il personaggio preferito. In tal modo nacque un amore malato.

Un giorno di aprile la portai a pranzo davanti al mare del Circeo. Il profumo del pittosporo inondava la tavola e il vino le dava un'allegria briosa. «Parlami» mi diceva, «quale libro stai leggendo?» Le raccontai delle *Memorie del sottosuolo* di Dostoevskij, e di cosa la malattia avesse significato nella letteratura dell'Ottocento. Fu l'ultima unità dell'Io nella crisi della personalità borghese, le spiegai; conferì un nuovo centro d'identità ai personaggi, capace d'incantare il malato e la società malata intorno a lui. D'altra parte anche la collettizia era una forma di unità; certo perversa, senza centro né guida, non una democrazia quanto piuttosto una demagogia, sostenni. Mi accorsi che Anna si era commossa e quasi piangeva. Disse che conservava solo un ricordo di quando aveva nove anni, e il padre morente giaceva nel letto, senza movimenti, senza espressione. Le era sembrato di essere la sola a dover risvegliare il padre dall'incantesimo in cui era caduto, però non aveva trovato le parole magiche per liberarlo e lo chiamò invano, fin quando l'allontanarono per calmarla. Io, a quel suo racconto, le appoggiai un braccio sulle spalle, dicendole che mi dispiaceva averle suscitato un ricordo così terribile. Lei invece scosse il capo, guardandomi sospettosa: «Possibile che non capisci mai quando mi riferisco a noi?» Era di noi che parlava? «Sì, tu mi ricordi mio padre agonizzante. Con te vivo lo stesso sentimento d'impotenza; sei occupato dalla tua malattia, come mio padre lo fu dalla sua: non so in che modo portarti via da lei; non voglio perderti, come ho perso lui.»

Riaccompagnai Anna verso casa e all'incrocio con via dei Reti scorgemmo una Mercedes che sostava di fronte alla Sicom, con due soldati tedeschi che ne piantonavano l'ingresso.

«Cosa vorranno?» domandai ad Anna con preoccupazione; mentre intanto pensavo alla signora Angiolina: stavano forse per arrestarla con l'accusa di essere una borsara nera?

«Me» rispose senza guardarmi, e allungando il passo, quasi correndo.

Rudi Kreutzer uscì all'improvviso sulla strada e venne incontro ad Anna che mi precedeva. La prese sottobraccio, salutandomi con un sorriso rattristato, portandola in disparte per parlarle.

Rimasi sotto l'occhio grigio dei piantoni e nella vomitevole bromidrosi che emanava dalle divise abusate.

Comparve la signora Angiolina, ma Anna ormai stava entrando in macchina con Rudi, senza nemmeno farmi un cenno con il viso, che teneva basso e crucciato. I soldati schiaffarono gli sportelli e avviato il motore, dalle bronzine tintinnanti e certo anche dalle sedi delle valvole ovalizzate, si allontanarono in un odore di olio bruciato. Intanto, dall'officina dirimpetto, erano usciti sia Adelmo sia Giovanni, il frusinate, e diversa altra gente si affacciò ai davanzali a sogguardare la signora Gatelli, dal cipiglio ingrugnato come quello di una tenaglia.

«Venga su» mi ordinò, additando il portone accanto all'entrata dell'ufficio e precedendomi per le scale, che portavano all'appartamento del primo piano.

Aveva la stessa statura di Anna e la medesima forma del corpo però in Angiolina ogni angolo era acuto e ogni vertice bisecato.

Mi fece accomodare in salotto e chiuse la porta della stanza. Lasciò che sprofondassi in poltrona, poi, rimanendo in piedi, mi offrì una sigaretta, prendendone una a sua volta; l'accese e mi passò la scatola degli zolfanelli, perché facessi altrettanto. Vestiva un abito intero, blu e con due file di bottoni sul davanti.

«Che intenzioni avete con Anna?» domandò, serrando la cicca tra le labbra e con l'occhio destro che le si chiudeva infastidito dal fumo.

Sorrisi d'amaro: domandava le mie intenzioni sulla figlia, mentre lasciava che venisse rapita da una specie di don Rodrigo tedesco, con tanto di sgherri armati e motorizzati?

«Dov'è andata Anna?» le domandai.

«Perché?»

«Se volete che io sia sincero con voi...»

«A salutare il colonnello von Sybel, che è innamorato di lei; e che ora parte, e che speriamo non torni più.»

«E da me cosa cercate?»

«Voglio che stai vicino a mia figlia, ma senza approfittarti di lei: che l'aiuti ad allontanarsi dal tedesco. E attento a non tradire la mia fiducia perché altrimenti te la faccio pagare cara. Se invece sei onesto, come sostiene Carra, ti aiuterò in tanti modi. E chiedi in giro: chiunque ti dirà che sono una donna di parola.»

«Perché la devo aiutare; quello la trattiene con la forza?»

«No. Tuttavia Anna è una ragazza senza padre, senza un modello, capisci?»

«Non tanto. Io cosa c'entro, non sono mica un modello, io.»

«Be' insomma, mi hanno detto che sei allegro, simpatico, che piaci alle ragazze e allora distraila. Portala al cinema, a passeggio: falle la corte. Ma onesto eh, stai ai patti.»

Teneva il dito indice alzato e teso verso di me come un coltello di piallatrice; però mi lavorava a passate troppo rapide, e avrebbero rotto la lima o il pezzo.

Mi alzai di scatto. «No signora, non ci sto.»

«Cosa? E perché? Anna è bella; io ti aiuterò, io ti compro...»

Si aprì la porta e la grande pancia di Mario Carra sfondò lo spazio della camera, generando vortici di vento, che risucchiarono i nostri fumi ad avvolgere lui, come le nebbie del sabba vaporavano attorno al maligno sembiante del mio zio Mefistofele, durante le recite alle Terme di Caracalla.

Io e la signora Angiolina ammutolimmo; Carra capì d'essere arrivato inopportuno.

«Non ci sta» disse Angiolina a Carra. «Capito? Non ci sta.»

«Ho detto che non faccio di questi patti, signora. Comunque se mi permettete di frequentare Anna, la vedrò molto volentieri.»

Mi guardò dura, seria e spense la Eva in un portacenere a saracinesca, dove, spiaccicata la cicca, si poteva ruotare un nottolino che stava sul margine, aprendo così la conca di metallo in due valve opposte, perché il rifiuto precipitasse in un pozzo maleodorante di altri tabacchi, prima che, disserrato il pomellino dalle dita, le palpebre di metallo si richiudessero, col tac metallico di una ghigliottina.

— Rudi mi venne a prendere dicendomi che Carlo desiderava vedermi subito, perché aveva ricevuto una notizia così importante che non l'aveva rivelata nemmeno a lui.

Quindi, arrivata alla villa, mi sorpresi di trovarlo, disteso e tranquillo, che sfogliava un catalogo di oggetti d'antiquariato: «Cos'è successo?» domandavo; voleva sentirmi più vicina prima di parlare e aggiunse solo: «Nulla di preoccupante.»

Ero in ansia, comunque decisi di stare al gioco. Mi offrì un bicchiere di champagne, mise un disco di Benny Goodman sul grammofono, perse tempo appresso all'edizione di un libro antico. Lo raggiunsi e lo abbracciai alle spalle, si divincolò allontanandosi di nuovo, per farsi corteggiare. Lo costrinsi all'angolo della libreria e lo baciai, senza più dargli modo di fuggire. Scivolammo sul tappeto, dove lo spogliai e quando fu nudo e io ancora vestita, mi alzai di colpo andando a sedermi in poltrona: «Se non mi dici cosa è successo non vado avanti.» Per un istante fece un viso da bambino scoperto sulla marachella e risi, mentre invece avrei dovuto capire che mi stava ingannando, dal vigliacco che era. Si riprese subito e mi venne addosso, rivoltandomi a terra: mi difesi e lo morsi, ma avevo voglia di lui e mi ero stancata di giocare. Ci amammo a lungo, presi da una specie di esaltazione sensuale che mi piaceva e mi spaventava allo stesso tempo.

Mi sfilai da lui e mi raggomitolai sulla sua pancia. Carezzandomi i capelli disse che doveva partire. Compresi tutto in un attimo: se mi avesse voluto portare con lui me lo avrebbe detto subito, appena entrata in casa; invece aveva preferito fare prima l'amore, sapendo che dopo non glielo avrei più permesso; e così, al modo di sempre, mi aveva usato. Ora si confessava, sperando di sfruttare il momentaneo appagamento dei nostri corpi ancora abbracciati, per trovarmi più comprensiva e accondiscendente; era un codardo perfetto e calcolatore, una spia; un uomo bello ma sgorbiato. Mi alzai di scatto, afferrai la bottiglia di champagne e gliela tirai addosso: lo mancai. Me la presi con le sedie, i libri, i soprammobili; avrei voluto dar fuoco alla casa, come se ogni cosa dell'appartamento fosse una catena per l'uomo che amavo, imprigionato accanto all'uomo che odiavo.

Si mise a urlare anche lui. «Lasciami spiegare» domandava; e intanto gli strappavo le pagine dei libri; non volevo sentire; mi turavo le orecchie. Mi pigliò per i polsi e disse: «Sono in pericolo, Anna. Credimi. Non posso portarti a Berlino. Sarò interrogato, potrei essere arrestato e di te che sarebbe... lo sai? Eh lo sai? Ti ammazzerebbero Anna, o peggio ti manderebbero in un lager.»

Scivolammo di nuovo sul pavimento, prona su di lui supino. Mi chiesi se volesse solo spaventarmi per costringermi a stare in ansia per lui durante la sua assenza, restando ancor più in suo potere.

«Non ti ho mai detto granché del mio ruolo» aggiunse, «e non voglio farlo ora, perché è pericoloso; in ogni caso tu sai che non sono un nazista, vero? Sono diventato militare solo per salvarmi; non avevo scelta: o facevo l'ufficiale della Wehrmacht o non mi avrebbero mai lasciato in pace. Da giovane io ho fatto la rivoluzione, Anna: sì, in fondo è stata una rivoluzione la nostra.»

Non capivo: quale rivoluzione? Cosa mi stava dicendo?

«Scendemmo nelle piazze con le bandiere al vento, mentre i soldati si abbracciavano alla gente e agli operai delle fabbriche. Era il 1918, avevo diciotto anni. Alla notizia che la guerra era persa i marinai si ammutinarono a Kiel e ad Amburgo, la polizia non intervenne: fu subito la rivoluzione, e senza stragi, senza guerra civile: una primavera in pieno inverno. La voglia di vivere cacciò di colpo il vecchio regime del Kaiser Guglielmo.

Scappai di casa, lasciando una lunga lettera a mia madre, perché capisse, perché fosse un po' con me per le strade della nuova Germania. Girovagai per il paese, da Monaco a Stoccarda a Berlino; ebbi amici fra gli spartachisti e conobbi Rosa Luxemburg, pochi giorni prima che l'assassinassero. Fu una comunista che criticava Lenin. Però io non ero dei loro, non stavo con nessuno: i comunisti sembravano visionari, e io non vedevo le loro visioni. Non volevo cadere da una tirannia a un'altra, volevo la repubblica, la democrazia, la grandezza della Germania intera e non del solo proletariato.

Negli anni successivi mi avvicinai al Partito Democratico e cercai di fare politica. A Weimar la repubblica aveva problemi economici sempre maggiori, che non capivo e cominciai a sentirmi inutile ed estraneo. Mi ritirai a studiare; viaggiai in Italia e in Grecia; intanto la nostra patria veniva attaccata dai francesi e la gente stava male e la Germania soffocava ancora una volta. Infine non so, successe tutto in fretta, la gente scordò la felicità, le promesse, le speranze e venne la fine: il 1933, lo stesso anno in cui morì tuo padre.

I nazisti si ricordarono di me, perché la mia famiglia era eminente e doveva dare l'esempio; si ricordarono che da ragazzo avevo avuto amici comunisti e molti li avevano già arrestati, altri erano stati uccisi. Mi lasciarono in pace solo quando entrai nell'esercito, sotto la protezione di alcuni generali amici di famiglia, tra cui l'ammiraglio Canaris. Nella Wehrmacht c'era chi voleva salvare la Germania dal Führer e mi avvicinai a costoro, ma non si combinò nulla, perché erano pur sempre dei militari: incapaci di tradire la Germania di Hitler, per una Germania futura. In ogni caso era già troppo tardi: Hitler aveva aperto la guerra e se i francesi ci avevano fatto pagare cara la prima, questa seconda, quanto ci sarebbe costata?

Tornai in Italia in una giornata di maggio del 1940, dopo diversi anni di assenza. Accompagnavo la missione segreta dell'avvocato Müller presso il Vaticano, voluta da Canaris; sapevo che nelle intenzioni si andava a patteggiare la pace e la sicurezza della Germania, in cambio della detronizzazione del nazista. Nondimeno la storia aveva già deciso e la processione fu vana oltre che ridicola. Del resto, cosa avrebbe potuto rispondere il papa agli angioletti ariani, paffutelli e biondi, come amorini del Correggio? Ogni cosa era stata inutile: il martirio della nazione nella sconfitta prussiana, la rivoluzione e che Weimar fiorisse al centro del continente, cuore del suo cuore e speranza di tutti: la repubblica della mia adulta giovinezza, la Siracusa di Platone, ma una Siracusa nibelungica. Inutile! Il Reich era stato di nuovo edificato perché la nostra anima vi fosse ancora imprigionata e l'aquila di un dio cane ci rodesse il fegato. Soltanto così l'Europa accettava i tedeschi: dèmoni espiatori nelle mani di sanluigi masochisti. Dunque il Führer domina ancora e noi ci limitiamo a piccole azioni di disturbo, e se anche si fanno piani per ucciderlo, sono solo fuochi d'artificio; fuochi che ci possono costare la vita però. Comunque non ti preoccupare troppo, stanno richiamando in patria ogni elemento dello spionaggio militare e questo vuol dire che non hanno idee chiare, altrimenti procederebbero all'arresto di precisi cospiratori. Vedrai che tornerò in un paio di settimane; a ogni modo terrò informato Rudi e lui informerà te.»

Non riuscivo più a capire cosa mi stesse dicendo: nelle orecchie mi risuonavano le sue parole «ucciderlo... ucciderlo» ed era di Hitler che parlava. Possibile che quell'uomo così incerto e che spesso sembrava un bambino invecchiato, cercasse di uccidere Hitler? Che avesse un tale coraggio, quando con me si mostrava tanto vigliacco? Ah, l'avessi potuto dire a quella stupida di mia madre; lei che credeva che solo mio padre fosse degno del nome di uomo; lei che considerava Carlo un nazista solo perché tedesco.

«Non mi inganni, vero?» domandai, prendendogli il viso tra le mani. «Ti prego non dirmi ancora una bugia.»

«No, non t'inganno, no» e giurò che mi aveva detto il vero; lo giurò abbracciandomi e baciandomi; ma lo giurò sui propri figli, avuti con una donna che io non ero.

9.

Mario, nel salotto della Gatelli, dove eravamo rimasti soli, assomigliava senza dubbio a una molatrice. La pancia infatti sopravanzava la testa, come la vasca di raccolta del liquido refrigerante sporge nella macchina. Del resto il mio amico aveva la faccia come il cemento e non c'era mola al mondo che non fissasse i cristalli del mordente in una mistura di quel materiale pulverulento.

«Hai visto? Ho finito per fare ciò che volevi: mi sono impicciato con i Gatelli. Sei felice? Tu, però, potevi anche essere sincero sin dall'inizio.»

«Lo sono stato. Cosa ti ho detto di falso?»

«Non mi hai detto quanto sapevi del colonnello, di Angiolina, di Rudi Kreutzer. Non so nemmeno che fine ha fatto il padre di Anna.»

«È morto.»

«È morto? Ma davvero? Guarda un po' il caso! E magari a Parma, tra culatelli e formaggi?» commentai, canzonando l'omertà dell'amico.

«No, da Parma vennero via quando fu accusato di aver ucciso mio padre.»

Per molare un pezzo occorreva evitare di avvicinare troppo delicatamente l'abrasivo al metallo, perché, se la pressione risultava debole, la mola s'ingorgava di spolvero. E qualcuno doveva averlo spiegato anche all'ingegner Carra, se mi attaccava con la passata pesante, distaccando una polvere di trucioli scintillanti dalla massa logaritmica della mia ignoranza.

«Era il 1923» raccontò, «e ormai i fascisti avevano l'Italia in mano. Angiolina cercava già da tempo di convincere Luigi a lasciare Sala Baganza e ad accettare l'offerta di un tal colonnello Rubino, sotto il quale Luigi aveva militato nell'altra guerra, come meccanico artigliere, e che allora lo voleva con sé, qui a Roma: allo spolettificio di via Guido Reni. Lui resisteva, non desiderava scappare, nonostante gli squadristi avessero distrutto per due volte il fienile dei genitori. Poi qualcuno uccise mio padre e i suoi camerati pensarono a Luigi. Anche io, quando conobbi l'accaduto, mi preoccupai subito di lui e corsi ad avvisarlo. Arrivai prima del camion della banda fascista e scappammo nella campagna, con Angiolina e Giusto ragazzino. Dal monte Bosso vedemmo il chiarore del falò in cui bruciarono i mobili, i vestiti, i libri di Luigi, i materassi di Angiolina. Luigi dunque si decise e con il permesso della polizia, che lo aveva scagionato dall'accusa di omicidio, vennero a Roma; mentre io restai ancora a Sala, per finire gli studi.

Luigi passò un paio d'anni allo spolettificio, occupandosi degli acquisti di utensileria per lo stabilimento. Intraprendente com'era non ci mise molto a mettersi in proprio, diventando fornitore esterno della fabbrica militare. Tra le bombe e le spolette aveva anche conosciuto un altro parmigiano, Adelmo Rabersati, artificiere e meccanico, e lo portò con sé a San Lorenzo quando aprì la Sicom. Nel dicembre del '24, nacque Anna e fino alla primavera del '33 filò tutto liscio.

Ma un giorno, mentre stavano scaricando una pressa da una tonnellata e mezzo che sembrava un mostro orecchiuto, perché aveva due grandi ruote ai lati della testa motore e una bocca da insetto, con il martello che scendeva tra le guide d'acciaio...»

«Eccentrica, Mario: si chiama pressa eccentrica.»

«Sì, quella: mentre la scaricavano dal carro, uno dei tre piedi del cavalletto, a cui era attaccato il paranco in tiro, scivolò sulla mota bagnata e la pressa, cadendo a terra fuori asse, si piegò su un lato; sarebbe finita contro il muro del locale, schiacciando l'operaio che stava ancora con la catena del paranco in mano, se Luigi non si fosse gettato contro la macchina.

Io non c'ero, però la scena mi è stata raccontata mille volte da Adelmo e da quanti vi assistettero, immobili e stupefatti dall'istantaneità degli eventi. Mi dissero che Luigi e la pressa, per qualche lunghissimo istante, rimasero immobili, atteggiati come statue: lui, con il capo chino sul petto e le braccia alzate contro l'orecchio sinistro della macchina e questa che lo gigantegia, bilicando su di lui, incerta, infantile, fuori controllo. Infine la pressa cedette, riassettandosi sul proprio piedistallo, nell'urlo unisono degli amici a cui era tornata squillante la voce e nel pianto isterico dell'operaio che, avuta salva la vita, calciava il metallo acciaioso del mostro orecchiuto.

Gli uomini corsero ad abbracciare l'eroe e si voleva stappare del vino, celebrare la vittoria, ma Luigi, in silenzio, senza un oh, un fiato, si accasciò presso il piede aculeato del cavalletto e svenne.

Fu portato all'ospedale perché non riuscivano a farlo rinvenire, anche se vomitava, ma come in un sonno, quasi soffocandosi nel suo stesso vomito. Morì il giorno appresso senza più riprendere coscienza. Era marzo, aveva quarantatré anni e Angiolina trentanove.»

«Io ne avevo quaranta, Mario. Ricordi?»

Aveva parlato Candido, entrando nel salotto dei Gatelli.

«O coltellaccio: che fai tra noi vivi?» gli domandò Carra.

«Mi ha telefonato Angiolina, dicendo di venire. È qui da voi?»

«La tua semeiotica tanatologica ne vede i segni? No? Dunque non c'è.»

«Come?» domandai. «Vi conoscete sin dal '33?»

E il settore annuì.

«È stato Mario a presentarti ai Gatelli?»

Carra sprofondò nel divano e alzò gli occhi al soffitto, insofferente della mia ottusità. Candido invece rimase in piedi, sulla soglia della porta, indeciso se cercare Angiolina o darmi soddisfazione.

«No, prima di ogni altro ho conosciuto Luigi Gatelli. Fu un caso, una questione di turni, non ricordo con esattezza. Del resto li incontro sempre così.»

«Così?» ripetei, già inebetito dalla precognizione del seguito.

«Allo stesso modo, voglio dire. Ne considero prima il sesso, l'età, la statura, il peso, la cute e gli annessi; passo infine all'esame regionale: gli occhi, il naso, le regioni dorsali, i linfonodi epidermici.»

«Bruno!» berciò Carra, «ora puoi richiudere la bocca; non ti dona per niente.» Eh sì: mi era caduta la mascella; avevo quel difetto quando m'incantavo.

«Che mestiere fa Candido?» mi interpellò Mario solerte, celando bene la canzonatura. «Il settore, no? E allora, chi vuoi che abbia coadiuvato l'anatomopatologo durante l'autopsia di Luigi Gatelli? Ah ah adesso hai capito? Bravo il mio peritello industriale.»

Candido si guardò le scarpe dalla tomaia traforata e sembrò imbarazzato; forse non voleva condividere la celia di Mario e, udendo dei rumori dalla parte della cucina, preferì allontanarsi con la scusa di cercare la vedova Gatelli.

Mi riscossi dallo stupore e protestai l'assurdità del fatto: come poteva un settore diventare amico della famiglia del cadavere sezionato; era un'enormità, un atto innaturale, contro ogni sentimento di umana devozione. Carra acconsentiva: però Angiolina non era una donna pari alle altre.

«La mattina del funerale» aggiunse, «arrivammo all'obitorio dietro il carro: un tiro di sei cavalli, bardati e con il pennacchio. Angiolina era sconvolta ma non piangeva, non parlava: una statua di sale. Il feretro era pronto e ci fu l'ultimo addio al corpo di Luigi. Angiolina ne toccò appena le labbra con le dita, senza un movimento di troppo e rigida, quasi arrabbiata. Non volle che Giusto e Anna si avvicinassero e quindi furono trattenuti a carezzare i cavalli, neri come la pece. Mentre chiudevano la bara, Angiolina notò un ometto con il camice bianco che osservava gli addetti alla chiusura. Gli domandò se fosse un medico e Candido rispose di no, disse che era il prosettore. Angiolina non capì e pretese spiegazioni. Lui precisò: "Responsabile delle preparazioni anatomiche." Ancora Angiolina non capì. Si allontanò qualche passo e si girò di scatto, informandosi con una voce cavernosa: "Mica lo avete tagliato?"; e Candido: "Sì, signora: dovevamo, è la legge."

Angiolina aggredì il tecnico sbraitando che non avrebbero dovuto, che lei non avrebbe mai dato il permesso. Io accorsi e con me gli altri uomini; anche perché Candido non sapeva ripararsi dagli schiaffi di Angiolina e implorava: "Signora vi prego: dovevamo capire... signora..."

Angiolina si calmò di colpo: "Capire cosa?"

Candido, rosso per gli schiaffi che si era preso, le risponde: "La causa della morte del vostro signor marito."

"Continuate!" ordinò lei.

Candido attaccò a dirle dell'emorragia provocata dalla debolezza, forse congenita, di un vaso cranico, che aveva ceduto sotto lo sforzo improvviso. Spiegò ad Angiolina che Luigi, un uomo così forte, aveva una specie di tallone di Achille, ma non nel piede, bensì nella testa. Per il resto, disse, era sanissimo: il cuore di un ragazzo, e grande, quasi eccessivo, di almeno trecentodieci grammi, se non ricordava male. Capisci Bruno? Candido le dava i particolari e lei s'incantava alle allusioni orribili. Anzi, resisteva mentre tentavamo di portarla via, facendo segni a Candido perché tacesse. Lui, lo conosci, insisteva che gli organi interni non dimostravano l'età, ma molto meno. Descrisse l'ampiezza dei polmoni, che al tatto si presentarono soffici e palpati fecero udire il minuto crepitìo dell'aria bloccata negli alveoli, indice di perfetta elasticità. Angiolina lo ascoltava imbambolata. E Candido continuò: "Il tessuto muscolare, signora, era ricco di sostanza contrattile, pregno di ossigeno: quanto quello di un atleta. Avrete di sicuro dei figli, vero?"

Nel viso di Angiolina il dolore si era impastato allo sbigottimento e le dava un aspetto davvero tremendo: di maschera rovinata, di viso che non regge più l'espressione.

Però, Bruno, non so se mi puoi capire davvero. Hai mai dovuto osservare il cadavere di una persona che ti è stata cara? Non mi pare ancora, non è così? Be' quando ti capiterà comprenderai meglio ciò che intendo: è che te lo vedi di fronte con la sua gelida faccia di mistero, di silenzio urlato e anche d'inganno, sì – come avesse trovato una via d'uscita dal tempo, di cui non vuol dirti nulla per non portarti con sé, abbandonandoti invece al tuo piagnucoloso richiamo. Allora, credimi, se potessi aprirgli la faccia a quel cadavere, che nasconde chi ti è caro; be' ti dico, Bruno, se potessi aprirgli la faccia lo faresti, eccome! praticheresti un bel buco tra gli occhi vitrei cercando di cavar fuori il viso della persona amata. Però non puoi e ti devi arrendere; così lo lasci andare mentre cade nel nulla e lo perdi, ti abbandona e alla fine gli getti solo dei fiori sulla cassa chiusa. All'opposto, Angiolina vide in Candido chi osò lacerare la maschera cadaverica, calandovi dentro lo sguardo, strato dopo strato, senza requie, senza permettere alla morte di morire completamente, capisci?, trattenendola ancora in un istante da sezionare in frammenti di frammenti, fino al più piccolo, dal vago sapore di eterno. Ecco cosa lega Angiolina al nostro cistòtomo di famiglia, al perito Pani. È come se, per lei, Candido vivesse in una dimensione speciale, che dirti?, nemmeno appartenesse fin d'ora all'aldilà di Luigi.

Del resto anche Candido fu colpito da Angiolina, dagli

schiaffi, certo, ma non meno dalla sua personalità, che gli impose di accompagnarla nel funerale ignorando ogni tentativo di resistenza. E quando i cavalli psicopompi si mossero alla frusta del vespillone, sotto i grandi pennacchi neri delle bardature, e il corteo cominciò a svolgersi verso San Lorenzo, per scendere tutta via dei Sabelli, affinché la gente si affacciasse dalle finestre, a porgere l'omaggio di un ultimo saluto al grande cittadino dell'umile quartiere e gli uomini uscissero dalle botteghe per levarsi il cappello al passaggio del feretro, e altri ancora si aggiungessero spontaneamente al corteggio funebre fino al Verano; be' allora, dietro il carro, con Angiolina, Giusto, io e la piccola Anna c'era anche il prosettore, seppure nascosto sotto un gran cappello dalle falde troppo larghe, che precedeva gli altri parenti e gli impiegati dell'azienda e i tanti amici convenuti.

Angiolina, nel lento cammino del carro, si volgeva di tanto in tanto verso Candido e insisteva a guardarlo finché le sorrideva, per rassicurarla che il marito era in pace e che in pace poteva stare anche lei: perché lui, quella certezza di quiete, l'aveva ricevuta dalle viscere di Luigi, dallo scrigno aperto del suo corpo dissecato.»

— Rincasai che avevo solo voglia di piangere sulla spalla di qualcuno. Carlo andava via e non potevo essere certa che sarebbe tornato. Era la prima volta che partiva, da quando lo avevo conosciuto, e mi aveva sempre promesso che mi avrebbe portato con lui, se fosse dovuto rientrare in Germania. Ora se ne andava ma io restavo. Avrebbe rivisto moglie e figli; sarebbe stato ripreso dal suo passato, contro il nostro presente. L'angoscia mi chiudeva lo stomaco. A cena non riuscii a mangiare; mia madre mi guardava accigliata; sembrava una tigre di quelle che allo zoo facevano la ronda dietro le sbarre. Sentivo che avrebbe voluto chiedermi di Carlo e non osava né io avevo voglia di parlarle. Quando mi alzai da tavola per andare nella mia stanza mi seguì.

«Dunque se ne va?» domandò; le risposi di sì.

«Tornerà?» Replicai che non sapevo.

«Che Dio ci liberi di lui» aggiunse e io trattenni il magone. Si avvicinò al mio letto, si sedette sul bordo e mi carezzò i capelli; non riuscii a resistere, mi volsi e l'abbracciai piangendo come una bambina.

«Coraggio, vedrai che lo dimenticheremo» e io: «Chi mamma, chi dimenticheremo? Noi non dimentichiamo.»

«Sì, coraggio» continuava, «lo dimenticheremo.» Avvertii la rabbia salirmi in gola.

«Di chi parli? Chi dimenticheremo? Carlo? O stai parlando di mio padre?» Il suo corpo s'irrigidì di colpo slegandosi dal mio.

«Che dici? Tuo padre...»

«Già, mio padre è indimenticabile! quindi come credi di avermi insegnato a dimenticare. Magari mamma, magari me lo avessi insegnato. Invece non me lo hai mai permesso. Mi hai fatto vivere sempre nel ricordo: tuo padre è morto, dicevi, è morto; ci ha lasciate. Ci ha lasciate? Te ha lasciato, che ci hai vissuto. A me, invece, mi ha abbandonato nelle mani di una madre che non ha saputo dimenticarlo e che mi è stata di fronte come una croce, perché neanche io dimenticassi mai e non fossi una ragazza simile alle altre ma un'orfana, l'orfana di tuo marito! Perché non ti sei risposata con Carra, anche se molto più giovane o con chiunque altro? Avresti liberato me e Giusto dal dovere di piangere nostro padre e la sua vedova, che non aveva nemmeno quarant'anni. Perché sei stata così egoista? Tu, te l'eri goduto tuo marito, mentre io non ho potuto nemmeno sognare mio padre, avevo te che me lo impedivi, che mi raccontavi le sue gesta perché lo ricordassi a modo tuo. E così ho fatto, mamma, proprio come desideravi: per questo mi sono innamorata di Carlo. Sì, ascoltami: mi sono innamorata di lui perché assomiglia all'immagine che di mio padre mi hai mostrato. È colpa tua, vedi? Mi sono scelta un uomo che non si sa mai se c'è davvero: come lui, che non c'è mai stato veramente per me; un uomo sposato con un'altra: come lui, che fu sempre e solo tuo. Un uomo che però sapesse prendermi quanto mio padre prese te: un uomo di cui potessi essere innamorata come ti ho vista innamorata di lui. Dicevi che mio padre aveva degli ideali e io ho trovato un idealista, uno che ha fatto la rivoluzione, che ha conosciuto i marxisti. Dicevi che mio padre era colto, e io ho un uomo che ha la casa piena di libri. Vedi? Con le tue storie mi hai spinto verso Carlo. Tu, solo tu! E lo sai, mamma, cosa sta cercando di fare Carlo? Lo sai? Pensaci un po'. Cosa faceva mio padre, chi combatteva? Dillo: combatteva i fascisti, il Duce; non è vero? E sai Carlo che fa: cerca di uccidere Hitler; ecco, vedi? l'ho scelto proprio bene il mio uomo; anzi, dovresti andarci tu, chissà che tra le sue braccia non ritrovassi mio padre.»

Sbraitò che la smettessi; si alzò di colpo dal letto e corse alla finestra per aprirla; mi fece pena, perché con le mani si chiuse le orecchie per non udire le mie parole, come avevo fatto con Carlo quello stesso pomeriggio.

Mi alzai anch'io e le andai incontro perché forse volevo abbracciarla, però lei mi schiaffeggiò; strepitò che non potevo permettermi di dire quelle cose di Luigi. «Cosa c'entro con mio padre» rispondevo, «io sono una persona autonoma e non la figlia di una serie di racconti. Tu hai fatto della nostra vita l'adorazione di una mancanza. Mi hai impedito di amare mio padre con la tua gelosia e la tua ossessività, per piangerlo da sola. Perché, mamma, non mi hai mai permesso di piangere con te? Eh? Perché? Sei stata gelosa del tuo stesso dolore, ecco perché.»

«Era l'unica cosa che mi restava di tuo padre» mi gridò in faccia.

«Ma era anche il mio dolore, mamma: ero sua figlia, non un'amante di cui essere gelosa. Quando piangevo mi chiedevi di farmi forza, che così avrebbe voluto papà; ma io lo sentivo che volevi essere la sola a piangerlo, che non me lo consentivi, che mi mettevi una mano sulla pancia e spingevi giù, perché non potessi percepire i singhiozzi dentro di me. Mi hai fatto credere indegna di piangere mio padre. Eri sempre depressa, non parlavi per settimane e credo che ci odiavi, a me e a mio fratello, perché eravamo vivi: noi sì e lui no. Sei una donna terribile, mamma, incapace di condividere i sentimenti con i tuoi stessi figli e non so come potevi essere con mio padre ma, spero per te, che fossi ben diversa da come sei con noi.»

Lei mi gettò una mano sulla bocca perché tacessi.

«Che ne sai tu di qual è stata la mia vita finché ho incontrato Luigi; che ne sai tu di come si vive in dodici dentro una stanza con il freddo e la fame, e la vita ha senso solo se mangi e se ti scaldi, quando anche i genitori ti sembrano nemici perché mangiano di più e ti fanno lavorare? Poi arrivò Luigi; non capivo nemmeno il suo dialetto, tanto ero ignorante: conoscevo solo le parole che servivano a mangiare e coprirsi. Non so perché Luigi s'innamorò di me che ero sciatta, sporca, con addosso i vestiti della parrocchia. Eppure lui voleva me, proprio me. Sono nata quel giorno, Anna: perché solo quel giorno per qualcuno ho contato qualcosa. E lui ha detto che ero bella e intelligente e mi ascoltava: ascoltava il mio silenzio perché non sapevo parlare. Mi domandava consigli per il lavoro e per i genitori, che erano ammalati. Gli uomini allora non parlavano nemmeno alle donne, figurarsi chiedere consigli, e lui, intelligente com'era, chiedeva a me. Tuo padre ha fatto di me una persona. Luigi è stato ed è la mia vita e io non posso e non voglio immaginarmi senza di lui.»

«Mamma, è la stessa cosa per me: il mondo non ha senso senza Carlo.»

«Che dici? Lui è un tedesco, un nazista.»

«Non è vero, te l'ho detto, non è vero; e comunque cosa

116

importa: è l'uomo che ho scelto e io sono la sua donna.»

«Donna?» mi domandò con il viso sconvolto. «Non basta aprire le gambe per diventare una donna.»

«Mamma» continuavo a implorare, «perché mi tratti così?»

«Perché non sai essere figlia di tuo padre. Perché mi assomigli e assomigli a lui, ma non sembri figlia nostra.»

«E tu non sembri proprio una madre, solo un'amante inaridita. È morto! Vuoi capire che è morto. È morto» le gridai, «io no, io sono viva e tu devi amare me, tua figlia. Tu hai una responsabilità verso di me, non verso di lui.»

«Anna» disse fredda come solo lei sapeva essere, «tu e tuo fratello siete i miei figli non perché sono vostra madre, ma perché sono stata la donna di vostro padre.»

Corsi via uscendo da casa. Non sapevo dove andare, cosa fare; non volevo più rivedere mia madre: quegli occhi duri e infami, quel suo becco d'arpia.

Dopo aver cenato nella trattoria di Cesare ero salito a salutare Italia, che ormai non vedevo da tanti giorni, sperando di farmi impastare dal suo odore e dalla sua morbidezza; però c'era anche il marito Luciano ed esauriti i convenevoli mi chiusi nella mia stanza, stanco e un po' ubriaco.

Serrai subito le imposte perché su Roma splendeva un plenilunio quasi perfetto che m'inquietava. Provavo turbamento alla faccia assolata della luna, come mi chiamasse a fare qualcosa, non capendo cosa. Un leggero cardiopalmo insisteva nel mediastino del mio tronco riposato sul letto e un'innaturale sudorazione m'irritava insieme a un senso diffuso di allarme.

All'improvviso udii dei rumori al piano di sotto. Cercai di tenermi calmo e aprii il testo del Galassini, gli *Elementi di Tecnologia Meccanica*. Distinsi i passi di Italia che salivano le scale. Mi alzai di scatto dal letto.

«Bruno aprite, sono io; aprite.»

«Cosa succede?»

«Venite giù, c'è Anna.»

Abbracciai la mia padrona di casa e la strinsi forte, facendole male; ritrovai il suo sguardo cavo, che mi teneva con la calamita delle pupille ottaedriche, capaci di cristallizzare con le mie all'istante, in forme simili di affetto e di desiderio. Ficcai la bazza aguzza nel trapezio brividoso d'Italia e scesi le scale, come un vento, ad avvolgere la mia Anna.

Quando la vidi stanca e pallida, ancora con il vestito bianco, gualcito e sporco, seduta nel salotto dei D'Ascenzio: ripensai alla luna e compresi perché mi avesse chiamato.

Anna, nel vedermi, si alzò e domandò di parlarmi da sola. I nostri ospiti uscirono cortesi. Appena richiusero la porta scoppiò in un pianto dirotto. Non sapevo cosa fare e non feci nulla, la tenni tra le mie braccia, muto e incantato da quanto stava accadendo.

Cominciò a parlarmi con fatica, tra i singhiozzi; si scusò: era disperata, non aveva dove andare; poteva confidare solo su un'amica, ma non l'aveva trovata in casa. Mi raccontò di un litigio con la madre; disse che Angiolina aveva ammesso di odiarla, che l'aveva trattata da sgualdrina e lei non sarebbe mai più tornata a casa. Del tedesco non parlò. Voleva che chiedessi ai padroni una stanza e che garantissi per lei: avrebbe pagato in qualche modo.

Lasciai che si sfogasse. Quando tornò se stessa, rise all'improvviso: si scoprì ridicola. «Hai visto?» commentò, «sono stata subito al patto, che pure non volevo.» Mi feci forza e le domandai di lui. Mi rispose che era partito e che non sapeva se sarebbe mai più tornato. Le dissi di sì, di stare tranquilla perché sarebbe ritornato di sicuro: lo sentivo. Ed era vero; sapevo che il mio amore per Anna avrebbe dovuto seguire una strada tortuosa per arrivare dove si sarebbe fermato.

«Sei molto gentile Bruno. Sembri una persona sensibile.»

«Oh sì» le risposi, «sono un meccanico e quello che per

voi si misura a spanne io lo calcolo in millimetri, a volte in decimi di millimetro.»

Sorrise rasserenata.

Pian piano cercai di convincerla a tornare a casa: resisteva, non voleva, però la stanchezza e forse il piacere di sorprendere Angiolina rincasando a notte alta e in pieno oscuramento con me sottobraccio, la persuasero; così, salutati e ringraziati i D'Ascenzio, uscimmo sulla piazza della Pigna, io per salire sul sellino e lei sulla canna della mia bicicletta. Senonché, attardandoci appena sulla soglia del palazzo, «luce, luce...» ci urlarono le ronde dell'Unpa, vedendone filtrare un fioco raggio dall'uscio accostato.

Pedalai a luci spente, ma con i parafanghi pittati di bianco, per via del Gesù, risalii via del Plebiscito, fino a piazza Venezia, svoltando per via dell'Impero. Cercai di salire a colle Oppio per andare a piazza Vittorio e arrivare sulla Tiburtina dall'arco di Santa Bibiana. La salita era dura e dovevo anche tenere le gambe aperte per non colpire Anna con le ginocchia. A metà di via delle Terme di Tito ci scontrammo con uno sciame di lucciole, che si accesero di colpo, disorientandoci. Anna allungò la mano per prenderne qualcuna e io persi l'equilibrio: fummo per cadere tra gli insetti, che intanto si erano tutti spenti.

Ci fermammo un attimo a guardare il Colosseo. Anna si appoggiò alla mia spalla e poco dopo si addormentò all'impiedi. Rimasi immobile per non svegliarla e godermi quell'incanto, in cui ogni cosa sembrava fermata e i tempi riassunti in un attimo largo e lungo. Ascoltavo il respiro di Anna come quello della città oscurata, sotto il cielo allunato: ed era un respiro lento, che avvolgeva le pietre, le strade, le case in un passato futuro dal quale tornava qualcosa di misterioso e familiare.

Guardai su, vidi il cielo vuoto di stelle: vidi che la solitudine della luna era la sua luce, e intravidi un ragazzo che camminava nella mia mente, sotto il medesimo cielo, ma in un altro tempo; vidi che era solo, che per farsi compagnia alzava gli occhi alla luna, pensando a me, che l'avevo guardata prima di lui.

Anna si svegliò all'improvviso. «Che c'è? A che pensi?» domandò.

«Oh no, a niente: a una fantasia.»

«Quale?»

«A un ragazzo che mi cammina nella testa. Pensavo al giorno in cui io camminerò nella sua.»

10.

Stavo prono sulla faccia abbacinante della luna, come sul globo vitreo di una lampadina accesa. Affondate le dita nel centro dell'astro gridavo con voce non mia: Lucatti, Lucatti Bruno, svegliatevi.

Un riflesso giallo di sole balenò nella cella e trovati i buchi sonnosi delle pupille, appena dischiuse, vi saltò dentro come uno schizzo d'aceto.

Controluce si stagliava la figura ripiegata del questurino che mi scoteva; sì sì, dicevo: sono sveglio; ma non era proprio vero. Cercai di contrarre la corteccia cerebrale quasi fosse un sopracciglio innervato di muscoli corrugatori. Così ne eccitai l'attività depressa e riuscii almeno a sedermi sul tavolaccio, per rispondere al milite che mi ordinava di vestirmi, perché il maresciallo D'Ascenzio mi attendeva nell'ufficio del commissario.

Ero stato fermato dalle guardie annonarie a via Cavour, mentre lasciata Anna sotto casa tornavo lento e felice nella mia. Mi trovarono senza alcun documento personale, perché scendendo di corsa nel salotto d'Italia per soccorrere Anna, avevo dimenticato la tessera di ufficiale del genio in congedo e il permesso del Fabbriguerra. Fui condotto quale sospetto al commissariato di piazza della Suburra, dove, appena raccolta una retata di borsari neri, tutte le celle ne erano piene. Mi cacciarono dentro una da quattro posti, già

121

occupati. Rimasi un po' in piedi e poi mi accucciai in un angolo; finché uno degli allettati mi chiamò a sedermi presso di lui. Fui sorpreso dalla pronuncia gergale che mi sembrò di conoscere. Era un ragazzo piccolo di statura ma robusto, riccio e nero di capelli. Il naso gli partiva dal cranio come una pinna di squalo e isolava due grandi occhi protrusi, di colore differente, quali avevo visto soltanto nei gatti: uno era marrone e l'altro olivastro.

Lo ringraziai molto e gli spiegai la mia disavventura, senza chiedere nulla della sua. Domandò il mio nome e io, per abitudine, risposi accompagnandolo al cognome. Me lo fece ripetere una seconda volta e stupì. Gliene domandai motivo e lo vidi riflettere incerto.

«Aviamo conoscenze communi, paisà» commentò.

Pensai a qualche operaio di Cerini, però Salvatore, così si chiamava, aggiunse sorridendo: «E non una, due! Una grossa grossa e una filusella filusella. Una maschia e una fimmina. Be', non andovini?»

Mi arresi subito e Salvatore svelò che la grossa era Mario Carra e la "filusella" era Concetta, Concetta Aiello, sua sorella.

«Oh, *bum*!» esclamò, ficcandomi l'indice teso nella bocca aperta dalla sorpresa.

Non sapevo se credergli: lei alta lui piccolo, lui alato di naso, lei camusa; lei verde nell'iride, lui d'oliva, solo per un occhio; in entrambi però la stessa retrazione delle palpebre superiori con leggera protrusione dei bulbi oculari, come negli occhi delle rane e lo stesso gracidare burino, che dava all'immaginazione una corrente ascensionale e liberava la mente dal basso delle solite parole.

Da quanto disse appresso sembrò che non sapesse nulla del mestiere di Concetta e la credesse a servizio da gente dei Parioli. Di me, invece, pensava che fossi il fidanzato di una ragazza parente di Carra, con il quale, per altro, si era visto diverse volte. Cercai di capire il motivo degli incontri con

Mario, tuttavia Salvatore non scendeva in dettagli. Allora millantai confidenze di Concetta e lo canzonai, nemmeno celasse un segreto di pulcinella.

«Ma dai, conosco Mario da anni e posso bene immaginare i vostri traffici.»

«Sentimo le guapperie toie. Ca traffici dici?»

«Oh, abbassa la voce. Sei sicuro di questi tre?» feci con l'atteggiamento del sedizioso, per farmi credibile al suo giudizio.

Non si fidò e tentò ancora una volta per capire se davvero avessi saputo qualcosa dalla sorella o da Carra.

«Stai a dìcere deli Gatelli?» e il cuore mi si arrampicò a ragno su per la gola.

«Certo, dico della ragazza e del piano per salvarla» alludendo ad Anna.

«Non facimmo ntiempo: me dispiacce. O patre s'era già appiccato e momienti non la cavavama fora manc'a idda.»

Nell'orecchio del mio cervello solo io udivo i colpi affrettati del motore cardiaco, che pigiavano l'aria nei polmoni, chiusi dalla valvola tracheale a trattenere il respiro.

«Non è vero» risposi arrabbiato, credendo mi stesse rifilando una balla. «Il padre è morto da dieci anni e di ictus.»

«Gnornò, s'anforcato tre mesi fa; e io aggio viduto a tomba, con st'uocchi miei propri, Bru'.»

«Luigi Gatelli?»

«Chi? Quale Luigi du cazzu.»

«Non stai parlando di Anna Gatelli e del piano di Angiolina per salvarla?»

«Sì di lu piano dilla signura Angelina: sì; ma a salva'... però Bru', m'aposso fida' da te? Pari così carcioffo...»

Annuii appena, dando la mia approvazione anche all'apostrofe botanica.

«No, famme sta cucito, perché se poi soffi, Bru': tu sei omo scannato, per me o pe li compari mei. Capito? È mejo così.»

Infine, nelle vanagloriose rivoluzioni della mia corteccia mentale scintillò l'evento elettrico e su qualcuno dei miei bottoni sinaptici si disegnò il viso di Fosca, quando mi diceva di Angiolina, della signora che l'aiutò.

«Sì, ho capito, tu alludi a Fosca» gli dissi, «quella dell'obitorio del policlinico: lei è la ragazza che Angiolina voleva salvare.»

«Ma chi la cunuscie sta Fosca, Bru'; lassame sta'.»

«Come la chiami tu? È lei che avete salvato il marzo scorso. Sono sicuro della data perché l'ho conosciuta che era appena morto un operaio del laboratorio dove lavoro, un certo Geppo. A marzo, vero?»

Candido mi aveva spiegato che la contrazione muscolare consisteva in un meccanismo a cremagliera, dove un filamento di muscolo s'incernierava a un altro avanzando o cedendo. Allo stesso modo vidi i lineamenti del viso di Salvatore rilassarsi punto a punto, come nello scatto successivo dei denti multipli di un ingranaggio.

«Sì a marzo. E mo, s'annummenata nova, veramende?»

«Certo, per sicurezza.»

Parlammo la notte intera, raccolti nella stessa branda e coperti dallo stertore cupo dei galeotti. Salvatore andava molto fiero della sua azione sovversiva e capii che doveva far parte di una qualche organizzazione comunista, il cui principale obiettivo era auspicare, arrampicati sugli olivi di Positano o sui pini di Paestum, l'eventuale sbarco alleato.

La mattina successiva, poco prima di uscire dalla prigione, dacché Luciano D'Ascenzio era stato così caro da portarmi i documenti e garantire sulla mia onestà, domandai a Salvatore dove avrei potuto trovare Concetta. Scrisse un indirizzo con un mozzicone di lapis su un foglio del *Messaggero* e me lo passò. Ci salutammo con un abbraccio e il suo forte odore ovino mi rianimò quanto un sale di ammoniaca, sicché uscii dal commissariato con le pupille dilatate, i peli irti e la voglia d'inforcare la bicicletta per correre da Anna, da Fosca e infine da Concetta; però Luciano decise per me e mi portò da Italia.

— A volte aprivo gli occhi e trovavo i suoi fissati su una parte del mio corpo, come su un abisso in cui si volessero gettare. I sogni gli grondavano dalla testa affogandosi nei miei pori e quel punto si trasformava in un imbuto, che inghiottiva i nostri brividi. "Goditoio": così lo chiamava Bruno, e diceva che era una vasca di accumulamento; invece mi sembrava solo la mia anima cagliata, ritirata via dal mondo e tornata in me, nel punto in cui lui mi guardava.

Eppure, rientrato dalla notte passata in prigione, non cercò la mia pelle; mi prese senza smania e senza occhi, pari a un ballerino sordo: privo di ritmo, solo passi a memoria. Fu il corpo di un pupazzo fiacco, appeso a fili troppo lunghi.

Gli carezzai la fronte e gli sfilai l'hatù; mi lasciò fare; nudo lo riaffondai in me; però fu per poco, perché sentii che mi faceva vuota. La mia vagina si incollò su di lui per risucchiarlo; si raccorciò e si fece piccola per contenere il piccolo; avrebbe voluto essere tentacolo per tenerlo, una mano per afferrarlo: ma di colpo fu un abbraccio su niente, fu un viscere sceso di vecchia, scivolato fuori di me, dietro di lui.

«Bruno, datemi un figlio: fatemi un segno nel corpo che nessuno possa cancellare; e dopo, se proprio volete, uscite pure dalla mia vita.»

Seduto sul letto, con le braccia ad anello attorno alle ginocchia, sosteneva di voler essere un buon padre e che pertanto non avrebbe abbandonato il figlio ad altri, ancora prima di averlo concepito.

Luciano, obiettai, poteva essere un padre molto migliore di lui e io una madre felice, come la donna di Bruno non sarebbe mai stata.

«Come potete dirlo?» domandava offeso.

«Ma se nemmeno vi accorgete della mia afflizione. Voi

siete un lago, Bruno: mi abbracciate solo se in voi mi bagno e allora mi carezzate della vostra freschezza, quando esco però e il sole mi asciuga, sono di nuovo sola e voi, di fronte a me, non siete più che uno specchio di acqua ferma e fredda.»

Mi rispondeva arrabbiato, mai geloso: «Se Luciano è tanto bravo, fate un figlio con lui.»

«Amo voi, non Luciano» replicavo. «Lui è la mia famiglia, la mia tranquillità; voi siete il sogno che non so da dove viene; siete il mistero che chiama da dentro il mio corpo quando vi tocco; è da lì, da quel luogo vostro in me che io voglio un figlio. Per voi un figlio è magari un'idea bellissima, comunque un'idea; per me no: è qualcosa che riguarda l'oscura ampolla di carne e sangue che mi porto nel ventre e che alle volte sento contrarsi nei modi di una bestia nervosa. E il mio corpo ha scelto voi per padre di suo figlio, quanto la mia anima ha scelto Luciano, che è un buon marito. Non posso dare Luciano al mio corpo, capite? non posso per me, e nemmeno per la creatura che verrebbe. Devo offrire al mio corpo e alla mia anima ciò che chiedono, anche se desiderano uomini differenti. Se agisco così saremo felici, e vostro figlio sarà la ragione di una grande unità tra me e Luciano. Se al contrario imponessi al mio corpo il figlio di Luciano, non potrei che odiare la sua felicità di papà, che mi apparirebbe come la risata di un violentatore?»

«Perché non posso essere un buon padre, io?» insisteva, senza aver capito nulla del mio discorso.

«Perché siete un cielo in movimento, mentre i figli chiedono stabilità. Perché mi rispecchiate e la donna che vedo riflessa m'incanta come un mistero che in voi riposi; ma cosa mai riflettereste a un bambino che non ha ancora un'immagine da trovare nello specchio? La vostra luce che non illumina niente? o credete che vostro figlio si contenterà di una bellissima, globosa nuvola bianca?»

— Sotto di me il cielo era una panna di altocumuli e nubi torreggianti, dal vertice sfrangiato di cirrostrati, che mi ricordavano le brine basse, sospese in fettucce di garza, sui campi innevati della mia Germania. Lasciavo l'Italia volando verso lo scalo di Bolzano, per proseguire su Monaco e Berlino. Sarei mai tornato da Anna? mi domandavo; o l'avrei liberata dalla mia catena sadica di malato?

Rudi sapeva ogni cosa dell'uomo che la madre le aveva messo accanto per contrastarci: lo aveva descritto un giovane allegro, che sapeva ballare e fare la corte a un'italiana. Mi disse che era l'amante della moglie di un sottufficiale della milizia fascista, presso il quale abitava come affittuario di una camera ammobiliata; era un disonesto, dunque, un profittatore e questo lo rendeva più pericoloso alla mia fantasia. Un bell'italiano senza dignità, un dissoluto, che aveva accettato un patto disonorevole solo per opportunismo, per vendere o comprare: un banditello scappato dalla naia per la capacità di tenere in mano una matita.

Non avrei dovuto permettere ad Anna di accettare il patto; lei aveva sperato che mi mostrassi geloso, che mi arrabbiassi e le gridassi no! non puoi, non devi, non voglio! Aveva confidato che la proteggessi dall'insolenza della madre; e io non lo feci; peggio, mi offrii al doppio gioco; le consigliai pazienza, come se pazienza fosse possibile; le proposi di non reagire e di offrirsi alle pretese di una megera, per dimostrare che il nostro legame era cosa seria. Così ne ho usato il dolore per sospingerla a dire un sì che l'avrebbe avvilita.

Il mio sadismo si era sofisticato nell'amore; era l'amore che me lo affilava. Più mi legavo ad Anna, più diventavo tagliente e sagace: più godevo di usarla, di darle piacere o dolore secondo la mia voglia. Non ero mai stato così innamorato e l'attrazione per la luce non era mai scesa così in fondo al mio buio: la mia notte se ne era incantata; però la tenebra amava da tenebra e annottava la luce amata. Anna era tanto più bella e più forte di me che da lei mi sentivo annullato e insieme esaltato, quasi non fossi che una futile aggiunta alla sua intensità.

Desiderai riportarla nei confini del mio potere ed esistere, per me, divenne farle male: affermarmi in un filo spinato che avvolgesse la sua libertà; sentirla premere contro l'acume d'acciaio del mio chiodo e vederla dibattersi come la ninfa di farfalla catturata dall'uccello impalatore; così, attorno alla mia spina, di noi feci le prede del nostro stesso appartenerci.

L'offerta del patto inverosimile fu troppo adatta alla mia malattia, perché la rifiutassi. Mi veniva proposto di accettare un altro uomo accanto ad Anna, uno che le facesse da fidanzato, che la distraesse un po' da me e che, ponendosi tra di noi, allentasse la richiesta che Anna mi rivolgeva. Mi si offriva un luogo di fuga, così prossimo a lei da non temere di perderla. Mi veniva suggerito di sporcare la figura esteriore del nostro legame, perché Anna ne sentisse sporcata l'intimità. Eppure chi era a proporre, a consigliare e suggerire? Chi aveva intuito così bene il mio bisogno? La madre di Anna aveva scommesso con se stessa che avrei accettato di condividere il mio più grande amore con un meccanico sporco di nafta. Aveva rischiato. Avrei potuto offendermi e denunciarla per favoreggiamento di fuggiasca ebrea o anche solo per contrabbando; avrei potuto, ma, come lei contava, non l'ho fatto. Con quali occhi notturni quella donna antipatica, cupa, pensosa; aveva letto il mio buio? Voleva davvero liberare la figlia o, anche lei, la madre, non mirava che a trattenere Anna a metà, tra il mio e il suo potere? Forse quella vecchia italiana aveva paura quanto me della nuova; e temeva di perdersi in Anna: che la sua creatura la riassumesse in sé, riannodando il tempo per ricominciare una storia diversa che l'avrebbe dimenticata; come avrebbero dimenticato me, se allora un angelo inglese avesse mitragliato l'aereo e noi, bucata la coltre di panna, fossimo riaffondati nel cioccolato della terra d'Italia.

Luciano D'Ascenzio era un uomo di forma cilindrica e di corsa lunga, almeno un metro e ottanta, che aveva cilindriche le gambe e le braccia, cilindrico l'addome e il torace; cilindrico pure il viso, dalle morbide gote a piombo, di bracco italiano; le labbra invece le aveva davvero belle e carnose, da bacione di balera; però, anche lì, l'età e la milizia avevano lasciato il contrassegno di un baffetto stretto metà labbro: un triste sberleffo di caporale sulle labbra del maresciallo. Era uno dei fascisti della marcia su Roma e diceva di credere ancora alla vittoria dell'Asse. In divisa ostentava un temperamento bilioso e modi spicci, mentre da borghese esibiva un'indole linfatica e maniere malinconiose. Aveva trentacinque anni e Italia ventinove, uno più di me.

Per Luciano provavo una forma di simpatia che in realtà era solo disprezzo camuffato, desiderio di riparare al danno che gli infliggevo. Era un uomo sradicato dal ventre della moglie, nel quale invece ero entrato io; e come se l'esistenza consistesse in quel radicamento nel corpo e nei sensi di un altro, Luciano mi pareva ridotto allo stato dell'insepolto, che non aveva più vita e nemmeno morte completa. Tuttavia questi sentimenti mi indisponevano contro me stesso, perché non avrei voluto provarli e mi sentivo meschino.

«Con l'orecchio dell'aerofono sono il migliore, si sa. Ci vuole udito superfine per distinguere i Liberator, i Marauder, i Lightning e il rombo cupo, così tipico, dei B-17, i bombardieri più grandi. Voi mi conoscete bene e quindi, Bruno, se mi permettete, desidero farvi una confidenza; del resto siete una così brava persona, ormai quasi uno di famiglia! Be', insomma, di tanto in tanto poggio l'orecchio anche sul ventre di mia moglie, giù in basso e sapete perché? Sono sicuro che quando il cuoricino di nostro figlio batterà là dentro, l'udito speciale del suo papà lo riconoscerà per primo, senza bisogno del dottore. Mi credete presuntuoso nevvero? be' vedremo...»

«Pure vostra moglie vuole un figlio?» gli domandai, nel modo in cui avrei chiesto a un moribondo notizie sul domani.

«Certo, ama tanto i bambini. È da un po' che si occupa di un certo Gesuè, un ciociarello di quattro anni, figlio di una di quelle. Però mia moglie, e non so come ha fatto, l'ha redenta e l'ha messa a servizio da gente bene dei Parioli, dirigenti dell'Onmi. Povero bambino, che è pure infermo; sì, è muto completo. Che volete, ognuno ha la sua croce; la mia è che non ci riesce di averlo, un figlio nostro: Italia ha qualcosa che non va ed è sotto cura.»

Mentre Luciano parlava io immaginavo Italia nel bagno di casa, appoggiata con un gluteo al coperchio del vaso e le gambe divaricate, mentre ricurva su se stessa s'infilava il pessario nella vagina. Quando mi aveva raccontato dell'operazione fastidiosa che faceva ogni qual volta intuiva di dover cedere al desiderio di Luciano, non avevo capito quasi nulla, perché non conoscevo l'esistenza di quell'anticoncezionale meccanico, del genere "a barriera" tipo il preservativo – si trattava infatti di un dischetto in materiale gommoso, con il bordo un po' elastico per stringersi attorno alla testa quadrilobata dell'utero – e ne avevo dovuto richiedere la descrizione tecnica a Leandro Cerini, che era del resto un uomo navigato. Questi mi aveva informato anche della grave illegalità dello strumento, il cui uso era considerato un reato contro la razza, quanto lo stesso rifiuto della gravidanza, punibile con tre anni di reclusione della signora renitente. Comunque Italia difendeva bene il suo segreto, ché rimosso il meccanismo, quando ormai gli spermi del maschio s'erano sfiancati contro la pellicola di cauccù del pessario, lo lavava con cura, lo inseriva in una bustina di carta, e infine lo inumava in una fossa scavata nella cipria, sotto al piumino.

«Io non dispero però» continuava Luciano, «magari una volta o l'altra metto l'orecchio sulla pancia d'Italia e ci trovo la sorpresa: il battito del cuore, inudibile se non da me, che lo aspetto, un mese dopo l'altro. E voi su, datemi una mano! Fatemi almeno gli auguri.»

«Auguri» gli dissi, mentre infilava la chiave nella serratura della porta e chiamava Italia. «Italia te l'ho scarcerato» diceva, «te l'ho riportato.»

Bussò alla porta della mia stanza un po' più tardi, dopo che il marito era uscito di nuovo per servizio. Io desideravo solo telefonare ad Anna per dirle che avevo saputo di Fosca; sicché aprii la porta per scendere giù, dove nel corridoio c'era l'apparecchio a muro. Ma Italia portava un tailleur rosso dai bottoni d'oro, nuovo di zecca, e sembrava una bandiera di sovversione, un grido della piazza. Confessai che il vestito non mi pareva appropriato per andare alla funzione delle undici, che intanto uno scampanio a distesa stava chiamando dalla chiesa di Santa Maria sopra Minerva. Rispose che non intendeva andare in chiesa. Ah no? «No. Sono qui come sempre: come chi vi ama, e sa di essere di peso per voi che non l'amate.»

Immaginai che volesse riscontrare quanto fosse profonda in me la traccia di Anna, invece mi domandò di Concetta, di cui non le avevo mai parlato.

«Perché non avete giocato con me come giocaste con lei? Sì, vedete, so anche questo. Concetta è stata più sincera di voi. Seguivo il suo bimbo già da diverse settimane, finché ad aprile riuscii a incontrarla. Da principio fu ostile e sospettosa, poi si convinse che volevo aiutarla davvero. Cercai di indagare chi fosse il padre, perché compito dell'Onmi è anche scovare questi giovanotti e costringerli a versare gli alimenti alle ragazze madri. Al riguardo Concetta non voleva essere compatita: anzi si riteneva fortunata, perché aveva avuto un figlio dall'unico uomo che avesse amato e preferiva questa condizione a una maternità subìta da un uomo accettato senza passione. E mentre parlava io pensavo a Luciano, a me, a voi. L'orgoglio con cui Concetta ricordò la sua storia d'amore, la felicità di sapere che Gesuè ne era il frutto, la forza che quei sentimenti davano a una donna senza alcuna protezione e dignità sociale, trafissero la mia coscienza. E mi domandai perché io, che pure vi amavo così profondamente, non vi avessi mai chiesto un figlio. Ecco, sì Bruno, avete intuito bene: fu proprio Concetta a riscuotere in me il desiderio di avervi per padre di un bambino nato dal mio amore per voi. Comunque solo la sera del vostro compleanno ebbi la forza di parlarvene e di chiedervelo. Anche Concetta sentì di avermi toccato il cuore e si fidò di me, che subito cercai un modo per aiutarla a lasciare il mestiere infame. Fu allora, sapete, che le dissi di voi: pensavo a voce alta alle persone a cui potevo domandare un lavoro per lei e feci il vostro nome, aggiunsi che eravate nelle grazie del principale, perché avevate fatto un'invenzione importante. Concetta, in quell'occasione, non confessò di conoscervi: e non fu per sfiducia nei miei riguardi, ché già si fidava abbastanza da interrompere le quindicine senza ancora un lavoro certo; no, fu invece per paura di ferirmi, perché quando avevo pronunciato il vostro nome, aveva letto nei miei occhi il sentimento che vi porto. Ma pochi giorni fa, mentre eravate in viaggio, quando le ho confermato che l'avevo sistemata a servizio dal direttore dell'Onmi, non ce l'ha fatta più a mantenere il segreto che ci divideva. Eravate un suo cliente, mi ha confessato, un cliente speciale. Temetti che aggiungesse qualche laidezza a spiegazione della vostra specialità, per fortuna precisò che giocavate a farle declamare in dialetto gli abiti di cui vi spogliava. E dunque Bruno, ditemi: perché con lei potevate giocare e con me no, perché non me lo avete mai proposto?»

La domanda mi colse di sorpresa; anche perché mi ero attardato a dedurre dalle parole d'Italia che Mario Carra doveva aver saputo dell'invenzione del mio Supporto Rotante proprio da Concetta, informata dalla mia amante e non da mio zio Giulio, come invece Mario mi aveva detto, quando aveva finto d'incontrarmi per caso a ponte Garibaldi, dando inizio a tutta la storia.

Dunque rimasi imbarazzato alla richiesta d'Italia e cercai una giustificazione proferibile, che non la offendesse. Nondimeno Italia voleva raccogliere la risposta solo dalle mie labbra mute, carezzandole con le dita dal tocco leggero, di tastatori guardatrama.

«Tacete, che forse lo capisco da sola. C'è un peso tra me e voi, vero? un peso che ci fa seri; c'è un'intensità nell'attrazione dei nostri corpi che ci getta subito nel cupo disagio di un bisogno urgente. Non abbiamo mai trovato, noi, la calma di svestirci ridendo e parlando; vedete in che modo mi guardate, anche ora? e io come affrettata snocciolo queste ultime parole prima di cedere e baciarvi?»

Eppure non avvertii le sue labbra, né mi scattò l'olfazione. L'impasto di sudore e profumo che eccitava le ciglia del mio naso, non richiamò nello schermo della mia visione mentale la forma seducente delle sue ascelle supine, rilevate al centro e depresse lungo i morbidi declivi della pelle, fin sotto il risalto del muscolo grande rotondo, che chiudeva quell'orizzonte collinoso come il massiccio del monte Amiata sbarrava il dolce dislagare dei poggi dalla mia campagna senese.

Rimasi inerte ai sospiri, ai contatti, e sorpreso dal vuoto che in me si faceva a ogni stretta d'Italia, non ebbi la forza di fermarla, di dirle di no. Simile a un tondino di alluminio mi lasciai carrellare passivo alla sua lontana filiera; ma il mio pene scendeva a piombo sul cavallo delle mutande, né riuscivo a smuoverlo pensando ai capezzoli della mia amante, chiodati di ghiandole puntiformi, che al mio tocco si ergevano simili a vulcani nascenti sul pacifico mare dell'areola.

Cercai a lungo nella botte della memoria l'immagine che

provocasse la corsa dell'asta telescopica nel mio cilindro genitale, e alla fine qualcosa trovai: solo un fondo, però, di rapido svaporamento, che lei accelerò chiedendomi il coito, sfilandomi il preservativo. E mentre già dileguavo appresso alla traccia del ricordo provocante, immaginai la testa di quell'animale a sacco, che le stava rinserrato nel corpo, scendermi sull'acume del pene e la sua pervietà salivosa attaccarsi all'uretra mia, retratta e chiusa: quasi chiedesse di essere guidato lungo il misterioso canale della sua conchiglia, fin giù, nel mondo della luce, dove sparivano le sue lacrime mensili di sangue, dove, se li avesse avuti, sarebbero spariti i suoi figli, e dove, quella mattina di domenica, in una liquida e rapida scivolata, sparii anch'io dal cospetto dell'utero d'Italia.

11.

Clicchettava lentamente il disco combinatore delle mie prossime sorti: quattro, quattro, nove, sei, uno. I contatti di commutazione del telefono avevano fatto trillare nel ricevitore il cuccù di permesso e la molla della ruota numerata si scaricava sull'eccentrico con velocità uniforme, aprendo o chiudendo il contatto d'impulsi verso la centrale. E mentre la suoneria polarizzata del telefono Gatelli strapazzava il batacchio nella cuffia di metallo, io sogguardavo il ghigno nero del mio apparecchio ripulendo, con mano gentile, il velo di polvere che si era magnetizzata sull'ampio palco delle sue corna di lucida bachelite. Poi la voce allegra di Anna si fece corrente elettrica e vibrando nella membrana del ricevitore, squillò nel fondo del mio orecchio, risuonò nei vuoti girotondi del mio cervello.

«Pronto...»

«Ciao, sono io.»

«Oh, ciao Bruno.»

«Adele ti ha detto che ho telefonato anche ieri pomeriggio? Mi ha spiegato che eri uscita con Luisa Spaggiari, la tua amica d'infanzia. Avrei voluto richiamarti più tardi, ma sono caduto addormentato fino a questa mattina. Davvero. Però non sai cosa mi è successo l'altra sera. Dopo che ti ho lasciato sono stato arrestato, perché non avevo i documenti e ho passato la notte in gattabuia, dove ho incontrato Salvatore Aiello. Come chi? Mi ha detto di tua cugina. Quella cugina... dell'ospedale; hai capito? Figurati se ti prendo in giro... insomma Fosca. Come non la conosci? È venuta dalla Calabria, dai dintorni; mi capisci? No Anna, sta qui; a Roma, all'ospedale ed è stata tua madre a farcela arrivare.»

S'informò dove fossi e poi aggiunse: «Aspettami, arrivo», chiudendo la comunicazione. Restai qualche secondo con il tono continuo e ottuso della centrale telefonica avvitato nella rampa dell'orecchio interno: perché mi parve una modulazione familiare della mia intelligenza, concordante con il bemolle della mia intuizione.

Arrivò da Cerini un'ora più tardi, spalancando l'uscio e cercando d'introdurvi con prepotenza la bicicletta riottosa che con i pedali si agganciava in ogni modo agli stipiti vetrati, e quelli, impauriti di fracassarsi, scrosciavano disperati alla volta degli operai esterrefatti. I quali, lasciati cadere i ferri di mano, corsero a placare i vetri adirati, a liberare le pedivelle dai battenti untuosi e a chiedere alla ciclista ragione dell'entrata proditoria. Intanto lei, con il baschetto da giovane italiana sulla tre quarti, i calzoni neri alla zuava, fermati a metà polpaccio da due bottoncini sopra i calzerotti bianchi come la blusa: lei si guardava le duilio bicolori ai piedi e, presa da improvvisa vergogna, taceva. Fu Egidio, il più anziano, a convincerla che doveva confessare il motivo della visita: «Signorina, che succede? Perché siete qua? Vi occorre qualcosa?»

Scoprii così che Anna non sapeva nulla dell'azione sovversiva di Salvatore Aiello, né della liberazione di Fosca. Angiolina le aveva tenuto nascosto ogni dettaglio, non fidandosi di lei. Sicché fui io a raccontarle tutto, avendolo appreso nella mia notte di galera.

Cominciai a dirle che loro, i Gatelli, erano forse imparentati, da parte del defunto Luigi, con degli ebrei dichiarati apolidi, i Salonicchio; e almeno di questo Anna aveva una qualche idea per i racconti resi dalla madre sulla vita del papà scomparso. Ma che Angiolina, avuta notizia dell'internamento dei Salonicchio in un campo di concentramento nel cosentino, avesse cercato un contatto locale per ricevere notizie aggiornate dei prigionieri e, semmai, tentarne la fuga, no: di ciò non sapeva proprio niente.

Le raccontai che a Carra era venuto in mente di rivolgersi a Concetta Aiello (per allora la presentai ad Anna solo quale sorella della mia fonte narrativa) perché era di Vibonati, un paesucolo del Cilento, non remoto dal campo di Ferramonti, che si trovava quaranta chilometri a nord di Cosenza. Lei, a sua volta, ne aveva parlato con il fratello, Salvatore appunto, il quale dapprima aveva preso informazioni su Mario e Angiolina dai compagni sanlorenzini del *Bandiera Rossa**, dove un capopopolo detto "er Coda" garantì per loro; poi, senza nulla pretendere da Angiolina se non il finanziamento del viaggio, si era offerto di partire per Tarsia, il comune nel quale cadeva Ferramonti e, spacciandosi per un conoscente, di tentare l'incontro diretto con i Salonicchio.

E così difatti avvenne. Senonché la signora Salonicchio, pur ricordando subito il nome dei Gatelli, per quanto il marito le aveva riferito circa un supposto fratello Luigi, non acconsentiva a fuggire, sia perché la figlia più piccola s'era presa la malaria e stava tanto male che forse sarebbe stata trasferita all'ospedale di città, sia perché non si fidava di quel guagliuncello mai incontrato prima, di cui a stento capiva la parlata e i cui occhi bicolori non la confondevano di meno. Tuttavia Salvatore si era accorto che la figlia maggiore era di diverso intendimento, solo che avesse potuto credere alla sua parola. Quindi, tornato a Roma e riferita ogni cosa a Mario, cercarono subito qualcuno che potesse accreditare Salvatore agli occhi dei Salonicchio sopravvissuti, per tentare ancora una volta di convincerli alla fuga.

Anna intanto, seduta su un'incudine, mi guardava amma-

* Giornale del Movimento Comunista Italiano.

137

gata e incredula; però dicevo il vero: pari pari a quanto mi aveva raccontato il galeotto.

Continuai confermandole che erano riusciti a conquistarsi la fiducia dei Salonicchio con l'aiuto di un ebreo comunista che lavorava alla Delasem* di lungotevere Sanzio e che (ricevuta una generosa regalia per l'assistenza agli internati nei campi, da parte di una nuova filantropa di nome Angiolina) accreditò Salvatore presso gli agenti di Salerno, i quali, a loro volta, confermarono ai prigionieri che quello non era confidente dei fascisti, bensì persona fidata e nota. Nello stesso tempo, Carra, tramite conoscenti all'interno del Ministero della Marina, era riuscito a mettersi in contatto con un ragioniere antifascista dell'impresa di bonificazioni Parrini di Roma: la ditta che aveva costruito il campo di Ferramonti e ne gestiva ancora, con autorizzazione ministeriale, lo spaccio e la mensa, facendo assegnamento su internati di propria scelta. E detto ragioniere, che aveva in odio il titolare dell'impresa, fiduciario del Duce in persona, fu ben lieto di aiutare i cospiratori sollecitando gli impiegati dell'amministrazione del campo a richiedere Regina Salonicchio (vero nome di Fosca) per diversi piccoli servizi di fiducia, che implicassero qualche sporadica missione fuori dal campo. La ragazza, da parte sua, al semplice rivedere Salvatore nel parlatorio del campo e approfittando dell'assenza della madre, rimasta al capezzale della sorella malarica, chiese di essere aiutata a fuggire, sostenendo che presto li avrebbero consegnati ai nazisti; queste erano le voci che giravano per il campo e se anche la più parte dei prigionieri non ci credeva, confidando ancora nell'umanità e nell'autarchia del Duce, tuttavia, lei, là non ci restava, anche contro il parere della madre e della sorella, che non volevano seguirla, né forse potevano per la malattia di quest'ultima.

* Delasem: Delegazione Assistenza Emigranti, organizzazione ebraica costituita nel 1939.

Così alla fine quella che era nata come una missione informativa si trasformò, in pochi giorni, in un complesso piano di fuga, dal costo approssimativo di tremila lire.

Con la logistica assicurata dai fidati comparaggi di Salvatore, nonché con la spedita subornazione di un centurione della milizia, la cui disponibilità era stata già testata dal ragioniere della Parrini, tutto andò liscio. Fosca fu inviata a Tarsia per un approvvigionamento straordinario di farina, mentre il centurione compilò il permesso, registrandolo negli atti del campo con la data dell'indomani; né segnalò al direttore del campo che una diversa vocina aveva risposto per Fosca all'appello della sera e della mattina seguente. Intanto Salvatore, raggiunta Fosca lungo la strada per Tarsia e caricatala su un carro di fieno di un compare, l'aveva condotta alla stazione di Mongrassano scalo, in perfetto orario per il treno che andava a Cosenza, da dove proseguirono indisturbati verso Napoli, con il primo direttissimo. Mario attese i fuggiaschi a Littoria e presa in carico la ragazza l'accompagnò a Roma, da Angiolina. Le guardie del campo dettero l'allarme all'appello delle dodici del giorno successivo, quando, secondo gli atti, Fosca Salonicchio non risultò rientrata dalla missione annonaria comandata per la stessa mattina.

Confermai ad Anna che Salvatore non aveva saputo dirmi altro, ma come andò che trovassi Fosca nel cataletto dell'obitorio di Candido il marzo precedente, potevo arguirlo da solo: a chi altri Angiolina avrebbe chiesto aiuto per nascondere la nipote di Luigi Gatelli, se non a Candido? E il prosettore l'avrebbe mai portata nel suo appartamentino di Portonaccio, dove forse non era mai entrata donna alcuna, per offrirla così alla curiosità dei casigliani? No, l'avrebbe nascosta dove era più sicuro, dove a nessuna spia dell'Ovra sarebbe mai saltato in testa di cercare un'ebrea fuggitiva: ossia nelle viscere dell'obitorio, inventando qualche facile scusa perché fosse accettata dal primario dell'Istituto di anatomia patologica. Così doveva essere andata; ecco perché Fosca aveva paura quando udiva estranei entrare nell'obitorio e serrava ogni porta; ecco perché avevo sempre avuto l'impressione che vivesse lì, tra le celle frigorifere e i cataletti, nel perenne odore di iodio o varechina.

— Fosca era la figlia ideale di mia madre. La trovai, come mi aveva indicato Bruno, tra i cadaveri dell'obitorio di Candido. Cercai di abbracciarla, ma si ritrasse in uno sgabuzzino, preoccupata di essere scoperta, quasi tutti badassimo a lei e l'esercito tedesco non avesse altro scopo che catturarla. Sembrava matta, con gli occhi belli delle more però, e il viso dalla pelle setosa, tersa, che profumava di dolce e di bucato. Voleva che ramazzassi per terra per non dare nell'occhio ed eravamo sole. Mi rovesciò della varechina sui piedi ingiungendomi di stare attenta. Mi ordinò di tacere e parlava solo lei. Affermò di voler molto bene a Bruno, quasi me ne dovessi preoccupare. Parve darmi il permesso di tenerlo per fidanzato. Tentai allora di farle dire qualcosa di sé, della perdita del papà avvenuta da poco; in fondo eravamo entrambe orfane e il rancore che pativamo ambedue verso un padre che ci aveva abbandonato con il pretesto della morte, poteva farci sentire vicine. Invece si offese: sostenne che non sarebbe mai entrata nel mio cuore cattolico, perché era vuoto come una caverna, scavata da un minatore speciale che non capii chi fosse, se mio padre o addirittura Cristo in persona.

Tramai di chiuderle la bocca per interrompere il suo monologare da profeta, che doveva aver riscosso grande successo nell'animo di mia madre. Sì, ero gelosa; mi sentivo l'orfana di fronte all'eletta: alla figlia preferita e celata; che difatti Angiolina aveva nascosto nel catafalco di papà, nell'obitorio di Candido, dal becchino di famiglia.

Disse che tramite il cadavere del padre ebbe accesso alla tradizione della sua gente; descrisse un gorgo di emozioni che mi sembrarono note, perché raccontava del corpo del genitore con la stessa intensità con cui le avrei potuto parlare di quello di Carlo. E Carlo mi legava a qualcosa che forse non c'era più, come non c'era più il padre di Fosca. Eravamo entrambe fissate a un corpo cannocchiale, mirato su un cielo sfondato.

Carlo non mi amava nel modo in cui volevo essere amata. Era malato, quanto mia madre: entrambi si cibavano di me, che potevo essere la loro medicina mentre mi prendevano come un veleno. Poteva darsi che mio padre assomigliasse più a Bruno che a Carlo; in fondo anche lui era stato un meccanico. Forse mi ero innamorata dell'uomo che la fantasia vedovile di mamma desiderava; mentre mi aveva offerto, per finto fidanzato, un ragazzo più simile a quello che era stato davvero mio padre. All'improvviso pensai di essere solo frutto dell'immaginazione di Angiolina e che lo fosse anche Fosca. Era mamma che mi aveva voluto come ero; lei mi aveva cresciuto così: perché le risultassi del tutto insoddisfacente. E ora aveva ideato Fosca per corrispondere al desiderio inappagato. Che mente larga aveva mamma: una mente che legava insieme vivi e morti, giovani e vecchi; una collosa, orribile, testa di strega.

— Per me, Fosca Regina Salonicchio, il deserto fosti tu, madre, che cercasti di trattenermi nel campo di concentramento, affinché non mi ribellassi agli eventi che ci imprigionavano nel filo spinato. Accettare, piegarsi, sperare, imbonire i carnefici: in questo consisteva il tuo esempio. «Non andare» mi avevi chiesto, «resta con noi che siamo la tua famiglia.» Ma non eri il mio popolo, tu che ti fermasti sulla sabbia del campo, e viva pretendesti di essere morta; ebrea irredenta, fingesti un'esistenza da cristiana riscattata.

Rimpiangevi il tempo in cui vivemmo come atei, senza più essere parte di un popolo, soltanto novizi di una nazione. Mio padre ottenne la nuova cittadinanza, mentre tu, arrivata dalla Grecia a Trieste, giubilavi di essere assimilata ai nuovi compatrioti. Lui seguì il poeta soldato nella redenzione dell'Istria e di Fiume e io nacqui nell'anno dell'annessione definitiva, che celebraste festeggiando con la vostra nuova patria, portandomi in braccio, a calpestare i cuori prostituiti nella tana degli occhi. Il Duce si rivelò alla nazione e per mio padre fu il Messia; mentre in mano nascondeva le chiavi dell'abisso. Tu non comprendevi, eppure acconsentivi. L'inganno non durò che la mia sola infanzia; infine vennero le leggi razziali e l'errore di mio padre rovinò nel suo pianto secco, senza gemiti, senza lacrime, solo sorpresa e vergogna, che osservai all'età di quattordici anni. Correva al Tribunale della Razza vestendo la camicia nera dell'ardito, chiedeva che lo dichiarassero "discriminato" dagli altri ebrei, per meriti militari; e allora dovettero essere i fascisti a restituirgli la memoria: «Dio è Uno» gli urlarono in faccia e lo dichiararono apolide. Si oppose al giudizio, ancora confuso dall'assimilazione; tuttavia anche l'appello fu respinto; quindi lo condannarono come "vociferatore disfattista", perché aveva avuto contatti con un sovversivo: l'uomo che forse gli fu fratello e che generò la ragazza che vidi cercarmi tra i corridoi dell'obitorio.

Mio padre gettò la medaglia, gettò la camicia nera. Fu arrestato nel 1941, tra le tue grida e gli scalpiccii di tante scarpe per le nostre scale. Ci lasciarono sole in città, ad aspettare; mentre l'eroe della grande guerra fu trascinato in carcere e di nuovo interrogato; fu denudato, schedato e gettato in una cella tra delinquenti comuni. Smise di parlare, di mangiare, di piangere. Lo ritrovammo soltanto mesi dopo, quando fummo riuniti nel campo. Ci accolse con gli occhi bassi di vergogna: ci abbracciò temendo di contagiare le nostre spalle con il peccato delle sue braccia. Il silenzio durò sette giorni e si sciolse nella preghiera del venerdì sera, che cercò di recitare in ebraico. Condusse la sua famiglia nella sinagoga del campo e cominciò il tempo del ritorno: ci riportò nella casa della Torah, il cuore si cavò dal giaciglio della prostituzione e finalmente innalzai gli occhi al Santo, Benedetto sia il Suo Nome. Per più di un anno pregai con lui e vissi da ebrea l'orgoglio di ritrovarmi in un popolo infinito. «La Torah è un abito» mi rivelò mio padre, «che rivestendo il corpo lo mostra e a un tempo lo nasconde alla verginità della tua impressione. Non fare che la stoffa ti soffochi come ha soffocato me: non leggere la Torah come un libro di storia o nella storia ti esilierà e le vicissitudini dei giorni si ciberanno della tua ragione. Ricorda che tutto al mondo ha una forma, ma il Santo, sia Benedetto, non ha forma, non ha luogo, non ha alcuna figura.» Intanto tu, mamma, dov'eri? Sentivi la fine, tu, non l'inizio che mi squillava nel cuore; ti piegavi su mia sorella che si era ammalata per darti da curarla, e ti perdesti nelle sabbie arse dalle sue febbri. Non comprendevi mio padre, protestasti la sua stessa preghiera; convincesti il direttore del campo a portare la tua seconda figlia nell'infermeria; ti facesti amica delle guardie; cercasti la solidarietà degli aguzzini; non ti pentisti mai del passato di schiava e anzi rimanesti sempre sicura che il Duce ci avrebbe salvato dal demonio hitleriano.

Tu, madre, dalla fine e dal dolore di mio padre non cogliesti alcuna manna e il Signore, sia Benedetto il Suo Nome, ti aggiunse come un grosso e vecchio nodo al bastone della colpa con cui lo tempestava. Anche il rabbino del campo mi diceva preoccupato: «Stai vicina a tuo padre che sta male e si ciba soltanto del rimorso.» Ma intanto tu imploravi il cielo di aiutarci a sopravvivere, e non capivo a quale dio si votasse il tuo cuore paradossale: cos'era? un santino cattolico, da pregare baciandone l'immaginetta stampata, seppure soltanto nel tuo animo di ebrea idolatra? Il tuo dio domato non era il mistero implacabile che ammutoliva le labbra di mio padre: il Signore della nostra sfortuna secolare e della nostra fortuna morale, il Dio del mio popolo e mio.

Così non scorgesti il primo segno mandato a indicarci il

cammino: l'uomo, emissario di quella che è forse la cognata di mio padre, e che venne a chiamarci per fuggire dal campo. Allora io, la tua asina, mamma, vidi l'angelo dove tu, come Balaam il mago, non vedesti che la ragione di contraddirmi. Mi mossi da sola sulla via che mi era stabilita e che mi condusse in una famiglia spezzata, dove trovai la madre temere la figlia orfana e questa la madre, allo stesso modo in cui io temevo te e tu me! A causa della persecuzione mi dovetti nascondere di nuovo: ma dove? Dove potevo ripararmi se non nel popolo dei defunti, ove si era perso mio padre? Mi nascosi nello *sceòl* di un uomo buono, di un Abele che cercava nei corpi dei morti la colpa di Caino. Fu il secondo segno, mamma: una voce che mi chiamò ancora più fuori dal tuo deserto; fu la rassicurazione di trovarmi sulla via ardua del nostro Signore, Benedetto sia il Suo Nome. Infine conobbi Bruno: un *Golem* animato dal soffio di Dio; un giovane uomo dall'anima informe e ancora amorfa, ma che di ora in ora vidi conformarsi alla forza dell'appello che lo incalzava a redimere l'orfana, che forse mi è cugina, dal potere di un uomo in divisa: un nazista, mamma, uno di quanti hanno condannato a morte il nostro popolo e mio padre al suicidio. Era il segno di un'epoca nuova, del giorno del ritorno? Fu la mia preghiera d'avvento.

Tu, madre, avresti avuto bisogno di una figlia diversa da me: come Anna, che vidi inseguirmi per i corridoi dell'obitorio, ben vestita, con le unghie lunghe e lucidate. Una bella cristiana redenta, che pertanto non sa più dove sia il male, nel mondo già salvato dal più famoso dei nostri sedicenti messia, e può innamorarsi di un uomo che sta dalla parte dell'ingiustizia ritenendolo lo stesso buono, come se fosse possibile. Quella era la figlia per te, madre, una che si aggiusta la morale a modo suo, perché ha l'anima cristiana: tutta catacombe, gallerie, cunicoli e pozzi.

Da principio sembrò cercare un defunto nelle camere di deposito. Però il suo viso non aveva il pallore che dànno quei dolori. Chiese di me ad alcune guardie in attesa di un referto; poi a un tale delle pompe funebri, che le domandò chi fosse: «Anna Gatelli» rispose, «sono una parente.» Rimasta sola si voltò dalla mia parte scorgendomi in fondo al corridoio. Venne sicura di avermi trovato. Quando mi fu accanto la trascinai nel ripostiglio delle pulizie, dove fummo al riparo dagli sguardi dei passanti. Con il piede rovesciò il secchio della varechina e temette di essersi rovinate le scarpe. Le misi in mano lo scopettone e le chiesi di asciugare con lo straccio; l'odore di varechina le dava fastidio. Disse che Bruno le aveva appena raccontato di come mi avesse incontrato due mesi prima e la storia della mia fuga dal campo, di cui era venuto a sapere dal signor Aiello. La pregai di dimenticare quel nome. Anna mutò espressione: «A chi vuoi che lo riferisca, a Carlo? Capisco che mamma ti ha già informato; si fida più di te che dei suoi figli. Comunque non ti tradirò, stai tranquilla; e d'altra parte cosa credi che gliene importi, di voi, a Carlo; siete ridicole.»

Si avvicinava sbandierando i vessilli della sua fede di orfana riscattata da un amore sbagliato, e verso di me che non sapevo di redenzioni private, né di miracoli casalinghi, celati nell'ombra della propria compiacenza. Così ad Anna, che tra le ramazze del ripostiglio si diceva simile a me perché senza padre, descrissi la visione dei miei occhi senza riparo.

«Lo trovammo all'alba del primo gennaio impiccato a un olivo dietro la sinagoga. Fu qualcosa di simile al vostro battesimo, per noi, figlie, che lo slegammo dal ramo della morte, facendolo cadere a terra, come una goccia di miele dall'alveare selvatico. Fu l'ultima lezione che m'impartì: l'onere della disubbidienza, la negazione del precetto al fine di un'adesione superiore. Mia sorella urlava assalita dall'angoscia della visione, si tirava i capelli; non capiva che l'atto sacrilego fu la tentazione con cui, nostro padre, provò il perdono del Signore, sia Benedetto il Suo Nome. Siamo diverse Anna: la morte non è l'incubo immateriale che stordisce il tuo spirito, e io non sono orfana di un'idea, di un'immagine da conservare nella pietà del ricordo. L'assenza di mio padre è segno che penzola nel vento; Torah che ti abbandona, che si ritrae dal suolo e levita in alto fino al gancio che la impicca; è parola pesante da raccogliere sulle braccia di Fosca Regina Salonicchio ebrea, la cui interiorità non è commozione, ma è anima scritta.»

Ero appena rientrato al mio posto, dopo aver salutato Anna che correva a conoscere Fosca, quando Cerini, entrando nel laboratorio, mi disse che dovevo subito salire al Poligrafico dello Stato, dove non riuscivano a interpretare il disegno di un nostro meccanismo. Cercai di resistere al comando, però Cerini insisteva: secondo lui i poligrafici non conoscevano l'uso del regolo calcolatore, per tradurre le indicazioni delle nostre quote trigonometriche in centimetri elementari e facevano solo delle gran seghe ai regoli, smanettando sui cursori. Domandai al principale dove fosse lo stabilimento da visitare: quasi ai Parioli, mi rispose. «Ai Parioli?» specificai, pensando che così avrei potuto visitare Concetta, all'indirizzo che Salvatore mi aveva lasciato.

Ci misi un'ora ad arrivare e fu una gran pedalata attraverso il centro e in salita, verso il Pincio e il parco di Villa Borghese, tra gli orti di guerra, dove si coltivava un frumento già alto e chiaro, prossimo al taglio e dove i braccianti stavano a bivacco sotto i pini, per sorvegliare le messi, mentre tiravano con le fionde ai merli. Vidi delle donne in grembiale nero, con polsini e collarini bianchi, spingere colossali carrozzelle blu, dalle ruote cromate e dalle casse di pelle, dove sotto i mantici sollevati dormivano i neonati dei ricchi. Incontrai bambini più grandi, che se pure andavano sui monopattini come quelli del mio rione, sembravano così diversi da appartenere a un'altra città: portavano i cappellini e alcuni vestivano da marinaretti o indossavano pantaloncini lunghi e alla zuava; non le brachette all'inguine da cui smarginavano, quali nere melanzane, le coscette sporche dei ragazzini popolari.

Avevo l'impressione di essere capitato in una zona incantata di Roma: dove un passato remoto attendeva di saltare nel futuro prossimo, senza transitare per il presente, nel quale io intanto pedalavo accaldato. Anche l'aspetto delle strade, dove tra i palazzi bene avevano costruito lo stabilimento dei poligrafici segaioli, aveva un'apparenza insolita e le vie permanevano silenziose, come disabitate, ma corse da diverse automobili: non solo Balilla, anche scicchissime Lancia e clamorose Alfa Romeo.

La strada di Concetta sboccava proprio contro l'ingresso di servizio del Poligrafico. Lavorava al numero 24, da certi signori che facevano Monti di cognome e il cui capofamiglia, l'Adelchi Monti, era un pezzo grosso dell'Onmi.

Trovai il portiere accasciato nella guardiola, piegato sul *Messaggero*. Bussai e domandai se potevo salire dai Monti per salutare la signorina Aiello, una mia parente. Questo, senza rispondermi, citofonò nell'appartamento chiedendo di Concetta e spiegando il caso. Poco dopo scese, allegra e ridente, in un bel grembiulino marrone tabacco, con una pettorina crema chiara, bordata di pizzo. Ci abbracciammo in mezzo alla strada; Concetta mi prese per mano e mi allontanò dal portone, davanti al quale rimase la mia bicicletta, poggiata con il fermopedale allo scalino bianco del marciapiede.

Le dissi di Salvatore, di come l'avevo conosciuto e che sapevo anche di Fosca, delle vicende della fuga; le raccontai quanto Italia mi aveva detto di lei e del suo bambino, tacendo solo sulla malattia che lo faceva muto. Concetta si preoccupò del fratello perché ignorava che l'avessero arrestato. Cercai di rassicurarla dicendole che era stato fermato senza un'accusa precisa e forse l'avevano già rilasciato. Non riuscii a quietarla. Mi condusse a una bottega di pizzicagnolo, dove c'era il telefono. Mi chiese di fare un numero e di dire alla persona che mi avrebbe risposto: «Scusate. Ho sbagliato», per poi riferirle cosa mi avrebbero risposto. «Nulla. Viva il Duce!» fu la replica che udii e che subito rifece lieti i lineamenti alla mia amica.

«Adesso fai la sovversiva? E cos'era quello, un codice?» le domandai apprensivo.

«Sì» mi rispose e l'interiezione di replica era il segnale che tutto andava bene, che il fratello stava al sicuro. Era una donna vera, ora, anche se non sapeva ancora leggere; però la cuoca dei Monti glielo avrebbe insegnato presto. Aggiunse, comunque, che mi voleva bene lo stesso, pure se le ricordavo "la casa". Aveva smesso di frequentarla dopo la prima quindicina di aprile ed era tornata a stare qualche giorno da Gesuè: per questo non l'avevo trovata il giorno del mio compleanno. Finché "la bella signura", come Concetta chiamava Italia, le aveva trovato lavoro e ora stava quasi felice.

«Bru'. Devi iere da o bammeniello mio, o Gesuè. Dicono che nun vò parla'. Ma con chi à da parla', co du vecchi 'nguttusi? Giocace tu, Bru': anventate li parole comme facimmo ansieme; fammelo parla'; magara fai o miracolo.»

Cercai di trovare difficoltà al progetto, però Concetta insistette.

«Va bene, va bene ci vado, te lo prometto» le dissi infine, mentre ritornavamo al portone, dove il portiere aveva scansato la mia bicicletta perché non importunasse l'uscita ai condomini altezzosi.

«Concè» aggiunsi, «non giocheremo mai più a Bisticcio, io e te?»

Lei allungò la mano secca a carezzarmi una guancia, e sorridendomi con gli occhi inteneriti sotto la stessa frangetta eccessiva di sempre, mi rispose di no, che non c'avremmo più giocato: giocassi con Gesuè invece.

«Perché?» le domandai. «Sembravi contenta...»

«Ma Bru', che dici? Io lo dovevo da fa'.»

12.

— Era una bellissima domenica di sole e non ero mai salita su una motocicletta. Bruno mi venne a prendere facendo un gran chiasso con il motore e quando montai sul sedile posteriore, via dei Sabelli era tutta alla finestra. Sandrina, la barista, mi gridò di mettermi un fazzoletto per ripararmi dal vento, ma per darmi delle arie non seguii il consiglio. Indossai invece un paio di occhialoni da motociclista che Bruno aveva portato per il suo passeggero e aggiustandomi sul sellino le pieghe della gonna, ché chissà perché non mi ero messa i pantaloni, abbracciai la vita del mio pilota dicendogli: «Vai.»

Nel traversamento di via dei Reti rischiammo subito di cadere scivolando sulle rotaie del tram; Bruno mi disse che invece di contrastare l'inclinazione della motocicletta nelle curve, dovevo lasciarmi portare, facendo un unico corpo con lui e il mezzo meccanico. Alla svolta successiva andò meglio e a piazza di Porta Maggiore ero già diventata esperta; il mio pilota diede manetta e il vento mi sollevò la gonna e i capelli.

Bruno non puzzava più di colonia, sapeva di buono e conduceva molto sicuro la moto imprestata dal commendator Cerini. Per i tornanti della via Casilina appoggiai la testa alla schiena del mio conducente e chiusi gli occhi, affidandomi tranquilla alla sua guida.

Mi portava nella campagna di Vèroli, a visitare il bambino di Concetta Aiello, che faceva la cameriera e aveva dovuto affidare il figlio a una coppia di contadini del luogo. «Domenica devo svolgere un piccolo incarico vicino Frosinone. Ti va di accompagnarmi? Andiamo in motocicletta, facciamo una scampagnata» mi aveva proposto. E perché avrei dovuto rifiutare? Cercavo di stare in casa il meno possibile, ora che vi si era traslocata anche la nuova figlia di mia madre.

Arrivò di mercoledì: due giorni dopo che l'avevo scoperta all'obitorio. La fecero passare per una nuova sfollata, affinché non desse nell'occhio. E sebbene avessi evitato di parlare con mamma dal sabato sera, quando ero scappata rifugiandomi da Bruno, mi feci forza e le chiesi ragione del trasloco: non sarebbe stato più prudente lasciare Fosca dove ormai tutti si erano abituati a lei e non facevano più domande? «No, è meglio che sta qui», e poiché insistevo aggiunse: «Sai che se ce la trovano in casa ci andiamo di mezzo anche noi? Non si può nascondere un'ebrea fuggiasca, saremmo considerati complici.» Certo che lo sapevo e appunto per questo avrebbe dovuto lasciarla all'obitorio. «Ospitandola da noi, siamo più sicuri che non ne parlerai al tuo tedesco. Vero? Perché, Anna, io ti avverto: se vengono a prenderla dovranno prima ammazzarmi. Hai capito? Ricordatelo bene.»

Ci piegavamo a sinistra e poi a destra e ancora a sinistra: mi sentivo una foglia nel vento, abbandonata dal suo albero. Anche Bruno sembrava senza radici. Non parlava mai dei genitori, aveva solo gli amici dell'officina e Carra, che non era amico di nessuno, nemmeno di Fosca, che pure aveva aiutato a fuggire ma che chiamava "ex marrana" e doveva essere un'offesa, perché mamma gli aveva urlato di smetterla e tacere.

Bruno era venuto a trovarmi di giovedì e, vista l'ebrea lì con noi, aveva subito chiesto ad Angiolina il motivo del trasloco di Fosca. Mamma, invece di rispondere, gli ingiunse di stare attento: ora anche lui conosceva un segreto da cui poteva dipendere la vita di molta gente. «Badate piuttosto a voi, alle vostre decisioni avventate» fu la replica del mio meccanico, che aveva proseguito domandando se Candido fosse stato d'accordo sul trasferimento di Fosca. «Ma Candido è il suo popolo, Bruno» s'intromise Carra all'improvviso. «Popolo che lei, profeta, solleva al destino di popolo chiamato.»

Mia madre scattò in piedi, prendendo l'amico da un braccio, per allontanarlo dalla sala prima che cominciasse con le solite tirate da spretato. Nondimeno Bruno aveva già chiesto cosa volesse dire. «Dico che con la favola del popolo eletto e dell'essere dal padre voluti, dal padre accettati, questi ebrei hanno giudaizzato la storia del mondo.» Mia madre comandò che la facesse finita. «Finché ci sarete voi» si mise a sbraitare Mario contro la povera ragazza che invece lo ascoltava calma, quasi insensibile, «resterà l'oppio dei popoli: l'anelito a Dio Padre, spiegazione d'ogni cosa. Voi siete l'origine dell'inquietudine: voi avete inventato gli orfani! Nessuno prima di voi si era sentito privato di Dio; avete escogitato il peccato originale, il buco che ci portiamo nell'anima e quindi grazie signori! vi dobbiamo la solitudine.»

«Rispondi, santo dio!» gridai a Fosca. Mi dava i nervi: stava lì come una martire maccabea. «Dai» la spronai ancora e finalmente si alzò dalla poltrona, stese la veste poi, fatto un passo, si piazzò proprio davanti a Carra. «No!» disse, «la solitudine no: è tutta vostra, di voi cristiani, signor Carra. Siete voi a essere comunque soli nella vostra coscienza: io no, non sono mai sola, io faccio sempre parte del mio popolo in cammino. Mentre lei, che è cristiano, non appartiene al padre, né alla madre ma soltanto a Cristo: questo è essere cristiani, non è vero? È guardare il dolore di Dio che pende dalla croce e chiamare redenzione quel supplizio. Lei sì che è davvero solo, signor Carra: soltanto la fede sembra darle una chiesa comune; mentre per me, che sono ebrea, il mio popolo è il maestro della mia fede. Quindi non conosco l'orgoglio della solitudine, e nemmeno una qualche redenzione privata: perché io non mi salvo se non nel mio popolo e questo non si salva se non nella fine del male di tutti i popoli, quando, anche la sua singola persona di cristiano, non più esiliata nella solitudine della propria intimità, intonerà il canto comune ai Giusti e ritrovato il popolo ebraico eromperà con esso sul mondo malato, infiammandolo di sé, disperdendolo nel nulla.»

Eravamo inebetiti, salvo mamma, che guardava Fosca ammirata e orgogliosa. «Mi chiami alla parte del nazareno, eh? e va bene piccola teologa semita! ci sto, e non solo: ti do anche ragione! È vero: tu soffri solo della solitudine del tuo popolo abbandonato da dio e martirizzato dagli uomini.»

Mia madre c'informò che ne aveva abbastanza di quei discorsi blasfemi e cercò di distogliere i contendenti dalla tenzone in cui erano scivolati; però Fosca difese l'antagonista e anzi pregò Angiolina di lasciarlo parlare, perché non la offendeva affatto. Allora lui, rubizzo in viso come una grossa ciliegia e di nuovo infervorato (chissà poi perché: cosa gli importava di Dio, a Carra, che era ateo come un animale) proseguì: «Comunque, guarda un po', io vi invidio! Magari avessimo un popolo anche noi, avremmo un destino e non solo degli eventi accidentali da condividere. Qualcosa ben più soddisfacente del mero soliloquio in cui invece precipitiamo e che ci rende simili all'agonizzante, quando, chiuso in se stesso, cerca da solo conforto diffondendosi sui ricordi, per portarsi nel nulla almeno la compagnia delle sue poche cose private: i personali souvenir di una vita, a cui vorrebbe dare un significato; ma non può: perché non c'è mai un senso privato della vita, che non sia il semplice averla vissuta e, quando muori, proprio quel senso è consumato, tolto, finito! e quindi, disperato, scivola nel brontolio confuso di una ragione lasciata sola, tra parole degenerate dagli incesti, nel linguaggio rantoloso della solitudine che anticipa il nulla, che propizia la morte. Sono d'accordo con te, mia buona Fosca, il soliloquio si addice ai banditi, ai proscritti, agli smarriti, che pertanto diventano pazzi e vaneggiano come noi, nei deserti dell'anima, dove risuonano soltanto i monologhi. Dunque v'invidio, ebrei, anche se vi perseguitano. Noi non abbiamo mai avuto un popolo e nemmeno quasi una nazione, che è il palliativo civile per compensare la mancanza di popolo e darci il senso, solo immanente, di possedere almeno qualche centinaio d'anni di fato secolare. Sorridi, tu che sei abituata ai millenni, eh?»

Mentre Carra parlava mi venne da pensare a mio padre, ai miei nonni, ai diversi zii defunti: quel piccolo gruppetto di morti era il mio solo popolo, insieme ai pochi parenti sopravvissuti. Mi parve di condividere la malinconia di Carra, seppure espressa in quella maniera ostentata e boriosa. Anche io desideravo appartenere a una storia, che fosse più di me e mi tenesse legata ad altri, di nodo in nodo, fino a formare la trama fitta di un popolo intero, esteso sul tempo dei vivi quanto sull'eternità dei morti. In quale desolazione vivevamo! Povere formiche senza formicaio, mentre Fosca, orfana di un padre suicida, ricercata dalla polizia, apolide, separata dalla madre e dalla sorella, per settimane nascosta in un obitorio, insidiata da un satiro necrofilo: Fosca sì, che si sentiva parte di un popolo, lei soltanto fra noi si sentiva parte di un destino che superandone i limiti d'individuo le conferiva il valore pieno di persona. Mi chiesi se avrei mai provato qualcosa di simile anch'io, e lo desiderai ardentemente. Forse, quando pensavo che un giorno avrei potuto avere un figlio, aspiravo a qualcosa del genere. Un figlio che fosse il popolo di cui essere anch'io parte. In fondo un figlio era la ricapitolazione dei suoi avi e trisavoli, e quindi sì: un po' il simbolo di tutto un popolo esiliato in una nuova persona.

Il mio centauro fermò la moto presso una bettola lungo la strada, e riparati da un pergolato di glicine domandammo all'oste fave e pecorino.

Osservai Bruno mentre cavava dai baccelli i frutti che mi offriva: il sole, che sfavillava tra le foglie, faceva brillare il dorato dei suoi capelli e l'azzurro dei suoi occhi era di smalto; assomigliava così tanto a un angelo che sembrava un po' ridicolo, quasi fosse mascherato da carnevale. Eppure cominciavo a fidarmi di quel giovanotto luminoso, che m'ispirava sicurezza e pace, come fosse un segno di prossima terra: un ramoscello d'albero galleggiante sui marosi del mio oceano agitato.

Giungendo al cascinale dei tutori di Gesuè lo trovammo che giocava nell'aia con i soldatini di piombo. Era un bimbo molto grazioso e con degli enormi occhi neri, sempre volti all'ingiù. Più che triste sembrava rancoroso e anche giocando pareva che la sua attenzione fosse posta nell'arrovellarsi attorno al proprio dolore di diseredato, di senza padre, quasi senza madre; affidato a due vecchi analfabeti che lo accudivano solo per il denaro dovuto, che Bruno aveva portato con sé. Ci sentivamo confusi: cosa si doveva fare per far sorridere un bambino? Giocare, pensò Bruno e gli costruì una palla di corda e stracci che rincorsero insieme per l'aia. Il bimbo sembrò contento di averci lì, a scherzare con lui: gli facemmo fare anche il vola vola e Bruno, cavandosi dalla tasca dei semi di fava, gli insegnò a tirarli in aria per farseli ricadere dritti nella bocca spalancata. Però era una bocca muta, che sapeva sorridere e anche ridere, eppure non sapeva parlare, malgrado l'ostinazione con cui Bruno gli rivolgeva mille domande. Gesuè non gli rispondeva con le parole, e lo fissava con gli occhi: come se, a chiedergli di parlare, Bruno lo offendesse e lui si ribellasse tramite quell'occhiata interrogativa ed esageratamente immobile.

Forse i figli dovevano avere il permesso dei genitori per parlare. Forse le parole dei bambini erano prestiti del papà e della mamma, ma non tutti i genitori sapevano imprestare parole sentimenti, perché i figli li prendessero a modelli dei propri. Anzi, mi chiesi: com'è che parlavo io? Se fossi stata più coerente avrei taciuto le parole prestito di genitori assenti, abbandonate sulle mie labbra come balie supplenti della loro mancanza, della loro arida lontananza di egoisti. E forse Gesuè taceva perché i bambini prima di parlare dovevano prendere confidenza con le parole, come con i cani: ci voleva un po' di tempo affinché un bimbo avesse il coraggio di carezzare un cane, di fidarsi di quegli occhi strani che lo potevano anche mordere. La stessa cosa con le parole: cosa sarebbe successo se si fossero ribellate? Se invece di dire «mamma ti amo» avessero detto «mamma ti odio»? Mi sembrò ponderato il silenzio di Gesuè: e che persona forte doveva abitare nell'orfano solitario. Io ero stata molto più debole di lui: avevo supplicato da mamma qualche sillaba buona che, come bava, mi gocciolasse sulle labbra al posto di un bacio, e le parole della mia bocca ne furono guastate. Del resto un figlio doveva essere una specie di ricapitolazione commentata della relazione che i genitori avevano avuto fra loro e poi con lui. Ecco perché Gesuè taceva. Ecco perché io parlavo a vuoto. Gesuè non aveva conosciuto il padre e poco la madre; io solo una madre imperiosa di raccontarmi a suo modo un padre ignoto. Quanto mi sembrò difficile, quasi impossibile, far parlare un figlio. Tanto che, se avessi avuto un figlio da Carlo, chissà se avrebbe mai parlato? Pensai allora che non sarei mai diventata madre, o solo in un giorno lontano, per darmi il tempo di diventare molto diversa da com'ero. Sì, ma forse una madre cominciava a divenire madre molto prima della nascita del figlio: già negli anni in cui inconsapevolmente si preparava a desiderarlo. Ci voleva quindi una lunga storia di voci e parole perché ci fosse ragione per un figlio di venire al mondo? Forse sì; in tal caso mi stavo inoltrando in un popolo di voci perché mio figlio si presentasse un giorno o l'altro alla mia coscienza come il riassunto di tutte quante? Una specie di libro, alla maniera della Bibbia di Fosca, in cui il senso delle vicende raccontate fosse sempre più avanti, oltre l'ultima pagina della sua mente di uomo futuro? C'era già un discorso intero nel cocciuto silenzio di Gesuè? Chissà; comunque fu un discorso che non udimmo, io e Bruno, mentre lasciavamo il bambino a guardarci andare via, dopo averlo baloccato con una palla di stracci, come dei giovani genitori incoscienti e ancora ragazzi.

— Al Tirpitzufer, nella tana dei doppiogiochisti — dove Canaris manipolava le informazioni affinché ogni beneficio per la Wehrmacht risultasse non meno benefico ai nemici — i miei scaltri colleghi non trovavano per nulla bizzarra l'azione del 13 marzo all'aerodromo di Smolensk. Nondimeno il piano per uccidere Hitler era fallito a causa di un raffreddore della bomba, che non aveva sopportato il freddo dell'alta quota e si era rifiutata di scoppiare nel cielo gelido di Minsk. L'accolita degli scaltri spioni riteneva ammissibile che un ordigno soffrisse di tali costipazioni, anche se accudito da un ufficiale prussiano, scrupoloso e intelligente come von Tresckow.

Non solo, pochi giorni dopo il primo insuccesso, Tresckow aveva convinto von Gersdorff a esplodere con il Führer, onde evitare altri contrattempi. L'occasione venne offerta dalla visita che il capo della Germania avrebbe fatto a Berlino, il 21 marzo. Gersdorff ricevette la bomba da Schlabrendorff; tuttavia nella grande Berlino, e da parte di un alto ufficiale, non fu possibile trovare un sistema di accensione rapida, sicché vi era stata applicata una spoletta a tempo di dieci minuti. Gersdorff avrebbe dovuto innescarla all'arrivo dell'ospite per poi, allo scadere del margine di tempo previsto, avventarglisi addosso e abbracciarlo, perché non sfuggisse alla devastazione dello scoppio. Hitler però non si era fermato che pochi minuti alla mostra e a

Gersdorff era toccato di correre al gabinetto, per disinnescare in fretta il congegno, prima che lo immolasse inutilmente.

Eppure soltanto io mi ero sorpreso di una simile serie di assurde accidentalità, per le quali la Germania aveva dovuto tenersi il proprio dittatore, salvato da quella coda di satana che i miei sottili colleghi chiamavano "caso".

E quando a Berlino avevo domandato a Schlabrendorff ragione di tutte quelle stramberie, facendogli notare che se Gersdorff era pronto a morire, avrebbe avuto più sicuro successo piazzando un colpo di pistola nel cranio del Führer: Schlabrendorff non solo mi rispose che una pistolettata poteva sempre andare fuori bersaglio, ma, stizzito della mia insistenza, mi accusò anche di semplicismo anglosassone. E in vero aveva ragione lui, lo stavo ascoltando solo con il buon senso: ossia quella ragione semplificata, inventata dai borghesi anglosassoni e perfezionata dai francesi, che contrastava la mia anima tedesca, di perdente, di capro espiatorio. Come avevo potuto pensare che una semplice e banale pistolettata sarebbe mai stata all'altezza del barone von Gersdorff e del nostro destino di tedeschi? No; Gersdorff non avrebbe dovuto solo uccidere il dittatore, bensì assumere la maschera sacra della Germania, nell'attimo che abbraccia l'emblema del dolore e in esso si immola: grande, eroica, solo premio di se stessa. Chiesi scusa a Schlabrendorff, mi ero trattenuto troppo in Italia e il mio senso tedesco ne era rimasto affievolito: certo, non doveva bastarci il semplice successo, senza una bella forma mistica, di lampo, di bagliore wagneriano. Nell'esplosione i brandelli del corpo di Gersdorff avrebbero dovuto devastare quello di Hitler come schegge di una sacra granata e le sue mani, ridotte a proiettili d'osso, avrebbero squarciato il viso del dittatore; il cuore dell'eroe si sarebbe incendiato e il sangue, come liquido infiammante, avrebbe avvolto l'assassino dell'anima tedesca in una torcia incandescente. In tal caso avremmo ottenuto un successo che non sarebbe stato soltanto una soluzione, ma un simbolo: una spirale ascendente di bellezza e di grandezza verso l'eone dei nostri dèi nibelungici. «Heil Hitler!» salutai l'amico Schlabrendorff; «Servus» mi rispose cupo, il cospiratore.

— Cosa pretendeva? Non gli avevo promesso niente. Stava lì che mi fissava a cavallo della motocicletta: imbronciato, con le labbra voltate all'ingiù e il segno rosso degli occhialoni da motociclista sulla pelle chiara. «Oggi doveva essere la mia giornata» aveva protestato. Non ero mica una prostituta che si divideva tra uomini diversi; mi arrabbiai e glielo dissi: «Io sono sua: capisci? Non ti ho mai ingannato. Oggi non è la tua giornata perché tutti i giorni sono suoi; io non mi divido, non sono in affitto.»

Mi prese il polso per trattenermi mentre i soldati tedeschi presero a ridere, guardandoci senza rispetto: «Smettila Bruno; non facciamo teatro per questi crucchi.»

«Non andare Anna. Oppure lascia che sia io a portarti all'aeroporto» mi propose addolcendo i lineamenti del viso che aveva avuto duri e quasi cattivi, con gli occhi irosi. Era matto? gli domandai. Insisteva che non voleva lasciarmi.

«Ma io voglio andare lo stesso» ripetei, cercando un tono dolce per quietarlo, ché in fondo lo capivo e aveva un po' di ragione.

Quando ancora scendevamo veloci le curve della Casilina, ignari di quanto stava per accadere, Bruno mi aveva proposto di andare a ballare in una balera dell'Ostiense e gli avevo detto subito di sì. Però poi, inaspettata, c'incrociò la macchina tedesca e se anche Bruno non ci fece caso continuando nella corsa, intuii che cercavano me e mi volsi a guardare l'auto che aveva frenato e stava invertendo la marcia per seguirci. Quando ci ebbe raggiunto vidi i soldati che mi facevano segno di fermarci, quindi avvertii il mio pilota e lui accostò frenando la moto.

I crucchi, appena discesi dall'auto, ci chiesero i documenti: io non li avevo e Bruno, presentandomi con il mio nome, spiegò che eravamo in missione per l'Onmi. «Lei, signorina, deve venire con noi» disse il graduato. Bruno si spaventò e ne chiese il motivo al gendarme, che gli rispose: «Chiamo con la radio, per verificare.» «Verificare cosa, perché?» protestò il mio centauro, ancora a cavallo della Guzzi. Estrassero dalla macchina una cassa di legno, che era una radio con tanto d'antenna e si misero a parlare in tedesco nel microfono; distinsi subito il nome di Rudi Kreutzer e il cuore mi sussultò. Carlo era tornato, pensai, e mi cercava tramite Rudi. Il graduato mi chiamò perché parlassi nella radio: sì, era Rudi. Dovevo andare all'aeroporto di Pratica di Mare, perché entro un paio d'ore Carlo sarebbe atterrato.

Provai a contenere la gioia per rispetto a Bruno, anche se me ne importava poco perché avrei riabbracciato Carlo, che aveva urgenza di parlarmi, che non poteva fare a meno di vedermi. Cercai di spiegare la mia emozione al meccanico amico, ma si offese, mi trascinò lontano dai tedeschi per chiedermi ancora di non andare, quando ero già andata con la fantasia. Mi parlava, e quasi non lo sentivo; mi faceva un po' pena; comunque non gli avevo promesso niente, cosa pretendeva?

«Come ha fatto a trovarci?» mi domandò.

«Rudi è andato da Angiolina, ma lei non gli ha detto nulla; nemmeno che ero con te, però Rudi l'ha capito lo stesso, proprio dalla riservatezza di mia madre.»

«Come ha fatto a mandare la macchina?»

«È passato a casa tua, a piazza della Pigna.»

«È stata Italia?»

«No; lei gli ha detto che non sapeva dove tu fossi. Rudi allora ha telefonato al comando della difesa aerea e ha parlato con il maresciallo D'Ascenzio: è stato lui a indicargli la strada che avremmo fatto per raggiungere Gesuè.»

Avevo lasciato Bruno in piedi, vicino alla Guzzi, con le braccia lungo i fianchi e il viso triste: arreso, senza più ira, senza rabbia. Mi aveva intenerito vederlo in quel modo, quasi gli avessi rubato l'allegria, che sentivo invece tamburreggiare dentro di me, come un'orchestra di musicisti ubriachi. Aveva una dolcezza forte, il mio meccanico, che mi lasciava nel cuore una sensazione di morbidezza solida: simile al materasso di un letto, un calore su cui mi potevo poggiare.

13.

— Entro pochi minuti avrei riabbracciato Anna. Ero certo che avrebbe consentito ancora al mio desiderio e che Rudi l'avrebbe accompagnata all'aerodromo, secondo quanto gli avevo richiesto. Tuttavia la mia certezza si fondava su un sentimento che stava cedendo e anche questo sentivo con precisione. Come gli eccessi erano la vera natura del regime di Hitler e non momenti particolari a cui fosse costretto dalla contingenza, così, le delusioni che infliggevo ad Anna, erano celebrazioni della mia natura più intima. Non ero libero di liberarmi della mia natura, né la Germania poteva sfuggire al suo assassino. Si avvicinava per me e la mia patria la fine dell'inganno nel quale, nostro malgrado, avevamo trascinato anche gli affetti più cari, facendoci schiavi del piacere di essere padroni.

Non speravo più in Tresckow o nella mente dell'ammiraglio Canaris, equivoca e tragica ben più della mia. Per noi resistenti antinazisti non ci furono che tre possibilità: fuggire come ignavi, opporsi come suicidi, cospirare sciarade come enigmisti. Quest'ultima scelta implicava una certa deformità morale: agire il tradimento a fin di bene e mentire in nome della verità. Raggiungemmo così uno stato di notevole indeterminazione spirituale; né fummo imputati, né giudici, ma soltanto uscieri della coscienza: che dicevano all'incriminato «per di qui» cercando di condurlo per di là.

Quelli della Gestapo mi avevano interrogato sulle spese dell'ufficio di Roma e sui miei rapporti con l'avvocato Müller. Avevo risposto a ogni domanda; del resto non c'era nulla contro di me: mi avevano richiamato solo per mettere il servizio sotto pressione e spaventarci con i loro sospetti.

Consigliai i colleghi cospiratori di farsi trasferire al fronte, piuttosto che rimanere a Berlino, a disposizione di quegli agenti d'apocalisse che fiutavano la fine e che presto avrebbero preteso il sangue di noi tutti, sgozzandoci come vitelli, impiccandoci ai ganci del macello, per rivolgere infine l'odio su se stessi, uccidendosi, o lasciandosi uccidere, o vagando per il resto del tempo quali morti tra i vivi, spettri senza passato, senza patria e identità, che non fosse una testa vuota di teschio.

Stavo atterrando e dal finestrino già vedevo le mandrie di bufali che pascolavano attorno all'aerodromo. Tornavo da Anna senza portarle di me alcuna novità. Venivo per ingannarla ancora con il gregge dei miei sosia, che la confondevano, celando nel fitto della loro massa l'unico me che Anna desiderava. Arrivavo per rubarle la freschezza di chi ha futuro e la forza per costruirlo; discendevo tra le sue braccia a illudermi di essere diverso e unificabile dal suo desiderio; come un vampiro uscivo dalla mia catacomba a godere di una vita che non mi apparteneva.

— Arrivai all'aeroporto che era ormai il crepuscolo e mi fecero aspettare l'aereo di Carlo in un ufficio disadorno del comando, seduta su una seggiolina di paglia, davanti a una finestra aperta, che dava sulla pista. Dal mare veniva un leggero ponentino, che portava alle narici l'odore del sale e dell'arena. Ricordai Gesuè, e lo immaginai appartato in qualche angolo della cascina, solo, come Bruno, senza di me; mentre io, sola, senza di loro, stavo lì, ad attendere il mio amore che doveva scendere dal cielo.

Avrei mai avuto un figlio, io? A volte avevo creduto di

desiderarlo, facendo l'amore con Carlo, ma forse più per effetto della passione o della voglia di emulare la moglie del mio amante, che per vero, intimo desiderio. Anzi, all'idea provai un conato di repulsione; mi parve che un figlio fosse anche un ladro di sentimenti. Se avessi avuto un figlio, pensai, mi sarei dovuta difendere da lui, dalle sue manine grinzose di lattante rubacuori. Forse non ero una donna normale. In me c'era lo spavento della maternità, non il desiderio. E se mi fosse nato un figlio simile a mio fratello Giusto? Così sonnoso e remissivo? Avrei sofferto per sempre della colpa di cui mia madre invece se ne infischiava. E se viceversa avessi avuto una figlia simile a me? Non riuscii a fantasticare di che madre avrebbe avuto bisogno la figlia della figlia di Angiolina, perché non immaginavo altra madre possibile che lei. Volevo che Angiolina mi amasse come Angiolina era, non diversa, nemmeno per un neo. Ero gelosa di mia madre, del suo corpo, di ogni sua ruga, delle dita ingiallite dal fumo, del carattere duro ed ero gelosa anche della sua cattiveria, che volevo solo per me. Non c'era spazio per un figlio in me, se Angiolina non faceva spazio a me come figlia in lei.

No, non sarei mai potuta essere una buona madre, io. Al massimo sarei stata una specie di madre palcoscenico, sul quale il figlio sarebbe salito a recitare sospinto dal suggerimento delle mie quinte. E io allora avrei imparato da lui, dalla sua recita in me, cosa fossi davvero: che madre, che donna del mio attore. Povero figlio solo, nella scena vuota; invece di conforto e protezione avrebbe trovato nella madre soltanto ispirazione. E il padre? Non mi avrebbe aiutato, il padre, a essere una buona madre? Eppure, avrei mai potuto incontrare un uomo tanto potente da restituirmi quanto Angiolina mi negava?

«Entschuldigen Sie, Fräulein. Der Oberst von Sybel landet gerade» era stato l'annuncio di un ufficiale, entrato nella stanza dove attendevo Carlo. Volgendomi alla finestra avevo visto il bimotore della Luftwaffe toccare il suolo come una piuma scura, seguito da altri due aerei più piccoli. Gli avieri avevano portato una scaletta sotto il portello dell'aereo di Carlo e lui ne era subito disceso, guardando dalla mia parte. Gli avevo fatto segno, mi aveva visto e risposto con la mano. Una camionetta era corsa verso di lui e alcuni ufficiali, sia tedeschi sia italiani, ne erano smontati per salutarlo. Non volle salire sull'automezzo con loro, cominciò invece a camminare verso di me, attraversando il campo di aviazione.

Non arrivava mai e sebbene marciasse deciso sembrava non riuscire a consumare lo spazio. Forse lo faceva apposta; imitava uno che camminasse, solo per ingannarmi, facendomi credere che venisse verso di me, quando invece restava fermo. Quanta illusione avevo messo in quell'uomo in divisa; quanto avevo inventato l'amore che provavo per lui?

Bussarono alla porta e mi voltai di scatto: l'ufficiale che mi aveva avvisato dell'atterraggio andò ad aprire, lasciando entrare un soldato con un mazzo di rose rosse, lunghissime, mai viste. Quando le ebbi in mano e mi voltai di nuovo verso il campo, Carlo aveva scavalcato il davanzale ed era lì, davanti a me, che mi sorrideva. I soldati si congedarono con il saluto di Hitler e uscirono dalla stanza.

«Che ti hanno fatto?» gli domandai, trovandolo invecchiato.

Lo avevano messo al corrente che la fine era ormai prossima. Non capii cosa intendesse dire. «Che presto ti libererai di me e te ne andrai con il meccanico che ti ha scelto tua madre.»

«Impediscilo. Sceglimi tu.»

Mi sentivo un oggetto in vetrina, che lui, da più di un anno, valutava attentamente, senza però decidersi ad acquistare. Era un compratore incapace o io una merce di poco valore? Certo sapevo che se non gli fossi costata, mi avrebbe fatto incartare per portarmi con sé; ma il mio cartellino diceva che costavo una scelta: un prezzo pieno, senza sconto. E nemmeno mia madre mi avrebbe scelto, se non le fossi stata regalata da mio padre. Forse ero un oggetto troppo banale per aspirare a essere scelto da qualcuno. Eppure essere amati non doveva significare proprio questo? Per Carlo no: per lui l'amore era il ritorno in un luogo immutabile e perenne che trovava in me come un tempo lo aveva scoperto nella moglie e che nel futuro avrebbe potuto ritrovare in una nuova ragazza offerta dal caso. Il suo innamoramento per me era radicato a qualcosa che non mi apparteneva: a una sensazione di eternità nella quale io o un'altra donna finivamo per assomigliarci. Ciò che ero veramente non contava; lui amava in me una donna ideale e quindi qualsiasi, una specie di eternità femminile, di metafisica concubina. E anche le nostre reciproche delusioni erano diverse: Carlo sentiva le mie richieste come una violenza, nemmeno lo sradicassi dal suo vaso di papavero e così si difendeva da me, che pertanto mi sentivo rifiutava da lui.

C'eravamo illusi entrambi. Era stato così straordinario sentire la mia fantasia incarnarsi nel corpo di Carlo, che subito il sesso aveva difeso questa illusione; e ancora allora, mentre lo tenevo abbracciato e gli carezzavo le rughe del viso e non avevo più alcuna speranza che fra noi qualcosa cambiasse, il mio cuore scendeva a battermi nell'inguine e desideravo il mio uomo fatto solo di inganno.

«Parlami» dissi; ma preferì baciarmi. Chiuse le finestre e gli scuri, poi la porta a chiave, e nel buio della stanza ci spogliammo in silenzio: i nostri corpi sapendo da soli cosa fare nel fallimento delle loro persone.

Mi distese sulla scrivania, poggiò la testa sul mio pube e si quietò appena. Sussurrava, senza che riuscissi a coglierne le parole. Era confuso, agitato.

«Prendimi Carlo» sentii che gli dicevo, perché cessasse di parlare al mio sesso intimidito, «fammi smettere di pensare.» Scivolammo a terra. Chiusi gli occhi per lasciarmi andare a ciò che non veniva. Carezzavo le sue spalle e la schiena; né dalle mani però, né dal fondo del mio corpo alcuna sensazione raggiungeva la testa, isolata nella stanza, come la lampada che calava dal soffitto.

«Qualsiasi cosa accada non mi lasciare Anna... io non accetterei di sopravvivere: hai capito?» disse il mio amante facendomi piangere.

«No, no» risposi baciandogli il viso, «non dire così, mai!»; ma intanto una voce alitò nel silenzio della mia testa e gelida sentenziò: è già morto, è già morto.

«Devo ripartire subito Anna, però ritornerò presto e allora vedrai che...»

Basta! Non ne potevo più; gridai che lo odiavo. Mi sollevai da terra e mi nascosi nell'angolo opposto della stanza; Carlo si spaventò e cercò di calmarmi; chiedeva che non alzassi la voce perché c'avrebbero sentito. Si avvicinò: gli opposi una sedia; gli ordinai di star lontano e chiedeva perché perché, da idiota.

Mi rivestii e mentre anche lui indossava la divisa raccolsi il fascio di rose; poi, senza capire bene cosa stessi facendo, tagliai con le forbici i fiori dal gambo, salvo uno, al centro del mazzo. Andai vicino a Carlo e gli offrii quel cespuglio spinoso e decapitato. «Ho ancora una possibilità?» mi domandò. Gli risposi di sì, ma che forse non era una possibilità rinviabile, un'occasione che si poteva portar via nel portafoglio come un desiderio non speso.

«Che vuoi dire?» domandò.

«Stai per partire di nuovo, e dunque questa sola rosa rimasta appassirà.»

Vidi nei suoi occhi che aveva capito; che se mi voleva doveva scegliermi lì, subito, e trovare una scusa per non ripartire; vidi che comprese e non mi scelse; vidi l'occhio secco del suo vizio, che io indulgente chiamavo malattia, considerarmi di nuovo una preda e Carlo fuggirmi, preso in bocca da una bestia che lo avrebbe divorato.

«Ordina che mi riportino a casa» comandai. Mi strinse tra le braccia, implorandomi di non lasciarlo solo. E la mia voce supplichevole parlò, senza il consenso della testa: «Ma tu dimmi almeno una bugia, cerca d'ingannarmi ancora una volta.»

«No, no» rispose senza intelligenza; promise che non avrebbe più tradito la mia speranza, sarebbe rientrato dal viaggio e mi avrebbe portato a vivere con lui.

«Smettila, e illudimi piuttosto: mettici volontà però, non confidare solo sul mio desiderio di essere raggirata.»

Uscii dalla stanza cercando i soldati che mi avevano condotto lì. Mi seguì, mi trattenne.

«Finiscila» pretesi, «lasciami andare.»

Non lo salutai, non mi voltai e la macchina mi portò via. I soldati guardarono ogni tanto la puttana italiana del loro colonnello; io gli sorrisi, accavallai le gambe e mi passai il rossetto sulle labbra: pensai che se mi avessero toccato li avrei lasciati fare.

Il motore volumetrico della Guzzi soffiava aria e comburente sulla testa dello stantuffo, dove scoppiava la scintilla a spararlo sul manovellismo che mi dava la spinta. Allo stesso modo il cuore mi batteva in gola, picchiando sulla testa delle tonsille; comunque cercavo di guidare, nonostante un gran desiderio di gettarmi su un prato e colpire con i pugni la terra, mordere l'erba e dare calci ai sassi.

Davanti ai miei sensi intuivo la tramoggia di quel frantumatore silenzioso che sarebbe stato il mio futuro, in cui Anna m'invitava a cadere, affinché nel vano di macinazione i dadi frantoi facessero segatura del perito Bruno Lucatti e ne sortisse la nuova pasta di un me guastato. Perché amare una donna che non mi amava? Credere che ad amare s'impari, quando a me nessuno l'aveva insegnato?

Mio padre si chiamava Alfredo e parlava poco; fumava la pipa, nel cui fornello schiacciava il toscano; da bambino me la faceva accendere, e mi scottavo la lingua; conservavo poi il bruciore nella bocca per ore, andandone fiero. Provai una nostalgia così intensa di mio padre che frenai la moto e per un attimo pensai di guidare fino da lui, a Chiusi: per riabbracciarlo e sedermi vicino al suo corpo magro e duro, per cibarmi del suo silenzio tabaccoso.

Avere avuto un padre così mi era stato inutile; non mi aveva mai aiutato in niente; forse perché lavorava dodici ore al giorno sulla ferrovia. Partiva la mattina all'alba, con le gallette da mangiare messe in un pentolino e il brodo in cui intingerle in un altro e il vino in un altro ancora, tenuti assieme, in un'unica pila a tre livelli, da un filo di ferro che ne cuciva i manici forati.

Mi aveva mai voluto bene quell'uomo serio che portava il basco sul capo quasi calvo e che mamma m'indicava come padre? Lui non lo aveva mai detto, né io l'avevo detto a lui; mamma invece lo diceva di continuo a entrambi, e forse ce ne levò il desiderio.

Rientrai alla pensione che avevo deciso di chiedere a Cerini una settimana di ferie per andare dai miei a dire a mio padre che gli volevo bene, prima che mi morisse all'improvviso e in silenzio, alla sua maniera. E una tale decisione mi aveva rincuorato.

Desinai con gli altri pigionanti senza dovermi distrarre in racconti, perché Italia e Luciano erano a cena da parenti. Mi ero già alzato dalla tavola per andare a letto, quando squillò il telefono poggiato sulla credenza.

«Per me?»

«Sine» rispose Ada, la fantesca di cucina, accorsa a rispondere.

«Pronto?»

«Ciao Bruno. Ho bisogno di un'informazione. Oggi abbiamo fatto l'autopsia a un giovane artificiere saltato sulla bomba che cercava di disinnescare e, sai, alcuni organi non c'erano proprio più: annichiliti del tutto. Non mi è mai capitato un corpo ridotto in questa maniera. Devo capire come sia possibile e quindi ho pensato a te; un esplosivo, Bruno, con esattezza, cos'è?»

«Una qualsiasi sostanza che innescata da un'azione esterna si decomponga in un tempo brevissimo, generando una grande quantità di gas, ad altissima temperatura e pressione.» Avevo risposto così al mio amico tecnico, praticante il settorato; e anche ai commensali assettati alla tavola della pigione, praticanti invece la masticazione del settato culinario, che mi guardavano ruminanti e curiosi.

«Hai detto: decomposizione?» mi domandò la voce di Candido dall'altoparlante della cornetta telefonica.

«Sì» risposi, «fulminea autolisi: come dici tu dei cadaveri. L'esplosivo è un cadavere a rapidissima decomposizione, che colliqua in millesimi di secondo.»

«E com'è che scoppia, l'esplosivo?» domandò ancora il signor Pani.

«Ci vuole qualcosa che permetta la combustione. Per i cadaveri, ad esempio, il comburente è l'ossigeno dell'aria e il combustibile è il corpo; negli esplosivi, invece, che devono esplodere dall'interno, chiusi nel proprio cupo isolamento di bombe, il comburente è spesso una sostanza solida, tipo la polvere pirica o il fulmicotone, che si decompone in un baleno.»

«Cosa rende l'esplosivo tanto potente?» voleva sapere il necroscopo.

«È l'onda esplosiva» dissi, «una pressione che può viaggiare anche a ottomila metri al secondo. Immagina che urto. Anche l'aria morbida di queste notti di primavera, se compressa a dovere, diventerebbe dura come una pietra, e scagliata sul tuo corpo avrebbe lo stesso effetto di una locomotiva in corsa. E se l'onda esplosiva porta con sé schegge di ferro, riesci a immaginare che può fare sui tessuti molli del nostro cicciuto organismo?»

«Non ne ho bisogno: l'ho visto sul corpo dell'artificiere,

che non ha più il volto, solo parte del cuoio capelluto con l'osso interparietale, l'occipite e la mandibola; che non ha più l'addome, sebbene ancora il muscolo traverso, l'anca e la cassa del torace; che è dissecato in modo irregolare, secondo la perizia delle schegge e la logica settòria dell'esplosione.»

«Scusa un secondo, Candido, vorrei riferire quanto mi hai detto alla gente qui riunita intorno a me, che non riesce a sentirti e che comunque ti saluta e ti augura ogni bene. Dunque, il mio amico settore, sapete?, lo sbuzzamorti, dice che c'ha lì, sul tavolo, un cadavere ridotto una marmellata, coi pezzi che cadono per terra: ecco, adesso ha raccolto un occhio che sembra un uovo sodo, e la milza: oh, pare la rapa rossa che s'è pappata lei, maestra Montanini, vedi mai: chi je l'ha data a lei, la rapa? scusi: è mica passata a Tor di Quinto? perché è lì che l'uomo è zompato in aria e si trovano viscere ovunque.»

Così ero finalmente riuscito a distogliere dalla nostra conversazione i pigionanti, e ciascuno, chi ridendo e chi nauseato dalla mia improntitudine, era salito alle camere di sopra.

«Senti: è la dinamite l'esplosivo più forte?» aveva ripreso Candido al telefono.

«No, è solo la più usata, in cartucce cilindriche lunghe dieci, larghe tre, e di cento grammi di peso medio.»

«Ci vuole una miccia, vero? che porti il fuoco fino alla polvere.»

«Dipende. L'entità dell'azione innescante va commisurata alla stabilità dell'esplosivo: può essere un semplice urto, un po' di sole o piuttosto la fiamma della miccia, oppure l'esplosione di speciali capsule detonanti. Insomma come nei cadaveri: non tutti si disfanno allo stesso modo; così mi hai raccontato, no?»

«Sì; pare che bombe e cadaveri si assomiglino, come gemelli di ovuli differenti però, dai caratteri opposti: l'una, la bomba, così tanto estroversa da disperdersi in un solo scoppio e l'altro timido, invece, silenzioso, che per esplodere sceglie una via introversa e intestina. Comunque è buffo pensare che potrei considerarmi quasi un artificiere, eh?, che prepara il suo esplosivo e lo accompagna alla definitiva deflagrazione saprofita. Mi piace la metafora. E poi è proprio così. Ci sono persone che vivono come bombe e muoiono come cadaveri, mentre ce ne sono altre, all'inverso, che per tutta la vita si consumano pian piano, incapaci dello scatto che desidererebbero; però la fine li premia e muoiono in un gran botto, felici come granate. Grazie Bruno. Vieni a trovarmi presto, dai.»

«No, non credo: vorrei andare a visitare i miei genitori. Verrò a trovarti quando ritorno. Va bene. Ciao, ciao Candido.»

14.

— Bruno era un ragazzo simpatico, non certo un uomo affascinante; sembrava semplice, perfino superficiale: come potevo sperare che la mia testa triste si facesse incantare da un tipo così? Però c'era qualcosa in lui che mi riguardava; non sapevo spiegarmelo; qualcosa rivolta verso di me.

Ero innamorata di Carlo, delusa e offesa, eppure ancora catturata dalla profondità della sua anima, che avevo creduto luce e non lo era. Forse Carlo e mio padre rappresentavano per me lo stesso dolore e la stessa mancanza. La morte di papà non era durata solo un giorno, ma tutti gli anni della mia vita, come una morte continua che non passi. Ora anche Carlo, reso immobile dalla sua indecisione, pareva incapace di vivere con me quanto di scomparire dalla mia esistenza. E se mi ero illusa che con lui avrei goduto la vita felice di una donna adulta, fu solo perché la bambina, che ancora ero nell'intimo, fosse lasciata libera di sognare il padre nel corpo di un amante senza futuro, tenuto sospeso nel presente del mio lutto.

Quando Carlo mi baciava e percepivo il sapore della saliva nella mia bocca, avevo l'impressione che cercasse di riporre in me, affidandomelo, il senso stesso della sua vita. Ne trattenevo allora il gusto sulla lingua, poi glielo restituivo in un nuovo bacio e simile a un sacerdote, quando somministra l'ostia, m'illudevo così di redimere il mio uomo con il suo sapore salato.

C'era però una cattiveria nella nostra passione, che non avevo intuito fino a quella domenica sera, quando ero corsa da Carlo all'aeroporto. Godere di lui come un morto vivo, perché l'orfana non cessasse di piangere, era stata la mia parte di vizio; un piacere pervertito contro me stessa.

Con Bruno invece mi sembrava di essere all'interno di una possibilità: non c'era nulla in lui che m'imprigionasse nel presente di quegli anni di guerra o nel passato della mia infanzia triste. Bruno sembrava una persona che dovesse ancora cominciare a vivere, fatta solo di futuro e quando stavo con lui mi sentivo un po' il personaggio di un racconto, dove si narrava di un'Anna nuova che mi attendeva da qualche parte, fuori dalla mia esistenza attuale. Bruno sollecitava la mia curiosità per questa me letteraria, scritta in una storia che lui racchiudeva nella sua sostanza di umana rilegatura.

Amando Carlo avevo lasciato sola l'orfana che nessuno accudiva e come la riconobbi, mentre i suoi soldati mi conducevano a casa traversando la città dell'Esposizione universale, tra i marmi pallidi e i grandi edifici spettrali quali enormi tombe di giganti: come la trovai in me, la mia orfana, piena delle croste che le lacrime le avevano lasciato sulle guance e dei segni delle unghie, con cui le aveva grattate; quanto puzzava di orina gocciolata per le gambe; quanto sembrava una figlia senza madre, la giovane amante del colonnello von Sybel: una bambina abbandonata lungo la strada di un cimitero, raccolta da un vecchio malato, che ne aveva approfittato.

Arrivai a Chiusi la sera del venerdì successivo, il 4 giugno, perché prima di avere il permesso di partire dovetti terminare una serie di disegni.

Riparlai con Anna soltanto una volta, per telefono: si era detta dispiaciuta per avermi abbandonato la domenica della gita in moto e propose di fare una passeggiata insieme; preferii evitarlo, giustificandomi con il viaggio che stavo per intraprendere: avevo troppa paura d'incontrarla di nuovo. Usai diversi pretesti per non rimanere da solo con Italia D'Ascenzio e non ero andato nemmeno a riferire di Gesuè a Concetta: le avevo soltanto telefonato per dirle qualche parola rassicurante. Ero una macchina ferma, lesionata allo spingidisco della frizione, che non ingranava più e faceva girare a vuoto il motore. Volevo essere aggiustato da mio padre.

Camminai, con la mia valigia di cartonato, dalla stazione di Chiusi alla cascina in campagna, che faceva da tetto ai miei familiari. Ci trovai mamma che orlava una gonna, mostrando alle aspiranti sarte come si dovesse spingere la balza sulla morsetta della macchina, senza cucirsi il dito. Pianse di felicità a vedermi, ma fu confortata dalle allieve. Chiesi di mio padre: lavorava sulla linea ferroviaria pochi chilometri fuori dal paese. Una ragazza di Sarteano mi offrì la bicicletta e andai a fargli un'improvvisata.

Pedalavo forte per la strada bianca, però il serraggio al forcellino posteriore era spanato e la catena penzolava come un gozzo di vecchia, mentre la ruota oscillava sull'asse; e c'era da ammazzarsi baciando un tronco d'albero preso in pieno. Mi toccò fermarmi presso un orto, rubare del fil di ferro per bloccare i tiracatena e centrare un po' la ruota ubriaca.

Quando arrivai, mio padre mi abbracciò stringendomi la mano con vigore. Fui presentato, a ciascuno degli operai della sua squadra, con tanto di titolo professionale ed evidente orgoglio per il mio abituccio dal solino bianco. Disse che si sarebbe preso un'oretta di riposo straordinario e la compagnia tripudiante assentì con acclamazione. Andammo quindi verso un cascinale che faceva da osteria, e a metà strada lo invitai a salire in canna: mi guardò aggrottando i cigli.

Era magro quanto me e di statura media, più forte però, di muscolo duro come il bronzo; il viso aveva un po' di bazza e il naso era a triangolo rettangolo; quando accettò, non sorrise: avanzò a mo' di sì il mento acuto, scaricò contro un gelso il fornello della pipa, soffiò nel bocchino e si aggiustò il basco sul parietale pelato.

Arrivammo all'aia che si rideva come ragazzi, perché il fil di ferro aveva ceduto e avanzavamo zigzagando simili a una serpe innamorata. Cercai di ricordare altre risate fra noi, quando magari si faceva festa perché aveva vinto la partita di tamburello allo sferisterio di Siena: ché il babbo era il miglior battitore di còlta del senese; ma non trovai nulla di paragonabile.

Gli dissi del mio lavoro e mi fece qualche domanda su Cerini, se era bravo, se mi voleva bene. Gli elencai le cose che possedevo e il salario di duemilaseicento lire che percepivo: fu lieto e dalla pipa, subito riaccesa, sbuffò soddisfatto un bel fumo chiaro. Si informò quando mi sarei sposato. «Con chi?» gli domandai, nemmeno potesse saperlo al posto mio e informarmi del mio futuro. «Con una donna, madonnina! o con chi sennò?»

Confessai di amare Anna senza essere ricambiato. Mi guardò silenzioso e dalla paura che non mi chiedesse altro aggiunsi che era innamorata di un ufficiale tedesco, sposato e con due figli. Babbo si sfilò la pipa dalla bocca e scrollò il capo. «Codesto non lo si dice alla Maddalena» mi ordinò e io annuii.

«Cosa devo fare?» domandai ancora. Mi rispose che l'amore passava, mentre le donne restavano una vita: che era meglio la dimenticassi cercandone una onesta, che almeno al principio mi amasse anche lei. Lo informai, però, che non ero sicuro di riuscirci, perché avevo l'impressione che Anna rappresentasse una parte della mia vita non ancora vissuta, che non potevo abbandonare alla deriva. «Bischerate!» sentenziò il manovale: ogni donna era una possibilità di vita diversa, dunque dovevo scegliere bene. Non potevo lasciare che la mia esistenza fosse decisa da una femmina qualsiasi.

Dovevo sceglierla io, la vita, per quanto possibile e non subirla. Se la mia amata non mi amava, chiuso!, dovevo cercarmene un'altra. Così si teneva il destino sulla carreggiata, correggendo gli sbandamenti con il controsterzo del manubrio, come avevo fatto con la bicicletta. Se andavo appresso alle emozioni finivo spacciato: quelle, disse, erano nebbie che velavano e svelavano le cose a caso.

Sì, aveva ragione. Gli dissi che gli volevo bene; lui poggiò la sua mano sulla mia e mi chiese di non commuoverlo, rimboccò la pipa con il polpastrello dell'indice, dal callo ormai abbrustolito, e si alzò per pagare l'oste.

Sulla strada del ritorno parlammo poco. Credevo di essere felice, quasi avessi raggiunto una qualche determinazione. Nei giri e rigiri della mia corteccia mentale mi ripetevo che ero libero, che potevo ancora scegliere di allontanarmi da Anna, se avessi voluto.

La sera io e il babbo fummo abili a schivare le domande di mia madre; non accennammo ad Anna e si parlò solo del mio lavoro e dell'andamento della guerra.

Non fu facile trovarmi una stanza per dormire, perché la casa era abitata anche da una seconda famiglia che aveva perso la propria; alla fine Maddalena mi sistemò una branda in cucina, dietro un riparo di panni stesi, vicino alla stufa, con sopra la pila dei fagioli in ammollo per l'indomani. Mi rimboccò il lenzuolo, colse un mestolo d'acqua dal secchio e me lo versò nel bicchiere poggiato sull'asse da stiro. Infine si piegò su di me per il bacio della buonanotte, come fossi ancora il suo bimbo e lei la luminosa dea della mia infanzia.

Una settimana più tardi ero già di ritorno a Roma. Viaggiavo sull'autocarro di Anselmo Pignatta, un conoscente del babbo, al quale cercavo di spiegare il rotismo superlativo che nella scatola del differenziale consentiva alle ruote posteriori di affrontare con velocità diverse le curve della

Cassia; ma l'autista, renitente, rimbeccava il maestro di meccanica con inverecondi improperi. Eppure, anche gli emisferi crespi del mio cervello di uomo, che avevano viaggiato con moto rettilineo fino a che mi ero trattenuto dai miei genitori, ora, nelle svolte prossime a Roma, avevano preso ritmi differenti: la testa severa voleva chiedere ad Anselmo di lasciarmi al laboratorio di Cerini, sul viale del Re; mentre l'altra metà, la leggera, gli avrebbe chiesto di accompagnarmi fino a San Lorenzo. Mi portò a piazza del Verano, perché proseguiva verso Tivoli. Da lì, due passi e arrivai a via dei Sabelli.

Fui festeggiato da tutta la famiglia e da Fosca, che mi abbracciò come un fratello. Angiolina però mi disse che Anna era partita il giorno avanti, con la sua amica Luisa Spaggiari, per visitare dei parenti vicino Parma e sarebbero tornate solo la domenica successiva. Da parte mia riferii che ero stato dai miei genitori e che ora dovevo subito recarmi da Cerini, dove mancavo da diversi giorni. Giusto e Adele mi accompagnarono alla porta e mi stavano salutando quando arrivò, senza macchina né scorta, Rudi Kreutzer.

«Bruno» mi chiamò esultante di incontrarmi e per darmi la mano passò alla sinistra un pacchetto che teneva nella destra. Vidi Adele scomparire all'improvviso, pensai andasse ad avvertire Fosca di non circolare per casa. Anch'io cercai di staccarmi in fretta dall'austriaco che mi ricordava un tedesco; ma «aspettami» mi disse, «lascio questo e vengo con te.»

Consegnò il pacchetto a Giusto, perché lo desse subito ad Angiolina e presomi sottobraccio domandò: «Dove andiamo?» Risposi che io andavo al lavoro, lui non sapevo.

«Ti voglio parlare» aggiunse, accompagnandomi alla fermata del tram.

Era rossastro di capelli e di carnagione, pure le sopracciglia rosseggiavano sopra gli occhi da cinghiale selvatico, onnivoro e onnisciente sulla posizione del tartufo. Sul dorso delle mani, nel collo e sul viso fiorivano intense macule lenticolari, brune e giallastre, che aggiungevano, invece, al suo faccione orecchiuto, l'aria bonaria di un maiale lentigginoso.

Voleva che mi ricordassi di lui se mai avessi avuto bisogno, perché mi poteva essere utile. Comprendeva la mia difficoltà nel dargli credito, nondimeno desiderava assicurarmi che, nel caso, mi avrebbe aiutato. Sì, grazie: confermai che avrei di certo pensato a lui in dicembre. Stupì, mentre salivo sulla circolare: «Perché in dicembre?»

«Da voi quando s'ammazza il maiale?»

Aprì la bocca mentre il tram chiudeva la sua: gli sorrisi attraverso i vetri; mi fece ciao con la mano; dovette credere che volessi contraccambiare il suo prossimo favore con un cotechino per Natale.

— Bruno veniva la sera, cenava con gli altri pigionanti, salutava e saliva a dormire nella sua stanza. La mattina scendeva, faceva colazione e andava a lavoro. Mi evitava e vedevo che si vergognava. Avrei preferito provasse compassione, odio, ribrezzo piuttosto che l'imbarazzo per ciò che sentivo per lui. «Non è vero, non mi vergogno. Di cosa dovrei vergognarmi?»

«Forse, oggi che amate Anna, capite quanto sia povero il sentimento che mi portate.»

«Vi voglio molto bene Italia, davvero.»

«Se non mi voleste bene non provereste nemmeno vergogna.»

«Che dite?»

«Mi amate giusto quel poco che vi fa sentire la colpa di non amarmi quanto amate Anna.»

Finalmente mi abbracciò, dopo tanti giorni passati ad aspettarlo, da quando era andato con la giovane Gatelli dal figlio di Concetta ed era poi partito per Chiusi, senza neppure salutarmi. Poggiò la fronte sulla mia spalla e con le mani morse appena i miei seni.

«È vero che vi evito, perché mi ricordate come si appare a chi non ci ama, quando lo amiamo; come vi appare Luciano; come appaio ad Anna.»

«E come sembro, a voi che non mi amate?» ebbi la forza di domandargli.

«Come una claque triste. Che mi segue dalla platea con l'entusiasmo avvilito dalla mia recita dedicata ad altri; e che m'incute il timore che ogni possibilità di successo sia vana: perché se l'amore è un meccanismo così impreciso da farmi amare da chi non amo, che garanzie può darmi che sarò amato da chi amo?»

«Andate via di qui» gli dissi, «cambiate pensione. Vi prego.»

Ripensai a Concetta: quanto era stata fortunata a rimanere incinta di un uomo amato; mentre a me il destino non sembrava riservare che le povere voglie di mio marito. Ma basta. Non avrei più accettato Luciano. Avevo potuto sopportarlo prima d'innamorarmi di Bruno, perché allora non ero proprio me stessa, quanto la moglie del maresciallo D'Ascenzio. Poi avevo continuato a subirlo soltanto perché Luciano era diventato il nostro paravento. Bruno non mi avrebbe mai potuto portar via con sé, perdendo il lavoro, lasciando la città: era povero, non aveva nulla e gli avrei rovinato la vita; per noi non c'era mai stata la possibilità di una vita pubblica, da spendere insieme.

Avevo voluto bene a mio marito, era un brav'uomo e si sarebbe meritato un figlio; se lo avessi avuto da Bruno sarei stata così grata a Luciano che avremmo vissuto un matrimonio felice e forse avrei provato una tale riconoscenza che, chissà, magari sarei riuscita a ritrovare il piacere di stare con lui. Però Bruno non aveva voluto darci un figlio e tutto era finito di colpo, all'arrivo di Anna. Ormai l'avevo perso. Il destino sembrava ricacciarmi indietro, verso l'uomo che avevo sposato una vita prima, una vita non più mia.

Concetta era sola, abbandonata dal suo uomo e lontana

dal suo bambino; sarei stata sola anch'io, dimenticata da Bruno, indisponibile per Luciano.

Verso la metà della settimana, quando ancora Anna era a Parma e io cercavo, con un lungo scòvolo, di chiavare il collo a uno scambiatore di calore, Adelmo Rabersati venne a trovarmi al laboratorio di Cerini.

«Da' qua, signor perito» mi disse malizioso, «che gh'al mètt mézz, m'an dòrmi äd gust s'an gh'al mètt tutt» e ripenetrato lo spazzolino nel buco con una forte torsione del polso, seguita da una violenta abduzione della mano, frantumò d'un sol colpo il sedimento calcarico che ne asfissiava la luce.

Era latore di un messaggio di Angiolina Gatelli. La Sicom aveva ricevuto, dall'amministrazione militare tedesca, l'offerta di acquisto di vecchie macchine utensili che giacevano, fuori uso, nell'officina di via dei Sabelli. Si trattava di una compagnia di ferri vecchi di cui faceva parte anche la pressa eccentrica che aveva procurato l'ictus a Luigi Gatelli. Questa, seppure funzionante, non si vendeva: Angiolina la conservava al centro dell'officina, tipo la croce sul cucuzzolo del Gòlgota. Intorno alla pressa, però, erano invecchiate diverse macchine del tempo di Luigi: una cavatrice a catena, la puntatrice a colonna, una trafila, la scorniciatrice e una sega a nastro imponente, alta almeno due metri e mezzo, presso la quale una vecchia roditrice pendeva dal suo bilanciatore, come una testa di serpe dal ramo di un cespuglio di more.

Era un ottimo affare, procurato di certo da Rudi Kreutzer in cambio di chissà quale favore. Comunque i tedeschi avrebbero ritirato il materiale solo se funzionante; e mentre Adelmo sosteneva l'irreparabilità di talune macchine, l'ingegner Carra era di parere contrario, sicché Angiolina, incerta, desiderava a consulto la mia perizia industriale.

Non mi fu possibile accondiscendere: facevo gli straordinari per smaltire il lavoro arretrato e, dopo aver trascorso una settimana dai miei, Cerini non mi avrebbe certo concesso altro tempo libero da dedicare ai Gatelli. Nondimeno promisi ad Adelmo che se nel ripristinare le macchine più guaste avesse incontrato particolari difficoltà lo avrei aiutato.

Lo vidi andar via con il suo passo oscillante di metronomo che batteva il mio tempo e mi chiesi quanti giorni sarebbero passati prima che mi chiamasse di nuovo, per soccorrerlo contro la banda delle macchine insepolte, fantasmi del defunto Luigi, in quella famiglia di beccamorti.

— Camminammo e un po' corremmo, per quasi un'ora, fino ad arrivare alla balera. Parlammo poco: Bruno mi disse qualcosa dei genitori e io della mia amica Luisa, che era molto bella e con la quale eravamo state a Parma. Ci tenemmo per mano sotto il sole che squagliava la strada. Aveva un buon odore, di pelle lavata e di abiti freschi di bucato. Anch'io mi ero fatta bella per lui. Volevo sentirmi avvolta dal suo desiderio fissato al suono del mio gong. Sapevo di essermi preparata come avevo fatto tante altre volte con Carlo, di cui non avevo più saputo nulla, dopo l'addio all'aeroporto. Vestirmi per Bruno non mi aveva dato la stessa emozione; ma fui contenta che mi facesse provare sensazioni diverse.

Rammentai il corpo a cui mi ero abbracciata in motocicletta: si adattava bene al mio ed era sensuale. Avevo deciso che se Bruno mi avesse baciato, lo avrei ricambiato; questo sì, almeno un bacio me lo sarei concesso. In fondo sapevo che Bruno mi piaceva, sin da quando lo avevo incontrato al mercato di largo degli Osci, con Carra. Allora lo avevo riconosciuto subito: mi aveva dato la mano e quando la nostra pelle si era toccata mi ero sentita circondata, quanto sul tram nell'aprile di un anno prima, dall'odore del mio amante confuso al puzzo di colonia di Bruno che mi aveva urtato, passando per la strada. E poteva darsi che un po' dell'emozione vissuta con Carlo e dalla quale, mentre uscivo dalla villa, ero stata seguita come una coda di cometa: qualcosa della coda, investendo Bruno sulla strada, si fosse appiccicata a lui, senza che fossi più capace di riprendermela per restituirla a Carlo, e così un po' del suo essermi amante si fosse trapiantato in Bruno. Fu dunque a causa di questo incidente di stelle e comete, se non avevo saputo rifiutare la proposta di mamma e avevo permesso che Bruno si avvicinasse a me, ogni minuto di più?

Di tanto in tanto lo osservavo, mentre camminavamo; perché infine lo avevo baciato e quindi avevo bisogno di capire come potesse essermi piaciuto. C'era forse una donna in me che quando voleva amare aiutava l'uomo scelto a essere più amabile? Gli lisciava la pelle e gli inventava una luce speciale negli occhi che mi accendeva? Architettavo io ogni cosa? E adesso ricominciavo con Bruno rinunciando a Carlo? Che però sentivo di volere ancora; d'altra parte se stavo lì con Bruno era solo perché Carlo si trovava altrove. Oppure non era più così? Non solo così... Comunque mi sentivo contenta di passeggiare accanto al mio meccanico e volevo ballare con lui nella Pista del suo amico Firmino. Ero soddisfatta di avere in me una donna che voleva amare, mi faceva sentire più libera dall'uomo che amavo.

Essendo un meccanico ero un ideatore di leve per trasferire le forze secondo movimenti prestabiliti. Pertanto pensai che i miei manovellismi avrebbero mosso Anna con più facilità se l'avessi potuta inserire nel sistema delle onde coreutiche su cui regnava Firmino. La musica e l'allegria, che Elio cavava dalle esse del violino a ogni archeggio, avrebbero lubrificato la corsa del suo peso di donna oltre gli attriti e la gibbosità del fato, fino a me, l'ultima e alesata stazione del suo rivolgersi.

Così, proprio dalla Pista Svizzera, come se fossimo scesi giusto allora dalla Guzzi di Cerini e non invece tre settimane prima, il nostro cammino avrebbe ripreso il suo incedere incespicante. Ci vedesse pure il sergente del colonnello e Anna mi chiedesse di nuovo di lasciarla andare, perché quel pomeriggio non l'avrei permesso, né a lei, né al suino d'Austria. Avevo scelto! secondo il consiglio ricevuto da babbo Alfredo, dal fumo saggio della sua pipa di ciliegio. Mai più avrei fatto da macchina sbarbatrice dei loro ingranaggi e il mio taglio non avrebbe ripulito la parete dei denti perché ingranassero senza resistenza: al contrario, ne avrebbe colpito il fianco, truciolando peli metallici in ogni organo rotante del loro progetto.

Anna mi era sembrata felice di ricevere la mia telefonata d'invito; tuttavia non fu possibile incontrarci fino alla domenica successiva. Andai a prenderla sotto casa. C'era qualcosa di diverso in lei: non mi guardava più come un lampione inanimato. I suoi occhi invece erano fissi su di me quali due becchi d'imbuto, sicché mi sentii fluido, dalle molecole slegate e centrifughe, senza più una posizione fissa per gli atomi della mia massa. Dovevo reagire; impedirmi di evaporare in lei: dovevo scegliere, cercare una bella determinazione per il perito innamorato.

«Sei pronto?»

«Per cosa?» domandò invece un liquidoso e già sformato me stesso.

«Per ballare Bruno, non andiamo dal tuo amico alla Pista Svizzera?»

«Forse... perché io, Anna, non so proprio dove stiamo andando e chi ci sta portando. Mi sento un liquore e se non mi raccogli mi spargo qui per terra, poi il sole mi evapora e il vento mi disperde.»

«Oh dio no! Andiamo, andiamo.»

Mi trascinò di corsa per via dei Sabelli, ridendo tintinnante come un sonaglio. I raggi bollenti delle tre di pomeriggio furono catturati dal diamante del suo corpo, che intorno a sé annottava ogni luce del giorno. Attraversammo via degli Ausoni, quando, all'improvviso e in mezzo alla strada, ne abbracciai la vita, ne sfiorai le labbra. Ma la bocca di Anna rimase chiusa e allora fui stato aeriforme di me stesso, fui sublimato di perito che, in equilibrio instabile, supplicava Anna di baciarlo, per riammassarsi tra le sue braccia nude. Invece lei riprese il traino verso via dei Sardi, giunse all'angolo, svoltò verso lo scalo, e quando si sentì al riparo dalla curiosità della sua strada, mi appoggiò contro il muro. Vidi il viso di Anna accostarsi e scendermi per le labbra alla fossa del respiro; sentii la sua lingua trovare la mia e insieme assaggiarsi, timidamente ignare di farsi caverna, di farsi la culla, umida e silenziosa, di un pensiero nuovo in traccia della sua prossima voce.

15.

Firmino ci venne incontro appena entrammo alla Pista Svizzera, dove già si danzavano le saettanti figurazioni melodiche ritmate, dal calcagno di Elio, in ritardo discendente. Non mi avevano mai visto con una compagna e tutti ci felicitarono, offrendoci della gassosa. La sora Inciampa prese sottobraccio Anna per spiegarle che ero un bravo giovane, molto lavoratore, sebbene non un gran ballerino e doveva temere il mio piede sinistro, piuttosto "acciaccoso". Anche i musici scesero dalla pedana per conoscere Anna, e il violinista la riverì sollevando alto l'archetto sul capo chino. Quasi persi la mia ragazza fra la gente che piroettava, beveva e scherzava; la scorsi trascinata dalle comari fino allo Stinco (alias Firmino), al centro dell'arena, ove questi l'attendeva per esercitare il diritto al primo valzer della ballerina nuova.

Danzarono benissimo insieme, mentre Anna mi cercava con lo sguardo tra il pubblico e io facevo a nascondermi; ma la sora Inciampa m'agguantò di sorpresa e mi fece prillare in una serie vorticosa di volte e controvolte, per sfidare il re dei corèuti e la mia giovane compagna. Firmino rispose a sua volta con giri e volteggi che fecero gridare Anna, finché, con una crescente e satanica promenade, puntò sul nodo che mi avvinceva alla mia sìlfide grassa. Questa, al momento buono, mi slacciò e al battere d'un solo tempo

Firmino lanciò Anna tra le mie braccia dicendomi: «A te»; mentre le altre coppie fecero spazio, perché l'acciaccoso desse prova di sé alla sua donna e al popolo di Roma.

Consumammo il nostro primo valzer nella musica caricata da un impetuoso assolo di Elio, sotto la pergola della vite immatura. Anna era sciolta e morbida al mio rigido guidarla e provai imbarazzo che si offrisse così alle mie braccia anchilosate, nello sguardo di quei tanti, fra noi, che soli non eravamo mai stati.

Mi pentii d'averla condotta lì. Cosa volevo da me stesso: che non ancora coppia di amanti fossimo già coppia pubblicata? Che il popolo senza scelta, di una nazione soggiogata, mi aiutasse a decidere la direzione che la mia vita avrebbe intrapreso? Dovevo scegliere anche per loro? E perché? Perché non c'era spazio per il mio mondo privato se non ne trovavo anche per il mondo pubblico? Volevano, gli altri che ci osservavano, vecchi e giovani, fascisti in divisa e militari in licenza, volevano partecipare al dialogo dei nostri passi erotici, come riguardasse anche loro?

Abbracciai Anna torcendone il busto, avvitammo le mani sinistre alte sulle spalle, lei lasciò cadere il capo all'indietro, i suoi capelli spazzarono l'aria e insieme, atteggiati nella voluta elicoidale di un dente di fresa, penetrammo gli anni, forammo la crosta del tempo. Ricordai le parole di Carra, immaginai Angiolina ballare con il padre di Anna a Sala Baganza. Avevo seguito il consiglio di Candido ed ero montato anch'io sulla pedana del ballo. Era dunque giunta l'ora della decisione, quella che non dovevo sbagliare e che mi vorticava davanti nelle sembianze di Anna? Dovevo chiudermi nell'orizzonte di una donna che non conoscevo ancora, e farmi guidare da lei verso uno scopo che non capivo? Questo dovevo fare: agire un'azione che non si poteva scegliere; che era la negazione stessa della scelta? No, assolutamente no! Anna doveva offrirmi delle garanzie: come minimo la promessa di lasciare il tedesco e votarsi a me. A me?

E perché: io cos'ero? Un uomo in attesa, un uomo irreale, il disegno ufficioso di un meccanismo possibile che aspettava di essere realizzato dal padrone della storia, a cui Anna si era legata. Fossi stato almeno il preferito di Anna, se anche non il prescelto. Forse mi sarebbe bastato esserle nella carne con la mia spina di sangue, se pure il tedesco le fosse stato nella testa di donna pratica, che predilige le braccia del più forte. Esserle in corpo come la milza, il viscere, l'intestino, il riempimento e lo svuotamento; esserle la fame, la sete, fosse lui il pensiero, il sogno, il progetto; fossi io, invece, l'ano cerbero di Anna quando vomita il suo no nel mondo di lui, solo fogna di lei. Sì, mi sarebbe bastato, se Anna fosse stata capace di segarsi in due facce gemelle e opposte. Però Anna era una sola. Era così sintetica Anna: un cedro acerbo, da allapparmi la bocca dell'anima.

Dovevo scegliere in fretta, non c'era più tempo: il ballo finiva. Dovevo decidere se rinunciare ad Anna oppure prendere il posto del tedesco.

Le parti cave del mio orecchio variarono all'improvviso le equazioni dell'equilibrio e fu Anna, allora, a dovermi trascinare al termine del ballo: perché io, preso da vertigine, la seguivo a occhi chiusi, mentre la memoria, quale un orrido mollusco, affiorava dalla conchiglia dell'amnesia. La musica cessò di colpo in uno scroscio di applausi. E senza ancora aprire gli occhi rammentai il viso di Anna, come l'avevo visto in una strada dell'Aventino, urtandola per caso.

«Vieni» mi disse, portandomi verso la tavola imbandita di fiaschi. Ci raggiunse Firmino per farci i complimenti.

«Ti ricordi Bruno che quando sei venuto qua per la prima volta quasi non sapevi camminare, madonna lardosa, altro che ballare. Quando fu?»

Era stato l'aprile del '42, gli risposi: un pomeriggio simile a quello.

«Un pomeriggio di domenica?» mi domandò Anna.

«Sì, mi pare di sì: domenica» rispose lo Stinco.

«Quale domenica?» Anna insisteva a forzare il paguro della mia memoria.

«Mah, ragazza mia» commentò Firmino, «che ne so, sarà stato verso la metà di aprile, eh Bruno?»

«Allora stavi venendo qui... Bruno, quando ci siamo scontrati, stavi venendo qui?»

Guardai l'ingresso di quel cortile pergolato che era La Pista Svizzera e vidi confusione tra la gente, come stesse arrivando qualcuno. Ravvisai il colore di una divisa militare: la giacca di Rudi Kreutzer, con i fregi e i gradi di sergente maggiore e i bottoni slacciati. Forse il duodeno si distese nell'intimo del mio ventre o fu il piloro a contrarsi, comunque un freddo impulso vagale risalì il mio tronco fino al centro mentale della nausea e respirai profondo, nella contrazione del diaframma e nella spremitura dello stomaco.

«Cos'hai?» mi domandò Anna, appoggiandomi le mani sul petto.

Risposi che c'eravamo scontrati per la strada, un anno prima, mentre stavo andando alla Pista Svizzera.

«Lo so. Non te ne ricordavi?»

Le dissi che c'era una villa e che lei era appena uscita dal cancelletto di ferro battuto, dietro rimanevano pochi gradini che portavano all'ingresso sul mezzanino: la porta era aperta e un uomo, mentre la guardava andar via, finiva d'indossare la divisa, infilandosi la camicia, chiudendo la bottoniera dei pantaloni.

Rudi ci vide e si avvicinò sorridente, poi però si fece serio e tacque, trovando Anna turbata e arrossita.

«Voglio andare a casa» dichiarò, non a me. Rudi si offrì di accompagnarla; io fermai la mano dell'austriaco: «No, tu no!» Non mi ascoltò, comunicando invece ad Anna che avrebbe chiamato una macchina. Confermai il mio no. Il sergente mi guardò cupo: aveva già Anna dietro di sé, e allungandomi appena le presi il polso, la tirai verso me, lei venne. Si erano avvicinati a noi molti ballerini e il sergente era circondato dagli uomini; le dame invece guardavano la scena dalla seconda fila. Rudi dette un'occhiata attorno e rivolto allo Stinco aggiunse: «Pare che presto dovrai cambiare nome alla tua balera: non sarà più una Svizzera neutrale», e lasciò la pista, senza salutare alcuno.

Cercai anch'io di allontanarmi con Anna, ma lei si bloccò: voleva andare a casa da sola. No, fu il mio commento: «Non voglio che corri appresso a quel maiale.»

Gli occhi di Anna si fecero rombi e furono pietre di silice, scheggiate, taglienti e dure: il suo viso vibrò di colpo e un forte calore infiammò la mia guancia sinistra. Intervenne la sora Inciampa e sospinse via la mia donna, seguita da un treno di signore, mentre i cavalieri loro s'intrattenevano con il collega schiaffeggiato.

«Cosa è successo?» domandò Firmino, portandomi al riparo dalla curiosità degli altri. Rispondevo che aveva ragione mio padre; e Firmino era d'accordo, nondimeno su cosa, chiedeva. Io davo forti pugni contro un armadio di ferro e le nocche della mano mi sanguinavano. Firmino per fermarmi se ne prese uno sul fegato e si accasciò in un brontolio funereo che mi spaventò.

«Insomma cosa è successo, che t'è preso?»

«Se l'è chiavata, capisci? Non lo sapevo, non ci credevo, invece è così... sì, come una troia e ora mi prendo il suo scarto.» Firmino diceva di no; Anna, si vedeva, era un'ottima ragazza, di certo mi sbagliavo.

Lui non poteva intendere la certezza del mio ricordo: non aveva visto il viso di lei e il viso del tipo alla porta. Non poteva capire che stavo cadendo nel vuoto, che non avevo radici, che non avevo nulla, che l'unica parte di me, vera, era con Anna nel letto di un altro.

— Da Palermo scrissi ad Anna appena mi svegliai, avendo il sogno ancora vivo nella memoria: lei bellissima, con la pancia della Madonna del Parto, che camminava sola, fuori dalla mia ombra. «Ho sognato che eri incinta e attendevi nostro figlio; un figlio contro il mio passato: un redentore, un figlio all'indice della mia autorità».

Fui felice di desiderarlo davvero, il nostro bambino tante volte fantasticato. Non sarebbe stato il mio terzo figlio, perché Hans e Gerda erano soltanto l'estensione dei seni di mia moglie e deambulavano per le stanze della casa straboccanti del suo latte. Il figlio di Anna sarebbe stato invece il mio solo Graal: l'unica creatura di cui essere davvero genitore, calando il mio destino in essa, perché lo riscattasse con la forza della sua diversità.

Era il bambino che la passione giovanile di Anna e la sua pretesa di annodarci nel corpo indissolubile di un figlio, mi avevano chiesto più volte, ma che io respinsi, temendo che divenisse il solo personaggio che la malattia m'impediva d'impersonare: l'unico da lei sognato. Avevo avuto paura che nell'utero tasca della mente di Anna, un altro ricevesse il dono delle sue attese e io, armento di gente in fuga, più da nessuno venissi retto. Per questa coscienza, per questa gelosia le avevo sempre negato il figlio desiderato; e senza alcuna utilità: perché Anna si stava stancando lo stesso del mio essere sciame. Solo a nostro figlio potevo affidare la speranza di ritrovarci ancora insieme nell'orizzonte di un pensiero nuovo: io, con il mio popolo disperso e Anna con il suo utero mente tasca.

«Ho sognato nostro figlio come il mondo che la mia presenza di padre nega. Perché tuo figlio sarà uno specchio perspicace, Anna, e io, nel suo futuro che mi vedrà passato, sento conoscersi il nostro oggi di amanti. Lui incatenato al nostro presente: sarà futuro che ci legge».

Sapevo disegnare apparecchi di moto oscillante il cui centro geometrico rimaneva remoto dal disegno. Figure simili a quella abbozzata con Anna. Il pennino di china raspava la quadrettatura del foglio generando i perni B e A, visti dalla prospettiva di un punto che però, rispetto al piano, si trovava più o meno nella fossa del mio ombelico. E come i perni disegnati nulla sapevano della ragione del loro essere, che si fissava nella mia centricità di disegnatore, così io, pezzo di quel mondo del '43, nulla sapevo della ragione che stava articolando la mia esistenza di Bruno in quella di Anna. Ero solo un Io callo, concrezione di abitudini sociali, ponte fra me e gli altri. E più la figura che stavo disegnando si faceva accurata, più una rabbia animale mi forzava la pelle, perché, per l'emozione che mi stringeva ad Anna, volevo tenermi fuori proprio da quell'Io di risulta – un Io non mio – da far saltare in aria con una bomba angloamericana, come in aria saltavano le città d'Italia, le teste dei nostri soldati, la nostra epoca consumata e arsa dalla guerra interminabile. Ed era ancora il mio Io, calloso figlio di Alfredo, ad avermi imposto di scegliere la via che mi stava allontanando da Anna e da me stesso.

Sicché, quando Leandro Cerini cercò di correggere il mio disegno, sostenendo che l'angolo fra le due barre dovesse essere meno acuto: gli presi il polso con la mano e lo pregai di non toccare né il perno B né il suo angolo figlio. Proclamò che la proiezione era errata, che andava rifatta; gli spiegai che lui non sapeva disegnare e che proprio per questo mi aveva assunto, dunque mi lasciasse fare. Protestò che avevo disegnato poeticamente, mentre quella era meccanica, perdio, precisione assiomatica. Ah ah risi; la sua matematica se la poteva spingere su per le colonne rettali del pelosissimo culo, risposi. Pertanto accorsero gli uomini in tuta a sorreggere il capo rubinoso dell'ex legionario che, brandendo il pennino intinto nella china, desiderava infiggermi l'occhio celeste con l'ago nero. Strepitava che mi avrebbe licenziato, che avrei conosciuto la guerra, che lui mi aveva avvertito per tempo, ma che avevo la spina morbida e bastava una gonnella a farmi dilombare.

Fu di giovedì 1° luglio quando persi il lavoro. Con la

bicicletta alla mano, la lobbia sulle ventitré e la cicca in bocca risalii il viale del Re, fermandomi solo un attimo per controllare la scadenza del mio permesso di Fabbriguerra. E visto che avevo ancora tre mesi di copertura decisi che per il momento non volevo preoccuparmene.

A casa dovetti informare Italia, insospettita dall'ora inconsueta del mio rientro, che ero stato licenziato e lei ne parlò a Luciano perché intercedesse per me con Cerini. Luciano invece venne a farmi la predica e mancò poco che lo scaraventassi giù dalle scale di casa sua. Feci le valigie e uscii sulla piazza per andare alla Pensione Milite, oltre il Pantheon. Italia m'inseguì e insieme al sor Cesare, dell'osteria in piazza, insistettero perché rientrassi e decidessi con maggior freddezza, nei giorni appresso, cosa fare della mia vita. Accettai considerando che se desideravano tenersi accanto il mio Io, lui, alla faccia del maresciallo D'Ascenzio, si sarebbe potuto scopare di nuovo Italia, appena lo avesse riaccompagnato in camera. Italia resistette alle sue pressioni manesche e allora l'Io, disarticolato dalla mia intimità, rivolta solo ad Anna, le promise che l'avrebbe ingravidata, avesse ancora voluto. Lei diagnosticò che era ubriaco, che le faceva paura e che doveva calmarsi.

Da ultimo telefonò Mario Carra chiedendomi cosa fosse successo con Anna, la domenica prima. Gli domandai chi lo avesse informato, rispose che era stata Anna. «Sei un bugiardo!» Ritrattò: era stato Rudi ad avvertire Angiolina. Accennai a Mario che mi era tornata la memoria, perché avevo scelto di vedere quanto avesse usato la nostra amicizia come un utensile per l'aggiustatura della ruota Gatelli, mai per me e neppure per Anna; e che pertanto, se lo avessi incontrato di nuovo, avrei ridotto il suo faccione di parmigiano in una poltiglia merdosa, iniettata di lambrusco spumoso.

I giorni seguenti feci dei piccoli lavoretti nell'osteria di Cesare che in cambio mi sfamò per quanto poteva. Rientravo in pensione solo a dormire, evitando sia i pigionanti che i padroni. Passavo il resto del tempo a giocare a carte, discutendo con gli avventori avvinazzati dei vari gradi d'imbecillità dei nostri generali; si rideva alle barzellette contro il Duce e ci si accendeva da fumare leggendo "Taci, il nemico ti ascolta" sul pacchetto dei fiammiferi. Poi il nemico sbarcò di colpo in Sicilia e la guerra toccò il sacro suolo della patria; comunque era un'isola lontana e non era più tempo di arance, nessuno per le strade di Roma sembrò preoccuparsene e tantomeno io, centrato com'ero sul mio tormento.

Non avevo preso alcuna decisione, non sapevo se avrei scelto di rivedere Anna o no. Il suo viso alla Pista Svizzera e l'immagine del colonnello che si abbottonava i calzoni mi torturavano la mente in un modo tale che la guerra, la morte, la fine del mondo, non sembravano cavalieri in fondo così orrendi, nella calca della mia apocalisse. Anna non aveva colpa di nulla, ero io a non aver voluto capire la forza del legame che la teneva al tedesco. Sapevo che se l'avessi rivista mi avrebbe perdonato, avrei potuto spiegarle l'asprezza della mia emozione e mi avrebbe capito; sì, ma non sarebbe stato sufficiente a condurla laddove la mia anima era andata ad aspettarla.

A mezzogiorno del 15 luglio intanto, mentre aiutavo il sor Cesare a pulire i tavoli sulla piazza della Pigna, rividi Adelmo Rabersati avvicinarsi con il suo passo oscillante. Non ci fu quasi il tempo di salutarci che suonarono le sirene e ci guardammo stupiti dall'improvviso lamento. Alzammo gli occhi seguendo un rumore fragoroso di aerei e invece scorgemmo solo coriandoli colorati: migliaia, milioni, che scendevano come neve dalla pancia dei Mitchell americani.

In questo modo i premurosi avversari ci avvertivano che in caso di bombardamento qualche granata poteva finirci sulla testa, sebbene i piloti si stessero addestrando a bombardare soltanto obiettivi militari. Nell'evento sciagurato comunque dovevamo prendercela solo con l'Asse e non con i mirini angloamericani.

Adelmo mi chiese se reputavo realistica la minaccia e risposi di sì: la guerra doveva finire, in un modo o nell'altro. Aggrottò le sopracciglia, che aveva folte e spinose, levandomi il volantino dalle mani e gettandolo a terra, mentre il sor Cesare li scopava via, perché una camionetta di carabinieri era entrata nella piazza e fischiavano appresso alla gente che raccoglieva i coriandoli americani: era disfattismo leggere la propaganda del nemico, spiegavano ai meno solerti.

Adelmo mi prese sottobraccio e allontanandomi dall'osteria mi accostò a palazzo Maffei, presso il segno dell'alluvione del 1880. «Bruno» mi disse, «hanno vinto. Quelle macchine vecchie, quei brutti ferri io non so ringiovanirli.»

— Non avevo voluto io i nostri figli. Giusto era capitato e Anna l'aveva voluta Luigi. Erano stati i suoi figli in me. Quando eravamo giovani e lui rincasava, dopo il lavoro, mi chiedeva subito di loro, perché diceva che non gliene parlavo mai. Io volevo invece che lui mi raccontava la sua giornata. «Occupati dei nostri figli» chiedeva; va bene, ma lo facevo per lui, e lui si arrabbiava. Luigi pensava che lo amavo troppo. È che non volevo che mi dimenticava nei suoi figli. Al tempo che ero stata incinta e il mio corpo era cambiato, mi ero vergognata di spogliarmi davanti a lui e avevo avuto paura che non mi voleva più, però lui baciava la mia pancia gonfia e mi amava tante volte ancora. Diceva che gravida di suo figlio ero più bella. Aveva avuto sempre desiderio di me e la nuova forma del mio corpo lo chiamava di più. Un giorno gli chiedo perché mi preferisce gonfia. «Perché sei piena di noi» rispose e arrossì, lui che non si vergognava mai. «Spiegami» domandai con la testa poggiata alla sua spalla, mentre guardava il soffitto. Non sapeva farmi capire ciò che sentiva. Ricordò che una volta, quando ancora non ero incinta, avevo fatto il bagno nel tino, subito dopo che mi aveva presa, e che allora si era tanto offeso, perché mi ero lavata di lui. Anche se mi amava e mi sentiva sua, gli sembrava di non prendermi mai fino in fondo, perché qualcosa, nel mio corpo di donna, non lo raggiungeva mai. Lui non ci riusciva a vedere dentro la mia pancia, ed era un segreto che nemmeno io glielo sapevo spiegare. Soffriva perché, dopo avermi avuto, il mio corpo non portava neanche un segno della sua grande passione, come se era stata piccola. Invece, a vedermi gravida, gli sembrava di avermi segnato del suo amore e gli veniva ancora più la voglia; non si offendeva più se mi lavavo, perché il suo segno su di me non andava via ed ero stata cambiata, nella forma del mio corpo di femmina, dalla sua passione di maschio. Sapeva spiegarsi bene, Luigi. Sì: avevo capito! Tuttavia era rimasto triste lo stesso. C'era un segreto che non riusciva a dirmi perché forse era brutto. Non c'era nulla di brutto in lui e a me poteva rivelare ogni cosa, anche di aver ammazzato Gesù. Riconobbe che gli piaceva prendermi, quando ero incinta, anche perché non eravamo soli. Io non capivo. Chi c'era con noi? «Lui» disse Luigi. Gesù? No! Nostro figlio, che doveva nascere. Giusto? Non sapeva se pensava proprio a nostro figlio: forse, qualche volta; altre volte anche a un altro, o a tutti insieme. Come insieme? E tutti chi? Non me lo sapeva spiegare; diceva che gli piaceva prendermi davanti a "quello", come se era anche un suo nemico, un mio fidanzato. Fidanzato? Quanto lo abbracciai, quanto lo baciai: era solo un uomo geloso, che se la godeva a immaginare ogni mio possibile spasimante, prigioniero dentro di me, nel corpicino del nostro bambino; e mica poteva essere geloso di nostro figlio e quindi non c'era più corteggiatore che gli metteva paura, e aveva vinto ed era felice e gli faceva sempre voglia di prendermi. Gli giurai che volevo rimanere sempre con la pancia piena di lui. «Sì» gridò così forte che lo sentirono dalla strada. Ma, partorito Giusto, non riuscivo più a rimanere incinta; poi scappammo via dai fascisti e non avevamo da mangiare e si doveva lavorare. Infine arrivò Anna, ma fatto il tempo dovetti partorire anche lei e Luigi decise che bastava, che non voleva ancora figli. Non mi voleva più gonfia di lui? Preferiva vedere Giusto e Anna crescere. Disse che era meglio così, perché la mia pancia si svuotava sempre e dopo nove mesi mi lavavo comunque di lui: la natura era fatta in questo modo e si doveva abituare, la doveva accettare. Oh, se lo amai. Luigi sentiva come me. Lui voleva dei figli che vivevano solo in me e non nascevano mai.

Invece erano nati e lui era morto. Aveva lasciato il suo corpo in Giusto e il carattere in Anna; anche lei, come Luigi, aveva un pozzo nella testa. Giusto era sempre con me, sin da bambino; quando lo lavavo gli trovavo addosso i nei di Luigi, dove li aveva avuti lui. Anna, appena grande, aveva imitato il padre e se ne era andata lontano, da uno straniero, che sulla divisa portava una croce in segno di morte: la morte che mi aveva rubato Luigi. E il tedesco l'aveva presa e l'aveva amata e io lo avevo odiato, perché lui poteva amare la figlia di Luigi, che aveva il pozzo del padre nella sua testa di ragazza.

Maledetta figlia che non sapeva vivere di ricordo, come la mia dolce Fosca. Insieme, figlia e padre, mi portarono via la pancia di donna gravida e mi lasciarono svuotata e sola. Allora chiamai Bruno, il meccanico. Anche Luigi era stato meccanico e smontò la mia vita, rimontandola mille volte migliore. Però quello era un giovanotto, non era un uomo. E la figlia di Luigi si sarebbe mai innamorata di un ragazzo?

Comunque il ragazzo non voleva più vedere Anna, aveva capito che era del tedesco e si erano litigati e si era fatto licenziare e aveva chiuso il telefono in faccia a Mario. Gli avevo mandato anche Adelmo per convincerlo a venire da noi, per un lavoro, eppure non ne voleva più sapere niente di Anna. Non capivo cosa fare e anche Mario non aveva consigli per me. La faccenda stava finendo male e il mio piano falliva.

Che stupida ero stata. Perché ero stata così stupida?

Forse non volevo che il ragazzo vinceva. Non volevo un giovanotto insignificante accanto alla figlia di Luigi, così gravida del padre, al posto mio. Un uomo ci voleva; io lo sapevo. E gli presento il tedesco: uno che era nazista e lei, che era ancora una bambina, se ne innamora: lo vuole liberare da Hitler, da tutto il passato, compresa moglie e figli; come il padre, anche lei si butta sotto la macchina, senza pensare al pericolo: perché sono uguali, Luigi e Anna, e sono differenti da me e da Giusto. E una madre poteva volere questo per la figlia? No. Una madre no; ma forse lo volevo io, perché per mezzo del tedesco che amava nostra figlia, io continuavo ad amare il mio Luigi, prigioniero nella testa di Anna.

16.

«Vabbè Bru', mo smetti, daje» obiettava er sor Cesare, negando la boccia del vino alle mie mani d'assetato. «Ma daje de che?» protestavo e gemevo sul viso dell'oste, che si ritraeva dal mio fiato etilico.

Gli proposi anche di telefonare a Candido, per farsi spiegare l'effetto dell'ormone della sete sulle pareti delle mie artèriole, però Cesare non ne voleva sapere e mi spingeva fuori dall'osteria, verso il portone d'Italia. Mi lasciò soltanto quando vide che riuscivo a salire le scale. Tuttavia, al primo pianerottolo, l'aria gonfiò i polmoni, nella gola sentii sollevarsi l'osso ioide e chiudersi la glottide, la bocca farsi tubo di gronda. Il vino di Cesare finì sulle piastrelle del pavimento, bagnandomi i piedi. Corsi di nuovo in piazza, per sfuggire al vomito che m'inseguiva gocciolando dai vecchi gradini, consunti e declivi. Era tardi, nessuno in giro.

Decisi di recarmi nell'officina di San Lorenzo, anche se avevo negato il mio aiuto ad Adelmo. Dovevo andarci da solo, senza il controllo di nessuno, e scoprire le pulegge alle macchine insepolte dei Gatelli. Miravo alla macchina assassina del padre di Anna: c'era la pressa eccentrica, all'inizio della nostra storia e ne sigillava ancora il filo, con il peso della sua tonnellata di ghisa. Solo per quella macchina stavo camminando nell'oscuramento come un sedizioso verso il suo delitto.

Quando giunsi, via dei Sabelli era deserta. Trovai il cancello dell'officina serrato dal contrafforte di un pezzo di rotaia che rimossi e scostati i battenti scivolai all'interno. Andai verso l'angolo più riposto del cortile, dove la compagnia delle macchine insepolte sostava sotto il tetto di bandone. Dalla latta pendeva una lampadina schermata da un cono di carta blu, perché il nemico non la centrasse dai settemila metri con una bomba da cento libbre. Nel tronco di luce rinvenni la pressa orecchiuta che dormiva, protetta dalla testa di serpe della roditrice. Intorno, distanti due metri, russavano le vecchie macchine. La pressa era enorme e io solo. Una trave di ferro traversava il cielo dell'officina, da muro a muro, e sopra vi scorreva il carrello del paranco, che trascinai fino alla grande macchina. Nello sforzo non pensai alla roditrice, che mi colpì sulla spalla strappandomi la giacca. La sfilai dal supporto pendulo e la gettai a terra, come un serpe schiacciato. Poi aggredii le orecchie del mostro; smontai i lamierini di riparo che proteggevano i padiglioni rotanti, gli ingranaggi e i volani. Seguitai fissando ciascuna ruota al paranco, portai le catene in tiro e sganciai gli organi volventi dal proprio asse. Li scaricai a terra e guardai la macchina che senza le orecchie enormi sembrava acefala, già Medusa senza testa.

Proseguii con l'albero eccentrico, in acciaio speciale, forgiato e rettificato: lo sfilai dalle vaste bronzine, scollegandolo dalla bussola e dalle lunghe bielle. Affrontai la mazza, sdentando il titano della sua bocca d'insetto: gliela cavai dalle radici delle guide prismatiche. Tolsi dall'alloggio l'elettromagnete e con pazienza ogni singolo ingranaggio della testa. Riponevo i pezzi che settavo intorno alla macchina, al suo busto di ghisa. Per cacciare i perni dalle forcelle dovetti batterli con il punteruolo e un martello da tre chili. Si accesero delle luci nelle case che affacciavano sul cortile e subito si rispensero, rammentando l'oscuramento. Udii dei vocii negli intervalli dei miei colpi, però non interruppi l'azione e i cardini furono sputati dai fori uno dopo l'altro, cadendo in terra alla rinfusa. Non so quanto ci misi, se un'ora, se due, o tre ma alla fine l'ubriacatura mi era passata e il suolo era completamente ricoperto dai pezzi della pressa, come le scale d'Italia dal vino rancido che c'avevo vomitato. Nel tronco di luce restava solo l'incastellatura di ghisa dell'antico gigante: il basamento e le due spalle senza collo, né capo. Anche lo scheletro possente volli sollevare con il paranco e calarlo giù, forzandolo con il piede di porco perché si piegasse su un lato e poi adagio al suolo, unto del suo sangue.

Udii il cancello cigolare e passi avanzare verso di me. D'improvviso si accesero le altre luci e all'ingresso comparve la signora Angiolina, seguita da Anna, Giusto e Adele: tutti in vestaglia, ma con le scarpe da giorno, con le bocche aperte e l'aria stupefatta.

«Ho finito» dissi loro e con le mani ancora sporche di mota mi rassettai la giacca, accorgendomi solo allora che l'avevo imbrattata di vomito.

«Avvertite Adelmo che queste macchine sono da rottamare.»

La signora Angiolina fu la sola della famiglia che osò avanzare nel macello dei pezzi; si avvicinò allo scheletro della pressa, inciampò e dovetti sorreggerla. Non la guardai nemmeno in viso e mi mossi verso l'uscita. Mi avvicinai ad Anna: le chiesi scusa per la domenica da Firmino. «Non importa» rispose, ma aveva un'aria così sorpresa che forse non si sapeva sveglia. La sorpassai per uscire dall'officina. Mi chiamò.

«Sì?»

«È meglio che non ci vediamo più.»

«Sì, Anna. È meglio.»

C'era diversa gente davanti a me, era scesa dalle case per vedere cosa fosse accaduto. Mi lasciarono passare e m'incamminai lungo la strada, poi, all'angolo di via degli Ausoni, guardai indietro e vidi ancora Anna, sola, al centro della strada, che mi fissava. Le feci un segno con la mano, mi rispose appena e svoltai.

— Mamma mi convocò in cucina e quando fui entrata chiuse la porta dietro di noi. Andò alla credenza e da un cassetto estrasse una busta: «Rudi me l'ha consegnata ieri» spiegò porgendomela. Vista la calligrafia capii che proveniva da Carlo. Era ben chiusa, sigillata con la ceralacca rossa e l'impronta dell'anello dei von Sybel, che lui portava all'anulare destro. Stupita guardai mia madre; mi parve imbarazzata; distolse gli occhi e uscì dalla cucina. «Grazie» sussurrai; mi sentì, e non rispose.

Carlo scriveva che desiderava un figlio da me; che lo aveva sognato: solo un figlio mio sarebbe stato davvero suo. Desiderava un figlio che mi fosse alleato contro di lui. Dal mio corpo doveva nascergli un carnefice, e nella lettera lo chiamava "il mio boia". Che orrore!

Caddi seduta sulla sedia più vicina e il foglio mi scivolò sul grembo; pensai di gettarlo senza finire di leggerlo. Strinsi le mani sul pube e la lettera di Carlo si accartocciò come il mio utero, che mi fece male. Mi sentii bagnata e calda del sangue della mestruazione. Portai la lettera con me nel bagno per rileggerla dopo essermi tamponata. Mi spaventai, sembrava avessi un'emorragia: il vaso fu pieno di sangue e sporcai anche il pavimento. C'era una mano nella pancia che mi strizzava, nemmeno fossi un frutto da spremere e il dolore mi saliva allo stomaco, mi veniva da vomitare. Nel sangue percepivo dei grumi, come brani di pelle; temetti che l'intimo del corpo si sfogliasse a squame e petali marciti venissero via da un fiore fradicio, morto dentro di me. Scoppiai a piangere, mentre tentavo di farmi un pannolino con il cotone e la garza. Ero tutta liquida, bagnata di lacrime nel viso e di sangue lungo le gambe; puzzavo di guasto e l'odore si appiccicava ai capelli, lo sentivo ovunque. Chiamai mamma, la zia Adele: non udirono. Mi distesi in terra temendo di svenire e strinsi il pannolino tra le gambe. Carlo voleva un figlio da me, senza di me? Mi aveva usato come amante e ora mi sognava come una fattrice; non pensava a un figlio nostro, ma suo in me. Finché ero stata con lui, non aveva nemmeno potuto immaginare di rendermi madre, però ora che mi stava perdendo, chiedeva un figlio che ci legasse di nuovo. Voleva occuparmi di un bambino carceriere e porre in me il suo sigillo di principe, quanto lo aveva impresso sulla ceralacca della busta. Forse per Carlo i figli erano uscite, non ingressi; posti alla fine, non al centro degli amori.

Il flusso mestruale si attenuò e uscii dal bagno pulita e profumata; la lettera di Carlo l'avevo gettata nel vaso tra il sangue e la pipì. «Vado io a cercare la farina, oggi» proposi a mia madre. «Voglio uscire, fa così caldo e sono solo le undici.»

Risalii la via assolata, alla volta del mercato di piazza dei Sanniti. A terra c'erano dei volantini nemici che ci consigliavano di abbandonare le nostre case e allontanarci dallo scalo della ferrovia perché era un obiettivo militare e sarebbe stato bombardato. I ragazzini li raccoglievano e ci costruivano degli aeroplani, giocando alla guerra. Ne salutai alcuni che conoscevo di vista e non mi risposero perché guardavano in cielo. Udii il rombo monotono e lontano di aerei veri e osservai anch'io: ce n'erano tanti quella volta, come non ne avevo mai veduti e venivano verso di noi. Ebbi l'impressione che lanciassero i soliti foglietti, però non erano di carta perché cadevano veloci, simili a sassi, senza svolare nel vento. Mi voltai dal lato dei bambini, ma non c'erano già più. Sentii uomini urlare che erano bombe e uno, correndo, mi spinse quasi per terra: «Scappa, scappa» gridò. Presi a correre anch'io verso casa e intesi le sirene dell'allarme, gli spari della contraerea al campo sportivo, strani fischi, sibili lunghi e poi boati che facevano tremare la terra; guardai ancora su, c'era uno sciame brillante di scaglie di diluvio, come una pioggia nel sole, una mestruazione del cielo.

Entrai pedalando a piazza Vittorio: la folla correva in ogni direzione, mentre diverse camionette dei pompieri e della milizia la strombazzavano chiedendole il passo. Raggiunto l'angolo sud piegai in direzione di via La Marmora, intoppando contro persone immobili, che guardavano una grande nuvola nera e bianca, mentre lenta e maestosa saliva al cielo, dietro i palazzi della piazza. Gli uomini si levarono i cappelli e le donne si segnarono con la croce. Si udivano ancora i colpi delle contraeree sotto gli strilli delle sirene; più lontani erano tuoni, scoppi, valanghe fragorose di ghiaia. Mi feci spazio nel gruppo e ripresi a pedalare verso l'arco di Santa Bibiana, che immetteva in San Lorenzo. Da lì fuggiva altra gente che mi urtò e caddi; uomini, che sembravano gridare senza voce, con gli occhi sgranati, scotendo le teste a destra e a sinistra, inciamparono su di me, calpestandomi la bicicletta, spaccandone i raggi. Cercai di bloccarne uno, gli domandai cosa fosse successo: ma piangeva e mi scappò di mano. Nascosi il relitto della bici in un portone e presi a correre alla volta dell'arco; un cavallo al galoppo ostruì la strada, finendo addosso a un autocarro militare, che arrivava da via Principe di Piemonte, e si azzoppò nitrendo di dolore. I soldati mi chiamarono per aiutarli a spostare la bestia, però io proseguii; quindi spararono al cavallo e mi corsero appresso con i picconi, con le pale, mentre m'infilavo nel sottopasso. Nel tunnel c'erano donne bianche di calce; ragazzini che correvano invocando la madre; uomini sporchi di terra che l'inseguivano e che non vedevo bene perché era scomparsa la luce e una cenere irrespirabile, dal sapore di zolfo, ci chiudeva occhi e gola. Mi strappai una manica dalla camicia, la legai a mo' di fazzoletto intorno alla bocca. Ero di nuovo all'aperto quando mi scontrai con una bambina: cercai di prenderla in braccio e mi graffiò il volto, ululando come dentro un incubo; la lasciai cadere a terra e scappò via. Sotto i bastioni delle mura antiche, che si intravedevano appena nella caligine di calcina, una donna si gettò su di me piangendo; mi chiamava Ettore, cercò di baciarmi in bocca, degli altri me la strapparono di dosso e la trascinarono nel tunnel. C'era anche un vecchio a terra, sembrava un sacco senza ossa, eppure era vivo e mi sorrideva, senza parlare, senza chiedere che lo soccorressi. Mi affacciai sul piazzale Baldini. «Fermati» ordinarono i soldati che temevano ancora dei crolli, ma non vedevo di cosa: c'era solo polvere fitta, e odore di gas. Quale un velo di pioggia secca la grande nube di calce cadde di colpo infarinandoci tutti. Alcuni vomitarono dalla tosse, io sputai e trattenni il fiato accucciandomi al suolo; cercammo di salire sui calcinacci per respirare meglio. Entrò un sole pallido a indicarci gli scheletri dei palazzi rimasti in piedi, le facciate accoltellate, le scale scannate, le porte impalancate, le riseghe dei contrafforti sfondate e a terra le frane, le strombature oscene delle travi, gli spalti crollati e i fòrnici anneriti dal fuoco degli spezzoni incendiari. I soldati mi guardarono guardarli: nessuno di noi parlava e le voci che udivamo non erano le nostre, non ce le portava il vento, né scendevano dagli edifici squarciati, salivano dalla terra invece, come vapori. Sembravamo capitati su una terrazza bassa, affacciata sulla strada: ci volgemmo a considerare attorno e «oddio mio» fece uno di noi, chiudendosi il viso nelle mani: la terrazza che ci sosteneva era la copertura di un palazzo e i suoi inquilini ci chiamavano dalle sepolture di sotto: noi tememmo che imprecassero per i nostri pesi. Ci buttammo giù cercando i crepacci tra le macerie, dove più facile fosse scavare e c'era tra noi chi sbraitava contro i sassi, perché i sepolti sapessero che stavamo per arrivare. Scorsi un buco, nel fondo una testa di donna che si muoveva. «Qui, qui» indicai ai badilanti; ma subito mi ricordai di Anna e corsi via, lungo la Tiburtina, mentre da sotto le calcine rinascevano i sopravvissuti. Vidi tronchi di corpi che si cavavano dalla terra sui bracci tesi; alcuni si sollevavano sull'anca della gamba accosciata, traendo l'altra dal fango e mi chiamavano, mi abbracciavano e quando li fuggii tornarono nei buchi a tirare su altri, a provarci. Entrai in via dei Sardi, cercai di scendere a piazza dei Sanniti, dove le rovine fumavano come fossero di brace. C'erano i cavalli sbudellati dei barrocciai, cadaveri di persone, arti umani bruciati, ancora bollenti. Lamenti venivano dal buio dei ricoveri inutili, nelle cantine, nei fontanili degli edifici. Mi fermai a disseppellire un bambino senza ferite, pulito, roseo in viso, mi sembrò vivo. Gli carezzai il volto e si aprì la bocca, c'era un tappo dentro: era creta, era impasto di polvere respirata. Lo lasciai morto, a terra; ripresi a correre da Anna, Fosca, Giusto che forse erano vivi, che avevano bisogno di me. Anche via degli Ausoni era ridotta a cumuli e voragini, disseminate di vestiti e mobili, polle d'acqua, fogne esplose. Ci fu una frana; mi riparai dietro uno sperone di muro. Corsero degli uomini, chiamavano nomi di persone e allora anch'io cominciai a gridare il nome della mia ragazza, mentre ripresi ad avanzare nell'atmosfera bituminosa che non si faceva respirare. Il palazzo d'angolo con via dei Sabelli era crollato e ostruiva il passaggio. Mi arrampicai sulle macerie di cui non intravedevo la sommità, cercando gli appigli più adatti alle mani ferite. Scalai l'ammasso di pietre fino al suo passo e quando mi affacciai sulla valle di dietro, scorsi il bulicame di tanti corpi che scavavano o si aggiravano senza meta o giacevano riversi a terra. Però l'edificio dei Gatelli era in piedi e anche l'altro dirimpetto, dietro il quale stava l'officina; se oltre le facciate avevano retto anche i piani, potevano essere sopravvissuti. Chiamai di nuovo il nome di Anna e mi gettai giù, nella bolgia della gente che scavava. Inciampai e caddi, travolgendo alcuni. Non mi resi conto che ero una maschera di cenere, graffiata di sangue, che avevo le mani ferite e sembravo uno dei fantasmi che rinascevano dai calcinacci. Delle sagome scure accorsero da me, mi sollevarono da terra e mi sostennero per le ascelle. «No no, non m'aiutate» dissi loro, «io sto bene.» Fra queste un'ombra, che sembrava uscita da un bagno di fango e non si poteva riconoscere, mi abbracciò all'improvviso.

«Bruno» mi chiamò affannata.

«Anna. Sei viva?»

«Sì. Ma perché, Bruno, perché tutto questo?»

«Non lo so Anna, io non lo so.»

— Rudi mi riferì che non li aveva trovati a via dei Sabelli, nella casa rimasta intatta, e nemmeno negli ospedali. Speravo fossero sfollati dal quartiere bombardato; però potevano essere tra i dispersi, colti dal bombardamento fuori casa: come saperlo con sicurezza? E come fidarmi di Rudi? Temevo non mi riferisse la verità, perché non crescesse ancora in me la rabbia contro di lui, che non aveva eseguito il mio ordine del 13 luglio.

Allora, quando mi aveva telefonato a Palermo per sapere cosa dovesse fare della lettera per Anna, trovata tra i documenti militari che mi ero inviato in ufficio, gli avevo spiegato che doveva recarsi subito dai Gatelli e, consegnata la lettera, convincere la madre di Anna a trasferire la famiglia in altra zona della città, perché la probabilità di un bombardamento nemico sulle aree prossime agli snodi ferroviari, dopo lo sbarco in Sicilia, era ormai altissima dovendo, gli angloamericani, impedire ogni rifornimento alle nostre truppe, che li fronteggiavano sull'isola.

Rudi non aveva agito con tempestività e io non ero riuscito a evitare ad Anna il pericolo mortale. Si giustificava dicendo che non gli avevo dato un preciso comando di evacuazione, da eseguire a ogni costo, ma soltanto di trasmettere alla signora Angiolina *ein unklar Fingerzeig*. Come un vago avviso? Un'indicazione del genere poteva ammettere dilazioni? Gli angloamericani avrebbero potuto bombardare Roma già il 14, il 15; o aveva intravisto un'altra possibilità, lui? Bombardando avrebbero accelerato la fine di Mussolini, sospingendo l'Italia nelle fauci del Führer. Non era questione del secondo fronte: stupidaggini; erano sbarcati solo per forzare gli italiani a disallearsi. L'attacco alla Sicilia era stato un colpo di teatro: spettatori i gerarchi antinazisti e Casa Savoia. Il calcolo era semplice: volevano trasformare il nostro alleato in nostro nemico, senza che divenisse amico loro però, affinché potessero vincerlo e punirlo, come avrebbero vinto e punito noi. E con gli angloamericani, su questo piano, erano d'accordo sia gli strateghi dell'Oberkommando Wehrmacht sia gli italiani stessi, che si dividevano tra quanti volevano sfilarsi dal conflitto, offrendoci la patria quale preda neutrale, e quanti, in particolare i gerarchi filonazisti, richiedevano la costituzione di un comando unificato italo-tedesco, per consegnarci comunque l'Italia come una preda, ma, in tal caso, una preda bellicosa. Gli italiani si volevano sbarazzare in ogni modo della propria nazione, quasi non fosse figlia della loro storia, bensì imposta da altri, nata orfana da una violenza di un genitore di passaggio e la offrivano ai tedeschi, agli inglesi o agli americani: che ci mettessimo d'accordo noi, su di lei, purché ne liberassimo loro. Com'erano crudeli con se stessi, gli italiani, quanto poco si amavano. Anche il loro re si voleva salvare dalla storia e tramava di abbandonare il Duce, che aveva aiutato e sostenuto da padre amorevole: lo gettava a noi, che ce ne occupassimo noi del suo bel campione. Dunque, il piano angloamericano sarebbe riuscito: nessuno lo ostacolava e non c'era alcuna velleità in esso, era ben fondato nei fatti e nel cuore dei personaggi.

Ordinai a Rudi d'impegnare nella ricerca di Anna ogni pattuglia necessaria; e, una volta trovata, che la conducesse fuori Roma, con la famiglia intera: in nessun caso Anna doveva restare in città. Roma sarebbe stata bombardata ancora altre volte: dagli americani e da noi.

«Da noi?» domandava l'idiota; sì, certo! Quando i filonazisti avessero preso il potere nel Partito Fascista, chi avrebbe potuto evitare disordini con i resti dell'esercito o tra la popolazione stessa, affamata, privata di ogni via d'uscita? O se invece a vincere nel Partito Fascista fossero stati gli antinazisti di Grandi, e questi avessero ottenuto la destituzione di Mussolini o il suo omicidio, il Führer, lo avrebbe mai accettato? Mai; e sarebbe stata un'altra buona ragione per scatenare l'invasione, secondo il piano di Keitel. In ogni caso dovevamo prepararci a occupare la preda italiana, per bloccarla nell'eternità tedesca e Anna nella mia. Offrirci a salvezza delle nostre vittime, perché esse, rifiutando i loro salvatori, senza più speranza si affidassero a noi con la medesima dedizione con cui ci diamo alla morte.

17.

— Anna era tornata di corsa, mentre cucinavo, e la pentola delle zucchine saltava sul fuoco che credevo di averci le allucinazioni. «Perché salta?» avevo domandato a mia figlia: lei gridava che bombardavano. Tremò il pavimento e stavamo per cadere a terra coi barattoli delle lenticchie addosso. «Scappiamo mamma» e mi tirava via, mentre volevo spegnere il fuoco sotto le zucchine. Trovammo Adele e Fosca in fondo al magazzino, con Giusto e i ciociari che piangevano e strillavano. Alcuni s'erano messi nella chiostrina delle scale che salivano alla casa di Adele: così, pure se potevano rimanere schiacciati dal muro del magazzino, vedevano il cielo e gli sembrava un posto più sicuro, quello. Ci accucciammo sugli scalini anche noi, mentre Adele intonava il rosario e Fosca pregava da sola, con la faccia nelle mani e mica si capiva cosa diceva. Dopo i fischi e i botti, sentivamo le grida della gente rimasta sotto i calcinacci. I rombi dei motori tornavano sempre più forti e vicini. Era come avere le doglie: venivano a ondate, riempivano la pancia di dolore e poi andavano via, per riprendere ancora più potenti. «Eccole» e giù!, ci acchiappavamo la testa nelle mani, ci tappavamo le orecchie. Anna diceva che non eravamo noi i bersagli ma lo scalo della ferrovia. E gli sfollati ci credevano, s'erano appena riavuti a vedere che restavamo vivi, quando all'improvviso è tuonato e l'intonaco delle scale c'è cascato tutto in testa. Siamo fuggiti dentro il magazzino che sembrava notte, anche lì piovevano calcine dal soffitto. Un botto con un lampo ha squarciato la saracinesca che dava sulla strada, abbiamo fatto un salto indietro e ci siamo schiacciati contro il muro. È entrata tanta fuliggine e un pezzo della serranda ha colpito il trapano buttandolo giù in una fucilata; ho sentito un vento bollente che sapeva di cipolla marcita, dopo più nulla. Solo le sirene continuavano a cantare. Anna voleva andare a vedere fuori, però Giusto era crollato a terra paralizzato, con gli occhi sbarrati, faceva paura e c'aveva la bocca come a gridare. Anna gli si buttò addosso. «Sveglia Giusto, sveglia» gli urlava in faccia e lo schiaffeggiava, mentre io e Adele stavamo attente che i ciociari non lo calpestavano. Quando strillò pure lui perché s'era risvegliato e tremava tutto, Anna si avviò verso il buco nella saracinesca, con gli uomini degli sfollati appresso. C'era acqua che scorreva nel magazzino e sembrava di sentire un ruscello. Veniva dalla parte della vetreria di Sciarra: il muro era rotto e la fogna usciva fuori, in mezzo a noi. Anna e gli altri prima caddero nella melma e poi sparirono nella polvere bianca della strada. Giusto, Fosca e Adele, vollero scappar fuori, appresso ad Anna. Io no, andai nell'ufficio: per terra c'era un pandemonio di carte, mobili, calcinacci; il vaso di cristallo di Anna, quello che le aveva regalato il tedesco, con le rose secche dentro, era andato a pezzi e i vetri stavano dappertutto. Il ritratto di Luigi, invece, era rimasto attaccato al muro e mio marito mi guardava dalla cornice un po' sbilenca come se non era successo niente.

Mi sono seduta sulla mia sedia e ho aspettato che qualcuno tornava. Sentivo che sulla strada si piangeva. Adele mi chiamò, e non ho risposto. Ci furono dei colpi contro il portone di fuori, e non aprii. Ero tanto stanca, stanca. Avevo cinquant'anni e non volevo più vivere. Ho sentito che si avvicinava dal magazzino... era Luigi che mi veniva a prendere, perché ero morta sotto le bombe e la mia anima aspettava che mio marito mi accompagnava nel purgatorio? Ma era un'ombra così magra: non sembrava Luigi, neanche da morto, e c'era una donna dietro di lui; una donna con Luigi? Mia madre? Erano tornati insieme a prendermi... e si tenevano per mano...

«Mamma» mi chiamò.

«Signora Angiolina...».

«Chi siete?» chiedevo io. «Chi siete?»

«Noi» rispondevano i miei cari, che brutti e strappati si tenevano la mano, proprio come sposini.

Solo Adelmo si era ferito nel bombardamento; era stato un pezzo di lamiera della copertura dell'officina a cadergli sulla fronte. Mi raccontarono di una ferita profonda che lasciava vedere l'osso, comunque riusciva a camminare con le sue gambe e non sragionava; nel macello dei corpi morti fu soltanto uno dei diecimila feriti lievi. Quando arrivai, lo avevano già accompagnato al Policlinico.

Cavammo dalle macerie ogni corpo vivo o morto che si riuscì a raggiungere con gli utensili da manovali. Per i feriti più gravi costruimmo delle barelle con le porte delle case crollate, e andavano trasportati a braccia fino all'ospedale, perché non c'erano automezzi sufficienti, né riuscivano a transitare le strade devastate. I morti li allineammo sui campi sportivi dei Cavalieri di Colombo*, i pezzi dei corpi irriconoscibili li aggruppammo invece in un angolo, coperti da tanti giornali. Alle due di pomeriggio arrivò una squadra di vigili del fuoco e tentò di piazzare una gru rudimentale; in seguito sopraggiunsero i reparti del genio, con altre gru montate sugli autocarri.

Anna soccorreva i feriti, li ripuliva con degli stracci ba-

---

* Cavalieri di Colombo: fondazione cattolica statunitense, che realizzò negli anni Venti undici complessi sportivi in appoggio alle parrocchie.

gnati e tamponava le ferite alla meglio. Alle volte ci guardavamo, oltre la devastazione, senza riuscire a sorriderci; eppure cresceva in noi la sensazione che il passato stesse gocciolando via nel sangue versato e il futuro arrivasse finalmente alle nostre mani, che scavavano la vita nuova di ogni scampato, come quella di tutta la nazione che soffriva, muta, la nostra stessa attesa, la medesima impazienza.

Alle tre la polizia bloccò l'ingresso al quartiere bombardato e anche Carra fece fatica a trovare una scusa per raggiungerci. Arrivato abbracciò ciascuno di noi; poi la morte gli commosse gli occhi e lo dovemmo consolare.

Alle cinque non c'era più acqua né per bere né per lavarsi e dovevamo sfollare prima del buio. Restare a San Lorenzo, senza che i pompieri avessero il tempo di controllare la solidità delle fondamenta, sarebbe stato troppo rischioso. Non c'era la luce elettrica e si temeva il ritorno dei bombardieri, o qualsiasi altra calamità che la colpa per essere ancora vivi faceva sentire imminente e doverosa. Avevamo deciso, dunque, di passare la notte nel parco di Villa Borghese, con molta altra gente del quartiere.

Anna suggerì di andare a procurarci dell'acqua verso Porta Maggiore, dove si diceva che la città fosse restata incolume; gli altri avrebbero intanto preparato i bagagli per lo sfollamento e chiuso casa, nel timore dei ladri, degli sciacalli. (Uno era già stato catturato a via dei Volsci e c'era la voce che l'avessero ammazzato lì, per la strada, a colpi di pala e calcinacci).

Verso la chiesetta dell'Immacolata trovammo degli assembramenti di gente; ci dissero che attendevano la visita del Papa, che era già stato alla basilica di San Lorenzo, davanti al cimitero, dove le bombe avevano scoperchiato le tombe e disperso i vecchi cadaveri tra i nuovi: quelli dei parenti andati a visitarli.

A Porta Maggiore ci lavammo a una fontanella e riempimmo d'acqua i fiaschi che avevamo portato. Squillarono dei clacson, come le sirene degli allarmi e si udirono di nuovo i sibili dei fischietti, simili alle bombe in precipizio. Avanzò un corteo di automobili e più lunga di ogni altra – per lo spazio degli strapuntini ribaltabili tra i sedili anteriori e posteriori – la limousine del re, con i guidoni sui parafanghi.

La gente circondò il corteo e qualcuno gridò, non capimmo cosa. Anna si fece strada tra la folla e quando la chiamai indietro non rispose. Cercai di seguirla ma venivo spinto via: c'erano soprattutto donne che si slanciavano verso le automobili degli alti ufficiali di scorta al re. Anna vi finì in mezzo, mentre una siepe di uomini e militari non mi lasciava passare. Eravamo pressati gli uni sugli altri in attesa che Vittorio Emanuele III scendesse dalla limousine. Le donne presero a gridare insulti e sputavano contro le auto; un'onda di rinculo mi schiacciò impedendomi ogni movimento, neanche le braccia riuscivo più a sollevare dalla massa dei corpi che mi serravano.

«Anna, Anna» chiamai, temendo si facesse calpestare o che la scorta del re l'arrestasse per sovversiva e facinorosa. La folla si aprì un poco e riuscii a divincolarmi; sgomitando arrivai dietro di lei, mentre la limousine ripartiva. Una vecchia tirò il suo bastone, cercando di colpire la machina, altri scagliarono calcinacci. Vidi Anna che si piegava a raccogliere un sasso e rialzandosi per lanciarlo mi colpì in viso con il dorso della mano. Non se ne accorse neppure e tirò, colpendo il tetto dell'automobile reale.

«Anna sei impazzita?»

«Lasciatela!» mi ordinò una matrona scarmigliata e poi, rivolta alla mia ragazza: «Ma non hai paura, figlia mia?»

«No» rispose orgogliosa. «Fin qui ho fatto senza padre, ora farò senza re.»

— Camminavamo a gruppi, sfilando per le strade sotto gli occhi increduli della gente degli altri quartieri. Stavano seduti ai tavolini dei bar a bere l'acqua limonata, quando all'improvviso ci vedevano avanzare da viale Regina Margherita, con i pacchi sulla testa e le valigie alla mano, strappati nei vestiti e alcuni feriti, bendati, quasi venissimo dal fronte di una guerra di città. Si alzavano allora, lemme lemme, e facevano qualche passo verso di noi, che intanto passavamo come un fiume dopo un'alluvione: sporco di mille cose. Osservavano chi spingeva carrozzelle piene d'incarti, tenendo i pupi in braccio o chi andava sui carretti tintinnanti di stoviglie e trainati dai cavalli e chi pedalava in bicicletta. C'era chi aveva portato con sé pure l'uccellino in gabbia o il gatto, legato per il collo al manico della valigia, sul tetto dell'autobus, con i cani di altri che gli abbaiavano da sotto.

Altra gente si affacciava alle finestre attirata dal fracasso di sotto e s'incantava a vederci passare; alcuni scendevano a chiederci da quale paese sfollassimo e ci rimanevano male di sapere che fuggivamo da Roma, perché era anche la loro città, che sembrava intatta, quasi addormentata nell'afa della sera. Poi di colpo si spaventavano e ricordando di aver sentito in lontananza gli scoppi della mattina o la radio che aveva dato notizia del bombardamento, ci chiedevano se dovessero venire via con noi, se c'era ancora pericolo, se gli americani avrebbero bombardato pure casa loro.

Una piccola squadriglia di aerei comparve all'orizzonte e picchiò su di noi, bloccandoci la marcia, facendoci gridare: «Tornano, tornano.» No, erano italiani e anzi, gente della milizia prese a strillare che era lui: il Duce; ne riconobbero l'apparecchio, dissero pure che spesso lo pilotava di persona e credettero di intravederlo ai comandi, mentre era già passato e spariva verso il Verano.

«Adesso arriva? Dove stava mentre ci bombardavano?»

«In villa stava, che c'ha sotto un rifugio, costruito dai tedeschi e non c'è bomba che lo buca.»

«No, è stato da Hitler» disse, sulle voci di tanti, un sottufficiale dei carabinieri che in divisa e stivali spingeva un carretto da spazzino, senza più il bidone della spazzatura, e ricolmo di valigie. La moglie lo raggiunse subito per comandargli di tacere, lui invece poggiò il berretto sul cumulo dei pacchi e proseguì informandoci che proprio quel giorno c'era stato un incontro segreto tra Mussolini e Hitler, in una località del nord. Il Duce, secondo lui, voleva staccarsi dai tedeschi e fare la pace con i nemici.

«E mo che c'hanno bombardato fa la pace?» domandò una donna al carabiniere.

«Vedrete» rispose, «presto il re parlerà al popolo.»

«Ah, allora sì che stamo freschi.»

«Vedrete, vedrete» insisteva il monarchico con fede sincera; ma nessuno voleva pensare al futuro; forse era meglio guardare a terra il succedersi dei nostri passi: «Daje, cammina carabiniè.»

Nella massa dei sinistrati, formavamo un gruppetto di diciannove persone: dodici erano i ciociari, che sfollavano per la seconda volta e sette noi: io, mamma e Bruno, Adele con Carra e Giusto, infine la cugina ebrea.

Passando lungo il Policlinico, Giusto, Carra e Fosca andarono a cercare Candido Pani, per avvertirlo che eravamo vivi. Noi li aspettammo seduti a terra, nell'aiuola di piazza Galeno, all'ombra di due grandi alberi.

Dovevo avere l'aria assorta, mentre strappavo qualche filo d'erba dal prato, perché Bruno schiacciò la sigaretta nella terra e mi domandò affettuoso: «Anna, cosa c'è?»

«Mi domandavo come hai fatto ad arrivare tra i primi, subito dopo il bombardamento. Chi ti ha avvertito?»

«I lipidi dei piatti» mi rispose, mimando con le mani il gesto di lavare e strofinare. «Le macchie d'olio che galleggiano sull'acqua, quando li lavi, e che le scarse basi alcaline dei marsiglia di Cesare saponificano a fatica.»

«Perché lavavi i piatti?»

«Perché da qualche giorno sono diventato uno sguattero volontario di cucina. Sai, per sdebitarmi dei pranzi che

Cesare mi ha garantito da quando ho perso il lavoro da Cerini. Insomma stavo tuffando la scodella piastricciata nel paiolo schiumoso e assistevo alla soluzione acida degli unti, quando: "Zitti. Non udite nulla?" aveva strillato il maresciallo D'Ascenzio, alzandosi di scatto dalla seggiola e aprendo le braccia come un direttore d'orchestra. Cesare, che era al tavolo con lui a bere il caffè surrogato, rispose di no; né io udii alcunché, oltre il friggere della schiuma nel mio paiolo, ma vidi che le bolle di olio sulla superficie dell'acqua raccoglievano una strana vibrazione e luccicavano segnali incomprensibili ai miei occhi chini. "Come; non udite questo rombare?" insisteva il graduato. Sì, ora lo udivo anch'io e chiesi se erano motori. "Gruppi di quadrimotori, Bruno: sono... B-17 e vengono" precisò lui, che ha un orecchio straordinario, Anna, non da maresciallo, da lepre. Uscimmo sulla piazza e poco dopo, sopra le nostre teste, passò una formazione di diciannove aerei nemici, che proseguirono verso est-sudest. "Niente coriandoli?" domandò Cesare al cielo. "No" rispose il maresciallo, "sentite lo sforzo..." E ci spiegò che i motori erano affaticati, che la formazione procedeva troppo lenta per trasportare solo un carico di carta. "Sono pance piene queste" aggiunse, "e vanno a liberarsi verso Ciampino, all'aeroporto o allo scalo di San Lorenzo." Disse che quella stessa notte pochi Mitchell isolati avevano lanciato volantini sul Tiburtino, lungo il percorso della ferrovia. "Embè?" commentò Cesare. "Be', non riportavano le solite chiacchiere. Questa volta hanno intimato alla gente di mettersi in salvo, perché avrebbero bombardato." "San Lorenzo?" domandai spaurito, mentre il maresciallo mi diceva: "Aòh, mica ce stava scritto via dei Sabelli; calma." Anche Cesare sorrise della mia ansia, e mi stavano percuotendo le spalle di manate rincuoranti quando, d'improvviso, il viso di D'Ascenzio s'inclinò di nuovo sulla destra, puntando il sensibile fonendoscopio dell'orecchio sinistro nella vacuità pneumatica del cielo. "Che c'è?" domando. "Ne arrivano altri."

Corsi a casa e cercai di telefonarti; non si prendeva la linea e la signorina della centrale telefonica disse che forse c'era stato un guasto. Salii in camera dove tra le mie poche cose tenevo la bicicletta. Ridiscesi in piazza con il velocipede a spalla, mentre un altro stormo di bombardieri passava su Roma. Cercai di pedalare veloce verso colle Oppio, ma la paura che fosse accaduto qualcosa di terribile mi tagliava fiato e gambe. Intanto altre formazioni di bombardieri mi superarono, sulla medesima rotta. Eppure la gente per le strade sembrava stregata d'inedia e come non udisse le sirene fischiare o non vedesse decine di apparecchi nemici solcare i sette cieli di Roma, seguitava a confondersi nelle occupazioni di ogni giorno: faceva le file davanti agli spacci dei viveri, comprava da bere dall'acquafrescaio. Certo, mi dicevo, avranno ragione loro: non sarà accaduto nulla. Perché nulla, Anna, poteva accadere che mi ricacciasse indietro, dove Mario Carra mi aveva trovato la domenica *in Albis*, alla vigilia del mio ultimo compleanno. Capisci? Pedalavo come allora, però non ero più lo stesso ciclista: non fuggivo, non mi nascondevo più; inseguivo invece gli aerei americani perché ovunque andasse il carro degli eventi, non mi dimenticasse lì, lontano da te, a metà tra ciò che ero stato e quello che dovevo diventare.»

Così raccontò Bruno tutto d'un fiato, incantando me, Angiolina, Adele e le donne ciociare che ci sedevano attorno. Mi sentii arrossire per la sua dichiarazione d'amore, resa di fronte a mamma, che mi guardò meravigliata, stupita e... contenta? Era lieta, mamma? Era tanto diversa; ogni cosa sembrava differente dalla mattina precedente al bombardamento, che era durato solo un'ora e mezzo, ma come fossero stati mesi e mi erano anche passate le mestruazioni, forse per lo spavento. Mamma sembrava invecchiata di colpo: le bombe avevano frantumato i lineamenti del suo viso e

221

l'espressione caparbia le cadeva dalle guance come un cerone disfatto; sotto la scorza ora s'intravedeva solo un'anziana, dallo sguardo placato, bovino e docile. Mamma! gridai nel silenzio della mia mente; dove vai? che succede? Bruno, Adele e le donne ciociare cercavano di consolarmi perché, fuori, il mio corpo era scoppiato in un pianto dirotto. Stringevo le palpebre: non volevo che mi costringessero ad aprirle sul mondo furioso. Distinguevo diverse voci che giustificavano il mio pianto con il trauma del bombardamento; quando una donna ciociara si rivolse ad Angiolina: «Ah signo', me sa che ce sta aria de nipote, eh?» Spalancai gli occhi di colpo: mamma mi guardava con dolcezza, quasi non fosse più Angiolina Gatelli, bensì una vecchia nutrice, già una nonna. «Vuoi un nipote?» parlò la mia mente sola. «Tu che non sei stata capace di essere madre, vuoi che lo sia io per te? E per convincermi cambi viso, mi fai spazio? Sei tale e quale a Carlo, tu: avete bisogno della mia volontà per avere un erede, sterili come siete nel vostro stesso desiderio. Dimmi, mamma, da quale uomo devo averlo questo tuo nipote? Dall'uomo che più ti assomiglia e di cui sono già l'amante o dal giovane meccanico senza passato, zucca favolosa pronta a farsi carrozza, per la ragazza sfollata, pronta a farsi principessa? Ma lo vedi Bruno quant'è insicuro: guarda come parla, con quella sua lingua da meccanico, che usa le parole per sezionare le cose e misurarle, come non le capisse ancora. Ti pare normale? Ha fatto a pezzi anche la pressa di papà. Eppure me l'hai posto accanto proprio tu. Dove sei andata a prenderlo, uno così?»

Nella notte lattescente della luna passa, già piena di due giorni, l'immagine incantata di un uomo della mia età mi tornava agli occhi, dalle acque immobili del tempio di Esculapio, nell'area di Villa Borghese che la gente chiamava "il giardin del lago". Eri l'unico sveglio tu, di tutto il popolo degli sfollati, che, ravvolto nelle poche coperte traslocate dalle case sinistrate, dormiva nei prati, in lunghe file di corpi accostati come solchi sghembi, nell'aratura al traverso di un bue ubriaco. E solo i cani correvano insonni lungo gli sgrondi di quei campi di padroni, abbaiando ai loro signori, assopiti sotto l'astro dei lupi. Là, si erano anche fermati i ciociari e i Gatelli, sotto i pini di piazza di Siena, sulle gradinate di pietra dell'anfiteatro; mentre voi avevate proseguito da soli, parlandovi poco e guardandovi tanto. Trovaste una cancellata e statue di dèi pagani a guardia, che vi lasciarono entrare sotto la volta di un lungo viale di lecci. Nell'ombra, tra le fronde, di colpo apparivano statuette di amorini sagittati e più oltre la massa bianca di una dea giunonica, che, spaventata, alzava il braccio contro i dardi di Cupido, implorando aiuto da due fauni in bronzo su una sorgiva; questi, incuranti di lei, si davano le mani per sostenere sugli avambracci gestatòri uno sgorbio orroroso di figlio, peloso di muschio e cisposo nell'occhio. Anna rideva, giocava a nascondino con quell'olimpo nostrano. La perdesti dietro il tempio, si nascose in un'edicola nel muro di tufo che perimetrava il giardino; chi sei, chiedesti alla sua ombra. «Non so» rispose, «c'è una dea della meccanica?» Oh, dov'era Verzili allora, quell'asino di tuo cugino. Gli ripassasti mai la mitologia? Cerca cerca nella memoria: Diana no, lei tirava agli animali; ce n'era una proprio saggia, una più intelligente di Verzili, nata dalla dissezione candida della testa del padre: sì, Minerva, la luce degli zolfanelli, la dea che sulla spalla le cacava una civetta. «Sei Minerva» le dicesti, «è lei la dea della meccanica.» Uscì dal tufo e tu pensasti che così dovettero uscire i corpi dal nulla, quando Dio li chiamò alla luce. Vi guardaste seri, incantati; sfuggiti per un momento alla caccia del tempo, che furioso vi cercava tra la gente assopita, per essere l'unico fiore della vostra vita, per disfarla nell'infinità dei suoi petali secondi. Vi riaffondaste nella cripta di tufo, l'uno contro l'altra e abbracciati frugaste nei vostri odori, nei capelli, nei vestiti:

223

come i corpi fossero libri per ciechi, scritti nella lingua del tatto e a toccarli si leggessero le anime, altrimenti mute.

Cadeste a terra e fosti in lei, che trasalì e fermò il tuo viso tra le sue mani, per acconsentire al bisogno degli occhi che si cercavano, impazienti di conoscersi: ma inutilmente, perché vi sentiste già noti nel dondolio dei vostri corpi amanti. Poi si addormentò, e tu no; tu tornasti al lago, a guardarci dentro per incontrarmi; tu, che amasti la mia Anna e che eri me, ma me felice, sotto la luna sgorbia, nella notte fonda del 19 luglio 1943.

18.

— Ecco, mi ero data all'uomo estraneo, contro il quale il caso mi avevo sbattuto un anno prima, mentre uscivo dalla villa di Carlo: quando ancora mia madre non conosceva Bruno, né sapeva che lo avrebbe scelto per farmi da fidanzato. Era il caso, non lei, che ci stava legando: era qualcosa che riguardava soltanto noi e la nostra sorte. Avevo preso tra le mani il suo viso e lo avevo osservato: era solo un ragazzo, lo stesso che mi era venuto a cercare tra le macerie del bombardamento e niente più; un ragazzo che mi cercava ancora, anche nelle rovine di un corpo non proprio mio, ma dell'amante del colonnello: resa simile a una vedova dalla sua natura di bugiardo.

Carlo mi aveva costretto, oltre l'età dei miei anni, nelle vesti di una donna adulta, come dalle gambe più lunghe, quasi con più seno: estranea alla ragazza che invece ero. Bruno però amò la ragazza e non vide l'altra. Baciandomi rise, quasi ci fosse accaduta una cosa buffa e abbracciandolo risi anch'io, libera dalla gramaglia della vedova di Carlo, della concubina di papà, dell'orfana di mamma.

Sotto l'occhio un po' guercio della luna, che mi fissava dal telo ricurvo della notte, dimenticai dov'ero e ricordai solo lui, l'estraneo, presso la mia coscienza accecata da quella luce bianca che colava vischiosa dal cielo. Fui uno spazio pieno di un tempo invasore, che dilagava dentro, disperdendomi intorno; mi persi in Bruno e lui, può darsi, in me, nella ragazza sconosciuta. Udii la voce del suo piacere nel mio e più nulla, oltre il nostro mormorio che svanì come un appello, un eco lontano. Ci guardammo stupefatti. «Cos'è? Chi ci chiama?» Rispose che non lo sapeva, e forse non fu proprio sincero, perché gli vidi gli occhi ed erano i suoi sì, però pieni di sguardo, intensi come solo li avrebbe avuti il destino, se non fosse stato soltanto capace di accadere, ma anche di desiderare e di voler avvenire.

— Li aveva trovati finalmente. Erano sfollati in un paese sulla Cassia, di nome La Storta e ospitati nel casolare di un certo Anselmo Forti. Rudi, deludendomi ancora, non aveva pensato a prendere informazioni su questo tale, sebbene avesse saputo che vi erano stati indirizzati dal "disfattista", secondo il modo di esprimersi degli agenti italiani: da Mario Carra, il funzionario civile della Marina, sospettato di parricidio colposo e connivenza con il nemico, a scapito dei convogli navali dell'Asse, di solito affondati al largo delle coste tunisine dagli angloamericani bene informati sulle rotte.

D'altronde non c'era stata tana migliore per l'ingegner Carra che la Marina: contraria alla guerra sin dall'inizio, ostile ai tedeschi per tradizione e i cui generali risultavano virtuosi nel velleitarismo nazionale. Perché non solo erano avari di sé, ma addirittura della flotta da combattimento, che pretendevano di conservare nei porti, per gettare, al momento opportuno, il temibile tonnellaggio delle loro barchette, sul tavolo delle trattative. E se, così facendo, aiutavano la patria a perdere il conflitto e la faccia, non per questo si sarebbero mai addossata alcuna responsabilità, poiché la colpa la riservavano soltanto al re, che contro il loro parere aveva seguito il Duce, conducendo la nazione alla disfatta. Tali e quali dunque, per attitudine e valore morale, al loro funzionario civile, l'ingegner Carra, che, forte della propria viltà, aveva favorito la sorte scellerata del genitore.

E quest'assassino mancato, quest'Edipo senza sfinge e senza mistero; proprio quest'uomo imputridito dal rimorso, voleva svelare l'enigma dell'amore che mi legava ad Anna e come un Tiresia apprendista e insolente aveva, già da tempo, cercato informazioni su di me, sulla mia posizione nella gerarchia dell'Abwehr. Il servizio però risultava impermeabile agli italiani e l'ingegnere aveva ottenuto che, a mia volta, m'interessassi di lui, ricevendo il sostanzioso fascicolo personale che lo riguardava, dai miei informatori dell'Ovra: gente costosa quanto servizievole. Comunque non avevo creduto un attimo che l'ingegnere avesse osato di propria iniziativa, senza l'assenso della madre di Anna; né che questa reputasse possibile indagarmi, da parte del dilettante sedizioso, evitando che lo venissi a sapere e reagissi di conseguenza. No, era donna troppo premeditata; il suo vero obiettivo doveva essere stato d'infastidirmi, e c'era riuscita. Aveva allertato la mia mente di spia.

Era accaduto ai primi di marzo, quando liberarono la ragazza ebrea. Dodici ore dopo che l'ingegner Carra, pedinato, aveva raccolto la ragazza a Littoria, ricevetti un rapporto completo dal capitano Pisacane, della polizia politica italiana. E solo allora, mentre prendevo Regina Salonicchio sotto la diretta protezione del Reich, per non farli arrestare tutti quanti; solo in quel momento capii quanto subdola e sottile fosse la madre di Anna, quanto mi assomigliasse.

Angiolina Gatelli doveva aver deciso che non potendo tenermi celata l'esistenza dei presunti parenti ebrei, tanto valeva usarli contro me e Anna, liberando la ragazza e facendone un deterrente, e un'esca. E chissà poi se la stessa parentela con i Salonicchio non fosse una montatura, una mezza realtà, storpiata a uso della mente delirante di Angiolina?

Io invece avrei voluto proteggere Anna da ogni trama: non le avevo parlato della ragazza ebrea, né delle indagini di Carra, né del complesso piano di Angiolina, né avevo chiesto a Rudi di rivelarmi dove avessero nascosto la fuggiasca, solo di controllare che non finisse in mano ad altri servizi fuori dal nostro controllo.

No, io e Anna dovevamo rimanere estranei agli intrighi, perché non infettassero i nostri incontri; solo così, di me, lei non avrebbe patito la spia. «Aiutami» l'avevo implorata nella mia lettera da Palermo, «difendimi dalla mia testa che ci allontana; fai un nodo sui nostri corpi, dammi il figlio che desidero, senza pretendere certezze, patti; gettami in un futuro che ci ritorni. Io ho malato il pensiero, Anna, non evocarlo; non chiedermi volontà e ti darò desiderio. Prendimi così, senza parola, senza tempo: lasciati investire da questa mia esistenza saccheggiata alla mia stessa storia. Tu che sei il fondo della mia emozione, acceca il mio occhio intelligente, stringimi solo nell'ottusità dei sensi, e ritorna infine nel mio abbraccio di lampada fatata, che conserva, dolce e fragrante, il vapore magico del tuo genio».

Sedevo sul tronco di un albero abbattuto, nell'aia della cascina Forti dove eravamo sfollati dopo la notte a Villa Borghese. Ammiravo il manto di aria perfetta posata sulla campagna; tuttavia l'acume eccessivo del mio sguardo, di sessantaquattro diottrie, trapassava le larghissime trame del miscuglio gassoso, disperdendosi nella limpidezza. Ne restavo deluso e stiravo il muscolo ciliare per accomodare la curvatura del cristallino alla minima distanza focale: volevo vedere almeno i corpuscoli del pulviscolo atmosferico, qualche cloruro tellurico, un aerolito cosmico o la faccia bifronte di un batterio diplococco. Però l'occhio, che non mi vedeva nemmeno la centesima parte di un millimetro, figurarsi se distingueva il muso sformato di quelle minuzie di microbestie. E così la mia vista affondava nelle trasparenze o rincorreva fugaci impressioni di vapore, che un alito di afa scivolava da un poggio a una gora, dall'aratura in valle alla piantata di alberi vitati, in capo al colle.

E mentre immaginavo di fare l'aria liquida con l'apparecchio del professor Karl von Linde, per offrirla azzurrognola e rifrangente alla ripicca ingorda dei miei occhi: lontano, dalla strada che zigzagava tra gli speroni di tufo, il suono delle percussioni cicliche di una pompa a scoppio, veniva ad aspirare la felicità di pochi giorni, in una serpentina di ansie crescenti con il crescere del rumore. Parevano i colpi accelerati di un maglio atmosferico sulla malleabilità discorde e riottosa del ferro; sembravano le sevizie ripetute di un carpentiere sulla testa del chiodo che si spunta e si sbrecca per non entrare nel nodo; invece era il pistone della motocarrozzetta monocilindrica del messaggero di Karl von Sybel, che avvistai mentre infilava derapando la salita del bosco.

Cercai di calcolare quanti scoppi sarebbero stati necessari al motore germanico per raggiungere la cascina italica; quanti secondi al culo lardoso di Rudi Kreutzer per scavalcare il sedile e discendere a terra; quanti minuti avremmo dilapidato in saluti e racconti ritriti, prima che il messaggio del colonnello fosse inoltrato. Mi risultarono quindici minuti in tutto. Dunque una vastità pressoché incommensurabile di nanosecondi, tutti per me, e nella quale mi pareva di poter addirittura invecchiare, acciambellato sul mio tronco, nell'imitazione riuscita di un gatto accidioso. E i ricordi di quegli ultimi tre giorni li avrei potuti ruminare ancora a lungo nei quattro stomaci della mia memoria ritrovata.

Mario era giunto a Villa Borghese la mattina del 20, di buonora. Era riuscito a farsi prestare una 1100 della Marina e aveva già trovato dove sfollarci: da un ex marinaio marconista amico suo, il padrone della cascina, il signor Forti.

Io e Anna dormivamo della grossa, quando alcuni ragazzini vennero a svegliarci tirandoci la ghiaia del giardino. Colpito sulla fronte mi rivoltai di scatto, temendo il realismo potente che a volte avevano i sogni: il corpo di Anna però giaceva tuttora accanto a me e così odoroso della nostra notte da convincermi a registrarla sotto il conto attivo della realtà.

Si avvicinarono anche Angiolina e Carra, con una coda di ciociari vocianti, che si strappavano di mano i fogli del *Messaggero*. Gli uomini discutevano gli aspetti organizzativi di un nuovo sfollamento verso i paesi di origine, ora che la città del Papa non offriva più alcuna protezione. Le donne invece piangevano la commozione degli addii, cercando di abbracciare la signora Gatelli, che le seminava allungando il passo. Ci circondarono baciandoci e stringendoci i corpi con passione, augurandoci ogni bene e figli: «Figli maschi.» Dovevano raggiungere subito il Consiglio Provinciale delle Corporazioni, come era scritto sul giornale, dove avrebbero trovato ogni soccorso per il viaggio o per l'alloggio temporaneo.

Partiti i ciociari, facemmo colazione con gallette, cipolle e carote. Mario propose che io e Giusto tornassimo a controllare la casa e l'officina, a denunciare alle autorità i danni subiti, a constatare l'andamento dei lavori. Intanto Carra e le donne – ma senza Fosca, che la sera prima aveva deciso di rimanere con Candido all'obitorio – sarebbero sfollati subito a La Storta: una ventina di chilometri fuori Roma, nel cascinale di un amico. Angiolina Gatelli acconsentì al suggerimento di Mario, sebbene con preoccupazione per lo stato del figlio, che sarebbe potuto cadere addormentato lungo la strada ed essermi d'impaccio.

Durante la discussione, Anna e Adele si erano dirette verso un piccolo spaccio presso il lago, sperando di trovarvi un gabinetto e di potersi lavare. Mi ero proposto di accompagnarle, ma Adele me l'aveva impedito con un'aria seria e spiccia, quasi fossero faccende di stato le loro, ed erano invece le mestruazioni di Anna.

Provai un senso di mutilazione. Avrei voluto intervenire, bloccare lo scolo sanguigno, fermare quella dispersione grave del corpo della mia donna. Rimasi all'impiedi, fermo, impotente. Anna si accorse della mia emozione e tornò indietro; le chiesi se si sentisse male e, sorpresa, rispose di no, perché non era una malattia e dovevo stare tranquillo.

«Ti spaventano le mestruazioni?»

«Non lo so» risposi, «forse le tue. Sono un segno di fine; un segno falso però: una fine che è un inizio, un cambiamento che è solo ripetizione, una trasformazione che è solo identità.»

«E allora?»

«M'inquieta. Come se i cambiamenti non fossero che illusioni. Come se aver fatto l'amore insieme, questa notte, potesse essere lavato via in una mestruazione e così il tuo mutamento nei miei confronti.»

«Non posso fare a meno di rivedere Carlo quando tornerà» riconobbe. «Comunque nessuno potrà toglierci quanto c'è stato.»

«Perché» le domandai, «avrà un destino?»

Abbassò lo sguardo e si fece pensosa; rispose di non credere più in Carlo e che con lui non vedeva futuro.

Nell'aria bollente di San Lorenzo, fetida di cadaveri, fogna e calce, mi ritrovai felice: il mondo di prima non sarebbe mai stato restaurabile; le macerie avevano seppellito la mia vita precedente; io e Anna eravamo rinati insieme dal fango; lei avrebbe lasciato il tedesco; lui, con i suoi commilitoni, sarebbe rimasto schiacciato dal grande corpo della nazione che franava. Nel quartiere scempiato intravedevo l'epilogo della guerra, della dittatura, dei proclami. La fine mi apparve all'improvviso pari a una festa alla Pista Svizzera: una gioia musicata, l'ardore dei ballerini gettato nella sarabanda dei passi, mentre l'onda dei coreuti tracima la pedana diffondendosi in strada, fino ai mercati generali, alla Piramide, a Testaccio e oltre, nella liberazione della città e dell'Italia intera.

«Che c'hai che sei così contento?» mi aveva domandato Giusto, salendo le scale di casa sua.

«È che amo tua sorella» avevo risposto.

E avrei voluto dirgli di più: che ero felice di sentirmi tra loro come nella mia famiglia; non catturato dagli stratagemmi di Angiolina e di Carra, e nemmeno dalla sua gentilezza o dalla simpatia di Adele, no; al contrario: quasi avessi fatto posto io, a loro, nella mia anima larga quanto un appartamento sfitto. «Ti voglio bene Giusto» avrei aggiunto, «e ammiro la tua membratura dinoccolata perché anche tu, come l'ossuta durezza di tua madre, la leggerezza arrogante di tua zia Adele, la fierezza metalmeccanica di Adelmo e il profetismo di Fosca o la delicatezza filosofica di Candido, anche tu, come l'ombra generosa di tuo padre: sei un'appendice semovente del mondo intimo della donna che amo.»

Giusto però non me ne aveva lasciato il tempo, poiché desiderava sapere dove saremmo andati a dormire la prossima notte: non potevamo certo rimanere in casa, forse pericolante e in un quartiere in putrefazione. No, lo rassicurai: avremmo cenato da Cesare e saremmo scesi alla Pensione Impero, per dormire nella mia stanza; mentre l'indomani, dopo una seconda visita a San Lorenzo e l'incontro con Adelmo, già dimesso dall'ospedale, Carra ci avrebbe portato a La Storta, per ricongiungerci con gli altri parenti.

Ma il tempo di quei pochi giorni di felicità era infine trascorso; miliardi dei miei nanosecondi si erano ormai gettati nel fosso del passato e la sfilza dei loro corpicini da acari stava scomparendo del tutto quando il sergente Rudi Kreutzer discese dalla motocarrozzetta, salutandomi con la mano e sorridendomi con la sua rosea espressione di suino della Carinzia.

I novelli sfollati uscirono dalla cascina e Rudi li abbracciò, congratulandosi per lo scampato pericolo e raccogliendo le testimonianze di sopravvissuti.

Mi avvicinai ad Anna che in un angolo aspettava il messaggio; sorrise, capì che volevo esserci anch'io.

«Karl è tornato» disse il sergente, «chiede di vederti e mi manda per accompagnarti da lui.»

Anna gli rispose solo con un sì e andò nella camera di sopra, che condivideva con la madre e la zia, a prendere una maglia e un foulard.

Rudi sembrò sorpreso, aspettandosi da me una resistenza, un divieto. Anche Angiolina, Giusto, Adele e i Forti mi osservavano muti, incerti se, e come, avrei reagito.

Quando Anna fu pronta pregò Rudi di aspettarla fuori, e mi avvertì: «Ti giudicheranno male; se la prenderanno con te, lo sai?»

«No, non credo Anna, perché io non ti lascio andare.»

«Come?»

«Non ti lascio andare, no!»

Anna cadde seduta sulla panca, le braccia abbandonate sulle gambe e il viso rivolto al muro di fronte. Non aggiunse una parola; sciolse il foulard già annodato sotto il mento, che frusciando, come una biscia nell'erba, scivolò rapido in terra.

19.

— Anna entrò nella macchina, si volse al mio volto invecchiato, guardò la stanchezza che mi pesava sotto gli occhi e mi baciò, trascinandomi nel cuore cavo del suo corpo di terra dove, come sempre, come serpenti ci amammo lenti e lunghi, fino a sfinirci.

«Raggiungimi tu» mi aveva ordinato, «io non posso venire.» Perché? Non volle dare spiegazioni: aveva poche lire per pagare la telefonata dallo spaccio e molta fretta di tornare a casa. Ma io dovevo incontrare il segretario di Suardo: c'erano novità sulla riunione del Gran Consiglio e il presidente del Senato risultava, suo malgrado, una fonte sana, resa ancor più attendibile dalla chiara amicizia che lo legava al Duce.

Il nostro spionaggio risultava sempre più incapace di comprendere cosa stesse accadendo; e io mi pascevo della loro stupidità teutonica, trattenendo ogni sapere, nella trippa ingorda del mio buzzo da spia, con lo stesso gusto gastrico che da bambino avevo messo a posticipare la delazione delle feci. Del resto, non avrei incontrato il segretario traditore per vantaggio di altri, all'infuori di me stesso; non intendevo inviare alcuna relazione a Helfferich e neppure ai miei colleghi dell'Abwehr, per i quali sapere o non sapere delle cose italiane non rilevava più alcuna differenza. Chiunque, per soldi o per fede mi fornisse una notizia, immaginava d'averla affidata a un nodo cruciale del sistema d'informazione tedesco, mentre aveva soltanto avanzato la mia archeologia del futuro, il pallino che mi era preso di comprendere il meccanismo per il quale il mondo si sarebbe presto disfatto. Ero una stazione senza uscita io e nel gergo dei miei colleghi: un "pozzo". Il sapere non fluiva fuori di me in alcun modo. La spia non aveva altro scopo che di essere spia; come ero amante di Anna, senza altro fine che di sciamare in lei e confonderla di me. Ma la spia non saziava mai il proprio desiderio; la mia mente di amante, al contrario, si posava e si prodigava nel pensiero di Anna. E se la mia testa riusciva a trattenere in sé le menti opposte, era solo perché una stessa fonte di piacere dava da godere a entrambe: il mio gusto di essere posseduto, unica condizione per possedere a mia volta. Eppure soltanto una sembrava la mente della felicità; l'altra era quella terribile dell'intelligenza intelligente solo di se stessa.

«Va bene: vengo» acconsentii così alla proposta di Anna, mentre la testa della spia si voltava ringhiando alla mia anima di amante, dalla quale avrebbe depredato presto nuovi segreti.

Mi vestii in borghese, presi l'auto e la raggiunsi in una strada poderale, dietro un campo di granturco. Non mi lasciò il tempo di salutarla che subito mi strinse al desiderio che ardeva in entrambi. Potevano passare non mesi ma secoli e subito i nostri corpi si sarebbero di nuovo intesi. Che tormento sarebbe stata l'attrazione per Anna se Anna si fosse negata.

«Perché hai portato con te il meccanico e hai permesso che ti vietasse di vedermi. Perché?»

Colpa del bombardamento, rispose; non era certo facile cacciare il meccanico, dopo che ne era stata soccorsa con tanta premura e coraggio. Piuttosto, protestò, credevo davvero che avrebbe permesso a Bruno di comandarla? E per di più su di noi? No; Rudi non aveva capito; lei aveva rinunciato di sua volontà a seguirlo, per non esasperare la madre. E poi eccola, era lì, nella mia macchina: come potevo dubitare di lei? mi domandava con gli occhi sfuggenti di una bugiarda dilettante. Una bugiarda: era la sentenza della mia mente di spia, per la quale non esistevano che fatti o sospetti, e mai alcuna giustificazione.

Si dilungò a raccontarmi della famiglia Forti che li ospitava e della vita da sfollata; le piaceva quanto una villeggiatura: raccoglieva i fiori, li componeva per la tavola; andava al fiume a fare il bagno, leggeva i romanzi di Colette, che le avevo regalato; mangiava molto meglio che in città e non c'era da temere di essere bombardati o bruciati dagli spezzoni incendiari.

Mi sembrò strana; non aveva protestato per la mia lunga assenza, non commentò neppure la lettera nella quale le avevo chiesto un figlio e narrando le giornate da sfollata non aveva mai citato il meccanico. Bugiarda e millantatrice: sentenziò la spia, che avrei voluto imbavagliare e stordire, gettandomi su Anna, sul suo corpo di oppio.

«Bombarderanno ancora Roma?» mi domandò. «O torneremo a casa presto?» Ne dubitavo: gli angloamericani avrebbero colpito diverse altre volte gli scali ferroviari e forse già nei giorni successivi, visto che due compagnie motorizzate del nostro genio erano giunte a Roma, per aiutare gli italiani nel ripristino della rete ferroviaria. In ogni caso la sua vacanza poteva essere guastata da quanto stava per accadere al fascismo italiano. La misi al corrente della riunione del Gran Consiglio dell'indomani, quando con grande probabilità l'autorità di Mussolini ne sarebbe uscita compromessa, dando così il destro al re per giubilarlo del tutto. Anna fece per non credermi, solo un attimo però; sapeva che ero attendibile, quando non parlavo di noi.

Mi chiese cosa sarebbe stato del Duce e le risposi che lo avrebbero ammazzato. Impallidì: «Cosa dici?» Cercai di farle comprendere che sarebbe stato meglio così, perché, se lo avessero imprigionato, Hitler non avrebbe avuto pace fino a liberarlo dalle mani di chiunque e a qualunque prezzo, per poi averlo in suo totale potere.

Non mi capiva e restava a guardarmi frastornata. Aggiunsi che forse avrebbero fatto in modo di far apparire la morte di Mussolini un incidente o meglio un suicidio, magari forzandocelo apposta; c'era anche la possibilità che consegnassero il Duce agli angloamericani in cambio di qualche sconto sulla pace; ma dovetti ammettere che era l'ipotesi meno credibile. Questi infatti avrebbero certamente processato Mussolini, e ne sarebbero emerse verità troppo scomode per gli uomini rimasti al timone dell'Italia, dopo la destituzione del tiranno. La scelta migliore, data la miseria morale e intellettuale degli attori in scena, era dunque di farlo sparire in fretta e in modo elegante.

Anna si commosse.

«Che fai?» le domandai abbracciandola. Non sapeva rispondermi; non capiva, le sembrava una tragedia, «la fine dell'Italia.»

No, Mussolini non era l'Italia, le dissi cercando di darle conforto; però le mie parole suonavano insensate per lei che non aveva vissuto un solo anno senza quel padre invisibile, eppure presente in ogni minuzia quotidiana, a scuola come in casa.

«Credevo che vinta o persa la guerra Mussolini non ci avrebbe lasciato. Pensavo che avrebbe condotto le trattative di pace. Non avevo mai supposto che potesse sparire, portandosi appresso tutti gli anni che abbiamo vissuto, quasi fossero niente, cancellabili con un colpo di fucile nella schiena del Duce. E se lo uccidono, chi andrà al suo posto? Il re? Perché, chi è il re senza Mussolini? Se cade l'uno cade l'altro, sono un po' due facce della stessa persona, no? Nessuno prenderà il suo posto, oppure saranno in mille, che è lo stesso. Perché io so cosa significa non avere padre: l'Italia intera mi somiglierà, sarà orfana come me. E quando muoiono i genitori, i fratelli si fanno da madre e da padre reciprocamente. Succederà così anche a noi italiani; diventeremo un popolo di fratelli che si accudiranno l'un l'altro, senza che più nessuno abbia l'autorità di indicare cosa è giusto e cosa no. E soprattutto sai qual è il fatto peggiore che accade agli orfani? Che per sopravvivere devono convincersi di farcela anche senza genitori, e così non si permettono nemmeno di soffrirne la mancanza, anzi la negano e ci costruiscono sopra una personalità fittizia, forte di una forza finta. Te la immagini una nazione di gente così? senza nient'altro che un buco in cuore; e con il vuoto non fai che cose vuote. Chissà se questo lo sanno i signori che vogliono eliminare il Duce.»

«Non credo Anna» le risposi, «perché la storia non viene generata da alcun sapere. Non cercarci un fine, è solo frutto di un gioco casuale, che noi per di più ci divertiamo a fare cattivo; questa è davvero la nostra responsabilità: non solo acconsentiamo al gioco, ma ci piace di renderlo bestiale. Nemmeno i gerarchi del Gran Consiglio comprendono bene le conseguenze di quanto voteranno domani. Comunque, ti dico, il problema maggiore lo avrà il re; destituito il Duce, che ne farà di un pacco tanto ingombrante? E non credo potrà legittimarne l'assassinio. Dunque dovranno mettere su una gran scena per il mondo, per Hitler e per se stessi. Forse avranno bisogno di un capro espiatorio. Sarà difficile trovare la mano giusta, che si porti all'inferno ogni conseguenza del parricidio.»

«Sarà la vittoria di mia madre, domani. Il suo Luigi sarà seguito da Mussolini e l'ingiustizia della vita goduta, contro la vita persa di mio padre, sarà tolta, alleluia! Vedrai che faranno festa, lei e Carra: i sediziosi; non so nemmeno se sono davvero socialisti; non era socialista anche Mussolini? Anzi, un'idea: suggerisci ai cospiratori di usare mia madre, quale sicario del Duce.»

«Meglio sarebbe l'amico di tua madre, che è già specializzato.» Anna non poteva capire la mia allusione. «Mario Carra, intendo. Il parricida. Chi migliore di lui, già esperto in questo genere di detronizzazioni?»

Le chiesi scusa. Non l'avevo informata di quei fatti, perché in fondo non erano e non dovevano essere questioni che ci riguardassero; interessavano la mia testa di spia, non la mia mente d'amante. Ma Anna, intimorita, pretendeva spiegazioni esatte.

Le raccontai quanto avevo letto sul fascicolo segreto dell'Ovra, circa Mario Carra. Che era figlio di un agitatore fascista, certo Vittorioso Carra, assassinato per gelosia dal marito della propria amante, con un colpo di doppietta, in località Sala Baganza nel maggio del 1923. Che la Casa del Fascio locale aveva aiutato la vedova a tirar su i figlioli, pagandone gli studi e proteggendone le carriere. La laurea fu conseguita durante la ferma di ufficiale della Marina e il congedo concordato con il comando maggiore; infine l'ex cadetto si perfezionò nell'ingegneria meccanica, per servire nella direzione civile del Ministero della Guerra prima e della Marina dopo. I fatti erano questi, rassicurai Anna.

Eppure il fascicolo riportava diverse voci che gli inquirenti non avevano potuto o voluto accertare, e che alludevano alla possibile imputazione contro Mario Carra, di omissione di soccorso e parricidio colposo. In particolare si riportava la testimonianza di un tale Bottazi Primo, che trovandosi in campagna, la mattina dell'omicidio di Vittorioso Carra, e udito il colpo di fucile, si era avvicinato al luogo dello sparo senza scoprire né l'assassino né la vittima, che in effetti fu rinvenuta in un fosso poco visibile. Nondimeno l'uomo ebbe l'impressione di scorgere il giovane Mario correre per il poggio verso casa e con una gavetta in mano. Il commissario di polizia aveva interrogato l'orfano, chiedendogli se per caso avesse accompagnato il padre, quella mattina, e dunque avesse assistito all'evento delittuoso. Però né il ragazzo né la vedova ebbero dubbi al riguardo: erano entrambi restati a casa e nulla sapevano del dolorosissimo caso. Il Bottazi insisteva, ma era noto per essere un povero ragazzo nato male, un po' ritardato, e non fu creduto. Del resto, come pensare che un figlio visto il padre colpito e sanguinante attenda di arrivare a casa per chiedere aiuto, senza invece gridare lungo la corsa nella speranza di essere udito da un contadino, e che poi giunto a casa, la madre lo convinca a tacere o il figlio convinca la madre a coprirlo di un alibi perfetto? Come pensarlo; sebbene fosse di certo un figlio strano: uno che informato della morte del padre, invece di piangerne la scomparsa abbracciato alla vedova, corre ad avvertire degli estranei, tali Gatelli Luigi e Angiolina, famosi in paese per essere socialisti e nemici giurati della vittima. In ogni caso il commissario non trovò elementi probanti per contestare la versione della vedova, nemmeno quando esaminò il referto necroscopico e venne a sapere che la vittima aveva appena mangiato una buona porzione di pasta e lenticchie, rinvenuta nello stomaco indigerita e, da diligente investigatore, si era chiesto dove l'avesse potuta trovare in aperta campagna, se non in una gavetta inviata da casa per il pranzo. Non solo, il medico legale aveva insistito che la morte non era stata affatto istantanea: la vittima era deceduta per emorragia almeno sessanta minuti dopo il colpo, trascinandosi e lamentandosi per diversi metri, nella roggia secca in cui era caduta. Il commissario comunque non se la sentì di accusare un ragazzo sedicenne di omissione di soccorso al padre e, addirittura, di complicità la madre, pia donna, di cui era nota in paese la devozione. Tanto più che l'assassino era stato catturato, solo tre giorni dopo, in preda a una crisi di pianto, mentre minacciava di uccidere anche la moglie infedele e togliersi la vita di propria mano. Così l'orfano andò libero e il dubbio fu raccolto solo dalla polizia politica anni più tardi, quando ne compilò il fascicolo personale, al tempo dell'ammissione all'accademia militare.

«E tu fino a ora» commentò Anna sdegnata dalle mie parole, «non hai sentito il dovere di informarmi di questi sospetti? Farlo sarebbe stato rispettarmi, vero? provare considerazione per il mio bisogno. No, questo non puoi permetterlo. Non posso mai esserti pari, quanto una compagna di vita, la moglie, la consorte: no! da tutto ciò ti allontana il sesso. E ora mi vieni a dire che l'unico amico della mia famiglia, l'unico uomo che è stato vicino a mia madre: ha lasciato morire il padre senza soccorrerlo? E cosa ti aspetti che faccia io, a questa rivelazione? Vuoi che mi schifi della mia famiglia? Sì, questo vorresti: chiudermi nella prigione della mia solitudine, dove solo tu entrerai di tanto in tanto a chiavarmi! Non t'importa di ferirmi; non credi nemmeno che possa provare dolore, tanto mi fai potente; o forse mi credi capace di soffrire soltanto dell'immaginetta sbiadita e falsa di dolore che si accompagna bene al piacere sadico della tua fantasia, come un buon vino. Quanto altro sai della mia famiglia che non mi riferisci? Che ti tieni da conto per le prossime mosse della tua mente ossessionata?»

Ma perché prendeva quel tono? Mi dicesse la verità, lei per prima, se mi voleva giudicare. Quale verità? Non sapeva forse di una certa fuga di una supposta cugina, organizzata da Angiolina e di cui nulla mi aveva accennato? Ah, la stupii; per un secondo non ebbe parole da scambiare con la mia spia interrogante, di cui cercavo di frenare la foga del godimento. «Sai anche di Fosca?» si domandava disgustata. La verità, insisteva a dirle la mia spia, era che stava diventando sempre più succuba della madre e forse dello stesso parricida; mentre io rimanevo l'unica scelta libera che le rimanesse.

Anna gettò una mano sulle mie labbra e strinse a prendermi la bocca: voleva che tacessi; fiutava la spia e se ne avvelenava. «Quale verità mi stai chiedendo: la verità della somiglianza tra mia madre e te, che mi hai taciuto di Carra come lei di Fosca? È più di un anno che hai tutto da me e ora mi chiedi la verità? Io ti ho offerto ben più della verità: ti ho offerto la mia vita. Questa però non l'hai voluta, no: meglio la verità. Per te la verità è il mio annientamento; tu mi vuoi degradata, prona alla tua malattia e ammalata io stessa. Mi hai amato perché ho avuto fiducia in te e ti ho chiamato dove non credevi di sapermi raggiungere; per lo stesso motivo mi hai odiato: per la colpa che provavi nei confronti della mia fede tradita dalla tua impotenza. Hai creduto che fossi più forte del tuo odio e ogni volta me lo hai lanciato addosso come un orso perché, vincendolo, ti rassicurassi che era possibile distruggerlo. Poi tutto ricominciava con più dolore, perché l'odio rinasceva inferocito dalla sconfitta e sarà sempre così, finché non avrà vinto lui e io, sfinita, non sarò che un corpo al tuo servizio.»

Anna parlava veloce, e la voce di contrasto della spia si affievoliva gorgogliandomi in gola, affogando nella rapida del fiume furente.

«E se anche fossi rimasta incinta di te oggi, non vorrei più tuo figlio. Io sono qui solo a cercare la forza di liberarmi da te. Non ho più alcuna speranza. Sebbene tu non sappia nemmeno cosa voglia dire, perché nella tua vita non hai conosciuto che la mia speranza e il mio cuore. Non capisci cosa significhi sentirsi brutti e rifiutati, perché nel compatimento continuo che ti rivolgi, ogni difetto, ogni tara è già contemplata; ti confessi sempre colpevole per non soffrire lo smacco di un giudizio vero, che potrebbe anche salvarti. Pensa: von Sybel innocente! che scandalo; come faresti a vivere le responsabilità di un uomo sano, tu che hai costruito una vita sulla generosa malattia che ti rende irresponsabile? Meglio colpevole; intanto la pena è attenuata dalla commiserazione per la colpa. E del resto quale pena; tu non te ne accorgi; ti hanno comminato di sperperare la vita, ma tu non senti il dolore dello sperpero; alla fine verrai giustiziato, ma non ti sopravviverà nemmeno la vergogna. Mentre io ho bisogno di sentirmi bella, pulita, amata da te... credevo, almeno fino a oggi. Ma oggi non più, perché ti ho preso senza pretese, senza chiedermi se c'eri veramente; proprio come hai sempre fatto tu. Ti ho imitato, Carlo; e per noi è finita: perché non ho sanato te, ma ammalato me.»

20.

— Mi telefonò all'improvviso la mattina del 26 luglio, che era anche il giorno di sant'Anna, dopo che Mussolini era caduto e c'erano stati scontri al comando della Dicat. Temevo che fosse accaduto qualcosa a Luciano, perché la notte prima era rimasto di turno al comando e non era ancora tornato a casa. «Italia D'Ascenzio sono io» risposi al telefono.

«Buongiorno signora; mi presento: io sono il colonnello Karl von Sybel» pronunciò una bella voce; attendendo forse un'esclamazione di riconoscimento, invece tacqui, non avendo proprio capito con chi stessi parlando.

Chiesi subito di mio marito, ma la voce mi spiegò che non ne sapeva niente; voleva avvertirmi, piuttosto, che Bruno Lucatti correva un serio pericolo. «Bruno?»

«Sì, il vostro pigionante» spiegò la voce.

«Cos'è successo?»

Per allora nulla, tuttavia desiderava mettermi al corrente di quanto gli sarebbe potuto accadere e quindi proponeva un incontro al Grand Hotel.

Mi prendeva in giro? Per le strade di Roma c'era un popolo di scalmanati che festeggiavano la fine del fascismo; io avevo sprangato il portone, chiuse le persiane delle finestre e a ogni nuovo grido temevo l'assalto dei sovversivi; mentre la voce del tedesco, come venisse da un altro mondo, lei m'invitava al Grand Hotel. Lo sapeva, la bella voce, che c'era la rivoluzione e che se la prendevano magari l'ammazzavano?

«Signora» aggiunse, «io so che Bruno Lucatti è il vostro amante, e devo assolutamente parlarvi.»

«Cosa dite? Come vi permettete? E poi voi chi siete?»

La voce, ferma e tranquilla, mi spiegò che era l'uomo innamorato della donna amata dal mio amante e che l'indomani, verso le sedici, avrei trovato un autista in borghese ad aspettarmi nella piazza del Pantheon, per accompagnarmi, in tutta segretezza, al rendez-vous presso il Grand Hotel. No; non ci sarei andata. La voce si fece dolce e mi pregò: se amavo Bruno, anche la centesima parte di quanto la voce amava la giovane Gatelli, dovevo ascoltare ciò che aveva da riferirmi. «Vi aspetto, signora Italia» terminò, certo che martedì pomeriggio il suo autista mi avrebbe trovato all'appuntamento, come difatti mi trovò.

Fui accolta in una lunga macchina nera, dai sedili di pelle e dall'interno impreziosito da un legno giallo simile all'ambra. Avevo cercato di vestirmi alla meglio, perché era estate e le cose migliori le avevo d'inverno. Indossai comunque la gonna di lino nera con le pieghe a coltello e una camicetta bianca, con il cappello largo, di paglia, i sandali e la borsetta neri. L'autista, tedesco, in borghese e con il berretto da chauffeur, fu gentilissimo e premuroso. Quando arrivammo, mi scortò in un grande salone pieno di divani, poltrone, tappeti, specchiere, con enormi lampadari di cristallo che scendevano da soffitti altissimi e dorati. Non c'erano che poche persone anziane e un pianista in frac che suonava con la sordina vicino alle grandi finestre, parate con sopratende di broccato e mantovane di seta.

Vidi un uomo in abito scuro riporre il giornale e alzarsi di scatto dal divano per venirmi incontro. Era abbastanza alto, longilineo e aperto di spalle, moro, ma con la pelle chiara dei biondi: un bell'uomo, dal sorriso amabile e dallo sguardo scuro, molto intenso. Mi prese la mano e la sfiorò con le labbra. Profumava; era un gran signore e se non lo avessero tradito le rughe del viso, non gli avrei dato più di trentacinque anni. Io invece chissà quanti ne dimostravo: avevo la faccia come un peperone; dovevo essere uno spavento. Mi sentivo così imbarazzata, non sapevo come comportarmi.

Fece tutto lui: mi accolse con eleganza e naturalezza, scelse la poltrona più comoda, bianca e oro; mi consigliò una bevanda alla menta e per distrarmi espose i pregi dell'albergo; fu simpatico, riuscì a strapparmi un sorriso, poi una parola; mi ringraziò di essere lì; si scusò e quando infine mi vide rilassata lasciò il sofà e presa una poltroncina si accostò alla mia, perché non fossimo troppo lontani e gli fosse possibile parlarmi a bassa voce.

«Signora Italia, che il mio aspetto e i miei modi non v'ingannino. Io so di apparire quale persona a modo, gentile e cortese. Nondimeno sono malato e la mia malattia non è curabile. Dunque, non date credito alle maniere educate, bensì a quanto vi dirò, perché intendo essere molto sincero con voi; ben più sincero dell'immagine che ora i vostri occhi percepiscono di me.

Pochi giorni fa ho incontrato Anna e abbiamo fatto l'amore; però era diversa, era lontana. Io ho paura che questo sia dovuto a Bruno Lucatti, di cui voi siete l'amante e che, mi auguro, amiate sul serio o almeno gli siate sinceramente affezionata. Infatti il meccanico è in pericolo, perché non gli permetterò di portarmi via Anna. Certo lui non accetterebbe un avvertimento da me, tantomeno Anna; e la famiglia poi, ce l'ho tutta contro, quindi non posso che rivolgermi a voi, signora D'Ascenzio. Voi siete una donna, siete italiana, conoscete bene il meccanico: siete dunque l'unica che può aiutarlo, anche contro se stesso, che crede di essere innamorato, che è preso di Anna.

Avete degli occhi molto belli, sinceri, grandi e io vi leggo

247

cosa pensate: che non ho diritto di insistere se Anna non mi vuole più, vero? che la mia pretesa è orrenda; che assomiglio al don Rodrigo di quel vostro romanzo italiano. Sorridete. Vuol dire che ho intuito giusto. Ma don Rodrigo non amava Lucia, per lui era solo un esercizio di possesso; Manzoni non ha scritto un romanzo sull'amore quanto sul potere, in senso lato, fino a quello di fra Cristoforo e di Dio; a vincere è la provvidenza non l'amore, il male della peste che opera il bene, siete d'accordo? Dunque, signora Italia, l'uomo che vi parla non è un don Rodrigo; semmai un Otello bianco, ovvero senza la cieca passionalità del moro, che in fondo lo riscatta, bensì con la lucida pazzia del tedesco: ché tedesco, signora, *vuol dire abisso*. E in un abisso siamo legati io e Anna, signora Italia; vedete, se Anna potesse staccarsi da me e dimenticarmi, forse farei in modo di consigliare qualcuno della famiglia, per esempio l'ingegner Carra, di uccidermi; eppure non è possibile, signora: perché io sono così tanta parte dell'anima e della mente di Anna, e lei della mia, che l'uno non può dimenticare l'altra, senza perdersi, senza tradirsi. Ammetto che forse Anna desidera liberarsi di me; aggiungo, anzi, che anch'io desidero liberarmi di lei; però chi sono questi due vigliacchi, queste personcine anelanti alla vacanza? Difese psicologiche, signora Italia, nient'altro! personalità surrettizie create dall'istinto di sopravvivenza che pretende sempre di scamparla con la minore fatica possibile, quasiché nel mondo animale covasse un'acerrima invidia per la pace vegetale. Se seguissimo i desideri di queste bestiole, cosa faremmo delle nostre anime innamorate? No, signora Italia, io e Anna non possiamo perderci: in Anna sta il segreto del mio sentire, e io, senza di lei, sarei semplice aridità, pura inesistenza, tanto quanto lei, senza me, sarebbe un'anima senza centro. "Appartenenza", signora Italia, questa è la definizione. Lo so, penserete che forse Anna non è così innamorata come dico io; la cosa in ogni caso non deve importarvi, perché questa convinzione guiderà comunque le mie azioni.

Capite ora il rischio per il vostro Bruno: lui è il vaso di coccio tra lei e me, che siamo di metallo; se non interverrete, signora Italia, ad allontanare la vostra povera terracotta, noi la frantumeremo in mille pezzi.»

Ero stata avvertita; sebbene i modi delicati, la voce morbida e calma, l'accento straniero, celato così bene nella pronuncia quasi perfetta delle parole e la sensibilità del suo animo non mi facilitavano lo spavento, né mi veniva da pensare come difendere Bruno da quell'uomo dolce, colto ed elegante. Mi chiedevo, invece, se potessi permettermi di essere sincera con lui, che di sé mi aveva confessato così tanto. Possibile che mi facesse tenerezza?

«Io vorrei aiutarvi, colonnello, perché anch'io ho sofferto molto, amando Bruno che non mi ha amato mai. No, non voglio dire che... no: Anna di certo è stata innamorata di voi. È che però, a un certo momento, avete avuto bisogno di Bruno per paravento rispetto alla gente; mentre ora vi spaventa l'idea che siano Anna e Bruno ad aver bisogno di voi, quale fermento per il loro amore nascente; che siate voi, insomma, e non Bruno, il vaso di coccio. E guardate che vi capisco, colonnello: oh se vi capisco! D'altra parte me l'avete spiegato tanto bene: io non lo sapevo che i grandi amori a volte cercano un sollievo dall'intensità con cui ci prendono; ma a sentirvelo dire, poco fa, ho subito capito che era vero; è stato così anche per me, innamorata di Bruno. Càpita che per gli uomini, quella via di scarico, di finta fuga, sia la gelosia e allora inventate degli antagonisti, come appunto avete agito voi, colonnello; mentre noi donne abbiamo un altro sistema e ben più creativo, mi pare: voglio dire che noi donne, quando sentiamo il bisogno di venire a capo del nostro sentimento, scegliamo di fare un figlio. Voi, purtroppo, avete paura dei figli; temete che le donne finiscano per lasciarvi solo il ruolo di catena o peso, riconoscendo invece ai figli quello di aquiloni. E io, certo, sono una donna di questo genere: ché, se avessi un figlio, potrei fare a meno di qualsiasi uomo. Mentre Anna, chi sa?, potrebbe non essere della mia razza; perché se invece lo fosse, sapete colonnello, non vorrei deludervi, in tal caso Anna, dico, con un figlio, la perdereste ben più di quanto oggi temete di perderla appresso a Bruno. Scusatemi, vedo che vi ho spaventato; no, non volevo sostenere che Anna avrà un figlio da Bruno, no, cosa vi viene in mente? Sono io invece che ho desiderato un figlio da Bruno; e me lo doveva dare, perché è l'unico uomo che ho amato nel modo così assoluto in cui, dite, di amare Anna.»

Guardava in terra, il colonnello e senza alzare gli occhi mi domandò perché fossi innamorata di Bruno: cosa avesse il meccanico da prendermi così tanto. Sorrisi; che altro potevo fare? Come aiutare il mare cupo e profondo del suo abisso tedesco a immaginare un'acqua tanto chiara e superficiale da mettermi voglia di affogare in essa, soltanto per respirare?

L'opalescenza spettrale del giorno nuovo avanzò grassa e burrosa nella stanza annottata e si addensò attorno al piccolo lume del comodino, velandolo di luce maggiore. Era una gelatina bianca che attaccata al bulbo vetroso della lampadina ne soffocava il fuoco. Anna mi guardò sorpresa e insieme assistemmo riverenti all'agonia dei quaranta watt affogati nell'alba di miliardi di volt.

Di notte, quando quel piccolo baleno era stato il sole di tutta la stanza, mi era parso cosa viva, corrente; e che soffiasse imperioso la sua rapida luce contro la fissità del buio; mentre allora, nel chiarore perfuso del giorno, la piccola lampada, con il suo stame incandescente, non sembrava più illuminare nemmeno la mano che le avvicinai e pareva solo cosa inanimata, fatta di cera.

«Dai alzati. Mussolini è caduto. Il fascismo è finito. Ohi, mi capisci? Ieri sera la radio ha detto che al governo ora c'è il maresciallo Badoglio.»

«È la fine della guerra?» le domandai, sedendomi di scatto sul letto; macché: Badoglio aveva assicurato che per mantenere fede alle sue millenarie tradizioni l'Italia restava nel conflitto, a fianco dell'alleato tedesco.

«"A fianco dell'alleato tedesco": ha detto proprio così?» Anna non lo sapeva per certo; le era stato riferito tutto da Forti e, a questo, da un amico di paese.

Mi vestii di prescia, mentre lei tornava di sotto, dove Carra stava preparando una spedizione in città, con la solita berlinetta della Marina. Si diceva che Roma fosse in festa, che da ogni parte si distruggessero gli stemmi del partito, mentre si andavano organizzando cortei di socialisti che da San Lorenzo avrebbero marciato su Palazzo Venezia.

Dall'abbaino del tetto già franavano bollenti i raggi del sole e la soffitta era una piscina di luce dove un pesce accidioso si vestiva di grigio. Caspita! dovevo essere felice: l'uscita di scena del Duce guerrafondaio allontanava Hitler, avvicinava Roosevelt. La posizione dei tedeschi sembrava uscirne indebolita; però Badoglio era un fascista anche lui, almeno così credevo: e allora? Che disordine; che difficoltà trovavano gli occhi ad adattarsi alla luce della soffitta. Mi risolsi a spegnere almeno la lampada sul comodino, seppure con nostalgia: di cosa non sapevo; forse della notte rischiarata dalla piccola corrente di luna: per le poche cose che mi aveva illuminato, per la sincerità della sua povera offerta da quaranta watt, contro l'abbacinante millanteria del grande giorno che ci accecava.

Quando discesi anch'io nella cucina, dove una parete intera era mangiata dalla bocca petrosa e spalancata di un imponente camino, tutti accorsero ad abbracciarmi e baciarmi: Giusto per primo, Forti e la sua famiglia, Adele e Carra, che mi strinse la mano, quasi si complimentasse con me per quanto era accaduto nella notte, al gorgoglio del mio profondo ronfare.

Angiolina mi aveva preparato la colazione e mi serviva anche al tavolo: pareva una belva domata, umile e solerte. «Facciamo in fretta» diceva. «Non possiamo mancare alla grande festa che c'è a Roma, perché è anche il giorno di sant'Anna: l'onomastico di mia figlia.» Mi guardava mangiare, riconoscente, addirittura amorosa; da quando avevo impedito ad Anna di seguire Rudi dal colonnello, ero diventato un eroe; e quella donna risultava tanto potente che mi sentivo accresciuto dalla sua approvazione. Camminavo per la cucina e sembravo più alto, mi sedevo ma stavo più ritto e quando parlavo mi veniva il tono del padrone di casa. Ero posseduto dal plauso di Angiolina, che mi faceva recitare la mia parte con la regia, muta e implicita, del suo mero consenso. Così anche mi canonizzava agli occhi degli altri: i quali mi contemplavano come un santo, seguito dall'aureola dorata della perfetta considerazione della madre di Anna.

Nemmeno mia madre Maddalena era stata così forte da dirigermi al semplice tocco del desiderio; che fu solo dei miei baci: prove facili per il bambino affettuoso che ero stato. Crebbi in una serra calda, quieta e umida, senza correnti, quasi Maddalena per me non avesse immaginato alcun progetto. Angiolina, al contrario, che madre tirannica doveva essere stata per Anna. E lei? Come immaginarla mamma, se avessimo avuto un figlio? Un vento forte di montagna che del ginepro faceva lunghi tappeti nascosti tra i sassi? Oppure una brezza di collina, dove i cespugli crescevano alti e aprivano le chiome come ombrelloni da spiaggia? Forse c'era una regola di fisica elementare che precisava i rapporti tra i figli e le madri: più potente era il desiderio di queste, più sformati in un qualche senso venivano quelli. E i padri allora, che ci stavano a fare i padri? A conciliare il vento, forse, a soffiarci se era poco, a pararlo se era molto. I padri raccontavano la madre alle orecchie dei figli, con parole magrissime come fece il mio o metafore meccaniche come avrei fatto io, o silenzi o panegirici, dolcezze, volgarità, violenze, a seconda delle infinite casualità delle persone. E non contava nemmeno la loquacità: mio padre usò le pochissime parole della sua semplice vita per descrivermi l'ampolla di vetro in cui giacemmo raccolti tra le braccia di mia madre, ma fu ugualmente una lunga favola narrante, che s'incarnò infine in questa mia persona. E io, del resto, trasumanavo da uomo in racconto ogni qual volta provavo a comprendere la ragione della mia esistenza, indagando la vita di Alfredo e di Maddalena, rammentandone le vicende, gli ambienti, le circostanze storiche: quando governava Giolitti, si statalizzava la ferrovia e mio padre ebbe il diritto politico della votazione.

Salimmo sulla 1100 della Marina guidata da Carra alla volta di Roma: le tre donne nell'abitacolo, Giusto a fianco del pilota e io fuori, sventolante guidone sul parafango. Dovevo reggere all'impiedi sul montatoio fino alla periferia della città, da dove un qualche mezzo dell'Atag avrebbe portato me e Anna fino a San Lorenzo, per cercare di recuperare all'uso trasportistico la Balilla furgonata dei Gatelli. Dopo di che ci saremmo riuniti presso l'obitorio di Candido, da dove, raccolto il settore e la Fosca, avremmo puntato sul palazzo del Duce, in piazza Venezia.

Prossimi a ponte Milvio aspettammo la passata del torpedone per una mezz'ora, temendo fosse inutile: che non si lavorasse in quel giorno di liberazione. E stavamo risalendo sul predellino dell'auto, quand'eccoti un Fiat G56 dal muso di segugio che scende verso me e Anna alla fermata. Era affollatissimo, con gente che ci salutava dai finestrini. Gli facemmo segno e si arrestò per lasciarci salire.

Salutati Carra e gli altri partimmo anche noi, ma fu un tragitto breve: di un chilometro o due, perché poi ci ritrovammo immobili in mezzo alla strada, a secco di carburante. Per fortuna si trattava di un autobus con il motore a gassogeno, sicché ci fu possibile scendere a fare legnatico lungo i bordi della carreggiata, per poi issare rami, frasche e fascine sul tetto dell'automezzo; da dove, su indicazione dell'autista, io stesso colmai la legnaia della fornace, nel ruolo d'improvvisato fochista. Qualcosa comunque non funzionò a dovere – o la legna non buona o sa iddio che cosa – perché arrivammo a piazzale Flaminio col torpedone ravvolto in un fumo velenoso che aveva stroncato diverse passeggere, ormai svenute e in stato di incipiente asfissia. Anna però si disinteressava della sorte loro, lei preferiva salutare le bande di ragazzi che intanto su bici, cavalli, carretti, se ne correvano per le strade fischiando la libertà, cantando la letizia e battendo, con mestoloni da cucina, sulle pentole di casa.

Dal Flaminio ce la facemmo a piedi fino a San Lorenzo, ché non giravano né tram né autobus e beccare il torpedone a gassogeno era stato davvero un caso, posto che non fosse un mezzo requisito da una banda di festanti per raggiungere il centro di Roma.

I lavori nel quartiere erano proseguiti con lentezza e le macerie di fronte all'ingresso dell'officina Gatelli erano state rimosse solo in parte. Comunque riuscimmo a liberare il furgoncino Balilla e a portarlo fuori San Lorenzo, scavalcando cunette, buche e ammassi di pietre che, nondimeno, ne tranciarono il tubo della marmitta, facendoci proseguire in uno strepito infernale.

Anche all'obitorio c'era aria di festa, come ovunque in città. Fosca voleva riuscire a rintracciare qualcuno della Delasem per sapere della madre e della sorella: se erano già libere o ancora internate. Angiolina fu d'accordo: «Andiamo al centro» ordinò la mia quasi suocera, «e subito dopo al ghetto.» Qui sperava di raccogliere buone notizie per la Fosca.

Partimmo con le due autovetture stracariche di noi e traversato il Macao ci gettammo, nel rombo del nostro motore smarmittato, lungo via Nazionale, verso il terrazzaccio del Duce.

Per la strada aleggiava una gaia follia: camion pieni di sbandieranti che andavano chissà dove; si udivano anche spari, a precedere drappelli di scamiciati che correvano chi da una parte e chi da un'altra, quasi si potesse fare la stessa cosa in direzioni opposte; nelle vie e sui marciapiedi stazionava una folla d'indecisi che volgeva la testa dalla parte dell'ultimo rumore udito, un grido, un botto, un fischio, battendo le mani, festeggiando se stessa, abbracciandosi, baciandosi, non sapendo che fare. C'era chi dava ordini da una motocicletta, nemmeno ne avesse l'autorità, la gente invece non sembrava conoscere il momentaneo comandante e restava impassibile allo scomparire del centauro nella calca degli automezzi. Alle vetrine dei negozi si vedevano appiccicati i giornali con le immagini del re e del maresciallo Badoglio. Scorgemmo un signore distinto, in abito scuro, camminare con un fucile a bilanciarm, e sembrava andasse a consegnarlo da qualche parte, più che a usarlo contro i fascisti che erano d'incanto spariti. Arrivò improvviso un tale, pretendendo silenzio, ché aveva una notizia grandiosa: Hitler s'era ammazzato, urlò, non aveva retto alla scomparsa del Duce. A ridere furono in pochi, i più ci credettero e la parola balenò fra la gente come un'ovazione muta, un solletico inebriante. Una macchina, che trainava alla corda il busto del dittatore decaduto, ci attraversò la strada, sbucando da via Milano e tra la gente che si stipava nel piccolo abitacolo riconobbi Concetta: frenai di colpo, mi sporsi al finestrino e la chiamai, ma non mi udì; sembrava felice: rideva, cantava, mentre l'automobile fuggiva via, seguita dalla coda di gesso, che la capoccia enorme del Duce sfarinava sull'asfalto. A piazza Venezia avevano acceso un rogo che bruciava i piedi di saggina a un fantoccio nero, con il fez in capo; attorno vedemmo le bandiere savoia, mischiate alle rosse dei socialisti che io ricordavo appena e Anna ignorava del tutto: le fecero grande impressione, disse, di sangue. Carra scese dalla macchina riconoscendo degli ex sovversivi suoi compagni, che stavano marciando verso il carcere, per liberare i politici. Angiolina invece voleva andare al ghetto, senza deviazioni e allora neppure Mario li seguì, temendo di abbandonarci, ché nessuno credeva alla resa completa dei fascisti e alla scomparsa dei tedeschi.

Arrivati al ghetto, lasciammo le macchine sul lungotevere e ci confondemmo nel popolo di Dio, intorno al tempio. Angiolina e Fosca guidavano il nostro corteo con passo celere: «Ecco» le diceva la madre di Anna, «Mussolini è caduto e abbiamo chiuso con il razzismo; il re, vedrai, ristabilirà il diritto e la giustizia. Guarda quanta gente felice che c'è; ci credono, certo, lo sanno che è finita la persecuzione.»

Le grandi porte della sinagoga erano aperte e Fosca esclamò: «Dio Benedetto» perché non era il tramonto e non era venerdì. Ci affacciammo alle porte del tempio con curiosità, mentre diversi anziani, entrando, ci salutavano sorridenti e molto cerimoniosi.

Domandammo notizie degli ebrei detenuti nei campi di concentramento italiani, ma nessuno ne sapeva nulla; del resto vi erano stati internati in particolare apolidi o stranieri, senza parentela con i romani del ghetto. A ogni modo le donne, alle domande di Fosca, l'abbracciavano e la baciavano come lei stessa, che era sfuggita ai campi, fosse il simbolo vivo del miracolo elargito da Dio al popolo, nel giorno della riconciliazione e del tripudio. Gli uomini invece ci stringevano le mani: «Siamo di nuovo tutti italiani» proclamavano, e noi assentivamo, scotendo forte le braccia nel saluto. Un vecchio, con una lunga barba bianca che gli arrivava al petto, tirò fuori dalla giacca un paio di forbici e si rivolse ad Anna chiedendole di tagliargli la barba: desiderava offrirla in segno di ringraziamento a una donna non ebrea. Anna un po' imbarazzata prese le forbici, però non osava impugnare i lunghi peli ieratici del vecchio. Lui la spronò: si sentiva troppo felice per non offrire qualcosa di sé, in quella giornata che era l'ultima del Risorgimento. Come? domandammo. Era stato professore di storia fino alle leggi razziali del '38, poi aveva perso cattedra, titolo e lavoro; sicché poteva ben spiegarci che stavamo vivendo l'ultima vittoria risorgimentale, perché la storia, sostenne, non sapeva di periodizzazioni precise e finché la coscienza del popolo italiano non si fosse emancipata dalla dominazione delle genti germaniche, il Risorgimento non sarebbe stato compiuto; ma ecco che la nostra giornata di gaudio veniva a concludere un lungo cammino e l'Italia di noi tutti, e di ogni fede, compiva il processo, nasceva nazione adulta, autonoma, pronta a figliare l'epoca del popolo futuro.

«Taglia ragazza; su, taglia questa vecchia barba che ho fatto crescere nell'esilio, perché nessuno vedesse la vergogna che provavo per la mia Italia razzista. Taglia, ridammi il mio viso di cittadino.»

E Anna eseguì, trovandosi a stringere nel pugno della sinistra il lungo ciuffo bianco della barba del professor Isacco Pesaro Finzi, che non lo volle nemmeno indietro e lasciandolo nelle mani di Anna, ci fece un profondo inchino di saluto, prima di scomparire tra la folla d'Israele.

«E ora che ci faccio?» mi domandò.

«Buttala» le suggerì Carra.

«No. La devi tenere. La conserverò io, e te la restituirò in un sacchettino di stoffa» intervenne Fosca e Anna, ubbidiente, le passò la barba del professore.

«Io desidero convertirmi» annunciò Candido. E già Carra stava per esplodere in una tipica risataccia quando il prosettore aggiunse: «Voglio entrare con Fosca sotto il medesimo baldacchino e infrangere il bicchiere rituale.»

Quale baldacchino e che bicchiere? Fosca s'intimidì e abbassò lo sguardo, intanto il corpo ovaloide e tarchiato di Candido le si avvicinò per abbracciarla. Anna mi sussurrò nell'orecchio: «Si vogliono sposare.» Rimanemmo senza fiato, mentre davanti a noi Fosca e Candido, abbracciati, facevano una sola parola: lei diritta e stampatella "i", lui ritorta e calcata "o". La madre di Anna balbettava di spiegazioni, chiedeva conferme. E le ebbe: Candido voleva essere circonciso.

«Ateo!» gli gridò Carra. «Ma se sei ateo?» Candido rispose che specialmente lui, Mario, doveva capirlo: lui, che conosceva la solitudine malata del cristiano, e proseguì: «È vero, sono ateo quando sono solo; e solo, io non so che essere ateo. Non ho la tempra di sant'Agostino, a me il soliloquio m'imbarbarisce, mi confonde. Nel popolo di Fosca invece non sarò più solo: apparterrò anch'io al loro cammino. Sarò parte di un patto che, legandomi alla ricerca del Bene e del Giusto, mi stringa a un destino superiore e io, in quell'appartenenza, io crederò.»

Angiolina s'illuminò in viso e forse levitò anche un po', fra noi ammutiti; infine, avvicinandosi ai promessi, li baciò entrambi a mo' di benedizione.

Avremmo voluto proseguire il tour per Roma in festa, arrivare alla Pista Svizzera e forse anche ballare una mazurca, però la scarsezza della benzina ci consigliò di riprendere la via del ritorno, verso La Storta. Dove giungemmo che si stava preparando una magnifica cena nell'aia della casa Forti.

Appena scesi dalle macchine ci demmo ad aiutare: chi apparecchiando, chi scavando nell'orto le bottiglie di un vino sepolto. C'erano altri invitati, contadini delle case vicine: fummo ventitré a tavola, illuminati dalle lucciole, pizzicati di zanzare.

Finché, a notte inoltrata, cadde improvviso il silenzio e tutti si volsero a guardarmi, attendendosi qualcosa da me. «Che vogliono?» domandai, piuttosto ubriaco, a Giusto che mi sedeva a destra; mentre a sinistra Anna pareva addormentarsi, con il viso infilato nelle mani a "u".

«Non so» rispose il mio quasi cognato, «forse che ti fidanzi anche tu, dopo Fosca e Candido.»

«Ti ricordi» mi domandò Mario, «quanto mi hai fatto penare per convincerti a presentarti Anna. Ah, te lo ricordi. Allora non volevi venire e ora invece sei sempre qua con noi: come te lo spieghi?»

Mi volsi dalla parte di Anna; lei scosse il capo a dirmi di no, di lasciar perdere e non raccogliere il guanto della provocazione. Comunque perché aspettare? Perché temevo che Anna non mi avrebbe mai amato? Ma ero sicuro che l'amavo io. Dunque senza scegliere, senza premeditazione, lasciandomi andare come a qualcosa di già accaduto, mi alzai. Adele accorse a versarmi del vino nel bicchiere e ognuno riempì il proprio, prevedendo il brindisi della scena successiva, nella quale pronunciai solenne la promessa: «Signora Gatelli, io le chiedo la mano di sua figlia: io sono qui per diventare il marito di Anna.»

21.

— Arrivai in ritardo di quasi un'ora; temevo che Anna non mi aspettasse più. Salii in fretta le scale del grande condominio di Testaccio, a via Bodoni. Incontrai gente nell'androne, ma ero in borghese e nessuno mi notò. Bussai alla porta dell'interno 11, sotto la targa ottonata con il nome della famiglia Favoriti. Anna aprì la porta: era inquieta e nervosa. Mi rivolse mille domande sul mio ritardo, mentre guardavo l'arredo orribile di quella casa di bottegai, dai mobili di vernice lucida, dai lampadari di finto cristallo, dai quadri stampati con colori guasti. «Come fa a vivere qui la tua amica Luisa?» Si arrabbiò per l'atteggiamento "schifiltoso" con cui le avevo rivolto la domanda. Le chiesi scusa e la strinsi fra le braccia.

Ci accomodammo sul divano di velluto porpora, accostato a un muro di camelie stinte, sotto due spadacce appese alla parete per fregio d'armi. Anna mi trovava preoccupato e voleva sapere perché. Le spiegai che stavamo cercando Mussolini.

«Hitler in persona guida la caccia; e ogni gruppo di cacciatori insegue nello stesso tempo la preda e i commilitoni, per mettersi in luce agli occhi del Führer facendo ombra agli antagonisti: e sarà l'ombra di un cappuccio sopra il nodo scorsoio del cappio. Ognuno, dando la caccia all'ex Duce italiano, mira a far fuori un ex amico germanico.

L'ammiraglio Canaris, proprio ieri, ha consentito che si passasse un'informazione fasulla a Kappler, per depistarlo e fargli credere che gli italiani abbiano nascosto Mussolini all'Elba. Intanto a Berlino arrivano soffiate addirittura dal conte Ciano e che le SS passano subito a noi dell'Abwehr, per farci impastoiare in verifiche irrealizzabili, distraendoci dalla lepre. Io stesso sono forse pedinato; non so neanche da quale servizio o sottoservizio o singolo agente. Così non mi è stato possibile usare la mia macchina, né uscire dalla città per raggiungerti. Ecco perché, quando mi hai telefonato, ti dicevo che avevamo bisogno di un nuovo posto per incontrarci, evitando in ogni modo la mia villa. A proposito: come mai hai pensato a questa casa? Che sa di noi la tua amica Luisa? Suo marito dov'è? E lei, è con lui?»

Luisa, di qualche anno più adulta di Anna, era l'unica vera amica che avesse mai avuto sin dall'infanzia. I genitori, gli Spaggiari, anch'essi parmensi, avevano fatto amicizia con i Gatelli dai primi anni romani. Questa Luisa era sposata con un tal Raimondo Favoriti, quel giorno in missione militare, essendo uno dell'ex milizia fascista, appena integrata nell'esercito dal governo Badoglio. Luisa invece stava passeggiando nel quartiere, per regalarci il breve tempo del nostro incontro. Anna non aggiunse alcunché sulla madre, sul meccanico, sulla scusa con cui era riuscita a prendersi un pomeriggio di libertà per raggiungere Rudi che poi l'aveva trasportata fino a Roma. Insisteva invece a chiedere notizie della situazione politica; non sapeva nemmeno il poco che scrivevano i giornali. Si credeva libera; non aveva nozione di essere caduta dalla dittatura fascista alla dittatura militare di un re e di un generale imbelli. Non riusciva a credere che i soldati italiani avessero sparato sui manifestanti in festa, per far rispettare lo stesso ordine sociale che era stato imposto dal Duce decaduto: ordine insidiato da pochi operai scamiciati e sbandieranti, che il nuovo governo, tanto quanto il vecchio, definiva "bolscevichi". Anna non aveva alcuna percezione di quale differenza corresse tra una dittatura, più o meno legittimata, e una vera democrazia; né io, che l'avevo vissuta, ricordavo bene gli anni di Weimar e ne raccontavo ad Anna come di un sogno, fatto nel privato del mio sonno.

«No, non siete liberi» le dissi, «né tantomeno sta per finire la guerra. Siete solo in attesa che Hitler occupi l'Italia non ancora in mano agli angloamericani. Questo avverrà non appena il Führer avrà scoperto cosa ne è stato di Mussolini, e poiché non lo hanno ammazzato subito, non crede che lo ammazzeranno più; dunque ce lo fa cercare per liberarlo e usarne come un fantoccio, rimettendolo al potere, trasformando l'Italia in un campo di battaglia. Badoglio è un velleitario, a cui è stato affidato un compito ben più difficile che entrare in trionfo ad Addis Abeba; pensa di guadagnare tempo con Hitler per trattare la resa al nemico, magari offrendo in cambio l'antistalinismo: chi lo sa? o la flotta, già, la grande flotta. Il tuo re nano, Anna, con il suo maresciallo ammazza negri, stanno tenendo in scena questo teatrino, solo perché non sono capaci di nulla, se non di tradire il loro popolo, il Duce, Hitler e gli angloamericani: tradire tutti insomma, a favore di nessuno. Proprio come si comporta il tuo meccanico, che tradisce te, che tradisce la sua amante, che tradisce il patto con tua madre e con quale tornaconto? Forse con nessuno: lui lo fa così, per natura di razza. Sì, hai capito bene: Bruno dico. Non ti ha confessato di avere un'amante, una certa Italia D'Ascenzio. È la sua padrona di casa, o meglio lo era, fino a che non hai consentito che ti seguisse nello sfollamento. Certo che mi ha cercato lei; cosa credevi, che mi mettessi a indagare le storie erotiche del tuo meccanico? Lui a te non ha detto di lei, eppure a lei ha detto di me; del resto sono amanti, loro, e dunque sono in confidenza. Ti sorprende? Oppure l'idea di essere tradita dal tuo cavalier servente t'infastidisce. Non ci credi? E su cosa si basa questa fede in

Bruno? Perché quella donna, che non mi è parsa insincera, avrebbe dovuto mentire? È molto innamorata: l'ho vista, l'ho ascoltata, sono cose che non si possono fingere. Anzi, mi ha fatto ingelosire. Non pensavo che il tuo Bruno fosse capace di suscitare un sentimento talmente intenso. Un meccanico, dicevi, da andar bene a tua madre e al parricida, utile, anche servizievole nel caso del bombardamento e facile da tenere a distanza, da usare e manipolare a piacere. Eppure la signora D'Ascenzio ama questo tuo meccanico tanto da chiedergli un figlio, che lei alleverebbe senza di lui. È così attraente Bruno? Dimmelo. Come può suscitare un tale desiderio in una donna sensibile e intuitiva, dotata di una certa grandezza tragica, che ammalia il senso estetico del cuore tedesco? Fra me e lei c'è una similitudine: lei ama assolutamente, come io amo te. Anch'io ti avevo chiesto, con la mia lettera da Palermo, di darmi il figlio che hai sempre fantasticato a pienezza del nostro amore; eppure non ne hai fatto più parola. Ammetto che incontrare l'amante del tuo meccanico mi ha turbato; ho capito che stavo sottovalutando sia Bruno, sia lo spazio che gli lasci accanto a te. Bruno non è un paravento del nostro amore; è qualcosa di più, vero Anna? Qualcosa che ci appartiene e ci sfugge, che ci lega e ci scioglie: è uno strumento che si affranca dalle nostre mani e si autodetermina ogni giorno un po'. Che confusione, amore mio. Ti spaventa? Ma no, tu quasi non la vedi questa mischia in noi, questo uscirci reciproco, dove tu sei la mia porta per l'addio e io l'ingresso che t'introduce fuori di me.

Oggi non sono venuto per fare l'amore, no: non voglio usare i nostri corpi contro di noi. Infine sono qui a offrirti di fuggire con me oltre la frontiera svizzera. Ho un buon piano per arrivarci e là dei soldi per vivere bene, fino al massacro definitivo della mia Germania. Dimmi di sì e farò preparare il tuo passaporto.»

Ci fu un sorriso sulle labbra di Anna? Piuttosto una

smorfia scoraggiata; disse che era l'illusione disillusa di trovarmi davvero geloso. Protestai: «Lo sono sul serio.» Si alzò dal divano stizzita e mi ordinò di tacere: ché una gelosia fasulla non era meno avvilente di un tiepido amore. Fui sorpreso e un po' vanitoso: Anna doveva soltanto a me l'acume che mostrava nel giudicare le emozioni.

Mi alzai, la raggiunsi presso la finestra che affacciava sul mercato di piazza Testaccio, sopra le chiome dei platani. Le presi le spalle tra le mani e l'abbracciai da dietro, fiutando il profumo dei capelli.

«Ti dici ingelosito» riprese con voce pacata, «perché pretesi una vita da condividere insieme e non invece un figlio da tirare su da sola? Sei invidioso che una donna abbia chiesto a Bruno quanto avresti voluto da me. Così mi hai scritto nella lettera da Palermo: vorresti imprimere nel mio corpo il sigillo di tuo figlio. Come hai potuto tradurre in questo modo la mia richiesta: io volevo te, non la marchiatura del mio corpo con il tuo seme ariano. Sapessi quanto è doloroso, Carlo, comprendere che anche quando mi hai amato, non hai mai capito nulla del mio sentimento: tu, così intelligente, così ottuso per me. Io sono sempre stata un tramite per un sogno che desideravi raggiungere; mi hai amata nel modo in cui un sognatore vizioso ama il suo cuscino. Chi potrebbe dire che non è amore? Eppure il sognatore ama il cuscino per i sogni che gli concilia, non per la lana di cui è fatto. Invece io voglio essere desiderata per ciò che sono – lana cuscino lenzuolo – non per quello che ottieni usandomi. Carlo, non esiste ancora nessuno da cui voglio essere amata se non da te: io però, non tuo figlio, non la tua concubina, nemmeno la compagna del tuo esilio svizzero; io, voglio essere la tua donna: questa qui, il guanciale, non il sogno! Sei invidioso di Bruno: vorresti che ti amassi come Italia ama lui, perché lei vuole un figlio dall'uomo che ama, come tu lo vuoi mettere nella donna che ami. No Carlo, io sono il contrario: io amo te e solo da te voglio essere amata, un figlio, quello, se proprio lo desideri, lo chiederò anch'io a Bruno.»

Il 3 agosto fui convocato d'urgenza da Angiolina Gatelli, in cucina. Chiuse ogni uscio, mi fece accomodare e mi spiegò che il fronte delle opposizioni antifasciste si stava riorganizzando attorno a Ivanoe Bonomi. Non solo, aggiunse di aver preso contatti con i sindacalisti della Cgl di Buozzi e che da costoro le era venuto il medesimo concetto: eravamo prossimi a un'insurrezione generale.

«Come...» domandavo e «contro chi?» Non capivo, né Angiolina fu precisa al riguardo: di certo avremmo marciato contro i tedeschi; forse pure contro Badoglio. E allora il re? Cosa ne avremmo fatto del re? Non sapeva dirmi, comunque era certa che ogni cosa si sarebbe decisa nei giorni successivi e comunque, concludeva: «In questi frangenti è doveroso per tutti, anche per noi, l'agire.»

Io, per me, pensavo avesse bevuto o fumato troppo e non sapevo cosa risponderle; in ogni caso quando, a seguito dell'appello alla mobilitazione generale, m'intimò di partecipare al commando che doveva trafugare la bomba di Ignazio Pesce, le imposi di sedersi e calmarsi.

Di che bomba si trattava? E di che genere di pesce? Non riuscii a trattenere la celia, facendola arrabbiare. Protestò che non stava scherzando: il giorno avanti Adelmo Rabersati era stato avvertito del ritrovamento dell'ordigno. Mi scusai, domandandole di spiegarsi meglio, perché non capivo nulla di quanto aveva fretta di comunicarmi. Come? non sapevo che Adelmo era un artificiere? Dovetti rammentare alla madre di Anna che aver lavorato, venti anni prima, allo spolettificio militare con Luigi Gatelli, non bastava a conferire ad Adelmo Rabersati una qualifica tanto impegnativa; in ogni caso, cominciasse col riferirmi chi fosse tal Ignazio Pesce e di quale bomba stesse dissertando.

Angiolina narrò che il signor Pesce altri non era che un

vedovo sessantenne, di fede libertaria, marmista al Verano e avventore di Ramponcino a via dei Reti: la stessa osteria in cui Adelmo si fermava a giocare a boccetta. Pesce, alla morte dell'amatissima Carmela, sei anni prima, aveva speso un tesoro per costruire una tomba confacente all'asprezza della vedovanza: un bel tempietto con giardino, recinzione e cancelletto in ferro battuto, nella parte nuova del cimitero.

Il 19 luglio le bombe avevano devastato la zona monumentale del Verano, trascurando le aree nuove. Tuttavia per diversi giorni l'accesso al camposanto fu impedito e sconsigliato pure ai vedovi più premurosi. Soltanto domenica 1° agosto il signor Pesce, acquistati pochi margheritoni dai fioristi sopravvissuti, si era potuto recare alla tomba di famiglia. All'arrivo fu molto sorpreso di trovare le piante del giardinetto ancora floride e vegete, nonostante la grande calura di luglio. Il tempietto poi gli parve specialmente luminoso e brillante, quasi un cero potentissimo illuminasse dall'interno le vetrate colorate del portale. Ma quando aprì i battenti scoprì che non vi ardeva alcun moccolo gigante ed erano invece gli stessi raggi del sole a riverberarsi, tra i calcinacci e le tegole del tetto, sul cofano impolverato di un grosso siluro; il quale se ne stava conficcato nel sarcofago, da cui le povere membra della salma rasciugata tracimavano quale un orribile contorno di asparagi sotto a un uovo sodo.

Pesce pianse disperato tra le macerie profanate, senza mai chiamare aiuto, almeno fino a quando lo folgorò l'idea felice: e allora via, come una saetta, a cercare di Adelmo. «Sor Adè» gli sussurrò nell'orecchio, appena l'ebbe trovato, «c'ho na cosa per voi, na cosa grossa: è na bomba plutocratica Adè, n'ammericana.»

Il Rabersati, raccontò Angiolina, fu molto incerto su cosa rispondere: non conosceva bene il signor Pesce, che poteva anche essere un informatore della polizia. Comunque il vedovo gli riferì ogni cosa e ricordando di aver saputo dal Rabersati medesimo che questi aveva lavorato allo spolettificio, gli chiese di disinnescare la bomba; poi, in cambio, ne avrebbe venduto l'esplosivo al mercato nero.

«No» fu la replica del tornitore, «andate ad avvertire le autorità.» Pesce reclamò che queste avrebbero fatto brillare la bomba e i resti di Carmela sarebbero andati in fumo con il loro tempietto, con i fiori, con le vetrate azzurrine e gialle. Adelmo doveva aiutarlo: sapeva di certo disinnescare l'ordigno, senza nebulizzare le venerate spoglie.

Dapprima Rabersati acconsentì soltanto a recarsi al cimitero per un rapido sopralluogo; poi, accertato lo stato perfetto della bomba che, per un difetto del governale, doveva essere precipitata a spirale o addirittura in planata, fino all'atterraggio sdraioni sulla salma della signora Carmela: non solo rassicurò il vedovo che la cosa si poteva fare, ma che la considerasse già fatta. Infine raggiunse Angiolina a La Storta per raccontarle ogni cosa, dichiarandosi pronto all'intrapresa.

«No, non siete capace, non sapete...» furono i timidi tentativi di Angiolina per farlo desistere. «Però, che vuoi Bruno» concluse al riguardo la mia futura suocera, «è Luigi che lo guida; e io cosa posso fare? impedirgli di seguirne l'appello? No, mai! Se Adelmo dice di essere capace a smontare la bomba, io gli credo Bruno, io lo aiuto.»

Solo allora compresi che non era né ubriaca né paralizzata nei gangli cerebrali da un'intossicazione di nicotina; sicché scattai in piedi per chiederle se fosse pazza: ché cercare di strappare dalle gambe della signora Carmela una bomba di quel genere non avrebbe soltanto polverizzato Adelmo, il signor Pesce e quanti folli fossero andati a stuzzicarla, ma anche devastato decine di metri quadrati attorno e ammazzato altri innocenti.

«Perché, chi vuoi trovarci stanotte al cimitero, oltre i morti?» mi domandò.

«Come stanotte?»

Avevano già organizzato tutto nei minimi dettagli, convocando per l'occasione un competente in forze a una banda sovversiva in contatto con gli angloamericani, il quale aveva informazioni precise sul tipo di spolette montate nelle loro bombe. Comunque si aspettava ancora il mio aiuto, non per disinnescare l'ordigno, precisò: per estrarlo dalla signora Pesce, trasportarlo fino all'officina e aprirlo con l'acido nitrico cavandoci il tritolo.

Dissi che volevo parlare subito con Adelmo per convincerlo a desistere e Angiolina annuì: era così sicura dei suoi uomini che mi propose senz'altro di raggiungerli all'appuntamento convenuto, nella casa di via dei Sabelli.

Decisi di non informare Anna dell'ennesimo eccesso partorito dalla mente della madre, perché ero certo che avrei fermato l'azione suicida di Adelmo, seppure fosse del tutto plagiato dalla volontà di Angiolina e aspirante emulo del defunto Gatelli. Eppure già mentre raggiungevo la città con la bicicletta del Forti, la mia fiducia cominciò a traballare. Poteva Angiolina delegare al solo Rabersati l'esecuzione di un'azione tanto delicata, pericolosa, folle? E come mai sembrava così sicura che avrei fallito nel tentativo di far rinsavire l'artificiere? C'era solo una risposta possibile: l'azione doveva essere comandata da Mario Carra e già sapevo che mi sarebbe stato impossibile convincere Mario; ecco dove si fondava la sicurezza di Angiolina.

Entrai in casa furioso, pronto a minacciarli di avvertire io stesso la polizia. Il mio piano era di spaventare almeno il vedovo, prefigurandogli il carcere certo, oltre l'annichilimento del residuale soma muliebre. Però quando giunsi nel salotto, già al primo sguardo intesi che ero battuto: il signor Pesce non c'era, impegnato fino a tarda notte in bottega, dove i suoi lavoranti lo avrebbero fornito di un alibi attendibile, mentre il commando che mi aspettava risultava composto da Mario Carra, Adelmo Rabersati, Salvatore Aiello, Candido Pani e Fosca Regina Salonicchio.

«Sei tu eh, l'esperto di esplosivi?» Mi rivolsi, arreso e

scorato, al fratello di Concetta, che non avevo più rivisto dal tempo della mia notte di prigionia.

«Diavulo cuòglielo, Bru'» mi rispose Salvatore nella sua lingua cafona.

«E voi?» domandai a Candido e Fosca, «qual è il vostro ruolo? raccogliere i pezzi di Adelmo quando sarà esploso con la bomba?»

Sostenevano invece di essere lì per Carmela Pesce, per ricomporla nella pace eterna, dopo che ne avessimo carrucolato fuori dalla pancia i tre quintali di metallo. «E poi, quando sarà tutto fatto, conserveremo il tritolo» aggiunse Candido con eccitamento e orgoglio. «Sì, all'obitorio, in una cassa di zinco. E in quella occasione mi tornerà utilissima la lezione sugli esplosivi che m'impartisti al telefono: ti ricordi? Le bombe sono cadaveri, dicesti, a rapidissima decomposizione.»

Cercai, senza alcun successo, di sospingere le menti avventate dei miei amici verso una qualche ragionevolezza, sprofondando infine nella poltrona del salotto, incerto, ansioso, nauseato. Cosa avrei dovuto fare? Tornarmene da Anna o accompagnarli nell'impresa, sperando di sfruttare qualche impiccio improvviso per farli desistere?

Prima del coprifuoco io e Adelmo scendemmo a nascondere, presso l'ingresso laterale del cimitero, una vecchia carretta a due ruote, con il pianale in bilico sull'asse, al quale era fissato il lungo manubrio per sostenerla e sospingerla nel trasporto. Vi caricammo un cavalletto da tre metri, il paranco, le tavole di legno, già preparate e tagliate a misura per essere inchiodate in una nuova cassa da morto; una grossa borsa di ferri, con pinze e tenaglie di ogni tipo e infine un po' di mattoni con la calce per ricostruire il sarcofago, il cui marmo di rivestimento, invece, sarebbe stato posato dallo stesso Pesce nei giorni appresso, quando muratori professionisti e amici fidati sarebbero venuti a riedificare il tetto.

Mentre tornavamo verso casa cercai ancora di far recedere Adelmo dall'azione suicida, ma obiettò di nuovo che la nostra era bomba facile: di quelle semipenetranti, con una sola spoletta a concussione e posta sul fondello, sicché non c'era da temere alcun rischio; l'unico problema era vincere la forza della vite, per estrarla senza strappi e vibrazioni. Ammisi fra me e me che Adelmo aveva in parte ragione; l'impatto contro il suolo di un ordigno da seicento libbre doveva essere stato tremendo, pertanto c'era una forte probabilità che l'interno del congegno detonante ne fosse rimasto guastato. A ogni modo riuscii a farmi promettere che se l'operazione non fosse riuscita subito, avrebbe desistito, evitando di forzare l'ordigno.

Tornati a casa attendemmo la mezzanotte per uscire di nuovo con gli altri, alla spicciolata: Candido e Fosca per primi, con le loro valigette da becchini in mano, Mario e Salvatore poi, io e Adelmo infine.

Ritrovata la carretta, la estraemmo dai rovi e penetrammo nel camposanto, spezzando con le tronchesi la catenella del cancello e facendoci luce con una lampada ad acetilene. La prima sosta fu davanti al loculo di Luigi Gatelli, dove Adelmo, nel silenzio sorpreso di noi altri, cavò dalla tasca un garofano rosso, che sistemò nel vaso sotto la fotografia dello scomparso, rimanendo più di un minuto in piedi, a gambe larghe e con i polsi in croce sulla schiena. E forse, quando Carra gli abbracciò le spalle massicce, per convincerlo a muoversi e seguire il destino, forse mi commossi un po', quasi avessi anch'io conosciuto il defunto che ispirava le azioni di loro tutti e che dalla lapide di travertino continuava a guardarmi pacifico e lieto.

«Che chiave userai?» domandai ad Adelmo; e lo vidi incerto, infine spaventato.

«Sai» confessò, «il dado della spoletta è sbreccato dalla botta, la chiave non ce la farà ad agguantarlo: forse con una pinza a morsetto, che dici?»

«Non lo so» risposi. «Quanto è grossa sta spoletta?»

Il commando si spostò nel tempietto dei Pesce dove, alla fiamma tremula della lampada a gas, ci apparve la bomba, esorbitante dal sepolcro come un ombelico estroverso ed enorme, imborotalcata di calcina e con il suo contorno d'ossa verzicanti.

«Però non fa paura» fu il primo commento di Fosca, che toccò la bomba con un dito.

«Macché» aggiunse Carra, «sembra un pisello nel preservativo.»

«Portiamo rispetto! C'è ancora una salma qui.»

«Va buono Delmo! Eppoi è na carugna gintile: manco feta» commentò Salvatore.

«È che l'idrogeno solforato e gli altri gas nauseabondi si sono dispersi allo squarciamento della bara e ora, i pochi resti della signora Pesce, non hanno più corpo da consumare e senza combustibile non c'è colliquamento: senza esplosione saprofitica, niente onda di fetore» spiegarono le parole del necroscopo, smorzando il brusio delle altre voci.

«Insomma Bruno, che pinza uso?»

Convenni che l'esagono di serraggio era molto smussato, mentre il resto della spoletta sembrava in ordine perfetto e, tolta la polvere di gesso che ricopriva il fondello, mi era parso di scorgere addirittura del grasso attorno all'impanatura.

Salvatore intanto, secondo le indicazioni degli artificieri della settima armata americana, con cui la sua banda era entrata in contatto, mimava ad Adelmo il movimento semicircolare che la mano avrebbe dovuto imprimere al dado, prima di sganciare il meccanismo d'innesco.

Visto il movimento da eseguire e lo stato dell'elemento da svitare, consigliai di non usare le pinze per coni o per piattelli, quanto una chiave a rullino o, alla peggio, le grandi da gasisti. Adelmo acconsentì subito al mio suggerimento e frugammo nella borsa dei ferri per sceglierne una della misura adatta.

Infine, quando non rimaneva che lasciare l'artificiere alla sua sorte, Fosca ci chiese ancora il tempo di pregare una litania ebraica di buon auspicio, mentre Adelmo, che la temeva una iettatura, cacciò la ragazza dal tempio e noi con lei, senza saluti e senza abbracci.

Per ultimo uscii io, sotto il cielo nero e limpido della notte, ma calmo, di colpo quieto; come se qualcosa mi avesse tolto la paura e restituito un ottimismo istintivo. Cos'era? Una certa sensibilità al caso, pensai, da giocatore di dadi; oppure una rarefazione improvvisa della coscienza, davanti all'impossibilità di fermare la determinazione di Adelmo. In fondo conservare una buona coscienza, compatta e concentrata, era assai difficile in quei giorni, dove gli eventi le negavano ogni collosità, ogni forza centripeta. E più la coscienza si diradava, più perdeva la resistenza all'ingresso della coscienza altrui, finendo in un miscuglio collettizio che la riduceva a un mercato di piazza, pieno delle grida di tutti. Altrimenti mi sarei fatto legare alla tomba, piuttosto che lasciare Adelmo rischiare la vita. Invece un po' di lui mi aveva occupato e già in precedenza qualcosa di Angiolina; sicché non mi opponevo più all'azione suicida: accoglievo le loro ragioni irragionevoli nella spaziosità di una coscienza sempre più scollata, vaporosa, quasi impersonale.

Attendemmo meno di cinque minuti, poiché subito Adelmo riemerse dalla tomba gesticolando nervosamente: le pinze non andavano bene, sfuggivano la presa esagona.

Rientrammo nel sepolcro, mentre lo sconfitto bestemmiava senza più riguardo per la salma. E ci stava mostrando l'inefficacia dell'utensile sul dado scantucciato, quando Candido estrasse dalla sua borsetta delle lunghe e lugubri tenaglie a bocca di sorcio, quattro denti sopra e tre sotto. «Che vuoi fare?» lo interrogò Fosca, ma il settore, che aveva già azzannato con i becchi dentati il naso della spoletta, esortò Adelmo: «Tiè, gira.»

Scappammo fuori come lampi, non riuscendo a correre

nemmeno per trenta metri che udimmo l'urlo di Adelmo: «L'ho ciappà! Cornutaz d'un demoni! L'ho ciappà.» Ed era così: arrancava anche lui verso di noi con la spoletta in mano e Candido appresso, che brandiva la pinza a sorcio e gridava a sua volta: «Faccio lo stesso per cavare i dischi della colonna, perché io me ne infischio degli scalpelli di Brunetti» mentre Fosca lo abbracciava quale l'eroe della notte, quasi la bomba non fosse stata che un cadavere duro e secco, riottoso al taglio del cistòtomo.

Adelmo si aggrappò a me, invece, e vidi che piangeva e bofonchiava parole in dialetto parmigiano che non capivo; di certo erano lodi al suo dio Gatelli, che l'aveva assistito, che gli aveva dato la fermezza meccanica della mano: quella solidità morbida del gesto che solo io, fra tutti loro, sapevo essere il genio, non commutabile, del puro attrezzista.

22.

— Mi ero arrabbiata dallo spavento? Il legame con Bruno mi aveva così tanto catturato da scatenare in me astio e dolore, all'idea che mamma lo avesse esposto a un pericolo mortale? Perché, cosa sarebbe cambiato nella mia vita se la bomba lo avesse ucciso? O forse l'immagine di Bruno che esplodeva era solo una maschera di Carlo, del mio amore che sciupavo?

A casa di Luisa, quando gli avevo detto che avrei preferito un figlio da Bruno, piuttosto che da lui, avevo cercato di offenderlo. Lo avevo accusato di non comprendere il mio sentimento; e invece ero io a essere ignara del suo. E lui, con la voce flebile di una confessione, mi aveva risposto: «Tu mi anticipi, Anna; io ti amo perché mi precedi e parli con una parte di me che io ascolto solo in te: è un me straniero che mi abita, che tu vuoi e che ti vuole. Prima di conoscerti non sapevo della sua esistenza; poi t'incontro e scopro che lo vedi in me e t'innamori di lui come nessuna donna si era mai innamorata di me. E allora cosa potevo fare se non seguirvi, per trovare il modo di riunirmi a quell'estraneo in me? Tu però non mi hai condotto da lui. L'hai amato invece, e lui aveva il mio corpo, la mia voce e vi ho visto godere di un'appartenenza che non ho mai conosciuto. Vi ho chiamato perché mi portaste con voi e tra voi mi teneste, come un bambino nel letto dei genitori: e non avete

275

voluto, perché lui non sentiva me e tu, tu sentivi soltanto lui. Pertanto ti sorprende se vi ho odiato?

Da questo misterioso altro della mia vita, che è stato concepito in me dal tuo desiderio, volesti un figlio che ti negai, Anna, ma oggi non più; perché in lui troverò incarnato qualcosa del mio estraneo che non ho potuto conoscere che in te, e negli occhi del tuo bambino comprenderò la verità del nostro amore, che il tuo amore mi ha celato. Ecco, cosa ti diceva la mia lettera da Palermo; una lettera che non hai capito, perché sei così ingenua, così innamorata. E ora mi dai il più arduo dei problemi, quello che non avrei mai sospettato di dovermi porre: mi dici che forse lui, l'estraneo che hai amato, è Bruno; che lui è me, ma non sono io. Oh Anna, come ti amo quando mi costringi a seguirti dove non sai di andare e sei una ragazza antica, una giovane sfinge che mastica dilemmi come un chewing gum americano.»

«Carlo mi ha detto che io mi sto innamorando di te, Bruno.» Così si espresse Anna: semplicemente e all'improvviso, mentre camminavamo per i prati secchi d'agosto, a prendere il fresco del crepuscolo. E i fatti impliciti nell'affermazione: che aveva rivisto il tedesco e di nascosto; che la mia fidanzata si faceva dire da un altro uomo che era innamorata di me e infine che l'uomo si sbagliava, perché non era vero; tutto ciò non ebbi nemmeno bisogno di accertarlo: fu subito evidente alla mia emozione deduttiva.

«E tu gli credi?»

«Lui vede dentro di me e forse anche dentro di te. Se dice che mi sto innamorando di te, forse è vero. E c'è pure il sogno che ho fatto; no, non è stato un sogno, scusami: stavo per mentirti, perché sono imbarazzata e confusa. È stato un pensiero... no, nemmeno: era di più, era un desiderio.»

«Di che?» domandai, mentre la pompa cardiaca mi prendeva un lungo fuori giri.

«Di avere un figlio da te» rispose, senza che riuscissi a udirla proprio bene, per il fracasso di sbiellamento che facevano nel mio petto le ripetute extrasistoli atriali e che mi negavano il fiato per dirle di me e del mio sentire. Tacqui dunque alla rivelazione, quasi non avessi commenti, e non impegnasse di me che il padiglione auricolare.

Anna mi guardò, stupita del mio silenzio e vedendo forse che mi fremevano le labbra, aggiunse subito, a frenare ogni mia parola: «Sì, il desiderio di avere un figlio da te, Bruno, per poi tornare da Carlo e portarlo via con noi, che fuggiremo in Svizzera.»

Un pallone aerostatico, una mongolfiera, uno Zeppelin pompato d'idrogeno più leggero dell'aria e più rarefatto dell'ossigeno, fu il mio cuore di giubilo e una foratura, un'esplosione, che lo fece precipitare in un baleno cupo e freddo, fu il mio cuore di sale, quando me lo ripresi nel petto.

Chiusi gli occhi e attesi un momento che l'organo percussionista tornasse a battere il ritmo fioco del respiro, nel corpo impietrito.

Cosa avrei dovuto rispondere ad Anna; come prenderla mentre vaneggiava. Diceva di voler espatriare con il tedesco, però mi chiedeva un figlio, per àncora a cui aggrapparsi mentre si lasciava trascinare via. E cosa pensare di me stesso, se gli atti che facevo risultavano tanto diversi da ogni mia presunzione: se avevo lasciato Adelmo e Candido rischiare la vita disinnescando la bomba e se ora, quieto, ascoltavo Anna dirmi che avrebbe portato via mio figlio, per farlo crescere all'ombra di un altro uomo. Perché apparivo tanto differente da come credevo di essere? Qualcosa di molto potente mi distoglieva sempre di più dalla vecchia immagine che avevo di me e mi rendeva permeabile ai desideri degli altri. Mancavo di personalità? O forse l'amore era un'emozione tanto espansiva da non trattenersi in una testa sola? Che razza di persona ero io? Un enzima, ecco, un mediatore; adatto solo a catalizzare la nostra storia nella persona futura di mio figlio. Forse nemmeno questo; e ipotizzai addirittura di non essere reale; soltanto un personaggio della fantasia di Anna, il ritratto del suo desiderio, ma il ritratto nello specchio: quell'immagine che era l'opposto simmetrico del corpo specchiato e aveva la mano sinistra dove quello teneva la destra, che saliva verso di lui se quello scendeva verso di lei e quando questo si girava per allontanarsi dal vetro, l'immagine non lo seguiva, si voltava anche lei e se ne andava dalla parte opposta, scomparendo nello spazio infinitamente profondo di un punto in superficie, sul cristallo del vetro.

«Sì Bruno, mi sto innamorando di te come di una parte di Carlo che non trovo in lui o che da lui si è separata per farsi trovare in te. E non so in che modo riunirvi in un'unica persona, se non avendo un figlio da te che mi riporti da lui. Perdonami, se ti parlo così; devi sapere la verità. Mi hai catturato, Bruno, perché sei un occhiale colorato sulla cupezza di Carlo. Lui mi possiede così tanto che solo tuo figlio, io credo, mi potrà liberare da questa prigione. Tu da solo non puoi, sei troppo debole per tirarmi fuori.»

Che occhi tristi e melmosi aveva Anna, la notte del 7 agosto: angeli richiamati nel canile del paradiso, dal fischio di Dio.

«Non so davvero» continuò con poca voce, «perché è nato in me questo improvviso desiderio di un figlio. Io non mi comprendo più Bruno: sto male; sento che la mia unità di persona si è rotta e mia madre e Carlo spadroneggiano dentro me; mentre tu, che sei un raggio di sole, un ragazzo di strada e volevi portarmi via, sei stato catturato da mamma, che ti ha nominato mio fidanzato, ponendoti al centro del mio carcere, che è la nostra famiglia. Anch'io, come il nostro popolo assoggettato, cerco solo di corrispondere agli ordini dei conquistatori, per sopravvivere; eppure è un inganno, un miraggio: non mi salverò senza un'idea nuova.

Quindi penso a un figlio, che mi riunisca con la forza del suo sentimento.»

Un'emorragia di lacrime le bagnò il volto, senza singhiozzi né lamenti: una pioggia battente che nasceva dalla sua pelle e ruscellava lungo i polsi fino alle mani. L'abbracciai, mentre si lasciava cadere a terra, tra le stoppie gialle del grano. «Lasciami» mi chiedeva, «vai via da me: non vedi che sono malata? Non c'è futuro per noi: sono falsa, sono pazza, pari a chi comanda oggi: sono badogliana, "velleitaria" dice Carlo, del tutto italiana.»

Cercavo di carezzarle la testa, massaggiandole con le dita l'adipe capelluto a confortarne il pensiero; mentre il mio, intanto, mi circuitava nel cranio, su e giù per i pochi millimetri della corteccia nuova, alla ricerca di un qualche senso, in cui intendere le parole di Anna. Era inutile pensare, scegliere; era ridicolo che cercassi un contegno per il giovane perito ferito nell'orgoglio; contava soltanto il desiderio di Anna, che mi stringeva i visceri in un pugno di gigante.

«Perché ti disperi» le dissi, mentre mi bagnavo le braccia del suo pianto, «io non ti abbandonerò, qualsiasi cosa tu decida di fare. Non lasciarti spaventare da quanto ci capita: forse ogni storia d'amore è più grande della mente dei suoi personaggi e non c'entra, così si dilata intorno e li sopravanza, facendoli muovere come polvere di ferro su una traccia magnetica. Dici che io sono la parte di Carlo libera dalla sua natura viziosa, che a volte chiami "malattia"? Dunque diamoci a questa parte, Anna, vediamo dove ci porta. Guardami, cosa c'è da piangere? Dovremmo invece essere felici perché ci siamo scontrati per la strada, l'aprile di un anno fa; se non ci fossimo mai trovati, ora vedresti morire quello che in Carlo hai amato. Va bene, Anna, vieni pure da me immaginando lui, per tutto il tempo che ti serve; io aspetterò, finché di lui non avremo più bisogno e...»

«... finché lui non verrà sostituito da nostro figlio?»

Anna mi guardava come se sotto di noi non ci fosse più alcun suolo e attorno avessimo il vuoto.

«Non so cosa sia un figlio, nemmeno perché si facciano figli; non capisco cosa ci spinga a incontrarci con questi intimi estranei; ma non hai torto quando dici che abbiamo bisogno di unità – tu abitata da tante teste e io così spugnoso e largo che chiunque m'infetta della propria mente – insomma di qualcuno che ci aiuti a diffonderci l'uno nell'altra e che si faccia regola della nostra unione.»

«Bruno, chi sei tu?» mi domandò spaventata. «Non sei solo un uomo, vero? Se sei un angelo mandato da mio padre, dimmelo, ti prego.»

«Oh no: da tuo padre proprio no, Anna» le dissi sorridendo della sua sorpresa, «semmai da tuo figlio.»

«Allora portami via di qua; portami dove lui ci aspetta.»

Però io non sapevo dove andare se non dove Anna mi conduceva: nella sua testa di scoglio gremita di sirene, dove le presi le dita per serrarmi le orecchie e dove fui cera per le sue. Gettati nel campo che imbruniva, ci votammo alla creazione di un mondo sottopelle; e fluimmo l'uno nel succo dell'altra, a metà polmonati, anfibi, in difetto di respiro, in bisogno di approdo nell'acquitrino salmastro, fino all'appiglio di un'acqua dura: una sabbia calda e assimilante, che ci risucchiò nel muco cavo del suo ventre e Anna disse che era l'argine grasso e sgusciato del paradiso; no, eravamo giunti invece nella casa del tempo, oltre le fauci sdentate e pervie del suo utero di ragazza.

— Quando spiavo, io spiavo sempre Anna. Se sfogliavo una carta segreta spogliavo il suo corpo; se origliavo dietro una porta era per udire la sua voce; quando braccavo un delatore, il mio piede si calava nell'orma di lei che fuggiva e se scoprivo un fatto ignoto era ancora una parte di lei che rinvenivo. Ma quando la guardavo negli occhi, quando le facevo domande o ascoltavo le sue spiegazioni io spiavo soltanto la mia sorte.

La rividi il 12 agosto, nella casa della solita amica. Mi cavai dalle tasche i passaporti elvetici che avevo fatto falsificare e le confermai che saremmo dovuti fuggire la settimana seguente.

Osservò incantata il suo documento senza ricordare la foto: non l'aveva mai vista, perché era stato un mio geniere a scattarla qualche mese prima. Cercando di sorridere mi chiese se avessi raccolto un fascicolo segreto su di lei, posandomi un dito contro le labbra affinché non rispondessi. Esaminò il mio viso: gli occhi, gli apici della bocca, le guance, dove la pelle cominciava a cedere al peso degli anni. Con il pollice spinse in su il mento e mi fiutò il collo, fino alla nuca e alle orecchie.

«Tu vuoi me, Anna, seppure sotto le spoglie di un uomo differente. Bruno non sarebbe stato nulla per te, se io non te lo avessi indicato. Tu baci così, perché mi hai baciato; ami come ami perché mi hai amato e lui è per te solo lo schermo di un cinematografo in cui getti la nostra storia, per disporre quando e come vuoi del piacere che ti ho insegnato.

Cosa credi che sia il tuo Bruno se non una replica degenerata di me stesso? Lo so, sei tanto confusa, amore mio, perché di me vedi due immagini che non riesci più a ricongiungere. C'è la persona che sono, e che puoi percepire guardandomi, e c'è un'ombra luminescente accanto a essa, che è la figura del tuo innamoramento per me. Tu però hai separato dalla mia persona questa immagine appassionata e ne hai ammantato il meccanico; ma quella ha la mia forma, Anna, il mio odore: è nostra, non è vostra! Riportala a casa; la tua felicità riposa nell'identità di ciò che sono con ciò che ami, non nella differenza che ti fa strabico il cuore e ti spezza la mente. Guarda, succede lo stesso all'immagine di questa mano che ti faccio passare rapidamente davanti agli occhi:

vedi che lascia un alone al suo passaggio? Eppure la mano si sposta senza generare alcun alone, è solo il tuo occhio che trattiene la figura più a lungo di quanto essa scorra nella realtà e quindi vede l'alone, che percepisci come una breve coda di cometa. E per te che guardi la coda è reale, mentre è niente, non esiste, non è mai esistita. Comunque, quanto può durare questa visione di cometa? Solo pochi attimi prima di dileguare nel nulla, se un secondo, un terzo, un quarto gesto della mia mano non torna a sostenerla ai tuoi occhi. Ecco quale genere di esistenza possiede l'immagine amorosa che le nostre anime ammirano: è una vita simbiotica con la materia della persona amata, senza la quale né sarebbero nate, né potrebbero sopravvivere. Purtroppo le nostre anime non sanno tutto questo e aspirando solo all'immagine pura e amata, finiscono per separarla dall'amorfo delle nostre persone impure, non amate. Per questo hai cercato di godere della mia immagine, di cui ti sei innamorata, senza più l'uomo che sono e che forse non ami. E ora questa immagine la rechi in dote a Bruno, che non la merita né la comprende? Cosa otterrai se non un uomo finto, una maschera di me stesso? E quando l'immagine che amasti si sarà dissolta come l'alone della mia mano davanti ai tuoi occhi e il meccanico ti apparirà per ciò che è, senza più la mia luminescenza, che farai, come placherai la voracità rancorosa della tua anima tradita?

Dunque ti prego, Anna, lascia libero l'uomo che ami di ritornare in me: nella persona in cui lo scovasti. Riportalo in noi; questo mio corpo è il suo letto ed è la sua casa, dove nacque e dove vivrà ancora, se tu vuoi, accudendo del suo calore il figlio che ci verrà.»

Si era seduta sul divano, lasciandomi in piedi a declamare il mio epicèdio. Poi, quasi di scatto, mi trascinò giù, accanto a sé e riprese a carezzarmi il volto con l'attitudine di un'estetista, interessata più alla suppurazione dei comedoni, che alle mie parole d'amore.

«Anna, che fai? Perché non mi ascolti?»

«Ti stai disgregando Carlo» rispose, tornando a osservare la pelle del mio viso e del dorso delle mani, poggiate alle sue palme. «Cosa sono queste macchie che hai qui? Non c'erano una volta. Non capisco se sei ingrassato o molto dimagrito. Possibile che invecchi? Forse non vivevi che della vita che ti ho dato, come hai appena detto nella tua bella lezione. Forse sei un vampiro che ha avuto bisogno del mio sangue, finché io ho avuto bisogno di offrirglielo per richiamare dal sonno della morte l'ombra di mio padre. Oggi però il sole è alto e mi lascia intravedere il tuo corpo che si strugge, mentre di sotto vi traspare il cadavere insepolto di una salma mummificata. C'è nel tuo corpo che deliquia qualcosa che eccita la mia fantasia. Vorrei coccolare questo tuo essere fragile di morente. Vieni a riposare nel mio abbraccio che ti contiene quale passato. Scendi in me e addormentati senza più dolore, senza più attesa: conserverò viva, la tua morte, nella mia vita.»

Allontanai le sue mani, mi alzai in piedi: caduti a terra, sotto il divano, stavano i nostri salvacondotti per la fuga nel campo neutrale.

Una vernice di freddo colò dai miei capelli lungo il corpo, perché mi stavo ghiacciando del veleno che da sempre aveva circolato nelle mie vene e di cui solo lei era stata l'antidoto bollente.

Anna non mi avrebbe più seguito, ovunque fossi andato.

Tagliò in modo definitivo il bene dal male, lasciandomi affidato alla notte da iena della mia testa di spia. Mi negava l'ultima speranza d'imparare a starle accanto da uomo intero. Da giudice pietoso mi dispensava dal supplizio capitale e decretava invece l'ergastolo nella prigione del suo ricordo, a languire in una vita di larva, in attesa del giorno in cui mi avrebbe dimenticato.

«No Anna: questo no! Non ti permetterò di baloccarti

con i ricordi del nostro tempo di amanti. Io, se devo, ti morirò in cuore.»

Non fece in tempo a rispondermi che squillò il campanello della porta; ci guardammo muti, un attimo; lei scattò in piedi e mi sospinse in cucina. «Luisa sei tu?» domandava verso il chiavistello serrato. Era il parricida, invece, il servo della madre.

Lo fece entrare e udii che s'imbarazzava cercando piccole giustificazioni. Uscii dal mio nascondiglio per scacciare il sicofante di Angiolina. Raggiunta la porta, scostata Anna e visto il viso duro dell'uomo, dagli occhi piccoli e acuti, dalle labbra strette e tese, che emetteva una luce di pura ferocia contro di me: la mia mente di spia si risvegliò d'incanto, riconoscendo colui a cui avrei delegato la fine del colonnello von Sybel.

«Guarda amore mio quanto la sorte ti è favorevole: come hai già trovato chi ti verrà comodo per liberarti del logoro amante. Infatti, chi sarà meglio di questo, che ha già esercitato da parricida, per uccidere quanto ti resta di me?»

L'uomo dissentì; chiedeva come osassi affermare la sua colpa. Fremeva in lui una gran voglia d'insultarmi e aggredirmi anche fisicamente. Anna si spaventò della sua veemenza e si frappose tra noi, chissà?, per difendermi forse, mentre mi divertivo a esasperarlo. Dissi di sapere ogni cosa di lui e fornii qualche dettaglio a prova della mia sincerità; aggiunsi per gioco una bugia divertente: gli confessai che era pedinato e sorvegliato. Godetti a vedere la paura vincere sull'ira. Aggiunsi che se entro pochi secondi non fosse scomparso dalla nostra vista avrei gettato il fazzoletto dalla finestra, quale segnale ai miei sgherri, che saliti da noi lo avrebbero arrestato per la fuga dell'ebrea Regina Salonicchio dal campo di concentramento di Ferramonti. Neppure Anna comprese che bleffavo.

«Intanto vattene» dissi all'uomo, «ti farò tornare quando mi servi.»

Appena quello fu fuori di casa, Anna si volse a me spaventata e supplicante. «No Carlo, aspetta: non andartene anche tu; devi spiegarmi cosa volevi dire.»

«Oh sì, amore mio» le risposi, «vorrei ancora parlarti, vorrei ancora averti; vorrei ripercorrere il tempo e tornare a riabbracciare la giovane ragazza che divenne la donna della mia vita. Sì, lo vorrei Anna; però ora, *non sei né fredda né calda: oh fossi invece fredda o calda! ma siccome sei tiepida, né calda né fredda, io sto per vomitarti dalla mia bocca.*»

23.

Osservavo Gesuè disegnare le nostre persone in macchie di colore: io ero una patacca blu e Concetta un sole rosa, gigante ma sgonfio, dai raggi cascanti, come rivoli di materia fusa che andava a impiastricciare la base del foglio. Stavamo nel salotto d'Italia, felice di essere riuscita a riunire presso di sé il figlio con la madre, ora che il fascismo era caduto e risultava un po' meno compromettente ospitare la sorella di un sovversivo.

Suonarono alla porta; pensai che fosse Anna. Luciano andò ad aprire: erano tre uomini che chiedevano di me. Udii il maresciallo accoglierli in casa vociando complimenti e saluti, quasi fossero suoi commilitoni. Infine si precipitò da noi, in salotto: «Punto, linea linea, punto; ancora tre linee eppoi punto linea punto punto...» mi disse sgranando gli occhi, gesticolando con le mani. Io capivo benissimo l'alfabeto Morse, però non avevo seguito alcun addestramento speciale alla fonazione sincopata dei segni da parte di un maresciallo esagitato e che forse desiderava solo evitare lo spavento della moglie e degli ospiti in sala; sicché fu costretto, dalla deficienza della mia ricezione, a sputarla direttamente in lingua la parola "polizia". Nel vuoto capannone della mia calotta cranica, dove stazionava una tenebra fradicia di ansia, rimbombarono ancora due o tre fenomeni di eco: "Polizia, polizia"; accenti striduli e femminili sopra il basso continuo del D'Ascenzio. E quando infine le braccia delle donne mi alzarono a viva forza dai cuscinoni d'oca del sofà, sospingendomi nel corridoio della pensione, presso gli agenti in borghese che mi attendevano con la lobbia alla mano, vibravo ormai di un lungo bemolle di tetro timore.

Mi chiesero le generalità; controllarono il permesso del Fabbriguerra e da ultimo domandarono se conoscessi Salvatore Aiello. Concetta sbiancò in viso come l'avessero intinta nella varechina; risposi che l'avevo conosciuto in un commissariato, dove ero stato condotto per un normale controllo di polizia. Vollero sapere se lo avessi più rivisto e mentii con freddezza: no! Bene, dovevo solo avvertire la questura qualora l'Aiello si fosse rifatto vivo. Certo, assicurai che avrei ubbidito, augurandomi che l'interrogatorio fosse terminato. Invece il più alto dei tre aggiunse che dovevo fare ancora una cosa per loro ed estrasse dalla tasca della giacca una busta da lettera: me la passò dicendomi di non aprirla e consegnarla ad Anna Gatelli, poi uscirono senza aggiungere saluti, civili o fascisti.

Squadrai la busta di carta pesante, satinata e trascritta, proprio nel centro, da un inchiostro nero che la intitolava «Ad Anna» semplicemente, senza indirizzo, senz'altra maniera burocratica.

Doveva provenire dal colonnello, pensai; ma per quale motivo le scriveva? Anna, nei giorni precedenti, mi aveva avvertito più volte che era sua intenzione rivedere il tedesco: sentiva il bisogno di provare i propri sentimenti per lui, mentre si stringeva di più a me. Per coprirla agli occhi di Angiolina, avevo pensato di mentire circa l'invito che Italia mi aveva rivolto perché visitassi Gesuè e Concetta, fingendo che fosse indirizzato anche ad Anna. Nel frattempo lei, dopo aver chiesto ancora una volta all'amica Luisa di prestarle l'appartamento di via Bodoni, aveva fissato in tutta segretezza l'appuntamento con von Sybel. Certo, le confidai che avrei preferito s'incontrassero per strada o in un ritrovo pubblico, però Anna mi pregò di darle fiducia, perché il tedesco era pedinato dai suoi stessi camerati e proprio non le andava d'incontrarlo sotto gli sguardi ostili di spioni e poliziotti. Come al solito, avevo accondisceso ai suoi desideri e quel giovedì mattina le ero stato di scorta fino a piazza Testaccio, da dove, in pochi passi, aveva raggiunto la casa di Luisa. Intanto io, seccato, incupito, proseguii alla volta della pensione d'Italia, arrivandovi poco prima che vi capitasse lo stesso Mario Carra, al quale dovetti giustificare l'assenza di Anna: «È andata un attimo dalla merciaia» dicendogli. Mentre Mario mi rispose tenebroso: «E già, certo», aspettandola per una mezz'ora prima di uscirsene senza neppure salutarmi.

Per comprendere la lettera che avevo tra le mani, potevo dunque immaginare che il tedesco non si fosse presentato all'incontro e le inviasse delle spiegazioni per iscritto. Era un'ipotesi ammissibile, per quanto errata: come spiegare la scena dei poliziotti, di certo falsi; perché spaventarci con il riferimento a Salvatore, che da tempo veniva ricercato quale pericoloso arruffapopoli? Giravo e rigiravo tra le dita la busta di Carlo: dovevo digerirla, dovevo frantumarla tra le tuniche gastriche del mio stomaco emotivo; cercavo una risposta, anche solo un'allusione a cosa poteva essere accaduto fra lui e Anna.

Ma la nudità delle due brevi parole sul lenzuolo bianco della busta, accecarono ogni sentimento, ogni possibile controllo e in un attimo fui soltanto geloso, più che se li avessi visti baciarsi. C'era un'intimità in quelle parole che superava i belati di piacere, i clamori degli orgasmi; c'era, nella minuzia delle sillabe serrate, l'eco di una dedizione reciproca: un'intrinsechezza della mia donna all'essere di un altro uomo, che non riuscii più a sopportare e che vomitai su Italia, su Concetta, sulla porta di casa, in forma di pasticcini indigeriti, puzzolenti di acido cloridrico, avvolti in lunghe bave di putridi polipeptidi.

Gettai lontano da me la busta e mi aggrappai al corpo di Luciano, mentre migliaia di zampette parevano corrermi sulle guance, quasi venissero a sostenermi; era invece il formicolio provocato dal sangue, che abbandonava la sommità della testa per grondare nell'abisso gastrico, eruttante di acidissimo dolore. Ogni ormeggio del cranio fu tolto e questo decollò via dalla terra dei sensi, mentre il mio corpo di crema si appozzava liquidamente sulle piastrelle del corridoio, tra i piedi degli amici, nella pace perfetta e muta di uno svenimento repentino.

Trascorse forse qualche minuto e avvertii sul viso la mano di Anna, che ricuciva nella carezza l'unità della mia coscienza, come, da ragazzo, avevo visto mamma imbastire i brani delle stoffe e dare d'incanto forma di abito a panni che un attimo prima giacevano dispersi sul tavolino.

Aprii gli occhi e le sorrisi: aveva il viso spaventato e sembrava stanca. Si abbassò a baciarmi, mentre Luciano mi teneva ancora sollevati i piedi e Concetta mi stringeva la mano sinistra, Italia la destra; che lasciò cadere di colpo, non appena Anna si piegò sulle mie labbra.

Le chiesi cosa fosse successo: mi rispose che Mario Carra, dopo essere passato da noi, era andato a cercarla a casa di Luisa, trovandocela con Carlo. Aggiunse che ora Angiolina mi avrebbe trattato male, che mi avrebbe insultato per non averle sorvegliato la figlia o per esserne, peggio, il complice.

«Non importa. Piuttosto ti hanno detto della visita della polizia... e della lettera?» No, nessuno, né Italia né Concetta, aveva fatto ancora in tempo, ché Anna, appena giunta, era subito corsa al capezzale dello "sbenuto", secondo la definizione di Concetta nel suo degenere cilentano.

«Prendi la lettera» suggerii ad Anna, mentre mi mettevo a sedere, contro il parere degli altri, che pretendevano di tenermi ancora supino nel letto. Anna si volse a cercare la busta che Gesuè aveva raccolto e che le porgeva.

Quando intravide la grafia dell'indirizzo incupì gli occhi,

le fremettero le labbra. Italia allora cacciò tutti dalla stanza e ci lasciò soli ai nostri segreti.

«Leggila» le dissi.

«No leggila tu, per favore» mi rispose Anna, la cui espressione si era fatta insieme malinconica e lieta.

«Che hai ora?» le domandai. «Perché ti rischiari? Cosa stai pensando?»

«Voglio che la leggi tu» insisteva Anna, «perché credo che sia il suo addio.»

Stracciai la busta con un piacere carnivoro; signoreggiai ogni atto della mano quasi dispiegassi, non un foglio di carta, ma le regioni del cielo e fossi il dio antico di Fosca, quando, arroccato sulla pietra, come stavo io sul letto d'Italia, lesse a Mosè le Tavole della Legge.

Fu lettura breve, la mia, perché Carlo ci aveva impartito un comandamento di tre sole parole, inflitte ad Anna come un anatema: «Bruno è mio» le aveva scritto, senz'altro commento.

— «Anna andate via: non vi voglio qui» dichiarò Italia D'Ascenzio, mentre Bruno era salito al piano di sopra per aiutare Ada, la cameriera, a trovare una branda per me. «Lo confesso: ho un cattivo giudizio su di voi perché vi incontrate ancora con il colonnello, approfittando di Bruno! E mi dà fastidio vedervi accanto a lui.»

Certo che avrei preferito lasciare casa sua, il coprifuoco invece me lo impediva: dovevamo fermarci a dormire dai D'Ascenzio, rincasando l'indomani.

Non le risposi nulla e nemmeno la salutai. Raggiunsi Bruno per allontanarmi subito da lei, dal ricordo di Carlo, da Carra, dal rancore di tutti che m'inseguiva con l'ànsimo di un'ombra moribonda.

Trovai Bruno solo e mi gettai tra le sue braccia. Volevo essere riguadagnata dal suo desiderio a me stessa, che invece, nel gesto con cui Carlo mi aveva rigettato, sentivo smarrita e svuotata. Ne avevo bisogno per sopravvivere, nemmeno fossi una lucertola addormentata di freddo, che nel gelo si confondeva con le cose inanimate attorno e che la disanimavano di più. Eppure, tra le braccia di Bruno, continuavo ad avere freddo e gli chiedevo di stringermi, di darmi un bacio. Lo spogliai, me lo tirai sul letto; sembrò trovarmi, solo per un attimo, poi la sua voglia girò il capo, colta da un'improvvisa ripugnanza. Proseguiva a baciarmi, contro l'evidenza; così faceva teatro del suo rifiuto e lo rendeva più crudele. Basta. Lo scacciai; cadde dalla branda. Si scusò; non riusciva a togliersi dagli occhi l'immagine delle due parole scritte sulla busta, quasi alludessero al mio corpo stretto a quello di Carlo. Si lamentava di non essere così forte come avrebbe voluto, per aspettarmi mentre mi allontanavo dal mio amante; io però non lo ascoltavo più e la sua voce faceva soltanto rumore, fra gli altri che salivano dalla piazza. Ero una bambola di porcellana: svuotata, cava, senza carne dentro, senza me. Non riuscivo neppure a piangere; ero sbigottita di dover ammettere che la mia sicurezza dipendeva dal desiderio degli uomini. Andai in bagno: volevo lavarmi, toccare il corpo per accertare che fosse ancora mio, che ci fossero i miei seni di ragazza, i fianchi, la pelle setosa della pancia; che il rifiuto di Carlo e Bruno non avesse il potere d'infrangere l'integrità della mia persona.

Mi stesi nuda nella vasca da bagno asciutta. Chiusi gli occhi, ascoltai le sensazioni fisiche che montavano da dentro: la fame dello stomaco, poiché non avevo mangiato dalla mattina; la pressione del respiro sotto le costole; la pienezza della vescica, e intorno alla quale, appena sopra la linea che disegnavano i peli del pube, ebbi l'impressione di un improvviso rimescolamento: forse una minuta bollicina d'aria che si spostava tra i visceri. Fu solo un istante e non avvertii più nulla. Ma l'impercettibile gorgoglio, laggiù, dove la mia femminilità si era rinserrata, mi risvegliò alla percezione di me stessa e del mio corpo, che continuava a vivere nell'arcano segreto del suo interno. Allora le mani scesero a poggiarsi l'una sull'altra ed entrambe sul pube, come volessero difendere la piccola traccia di moto intestino.

Pensai che ero isterica e allucinavo una gravidanza per liberarmi di quegli amanti svogliati. Davvero desideravo un figlio, per prendere il posto di mia madre? Sul serio potevo dare vita a chi, più di Carlo o Bruno o mio padre, sarebbe stato mio nel corpo e nell'emozione?

Un sentimento di pienezza prese d'incanto il posto della paura e del vuoto che avevo in cuore. Sorrisi, ammiccando rassicurata a me stessa; mentre intanto Bruno bussava alla porta del bagno per chiedermi se stavo male, per venire dentro e cercare anche lui un posto in quel pensiero grande, in cui la vita mi attendeva con tutta la sua opulenza.

Io non sapevo se fossero le onde cerebrali di tipo theta, corte e aguzze, a reggere il campo della mente, contro le lunghe e depresse del riposo profondo o se, al contrario, un'intima angoscia avesse conquistato l'ipotàlamo, rovesciando, dalle merlature delle torri di difesa, secchiate di noradrenalina sugli eserciti del sonno; comunque solo metà della testa dormiva e metà vegliava nella catalessi del mio corpo, allettato sulla branda con un occhio chiuso e l'altro sgranato nel buio, da dove un orecchio udiva il respiro di Anna e l'altro restava sordo ai rumori della strada. Però, quando Luciano D'Ascenzio tempestò con una gragnola di colpi la porta di noce della mia stanza, chiamando i nostri nomi con la tromba della sua laringe larga, aprii pure il secondo occhio e sturai il secondo orecchio.

«Alzatevi» urlava: c'era di nuovo il bombardamento. Anna di soprassalto aprì la porta, io la finestra. Vedemmo gli aerei strisciare in formazione sopra di noi, seminando lunghe bave di fumi, e come ne riuscissi a fiutare l'odore acre, contrassi l'addome, pigiai sul diaframma ed espettorai a centocinquanta chilometri l'ora, l'impressione mentale di quel tanfo velenoso.

Ci vestimmo di furia e corremmo verso San Lorenzo, chiedendo un passaggio a un vecchio barrocciaio, postiglione di un bel cavallo grigio, dai grandi zoccoli pelosi e che ci lasciò al Macao, benedicendoci con le mani nodose, quali rami d'olivo, storpiate dall'artrite reumatoide.

San Lorenzo era stato colpito di nuovo, seppure molto meno del 19 luglio e solo verso lo scalo ferroviario. Le bombe, questa volta, avevano guastato la città più a sud, verso il Tuscolano e il Casilino. A via dei Sabelli incontrammo Adelmo e Carra, già impegnati a vagliare la staticità del palazzetto di Angiolina.

Mario, allo scorgermi sulla strada, si avvicinò di prescia come dovesse dirmi cosa importante, invece voleva solo accertarsi se fossi un mero ruffiano o non anche un "becco contento", secondo il toscanismo bucolico che denotava il marito cornuto, quando compiacente. Si riferiva al giorno avanti, alla Pensione Impero, dove, per nascondere l'incontro di Anna con il colonnello, avevo finto che fosse andata dalla merciaia, ad acquistare del filo da rammendo.

«Non voglio litigare con te, Mario, né tantomeno ora, qui, in questo odore di zolfo che sale dallo scalo. Il sentimento che mi lega ad Anna è solo mio e né tu, né altri ci può mettere il naso. Quindi ti dirò soltanto, e una volta sola, ciò di cui non mi dovrai parlare mai più: io mi fido di Anna. Capito? Quanto detto, ti basti per sempre.»

«Scemenze! Verseggiamenti liceali. Al mondo non c'è niente di personale, tantomeno l'amore. Ami Anna; be' l'amiamo pure noi: non te ne puoi appropriare. I vostri sentimenti riguardano anche me, Candido, Fosca, Adelmo e gli altri di famiglia. L'amore non è mica un affaruccio privato; no caro: l'amore è affare pubblico. Se non volessimo bene ad Anna, allora potresti dire che è una roba fra voi, ma poiché non è così, siamo tutti trascinati presso di te, costretti a preoccuparci per la tua sorte. L'amore dà agli amanti l'illusione dell'autarchia; eppure è un miraggio, perché nella fusione emotiva delle vostre teste, ci siamo anche noi. L'amore che ti lega ad Anna è l'unità che cinge di uno stesso pensiero la nostra mente. Noi, per voi, non siamo meri accidenti, Bruno, bensì concause, fratelli germani: congiunti che non puoi ignorare perché, insieme a te, generiamo quello che senti.»

Adelmo venne a interrompere la nostra discussione: la proprietà Gatelli non sembrava aver riportato danni e quindi potevamo raggiungere subito il Policlinico, per verificare se Fosca e Candido fossero sfuggiti all'attacco.

Tornammo a San Lorenzo un'ora più tardi, con la cugina ebrea di Anna, che si era unita a noi contro il parere del fidanzato. Intendevamo soccorrere i seppelliti sotto i tracolli dei palazzi, nelle sfondature degli empori ferroviari.

Le bombe avevano colpito e sventrato un palazzo di sei piani e un magazzino in uso a un grossista di stoffe, la cui merce era stata scagliata per decine di metri intorno. Cercammo di spostare con le mani quante più macerie riuscimmo. Si doveva aprire un varco verso le scale che scendevano nelle cantine rifugio, dove si sperava di rinvenire superstiti. Giunsero i soldati con i picconi e ci facemmo da parte.

Stanco, alzai gli occhi dalle calcine e vidi Fosca che raccattava cenci da terra. Mi chiesi se ne volesse fare bende per i feriti, senonché, mentre si avvicinava china, come una mondina nella risaia, riconobbi tra le sue mani il tricolore italiano. Solo allora mi resi conto che molti di quei tessuti sparpagliati ovunque erano bandiere, quando intere e quando a brandelli, ammassate dal grossista, in vista forse della fine della guerra.

Lasciai Carra, Anna, Adelmo e mi accostai a Fosca, che sollevò gli occhi d'antracite, intensi, scuri, verso i miei chiari e nulli. Altre persone si accalcarono intorno all'ebrea, richiamate dalle insegne strette tra le sue mani. Fosca consegnò loro gli stracci tricolori, perché ne coprissero il viso ai morti i quali, disseppelliti, venivano stesi sulla terra, come tesserine, anch'esse fratturate, di un mosaico franato, cui solo la pietà di una ragazza, ricercata e fuggiasca, cercava di restituire l'unità di una forma, la memoria di una bandiera.

Anche io allora, che non sentivo di appartenere ad alcuna patria, che non credevo in alcun ideale, che, da puro meccanico, non comprendevo i simboli dello spirito né i valori della storia: commiserai il corpo morto della mia nazione, deposto tra le braccia di un'apolide giudea: un'italiana senza Italia.

24.

— Roma era stata dichiarata "città aperta", spalancata alle voglie dei soldati: e così era diventata mia figlia per colpa di Carra e del suo amichetto Bruno, che se la divideva con il colonnello tedesco, peggio che se era una bestia da imprestarsela a turno.

«Sono passato anch'io dai D'Ascenzio» mi aveva raccontato Mario, «per salutare Concetta Aiello. Anna non c'era e Bruno voleva farmi credere che fosse in giro a fare compere. E di che mai? Di fame? Ho finto di cascarci e sono uscito. La prima tappa l'ho fatta alla villa del tedesco, ma non sembrava abitata da nessuno. Quindi mi è saltata in mente Luisa: che sapesse qualcosa di Anna o che fosse con lei e difatti li ho beccati lì, a casa della giovane Spaggiari. Sì, hai capito bene, stavano insieme: Anna e il colonnello, protetti dalla compiacenza di Bruno.» Così mi riferì, come se lui non c'aveva colpa, proprio lui, che aveva scelto il meccanico: un cavallo zoppo, perché perdesse la corsa.

Quando, il giorno appresso, dopo l'ultimo bombardamento, rientrarono a La Storta, era notte fonda. Bruno e Anna andarono subito a dormire; mentre io tenevo per un braccio la vipera grassa che usava mia figlia per ripulirsi la coscienza.

«Tu lo sapevi che Bruno era un debosciato, eh!» Lui rimbeccava che mai avrebbe immaginato tanta meschinità nel meccanico. Ah davvero? non si capacitava, poverino. «Schifoso» gli urlai sulla faccia, «che mi sei rimasto attaccato tutta la vita, per cercare di ottenere quanto Luigi ti negò, quando ammazzarono tuo padre. Che credi, che non ti ho capito? A quel tempo ti gettasti piangendo tra le braccia di mio marito, raccontasti di aver guardato tuo padre morire, senza soccorrerlo, per salvare tua madre dalla schiavitù di un matrimonio infame; eppure Luigi non seppe consolarti. Lo imbarazzasti, invece, perché lui era un galantuomo e non voleva la morte di nessuno, nemmeno di Mussolini; io magari sì: io a tuo padre, se potevo, lo sparavo; però io non ero Luigi. Da quel momento fra di voi cambiò qualcosa: sentisti sulla pelle la disapprovazione che non ti ha mai confessato, di cui non mi ha mai parlato. Poi morì, senza averti perdonato e non ti restò che la sua famigliola per riscattarti. Così ti sei appoggiato sopra le nostre spalle, sempre in attesa della combinazione giusta per difenderci da un pericolo mortale e costringere il fantasma di Luigi a doverti riconoscenza. Comunque i fascisti mi hanno lasciato in pace, nessuno mi ha insidiato. Per questo entrasti nell'opposizione clandestina: per cercare il rischio; mi hai anche spronato alla borsa nera; mi hai esposto alle minacce, sperando di salvarmi da un'aggressione che non è mai venuta. Finché, un bel giorno, ci capita in casa il colonnello, Anna se ne innamora e questo fa, della figlia di Luigi, la sua amante. Che emozione dev'essere stata per te, eh? Trovasti Bruno, il cavallo zoppo, mi consigliasti di imporlo ad Anna quale fidanzato apparente, sperando che se ne invaghiva: era un piano azzardato però, perché il tedesco si poteva ingelosire; in tal caso ci avresti soccorso tu, non è vero? Organizzasti la fuga di Fosca, cercando di spiare le mosse del colonnello a rischio di farci scoprire. D'altra parte non mi hai mai consigliato prudenza, tu; ogni volta sei stato d'accordo con me nell'avventurarci verso pericoli maggiori, intrecciando sempre più il destino del tedesco con il nostro.

Ogni cosa è andata come volevi e ora il tuo momento si avvicina: fallito con Bruno, scoperta dal colonnello la fuga di Fosca, tutto è pronto per darti l'occasione di salvarci. Solo allora ti sentirai appagato: quando ti dovremo dire grazie e nella tua anima crederai di udire l'ammissione più importante, quella di Luigi, del padre che avresti voluto, dell'uomo che deludesti. Forse hai già in mente un piano perfetto per liberarci dal tedesco senza farci cadere la colpa addosso. O invece è proprio per questo che aspetti ancora: perché più la scena si fa buia e il disastro si accosta alla mia famiglia, meno porterai la responsabilità delle conseguenze dell'omicidio di Karl von Sybel. Sì, omicidio ho detto: perché non immagini nessun'altra soluzione, ormai. Vero? Forse aspetti che te lo chiedo io: uccidilo, vuoi sentirmi dire? uccidilo per la memoria di Luigi, salvane la figlia. Scrolli il capo come un bue infastidito dalle mosche; guardi in terra, sei muto sotto la pioggia delle mie parole. Già, forse ho dimenticato che non sappiamo se ne sei capace. Ecco l'aspetto più importante; questa volta non puoi soltanto guardare, questa volta sta a te colpire e prendere il posto dell'assassino di tuo padre. Forse ti serve un aiuto ancora più forte della mia semplice richiesta, qualcosa che ti scatena, che ti aiuta a entrare nella parte.»

«Mi aiuterà lui» rispose Mario. «Lui è simile a te, Angiolina. Voi due pensate le stesse cose, mi giudicate allo stesso modo. Tra le vostre menti c'è contatto: vi capite a distanza. Io sono solo il servo che esegue i vostri desideri di padroni. E quando ti confidasti con me, chiedendomi di trovare uno da avvicinare ad Anna per distoglierla dal tedesco, era forse la stessa volontà del colonnello che tu, tramite me, compivi. Lui per primo pretendeva d'imprigionare Anna nella gabbia di una distanza, dalla quale gli fosse più facile godersela senza impegno. Altrimenti, perché non si è ingelosito e anzi l'ha presa bene? E tu, anche questo suo volere hai voluto per lui.

Se noi, Angiolina, ci fossimo sposati, nonostante gli anni che ci separano, tu accettandomi e io osando essere l'uomo della donna di Luigi: questa storia non si sarebbe raccontata. E invece eccoci invecchiati nella fissazione a cui mi hai costretto, perché ti ci costringessi. Eccoci complici di un'ossessione che lega te e i tuoi figli, me e i miei ricordi, quasi la nostra colpa fosse quella di tutti gli italiani e questa guerra ce la meritassimo, noi che non abbiamo avuto il coraggio di vivere senza padre e ce ne siamo dati uno fittizio, un tiranno, che ci ha inchiodato sul volto la maschera dell'orfano; e ora sarà impossibile toglierla, senza strapparci via pure la pelle in un fiume di sangue. Se Anna è così lo deve a noi. Se Giusto sonnecchia, chiediti quanto gli costa stare sveglio. Giusto prende su di sé la nostra verità e ce la mostra nel suo comportamento, per questo si appisola: perché noi siamo dei morti vivi, o dei vivi che sarebbero dovuti morire nel '33, con Luigi: e cosa imita la morte, più del sonno?

Vedi? Non mi giustifico: sì, ti dico che sono stato io a suggerirti Bruno, che è così diverso da noi, che non ha pretese e non monta in giudizio, che veramente non ha una propria volontà, indipendente dalle volontà al contorno. Anzi, prima di proportelo chiesi consiglio a Concetta Aiello, che ne aveva una competenza da puttana. Lei pensò che Bruno fosse il tipo giusto; anzi mi suggerì la scusa del Supporto Rotante, di cui le aveva parlato, per portarlo da te. Aggiunse che Bruno era un pezzo di specchio, e avrebbe di certo generato una grande confusione d'immagini tra Anna e il suo tedesco. Bene Angiolina, lo ammetto: scelsi Bruno perché Anna si smarrisse in lui e l'incertezza la imprigionasse nella solitudine in cui stai tu, in cui sto io, che è la forma stessa della nostra vita da orfani. Dunque accetto la responsabilità che mi accolli: certo, ho intuito che Bruno era corrispondente al tuo desiderio, copia del desiderio del tedesco e sono andato a chiamarlo. Qui però ha fine la mia parte di servo; non puoi pretendere che mi assuma anche l'ònere del padrone. Del resto cosa credi, che non mi sia accorto di come ti volgi al colonnello, ora che vedi Bruno guadagnare strada nell'animo di Anna? Sta' a vedere che ti va bene il crucco, ora che un italiano conquista l'anima di tua figlia. Cos'è: hai paura che Anna possa confondersi con un uomo qualunque, qual è Bruno, e riesca infine a seppellirvi, te e il colonnello? Be', affari vostri. Io faccio il servo e bisogna che vi interpreti per capire cosa vuoi davvero, al di là di quanto sbraiti, da vecchia squilibrata; ecco, sì, mi devo allontanare da te e dal tedesco: guardarti da distante, spiarti, quale sua complice e prepararmi da solo all'ultima battuta del mio ruolo di gregario.»

Così era pericoloso davvero: così vaneggiava di rabbia e si isolava all'angolo del tavolo, lontano da me, che lo volevo picchiare. Mi sfuggiva di mano e mi faceva paura, non sapevo più che fare. Ero solo una donna stupida e inacidita dal dolore. Meno male che Anna non era come me, che assomigliava a Luigi e si cercava fuori quello che non gli davo. Aveva ragione lei ad amare l'uomo che si era scelta. Vattene figlia mia, pensai, fuggi con il tuo tedesco, prima che l'uomo, che tua madre non ha saputo nemmeno sposare, ti uccida l'amante, per farti ereditare l'abito di vedova che porto. Lui è il diavolo del nostro destino... «Tu, Mario» gli dissi, «sei il diavolo del nostro destino. Tu, che hai lasciato morire tuo padre e così ci hai reso impossibile restare nel nostro paese e ci hai scacciati nell'esilio di Roma, dove Luigi è venuto a morire; tu, che mi sei stato accanto, senza pretendermi per sposa, senza aiutarmi a dimenticare; tu, ora, vuoi fare Anna vedova, come vedova mi hai tenuto per dieci anni; ma io ti dico di no, Mario: stai attento, perché se tocchi il tedesco, io con le mie mani, io ti ammazzo.»

— Non sembrava lei: non pareva mia madre. Era caduta di sasso sul pavimento della cucina. Adele mi chiamò e accorsi per sollevare le gambe al corpo accasciato. La zia diceva che quando si sveniva andava schiaffeggiato il viso, pizzicate le guance. Mamma aprì gli occhi, stralunandoli indietro; fece per parlare; capimmo che aveva dolore alla testa, che bisognava trasportarla sul letto. Adele la prese per le ascelle, io dalle caviglie. «Cammina» ordinava la zia, perché restavo fissa in piedi, meravigliata che mamma non avesse peso. «Che dici?» mi rimproverò Adele, «spogliala piuttosto, è Ferragosto, senti che caldo fa; ha la testa bollente, ha la febbre alta.» Preferivo che la spogliasse lei, ma era già corsa a cercare l'aceto per le spugnature.

Cominciai a sbottonare il grembiale che vestiva il corpo di mamma; sotto non aveva che la biancheria e non ci tenevo a scoprirla, non per vergogna o forse sì, per pudore: non volevo toccare il suo corpo se lei non c'era, se non me lo permetteva. Aveva il viso bianco come la federa del cuscino e il sudore le faceva lucida la pelle: sembrava di cera e che l'afa la disciogliesse pian piano. Forse Adele aveva capito che mamma era un manichino di cera ed era corsa a cercare dell'acqua fredda, per bloccarne il disfacimento. Com'era magruccio il fantoccio, come assomigliava poco ad Angiolina. Quante costole le vidi, come pioli di una scala sotto i ganci delle clavicole; quante smagliature trovai sulla pelle, ed erano i letti di microscopici fiumi dove il corpo liquefatto della bambola defluiva in modo impercettibile; le gambe magre com'erano state inimmaginabili sotto la veste; anche il pube, così poco rilevato, com'era diverso dal mio. Le mutande erano scucite su un fianco e, alle cosce, avevano gli elastici slabbrati: di quel genere che Angiolina mi avrebbe fatto gettare nell'immondizia, perché non fossi sciatta e sporca nella persona. Era solo un manichino di mamma, il corpo al quale bagnavo la fronte e le braccia. Mia madre non era mai stata così smilza, così leggera: lei era forte, invece, pesante e aveva il corpo di una statua. Non aveva l'odore umido e malato che saliva dal corpo steso nel letto;

302

mamma non perdeva coscienza, non si ammalava mai e la mia memoria non conservava nemmeno un'immagine di mamma addormentata.

«Vai a chiedere aiuto» comandava Adele, «avverti i Forti, chiamate un medico e avvisa Giusto, Carra, che vengano subito.» La zia era preoccupata che le nostre mani da sole non fossero sufficienti a fermare la fusione della cera e che occorresse la forza degli altri per mantenere il fantoccio in forma di capofamiglia. «Vai, vai» gridava, eppure io non avevo la sua ansia. Per loro mamma era l'unità della mente: la forza che teneva assieme la loro esistenza leggera, di persone ausiliarie, vive di una vita seconda. Simili a fantasmi, erano mantenuti in vita dalla forza della medium che li interpretava, dando a ciascuno la voce che chiedeva. Il simulacro di mamma calamitava i miei familiari presso di sé e li catturava con la sola forza del magnetismo che emanava dall'immagine di Angiolina. Vennero, infatti, i Forti e le comari del vicinato; venne Giusto, il dottore e Carra, da Roma: vennero tutti al capezzale della loro Ragione. Ma per me, figlia di una donna differente dall'idolo di cera, il centro della mente non giaceva nel ventre rilasciato della paziente, che il medico sondò alla destra e alla sinistra dell'occhio sgranato dell'ombelico. Forse anch'io avrei voluto stare lì con i miei e tenere la testa in mano, per offrirla ad Angiolina, implorandone un pensiero di cui farcirla; eppure non c'ero, non riuscivo a mettermi tra loro; come se mamma si fosse distolta dal suo stesso simulacro e fosse venuta a celarsi nel mio corpo: poiché la sentivo dentro di me, non la vedevo più fuori di me. E lei in me non aveva alcuna febbre, né pativa dimagrimenti o dolori; in me era Angiolina perfetta: la madre potente e arida che mi aveva allevato e che allora mi ammalava di una nausea intensa, quasi avessi un sasso sullo stomaco. Corsi al bagno, ma non in tempo, perché dei lunghi e vuoti conati mi fermarono nel corridoio in uno spasmo doloroso. Avrei voluto chiamare Giusto e Adele, Carra: gli idolatri del fantoccio di cera; li avrei chiamati attorno al mio ventre in doglie, perché solo lì era scesa Angiolina, l'amante di Luigi, la donna che lui aveva scelto perché mi fosse madre. Venite. Eccola, l'ho scoperta accanto all'ombra di papà! La nausea scomparve d'incanto, sostituita da un'impressione curiosa: non riuscivo più a ricordare il viso di mamma e lo confondevo con quello di mio padre, quasi fossero un unico essere, loro: un centauro, un animale forte e buono, che s'era messo a dormire placidamente nella mia pancia come nella sua stalla.

Candido eseguì su se stesso l'ablazione rituale del prepuzio il 19 agosto, la mattina, dopo essersi rinchiuso a chiave nella sala settòria, in compagnia di una vecchia poltrona, sulla quale si sarebbe dovuto accomodare lo spirito del profeta Elia. Fosca, alla guida di un manipolo d'inservienti, lo scoprì soltanto nel pomeriggio, scardinando la serratura e trovandolo ancora riverso sulla tavola anatomica, semisvenuto e in una pozza di sangue.

Fu subito trasportato al pronto soccorso, dove un chirurgo professionista completò la circoncisione lasciata a metà dal dilettante; il quale, essendosi esercitato soltanto sui peni morti, aveva perfezionato una buona tecnica incisoria ma non vascolare e nemmeno anestesiologica, sicché, errato qualcosa nella somministrazione dell'analgesico locale al proprio organo, non aveva retto né al dolore, né allo zampillare impetuoso del sangue.

In definitiva le sue condizioni furono giudicate buone, sebbene avesse patito una certa emorragia e si temesse la setticemia dell'organo offeso. Comunque Fosca, spaventata e piangente, mi telefonò alla pensione d'Italia, dove ero tornato a vivere dal 14 agosto, non sopportando più La Storta, con Angiolina che mi disprezzava per fidanzato tradito e compiacente.

Fosca mi telefonò pretendendo che la raggiungessi subito al Policlinico, perché Candido stava molto male e forse ci sarebbe stato bisogno di trasfondere cinquecento millilitri di sangue dalle mie vene straboccanti a quelle vacue dell'amico mio.

Candido, al vedermi, mi salutò sorridente dal suo lettino di ricoverato, tutto soddisfatto di essersi quasi castrato. Parlava con poca voce, era sfinito ma volle che conoscessi la sua felicità. «L'ho fatto, Bruno, hai visto? Ho seguito il tuo buon consiglio.» Che diceva? Agghiacciai ricordando all'improvviso la conversazione di mesi prima, quando mi aveva annunciato di essere innamorato di Fosca, sebbene impotente. Era vero, gli avevo risposto: «Tagliatelo e fai del taglio il cuore della vostra unione», ma dicevo per metafora, che caspita!

Il malato, generoso, disconosceva la mia colpa riversandola intera sui rabbini, che ostinati si erano opposti alla sua conversione. E non potendo essere ebreo, aveva almeno fatto in modo di apparirlo, perché «Bruno» dichiarò, «l'immagine del corpo deve corrispondere al sentimento del suo cuore.»

Dopo poco arrivò Carra e si gettò subito su Fosca, accusando dell'accaduto lei e gli ebrei tutti. «Perché non l'avete circonciso voi, che vi costava? Non avrete mica tante richieste di conversione di questi tempi, no? Fate gli schifiltosi perché siete razzisti, voi; sì, lo siete» urlò infine per il padiglione intero. Dalla branda di Candido comandai Mario di lasciarla in pace, se non voleva farne scoprire l'identità celata, mentre diversi degenti già si sbracciavano dai letti protestando l'insolenza del parmigiano.

Fosca cercava di giustificarsi sussurrando di non aver mai reclamato la conversione di Candido. Era stato proprio il prosettore a pretendere di rivolgersi all'ufficio rabbinico, per cominciare subito gli studi e le pratiche necessarie alla conversione e al matrimonio religioso con la donna del suo destino. La quale ci raccontò che gli stessi rabbini avevano cercato di rimandare il problema a tempi più quieti, ma la determinazione e la convinzione di Candido li aveva infine imbarazzati.

Il prosettore aveva spiegato loro che stare accanto a Fosca senza essere *kasher*, che voleva dire "puro", significava macchiare la purezza perfetta di lei. Quelli ribatterono che doveva studiare la Torah e approfondire il senso della scelta che chiedeva di compiere. Lui però aveva insistito, dichiarandosi disposto a ogni sacrificio, assicurando anzi che avrebbe appreso pure l'ebraico, se doveva. Fosca bisbigliò che i rabbini erano rimasti quasi senza parole di fronte alla passione del suo fidanzato, e anche incerti su come consigliarlo, finché uno di essi, sino ad allora in disparte, assorto nella lettura di un grosso libro in folio, aveva chiesto il permesso di rivolgere a Candido una domanda. Era un uomo non anziano, vestito di nero e con una lunga barba corvina. Si fece avanti tra gli altri e avvicinatosi all'apòstata gli chiese: «Ma tu credi nel Dio di Abramo?», e Candido pronto, senza un attimo di esitazione: «No!» gli aveva risposto.

«Come no?» domandò Carra, stupefatto quanto me. Eppure Fosca, con un'evidente soddisfazione, ci confermò che il nostro amico aveva risposto proprio così, quasi urtato dalla domanda, nemmeno fosse insensata, anzi sacrilega. E i rabbini, caduti in una catalessi da stupore, erano rimasti ad ascoltarlo precisare i tratti del giudaismo al quale desiderava convertirsi e che l'ultima domanda gli aveva fatto dubitare fosse il loro. Candido aveva rammentato ai Maestri della Torah che il patto del popolo ebraico con Dio era siglato nel rito e che soltanto questo doveva essere la loro religione: non un sentimentalismo emozionale e farneticante. In ogni atto di vita c'era una sacralità che solo il rito sapeva redimere: ecco il senso delle prescrizioni della Torah e il conseguente premio dell'appartenenza, che il convertivo desiderava provare. Come osavano chiedergli di credere in Dio in modo astratto? Non ricordavano forse che non si doveva nemmeno tentare di farsi un'immagine di Dio, o attribuire "al Santo Benedetto" un nome pronunciabile, che nulla doveva rappresentarLo, se non la Torah che Egli aveva imposto al popolo? Eppure loro domandavano a lui, Candido, se credeva; e credere a chi, se irrappresentabile e impensabile? Proprio Dio doveva essere il massimamente concreto e dunque azione, forma, rito. Non dovevano chiedergli di credere in Dio, prima di permettergli di praticare quel comportamento, che era attenzione quotidiana e continua all'ombra luminosa dell'Eterno, esiliata nella nostra vita. Che rabbini erano, se assomigliavano a dei preti? Lo circoncidessero invece, lo accogliessero nella loro comunità e lasciassero che in ogni attimo della sua nuova esistenza, unito in matrimonio alla donna del suo destino, scegliesse di appartenere al Dio di Abramo, rispettandone i precetti, come un esule che passo dopo passo riconosca la via che lo riconduce a casa. Così anche lui avrebbe avuto il suo posto nella redenzione del mondo; e allora sì che avrebbero potuto chiedergli se credeva nella casa ritrovata: «Perché rabbini» gli aveva spiegato, «in Dio non si crede: Dio si professa!»

Carra, a sentire il racconto di Fosca, aveva la bocca a uovo con la lingua appoggiata al labbro di sotto, che pareva un capitone accapezzato al buco dello scoglio.

«Vai a riposare» dissi all'ebrea, «restiamo noi con Candido, fino a sera, finché non torni.» E ci sedemmo attorno al letto del nostro amico che sonnecchiava felice nel suo camicione bianco, socchiudendo a momenti gli occhi per godersi lo spettacolo di noi, lì accanto, frastornati e compunti.

«Il colonnello sa di Fosca. E ora, come se non bastasse, abbiamo il semiconvertito, il mezzo giudio. Che grande idea, eh?» commentò Mario, mentre Candido sembrava assopito.

Lo rassicurai, perché von Sybel s'interessava a me, non agli ebrei, e lo informai della lettera che aveva scritto ad Anna per minacciarmi. Candido, che aveva udito le nostre parole, riaprì gli occhi di scatto e mi guardò attento, quindi constatò: «Sei biondo», manco mi vedesse per la prima volta. Pensai che fosse sotto l'azione d'un qualche alcaloide papaverino a effetto euforizzante, perché aggiunse, con la medesima arietta assertiva, che c'avevo gli occhi azzurri e che non dovevo superare i settanta chili.

«Candido vaneggi. Cos'hai?» gli domandò Mario, mentre il nostro amico già mi chiedeva se fossi alto un metro e settantacinque o più. «Vuoi fargli la cassa?» suggerì Mario.

«Io no davvero» rispose Candido crucciandosi, «ma...»

«Che cosa?»

Ci raccontò che qualche tempo prima, e forse proprio il giorno di Ferragosto, si era presentato all'ufficio dell'obitorio un ufficiale tedesco, con una scorta di due militari. Al solo vederseli davanti Candido era stato colto da una demenza momentanea con tremori diffusi, generata dal terrore che i gendarmi rapissero la sua promessa sposa. Si era accasciato, in balìa del panico, sul seggiolone dietro la scrivania, incapace di respirare e tantomeno di parlare. L'ufficiale tedesco lo aveva soccorso con un bicchiere d'acqua e aveva fatto spalancare i vetri dai soldati, che già se la ridevano fra di loro, ma che proruppero in un incontenibile sghignazzamento, coinvolgendo lo stesso ufficiale, quando, esangue e deliquescente, Candido si gettò a corpo morto tra le loro braccia, nel tentativo di richiudere le stesse finestre, perché da fuori nessuno venisse a sapere della visita compromettente. I militari della Wehrmacht lo avevano riaccomodato di peso sul seggiolone e l'ufficiale, con una dolcezza e una pazienza da suora infermiera, lo aveva riportato pian piano alla ragione e al controllo muscolare. Cercava solo il cadavere di un giovane meccanico biondo, con gli occhi celesti, alto uno e settantadue, di circa settanta chili e di ventotto anni d'età. «Insomma cercava il tuo cadavere Bruno» concluse Candido. A ogni modo, al momento dell'interrogatorio, gli fu di tale sollievo constatare che non cercavano Fosca che, lì per lì, non pensò a me.

Carra scattò in piedi e agguantò la spalliera del letto di Candido strattonandola più volte, e tememmo che il vento rabbioso che gli soffiava dentro lo strappasse via con tutti i suoi novantacinque chili di peso. Candido si era agitato e con la poca forza che gli era rimasta in corpo si scusava di non aver compreso subito chi fosse il ricercato, correndo ad avvertirmi.

Imposi la calma a entrambi ricordando che se von Sybel mi avesse davvero voluto morto mi avrebbe potuto avere in ogni momento e che, dunque, sia la visita all'obitorio, sia la lettera per Anna, erano solo avvisi che ci lanciava per farci sentire in suo potere.

«Sì, hai ragione Bruno» commentò Candido. «Credo di capire il colonnello: lui vi vuole segnare per essere segnato da voi; come me, che mi segno del Dio di Fosca per essere il segnato da Dio. Forse anche per il tedesco i segni sono incantesimi, che legano chi li esegue e chi li interpreta.»

«Non gli basta» commentò Carra, «quanto ci ha già segnato, seducendo Anna?» E Candido a sua volta: «Non mi basta avere Fosca con me; non mi basta parlarle ogni giorno. Ho avuto bisogno di dare la mia parola...»

«Quale parola? Hai dato ben di più della parola... ti sei sprepuziato!»

«Ho dato la parola, Mario; ma una parola segno, taglio, tatuaggio, non una parola voce, una parola vento. "Circoncisione" in ebraico si dice *Brith milah* e *Brith* significa "patto", comprendi?, quindi è come dire "dare la parola". Ho avuto bisogno che il corpo testimoniasse il sentimento della mia anima, per questo mi sono tatuato del patto che mi vincola a Fosca e al suo destino e che chiamo Dio. Se comprendi me, forse capirai lui, il colonnello. Non vedi che segnare ed essere segnati sono azioni reciproche? Lui professa il suo legame con Bruno e con Anna, quanto io lo faccio nei riguardi di Fosca, e come me si segnerà di loro, per segnarli di lui.»

«Smettila di paragonarti al tedesco» gli ordinò Mario. «Ti segni dello zucchetto e va bene; non mangi più la carne di gatto, che una volta ti piaceva tanto, e va bene; da quando sei andato all'ufficio rabbinico e hai incontrato quel santone parato di nero, ti vesti da bacarozzo e ti fai crescere la barbetta, va bene; ora ti sei pure scappucciato l'uccello, comunque va bene: è tutta una fissa tua, non la imponi a nessuno tu...»

«Come a nessuno?» obiettò Candido.

«Te la godi solo con la tua ex marrana, va bene ti dico...»

«Mario, dici male...» protestava Candido contro la logorrea del parmigiano.

«Comunque non c'entri niente tu con il tedesco. Lui sì che impone la sua volontà.»

«Anch'io impongo la mia volontà con i segni, di cui mi segno.»

«A chi la imponi, tu, con lo zucchetto che ti tieni sulla capoccia?»

«A Dio, Mario. A Dio.»

«A chi?»

«Io, Mario, mi segno per redimere Dio dal suo esilio, per costringerlo al suo trionfo, nella redenzione del mondo.»

E finalmente Mario tacque, guardandomi improvvisamente stordito, crucciato; poi il suo faccione da bambino grasso mi chiese arreso, quasi implorante: «Ma dio chi?»

25

— Di quale pace riuscii a godere, in quei giorni di fine agosto, sulla veranda della mia villa. Qualunque cosa facessi venivo accompagnato dall'assassino che Anna mi aveva concepito nella mente. Era lei che non mi dava più scelta, condannandomi a morirle in cuore, appestandole la fuligginosa coscienza.

Dunque mi disposi a osservarlo questo killer che si era sistemato tra i miei pensieri. Lo ammirai accomodare i ferri del suo mestiere risoluto, sollevare le armi per provare la mira, ripassare più volte i singoli momenti del prossimo delitto. Da bersaglio di me stesso, mi rivolsi ogni attenzione. Amai di cuore il colonnello von Sybel: quanto un tacchino destinato alla pentola. E la bestiola in divisa, gurgugliò commossa, allungando il collo al cielo, dove troneggiava, ancora differito, il balenio decisivo del coltello.

Accompagnavo il mio boia in ufficio; passeggiavo con lui per le strade di Roma; e di sera si gioiva insieme del ponentino che rinfrescava la città, mentre lo guardavo oliare la rivoltella e come una fidanzata impaziente mi domandavo quando avrebbe trovato il tempo di esplodermi un bacio nella bocca.

Ed ecco che il primo venerdì di settembre giunge la lettera di Anna. Lui me la strappa di mano e la getta sul pavimento; ci mette il piede sopra per impedirmi di raccoglierla e mi guarda smarrito. Teme che Anna ritratti, e tornando ad amarmi mi salvi; paventa che la mia docilità di bestia sacrificale ceda al fiutare l'odore mitico di Arianna. Apre la lettera, vuol leggerla lui. Ma poche furono le parole che fece in tempo a compitare nel buio del labirinto, prima che la sua voce soffocasse al tuono del mio muggito e il suo corpicino di eroe umano fosse investito dal mio di stelle, sotto gli zoccoli divini e scalcianti, che lo pigiarono come uva in un tino di ebbrezza, perché «credo di essere incinta» aveva scritto Anna, «e ti devo vedere».

Che dissimulazione, di quale magnifica ingenuità nutriva il proprio erotismo la mia allieva, che dopo avermi generato un assassino nella testa, ora se lo riprendeva in corpo, da padrona.

Per mesi si era battuta contro il mio eros democratico, che le negò l'amore di un uomo intero. Desiderò l'unico, non il manipolo delle mie persone. E quando mi aveva chiesto di avere un bambino, non fu perché voleva essere madre con me, ma di me. Ed eccolo dunque il figlio, cavato fuori dallo sciame dei miei sosia e sistemato in lei, come una stufa di porcellana al centro della sua stanza: a farle da sole nuovo, da giovane occhio di speranza.

«Eccoti, figlio di Anna» dissi al giovane killer nella mia testa, «sono io che uccidi, che tu erediti.»

Anna mi aveva scritto solo per questo, da me voleva ancora un aiuto, l'ultimo: che non acconsentissi di fare del figlio la mia replica, come invece avrebbe preteso il suo desiderio incestuoso.

«Vuoi che io ti consenta» pensai di dirle, «di guardare tuo figlio senza vedervi me, che ne fui genitore? Va bene Anna, ti soccorrerò di nuovo, negherò ogni ragione alla tua voglia.»

Mi volsi al campanello per chiamare l'attendente e convocare Rudi. Avvertii il comando che mi sarei diretto a Vigna di Valle, dove qualche giorno prima, un comandante delle nostre squadriglie di base sul lago di Bracciano aveva visto ammarare l'idrovolante della Croce Rossa, che quasi di certo ospitava il Duce, in trasferimento dalla Maddalena a un nascondiglio migliore. Precisai che desideravo valutare l'attendibilità di un sedicente testimone oculare e nessuno obiettò che mi ci recassi di persona, data l'importanza del caso, transitando dunque per la via Cassia, superando il paesetto di La Storta. Poi, tramite Rudi, avvertii Anna che acconsentivo a vederla e che anzi avevo un'importantissima notizia da darle, in risposta alla sua: si trovasse dunque sulla stessa carreggiata poderale, dove c'eravamo incontrati a luglio e mi aspettasse lì, per le sei di quello stesso pomeriggio.

— Voleva mio figlio: questa la notizia. Disse che era suo, che gliel'avevo promesso proprio lì, quando c'eravamo amati l'ultima volta e che giusto allora dovevo essere rimasta incinta. Osservai che non sarebbe stato possibile, visto che avevo appena avuto le mestruazioni. Sosteneva che mentivo. Anzi, ricordò che gli avevo gridato addosso che non avrei voluto suo figlio, se fossi rimasta incinta: sì certo, ricordavo ma... niente, non mi lasciava parlare; mio figlio dunque era suo, glielo dovevo, glielo avevo promesso e lo avrebbe portato con sé in Germania.

«Piuttosto lo ammazzo» commentai gelida e ferma.

«Sciocchezze. Alzerai molto fumo per nasconderti al mio fiuto, offrendoci un'ultima occasione di erotismo. Sarà un gioco tutto tuo però, perché io baderò solo a prendere mio figlio.»

«Che dici? Carlo vaneggi.»

«Perché mi hai scritto? Rispondi, Anna. Perché non hai taciuto finché ti fosse possibile? Forse per commuovermi con la notizia e così confondermi? Risposta verosimile sì, ma falsa: mi hai scritto perché io difendessi nostro figlio da te stessa, e va bene, Anna: lo farò! gli darò la libertà che tu gli avresti negato.»

313

Cercavo di allontanarlo dai soldati. Volevo che conoscesse la verità, perché aveva equivocato: mio figlio non era suo. Carlo non si staccava dallo sportello dell'auto dalla quale era disceso. «Ti prego, vieni via da qui, parliamo da soli» e quasi lo imploravo, invece lui: «Cos'altro vuoi? Dimmelo, sbrigati, e poi vattene.»

Mi accorsi che la mia mano volava nell'aria quando ormai non potevo più fermarla e lo colpii sul viso; lui mi serrò il polso, io gli morsi il suo. Mi spinse via; caddi a terra. Dalla macchina uscirono i militari; Carlo gli gridò di rientrare nell'abitacolo. Colpendomi con piccole pedate pretendeva che mi alzassi. Quando fui di nuovo in piedi mi allontanò verso gli alberi, acconsentendo a sottrarci agli occhi dei suoi. Ero angosciata, incapace di comprendere se mentiva o aveva deciso davvero di strapparmi mio figlio. Eppure mi venne in mente di provocarlo ancora, dichiarando che avevo agito come mi aveva ordinato: che infine avevo avuto il figlio dall'uomo a cui mi aveva offerto: «No, Carlo» dissi, «mio figlio non è tuo; è figlio di Bruno.»

Attesi ira, dolore, non certo che replicasse: «Quale differenza vuoi che faccia.»

«Come? Che dici...»

«Sai quanto me, Anna, che tuo figlio sarà in ogni caso figlio mio, perché riprodurrai me in lui, per avermi a tua disposizione. Ammettiamo pure che abbia nelle vene la metà dei geni del meccanico, credi davvero che non vorresti imporgli il legame che hai vissuto con me? Lavorerai ogni giorno a questo progetto diseducativo, applicandovi la forgia del tuo desiderio di possedermi e finalmente cambiarmi a modo tuo. Posso essere incerto su cosa il tuo utero stia covando, però non ho dubbi su cosa il tuo utero stia desiderando. E se anche credessi che sei incinta del meccanico, che ti sia stato necessario mescolarmi così tanto a lui – che è me, ma non sono io – perché un figlio soltanto nostro ti avrebbe troppo spaventato; se pensassi che hai preferito apprestare, per questo bambino futuro, la mia emozione e il mio magistero, ma non il mio corpo; se lo credessi, e non lo credo, non ti lascerei comunque tuo figlio, perché tu ne faccia un'imitazione svilita di quello che sono stato per te.»

Ero io a non credere a lui: sapevo che mi minacciava solo per farsi odiare, perché temeva che lo abbandonassi senza nemmeno la grandezza del disprezzo. Lo pregai di smettere di simulare. Gli confessai che da quando avevo avuto l'impressione di essere incinta, ero stata assalita dal bisogno di parlargliene e a lui per primo, a lui soltanto, come un dono d'intimità. Eppure Carlo si spazientì e fece per tornare all'automobile. Non concepivo che reagisse così: «Basta fingere! Non capisci che dico?» Oh sì che lo capiva, ma non mi credeva. «Cosa non credi, che attendo un figlio da Bruno?»

Fui presa dal terrore che non mi fosse più possibile parlargli, e allora lo abbracciai di scatto, per impedirgli l'allontanamento in cui c'eravamo già tanto inoltrati. Mi scacciò da sé in malo modo. Andai a sbattere contro un tronco e provai un fitto dolore alla schiena. Disse che facevo teatro, che ogni giorno di più si risvegliava la mia vena italiana. Mi rigettai su di lui. Cercò di liberarsi dalle mie braccia. Ci picchiammo; lo colpii all'inguine con una ginocchiata e si accasciò tra le mie braccia. Tornarono i soldati: videro il loro colonnello raggomitolato come un bimbo nel mio abbraccio. Gli carezzai la fronte, il viso, ma comandò qualcosa che non capii e di colpo delle mani forti mi sollevarono dal suolo. Mi dimenai; mi gettarono faccia a terra e un ginocchio enorme stava per spezzarmi la schiena; piangevo e sputavo la terra che mi entrava in bocca. Udii il motore della macchina avvicinarsi e quindi i tonfi degli sportelli che si chiudevano; alzandomi su di un gomito vidi l'auto che correva via tra il granturco dei campi.

— Stavo male, svenivo all'improvviso per la pressione bassa e non c'era la cura da darmi. Mia figlia, il 3 di settem-

bre, era tornata piena di lividi, nel viso e addosso: diceva
che era caduta da una bicicletta, ma non si capiva la bicicletta di chi. I giorni dopo restò a letto, a piangere e non
per le ferite; quando smetteva diventava subito di buon
umore e cantava che sembrava un cardellino, poi, senza
motivo, ripiangeva. Adele era preoccupata, suggeriva di
chiamare il dottore; a che pro? ci voleva poco a capire che
erano lacrime di cuore. Dovevo aiutare Anna, per salvarla
dal mio destino, perché, almeno lei, non diventava una
vedova per tutta la vita. Non era vero quanto diceva Mario:
Anna non si stava davvero avvicinando a Bruno, no: il suo
cuore rimaneva con il tedesco: «E prenditelo!» pensai di
dire alla mia bambina. «Cerca di essere felice tu; perché io
non lo sono stata. Che dio, se c'è e se è buono, mi perdoni
anche se ho cercato di portarti via l'uomo che hai scelto,
come la morte mi ha portato via il mio; tu di certo non mi
scuserai, tu no. Neppure io però ti perdono la giovinezza,
il futuro che hai da vivere. Questa è tua madre Anna, che
ti piaccia o no è così, non sono buona, non sono dolce,
sono dura e aspra, non ho facilità a dimenticare e a scusa-
re, io sono solo la donna di Luigi e ti devo aiutare prima
che la gelosia che sento contro di te, ti condanni a vivere di
rancore come me.»

Uscii e andai allo spaccio a telefonare a Rudi: lui trovò
che la mia intenzione era buona e mi chiese di richiamarlo
più tardi. Quando ritelefonai disse che il colonnello mi
aspettava il pomeriggio dopo, mercoledì 8 settembre, alle
diciassette e lui, Rudi, mi veniva a prendere alla Storta,
verso le quindici, per accompagnarmi. «Portatela via con
voi» volevo dire al colonnello, «ora ve ne do il permesso: se
vi amate davvero, fuggite! Tagliatevi fuori dalla guerra e da
ogni altra catena, pure da me che lo sono stata tanto, per
voi e per Anna.»

Ecco cosa avevo in mente, mentre stavo nella macchina
di Rudi e arrivavo alla villa del colonnello. C'era una senti-

nella al cancello, il sergente gli fece segno che ero attesa e io la seguii fino in casa. Il colonnello mi attendeva in salotto, ma vedermelo davanti così, a momenti mi si ferma il cuore. Dio cosa ho dovuto ingoiare per proseguire con la mia decisione: l'avrei sparato, invece di perdonarlo, al crucco maledetto, a quell'uomo elegante che profumava da damerino. «Mo Angiolina stai buona» sentii Luigi che mi sussurrava nella testa. Va bene, e mi sedetti sul divano, mentre il colonnello mi porgeva una tazzina di caffè vero, e una lunga americana dal portasigarette d'argento.

Intanto cercavo di vedere se c'erano in giro fotografie della sua famiglia e mi parve di vederne una sulla scrivania, che invece era di Anna, un ritratto. Si accomodò in poltrona davanti a me e serio, compìto, non mi chiese cosa volevo da lui né come mai avevo chiesto l'appuntamento, bensì: «Devo dedurre che Anna non vi ha informata?» Non capii la domanda e rimasi stordita.

«Desideravo scusarmi con voi» cominciai a parlare con il fuoco che mi bruciava la gola, «io non ammettevo che lei frequentava mia figlia» gli confessai, «e sbagliavo: di questo sono venuta a scusarmi. Se con Anna vi volete ancora, allora adesso vi dico di fuggire insieme a precipizio. Io ve ne do il permesso. Andate via dalla guerra; anticipate i tempi, fuggite in Svizzera dove c'è la democrazia.»

Il colonnello sorrise alle mie parole da povera donna che nulla sapeva e nulla capiva. Mi rispose di sì, che Anna era democratica, non come lui però, al tempo che era stato un "giovanottino Ottocento" affetto dall'ideale e "propaggine", propaggine?, non capivo, «del secolo dei nazionalismi, delle individualità etiche, intolleranti come montagne e vanitose delle differenze; no» aggiunse, «vostra figlia è già democratica come una pianura. Io sono stato il suo Hitler, signora Angiolina» Hitler? «e Anna il mio popolo massa. Il dittatore della Germania, lo ammetto, si è rivelato un grande stratega: prima ci fece popolo, e poi ci spaventò del potere popolare. Ci convinse della nostra forza perché ne temessimo la libertà. E anche io, epìgono di un tiranno, ho sollevato la massa dei sentimenti e delle emozioni di sua figlia, dandole una personalità e un'appartenenza, perché mi addossasse di sé e del peso leggero di condurla per mano. Ma io cado, signora Angiolina, e Hitler non ancora: è ormai spenta la fiamma che abbagliò Anna massa; ora le parti frammentate della sua persona democratica si aggirano brancicanti nell'anima dell'orfana, senza più guida. Capite, signora Angiolina? Forse, con il tempo, questi pezzi della mente e del cuore di Anna si raccoglieranno di nuovo e sarà attorno alla culla del figlio che lievita in segreto, quanto l'avvenire democratico monta nel destino della mia Germania, annientata, disfatta e in fine pareggiata alle folle infinite dei vincitori, dei popoli senza faro, senza incanto.

Alla mente utero di Anna vorrei consegnare il mio io weimariano, la mia ridicola giovinezza repubblicana: un'eredità di emozioni montagnarde per il viaggio nella pianura immensa, che attende generazioni e generazioni di coscienze vocianti, nella confusione propagata dai venti. Sì, vorrei affidarle i picchi e le arditezze delle nostre primavere rivoluzionarie, quali allucinazioni benefiche nella piattezza assetante dei deserti democratici; nelle trasmigrazioni attraverso paesi grandi come continenti, tra lingue ridotte a segnali Morse, eppure veloci e istantanee come telegrafi nelle vastità del mondo americano; che non conosco se non dai libri, dalle memorie di viaggiatori sedotti dalle distanze. Vorrei, sì vorrei, ma vedete? mi esprimo all'ottativo, perché so bene che quello che s'insegna, signora Angiolina, è solo quanto l'allievo ruba al maestro, portandone via l'esperienza e la colpa. Quindi, sappiate, io non m'illudo! Imparare è un'azione delittuosa, titanica, un sacrilegio da Prometeo: ci si appropria di qualcosa che non ci appartiene e che nemmeno conserviamo integro come l'abbiamo rubato, anzi che straziamo e mutiliamo alla nostra ragione. Anna si è presa il meglio di me: che ora, nella palude uterina, accomoda di minuto in minuto in un analogo differente dal maestro derubato e lo chiama: figlio. Ciò che dei maestri si tramanda è solo quello che ne digeriscono i discepoli; il resto permane indigerito nella fetida memoria degli allievi. Certo Anna, se la lasciassi fare, esagererebbe in ricordi; in un anno la sua memoria mi reinventerebbe da capo; perché – sarete d'accordo con me – la memoria pian piano degenera e, simile a un cadavere, diviene alimento di altre forme di vita, mosche, vermi, batteri, così i parassiti della coscienza trovano nei ricordi un certo nutrimento saprofitico, che lentamente ne imbastardisce la sostanza. No, signora Angiolina, io eviterò le cure della memoria della vostra signora figlia, le mosche carnaie del suo desiderio di ricordarmi; terrò lontane le bestie immonde, tramite l'insetticida delle mie azioni: la lenta disinfestazione che delego alla mia testa di spia. Una testa davvero pericolosa, da cui vi consiglio di allontanarvi, ponendo la vostra forza a dimenticarmi e a farmi dimenticare. Tuttavia vi vedo distratta, stordita dal fiume del mio soliloquio: sveglia, signora Angiolina, io vi annuncio che Anna è incinta: incinta del meccanico che le avete procurato. Il vostro progetto si compie, su, siate felice, venite, alzatevi dal divano, apprestatevi a lasciare questa casa e a dare la buona novella al vostro amico parmigiano; andate ora, non perdete tempo e ditegli tuttavia che porterò via con me il figlio di Anna; oh sì, non guardatemi così, parlo sul serio: vi porterò via vostro nipote, signora Angiolina.»

26

Nella forbice del mirino cercai la capoccetta ramata che riluccicava in punta alla canna del fucile. Dovevo trattenercela finché il dito si chiudesse sul grilletto e la molla del percussore schioccasse sullo spillo, fottendolo nel culo irascibile del proietto. Esplosi il mio pallino piroclastico ad avvitare il mondo sul suo naso rotante: ad addensare i settecento metri, che avevo davanti, nello spazio di un secondo. E il proiettile andò, come una rossa coccinella di metallo tra i petali della mia rosa di tiro, a riassumere, nella sua breve vita di sparo, la mia stagione eroica alla battaglia di Porta San Paolo.

Era cominciata mercoledì notte, quando i parà tedeschi avevano prodotto un'interpretazione piuttosto realistica delle inescogitabili dichiarazioni del capo del governo italiano: il quale, informando la nazione di aver fatto pace con gli angloamericani, non aveva tuttavia confermato, che tale condizione disalleava contestualmente i tedeschi dalle nostre sorti. E quelli avevano subito attaccato il 1° Granatieri al ponte della Magliana, onde trasponessimo in chiaro l'implicito del Badoglio.

I combattimenti si erano quindi propagati durante la notte dall'Ostiense alla Laurentina; mentre la fama loro andò via via lumeggiando la città intera, insieme al bagliore della nuova lunazione. Svegliò Salvatore Aiello che con la squadra dei compagni attrezzati di doppietta corse dalla sorella alla Pensione Impero; ridestò Concetta e il piccolo Gesuè, quindi Italia e Luciano; dissonnò Mario Carra, armato di un moschetto 91, che arrivando dal sor Cesare all'osteria sotto casa, spaventò i garzoni assopiti sui pagliericci, per poi salire a cercarmi; e infine, all'approssimarsi dell'alba, chiamò un buon pezzo del popolo di Roma alla speranza, alla sorpresa, all'onore di una battaglia di liberazione. In ultimo, verso le sette del giovedì mattina, raggiunse anche me, per reclutarmi alla sollevazione popolare, con loro tutti, pressati gli uni sugli altri nel salotto d'Italia, vocianti di sentimenti e di emozioni, già sudati, già commossi, che mi chiamavano incoraggiandosi del mio nome e m'inglobavano nel corpo comune della nostra resurrezione.

Eppure io, ancora ignaro della chiamata, dubitavo se seguire loro o correre subito a La Storta, da Anna. «Dove vuoi andare» m'intimò Mario, «sulla Cassia ci sono combattimenti che impegnano la divisione Ariete. Si combatte lungo le strade di accesso alla città.» Luciano D'Ascenzio angosciato, irato, fuori di sé, sbraitava che se ne andassero. «Bolscevichi!» diceva, mentre tratteneva la madre di Gesuè per mano. Concetta si liberò con uno strattone e affidato il figlio alle braccia della "zia" Italia, cominciò a scendere le scale. Io l'avrei seguita, però: «Fermatevi Bruno!» mi gridò il padrone di casa, «con questi vi rovinate.» La città invece si stava svegliando senza paura, senza agitazione. «Venite pure voi» suggerii, «andiamo a capire cosa succede.»

«Lo so già. È la fine!» mi rispose.

Era atterrito: aveva telefonato al comando per avere notizie, e magari ordini da parte di qualche ufficiale, ma il centralinista gli aveva detto che non c'era più nessuno, che scappavano tutti, e in borghese. Salvatore Aiello s'intromise per assicurarci che fuggivano anche i tedeschi e non c'era che prenderli a sassate. Carra invece aveva saputo che i granatieri stavano ricacciando i crucchi verso il mare, aiutati dalla gente della Montagnola e della Magliana. «Dovranno rinunciare a Roma» sosteneva sicurissimo, «e si attesteranno più a nord.»

«A La Storta?» temetti.

«Macché, più su, più su.»

Luciano fissava Mario Carra con vivissimo orrore, apprendendone l'inclinazione sovversiva. «Andate via, via da casa mia!» urlò spingendolo per le scale. Cercai di calmarlo con l'aiuto d'Italia, turbata, quasi piangente. Lo trascinai con me in cucina, per evitare la degenerazione delle parole in manrovesci. Sul tavolo di marmo vidi la divisa da miliziano che, su suo ordine, la serva di casa, Ada, stava tagliuzzando con le forbici: ne faceva fettucce che infilava nel fornello acceso della cucina economica.

«Guardate Bruno» e m'indicò la stoffa straziata, «è finita; è morto l'Impero, ci muore la Patria tra le mani.»

«Via Luciano, io non so cosa sia la patria ma certo è più di un panno di stoffa nera.» Nondimeno lo lasciai, accasciato su una sedia di paglia, con il viso tra le pezze a piangere il suo impero d'orbace.

Poiché nessuno era andato a lavoro quella mattina e nemmeno l'Atag assicurava i collegamenti fra i quartieri, partimmo con i mezzi più diversi: chi in bicicletta, come i compari del cilentano e io stesso; chi con il ciuco di Cesare, come Salvatore; e chi con l'auto di Carra, come Concetta, l'oste e due nipoti suoi. A Lungotevere incocciammo una coppia di tedeschi su una motocarrozzetta, fermi nel mezzo della strada, sotto gli occhi della gente che, guardandoli incerta, traslava oltre. E forse videro subito che eravamo armati, perché scesero dalla moto. Salvatore, che trotterellava sul somaro, mi sorpassò alzando i cani alla doppietta. Io frenai la bici, temendo lo scontro a fuoco, ma non l'automobilistico in cui invece incappai, dato che Mario, seguendomi con la macchina e distraendosi a rimirare i nemici, m'investì da dietro, gettandomi sull'asfalto. I tedeschi, contro ogni aspettativa, alzarono le mani, deposero le armi sulla strada e si arresero: «Kriegsgefangen» dicevano a Salvatore. «Kriegsgefangen tui.» L'eroe non comprendeva il cispadano e ci guardò meditativo; Mario, sceso dalla macchina mosse verso di loro, con il fucile a bracciarm, infischiandosene di me che mi leccavo le sbucciature delle mani. «Vuol dire prigionieri» gridò, «acchiappali!» E Salvatore avrebbe voluto scendere dall'asino con un'agile sforbiciata coxofemorale, sennonché la bestia, eccitata dall'occasione, scoppiò in una potentissima ragliata, proprio mentre la caviglia del cavaliere le stava scavallando le lunghe orecchie, sicché dallo spavento Salvatore rovinò a terra, evitando per un soffio d'impallinarsi di sua mano. I crucchi furono più rapidi di Carra nel soccorso e uno rialzò il corpo dolorante del cavalleggero, leso al plesso lombosacrale dall'atterraggio di culo sul pavé di sampietrino; l'altro raccolse la doppietta, disarmandone i cani e porgendola gentilmente a Mario, che lo minacciava con il moschetto.

Si formò subito un nutrito capannello di curiosi attorno ai liberatori di Roma e ai loro prigionieri. Il capo delle operazioni fu al solito Carra, che ordinò ai nemici, a cui gli uomini di Salvatore avevano appena legato le mani, di montare la cavalcatura ragliosa, che i due temevano ben più del Churchill. Quindi li slegarono di nuovo, li sospinsero sul ciuco e li rilegarono, accogliendo, nella complessità dell'operazione, ogni suggerimento impartito dal pubblico, che osservava incredulo e divertito. Quando il corteo si mosse, con quei due a trofeo sulla bestia di Cesare, io preferii seguirli a piedi e a una certa distanza, perché temevo che altre pattuglie tedesche non fossero così desiderose di resa e ci sparassero per liberare i commilitoni. La bici investita fu caricata sulla motocarrozzetta germanica, che uno dei nipoti di Salvatore pilotò fino a Porta San Paolo. Laggiù consegnammo i prigionieri a un ufficiale della Pai*, nell'applauso fragoroso, nei fischi e negli improperi dei presenti, che sputarono sui ragazzi tedeschi chiedendone la fucilazione: dacché i paracadutisti del generale Student l'avevano comminata ai nostri granatieri caduti nelle loro mani. Però nella confusione, ché al seguito del nostro corteo si era aggiunta gente da ogni quartiere e di ogni ceto, i poliziotti riuscirono a sottrarre Otto e Kurt alla folla dei più facinorosi.

C'era l'odore della guerra lì, altro che fuga disordinata dei tedeschi alle nostre sassate da scalmanati. Si udivano i colpi dell'artiglieria e raffiche di Schmeisser. I nostri soldati di leva, lasciati sul piazzale a fermare i civili che volevano partecipare alla battaglia, parevano terrorizzati: molti di loro non avevano mai visto il cranio di un uomo fracassato dal colpo della Luger, con la schiena disseminata d'ossa e corteccia cerebrale.

Carra e Salvatore ci spinsero avanti, oltre le linee della Pai verso la Montagnola. C'era un nostro M15 che bruciava, colpito da una cannonata da 88 e pezzi di cane sulle sue lamiere, fuse dallo scoppio. Passò un autoblindo, tipo SPA41, con due mitragliatrici calibro 8 in torretta e sul cofano anteriore un parà tedesco prigioniero, dal viso annerito con il lucido da scarpe e le frasche sull'elmetto. Arrivammo a ridosso dei reparti di granatieri e carabinieri impegnati nei combattimenti intorno al forte Ostiense. Ci seguivano altri civili per aiutare i feriti: li caricavano sui carretti della sanità, trasportandoli fino all'ospedale da campo, presso la basilica. C'era gente da Testaccio, che cercava di armarsi con le armi dei caduti e c'era Firmino, c'era Elio, con la banda della Pista Svizzera. Ci abbracciammo, ci baciammo. «Che fai qui?» chiesi al ballerino. «Difendo casa mia, difendo la sora Inciampa! Ché se passano e vengono giù fino al gazometro ce l'ho in casa e addio Svizzera, Bruno, buonanotte ai sonatori.»

* Pai: Polizia dell'Africa Italiana.

Mario si appostò dietro un platano e cominciò a sparare qualche colpo verso il forte Ostiense, dove sembravano vedersi le uniformi nemiche; intanto Salvatore, Firmino e gli altri si sparpagliarono intorno, in attesa che i nemici si mostrassero a venticinque, trenta metri, quando li avrebbero abbattuti come quaglie, sotto i pallini delle loro doppiette ossidate.

C'era una camionetta ribaltata che mi guardava con i fanali tristi e le labbra cadenti del paraurti ripiegato. C'era un soldato dei nostri, dalla schiena enorme di armadio semovente, che vi si dirigeva frettoloso. Non era ancora al riparo del relitto automobilistico che lo vidi cavarsi, dal testone quadrato, l'elmetto e dall'appiglio roccioso della spalla, la cinghia del moschetto, abbandonandoli a terra come disertasse; invece armeggiò all'altezza della cintura sganciandosi la fibbia, calandosi i calzoni e quando fu all'ombra del veicolo, aveva oramai nei pugni l'elastico delle mutande e se le gettava giù, sui pòpliti imbragati dai pantaloni, esponendo i lombi bianchi e rilucenti quali specchi, alla schicchera secca del Mauser, alle chiacchiere flatulente degli Schmeisser. Così, protetto dalla ruota anteriore del veicolo, notai che il mio granatiere si preparava a liberarsi di ben altro che di cinquecento millilitri di urina. Era la fecalizzazione del retto che pigiava sul didietro dell'ano e che gli dava la voglia di cagare. Era il chimo di anni di guerra che, rasciugato di ogni passione, da poltaceo si era fatto solido nell'intestino del soldato; erano i moti delle masse, scatenati da quella vita fecaloide di rabbia e di violenza, che innescavano le contrazioni e le distensioni del viscere traverso, affinché la guerra avanzasse all'esito finale. Trascorsero diversi secondi senza che alcunché di nuovo si depositasse sul viso annoiato della terra, perché non era sufficiente il solo stimolo del bisogno; non bastava la sensazione dolorosa del crampo gastrocolico a generare l'espulsione della stronzata, no: occorreva ancora un altro riflesso, uno parasimpatico, involontario. Necessitava il permesso superiore del cranio sommo, che decretasse il rilasciamento della tonalità pelvica, concedendo al granatiere cagatore il godimento decorrente della defecazione. Ed ecco, infatti, che lo scorsi accovacciarsi un po' di più sulla forza del Newton, che evocava, dal centro del pianeta feroce, il suo sterco di soldato: fu il segno che il riflesso era scattato, assicurando la trazione dell'ano verso l'alto, affinché il defecato non s'abbarbicasse come edera su per la scissura dei glutei e verso l'osso sacro, ma precipitasse invece a concimare d'uomo il volto arrabbiato della terra. Osservai la biscia caccosa sortire dal suo culo di giaciglio per lambire con il muso aguzzo l'asfalto polveroso dell'Ostiense. La vidi poggiarsi dapprima con il capo e infine con l'intero corpo cilindrico, quando di colpo si ravvolse a doppia spira su se stessa.

Oh che sensazione di leggerezza provai, che riposo; e da quale benessere mi strapparono via i ripetuti spari di Mario a ombre di un passato che non riusciva a passare.

«Basta, andiamo via» cercai di convincerlo, anche perché non ammazzasse qualcuno dei nostri, nel tentativo di beccare i suoi fantasmi. Macché, non voleva fuggire. Diceva che c'era lo sfascio dell'esercito e che l'unica speranza era la popolazione, eravamo noi e in specie io, ex sottotenente del Genio, esperto in opere di guerra. Mi offrì il moschetto: «Spara, sparagli addosso, dai» gridava.

«Chi ti ha detto che l'esercito è in rotta, vedi questi granatieri come combattono.» Rispose che la sera prima, ascoltato l'annuncio radio sull'armistizio, era corso al ministero, dove regnava la massima confusione, senza che vi fosse alcuna direttiva precisa. Poi, all'alba, un amico dei servizi lo aveva avvertito che il re era scappato da Roma, con Badoglio e alcuni alti ufficiali e che, per giunta, era stato diffuso un ultimo ordine alle nostre truppe, nel quale si proibiva qualsiasi ostilità nei confronti dei germanici. Non solo, erano state captate delle trasmissioni radio, diffuse dalla Germania, nelle quali si proclamava un nuovo governo nazionale fascista, composto dai gerarchi fuggiti dopo il 25 luglio e si esortava l'esercito italiano a deporre le armi e ad appoggiare le forze tedesche. Sicché Mario era convinto che ci fosse sotto un piano preciso per darci in pasto a Hitler, con la complicità dei Savoia stessi e dei generaloni dello Stato Maggiore. «E sai perché proprio ora?» mi chiese. «Perché gli americani stanno sbarcando a Salerno» si rispose, «sì, oggi, adesso, in questi minuti. Hai capito? Dovevano agire ora o non c'era più tempo.»

«Che dici? Non ci credo. Se sono tutti scappati, questi nostri soldati chi li comanda questi?»

«E te chi ti comanda? Perché Firmino è qua e quella donna lì, la vedi? Perché stiamo qui, chi ce lo ha comandato?»

«Davvero credi che possiamo vincere, Mario?»

«Non lo so, non penso. Ci sono sei divisioni delle nostre che difendono Roma, mentre i tedeschi avranno sì e no sedicimila uomini, tra l'aeroporto di Pratica di Mare e il lago di Bracciano; però sono comandati da Kesserling, da Student, hanno i loro generali e i comandi e i piani, pronti chissà da quando.»

Vidi le chiome dei platani soffiate come da starnuti di giganti e un paio di esplosioni raggiungerci da vicino. Molti civili rimasero feriti e il fumo, la polvere, come durante il bombardamento di San Lorenzo, acuì il terrore e l'ansia. Mario scattò più avanti e cercò un bersaglio per il suo moschetto. Vari colpi di Mauser caddero non lontano da noi e le raffiche delle mitraglie si avvicinarono di metro in metro. «Andiamo Mario» gridai senza successo. «Che ti sei messo in testa? Di morire qui, ora. Cerchi la "morte bella" e perché? La morte non dà mai niente, Mario, toglie soltanto.»

«A volte la morte restituisce un'identità che la vita ha negato. A volte trovi il senso dell'esistenza nell'atto che te la toglie. Che c'è qui che non va? Perché morire domani avrebbe più senso che crepare oggi? E domani poi, credi che c'è domani se questi entrano in città?»

Allora spara amico mio e fatti ammazzare, pensai allontanandomi un po' da lui e sedendomi a terra, appoggiato al muro rosso di una villetta a due piani, fra edifici altissimi di casoni popolari. C'erano ancora molti fiori nel giardino: gerani tra ortiche e papaveri tardivi. Fiutai i profumi, l'improvviso silenzio, la concavità magica di quello spazio creato dalla mia indecisione. Vidi una farfalla gialla come il sole, che se ne stava intorpidita su un arbusto senza fiore; l'ammiravo incantato quando cadde a terra, riversa sul dorso, già agonizzante. Mi chiamò con l'abracadabra delle sue zampette, che rammendavano l'asola dell'esistenza da cui si cuciva fuori: una cessò, poi l'altra, e l'altra ancora, finché la porta del suo futuro fu definitivamente chiusa. Non così la mia, che proprio lì si spalancò all'evento nuovo, mentre trafelato dalla paura, curvo dalla fatica, correva verso di me. La scorsi all'improvviso; che ci faceva nella battaglia? Veniva accompagnata da Salvatore e Firmino; perché mi facevano segno di raggiungerla dietro il chiosco, sotto il tetto? Corsi verso quel miraggio di vecchia e la toccai, era lei, Angiolina; l'abbracciai come vera.

«Che fate? Dov'è Anna?»

«È a casa, è al sicuro.»

«E voi, perché siete qui?»

«Questa notte mi sono dovuta fermare a Roma, perché non potevo tornare indietro, con l'armistizio e i tedeschi che non si sapeva più che facevano. Ho dormito dagli Spaggiari, i genitori di Luisa, a Testaccio. E questa mattina ti ho visto passare sotto casa, a via Marmorata, con loro e tanta altra gente. Sono scesa a raggiungerti fin qua. Ma sei matto? Questi ti ammazzano!»

«Pensate a voi, piuttosto. Tornate indietro, che siete venuta a fare?»

«Bruno, sono venuta a dirti una cosa grande, la più grande...»

«Cosa, perdio. Andiamo via di qui, andiamo!»

«Un attimo Bruno.»

«Cosa?»

«Anna aspetta un figlio da te.»

«Zitta. Che dite?»

«È così...»

«Perché lo ha detto a voi...»

«Non l'ho saputo da Anna... me lo ha detto lui... Bruno; e ce lo vuole prendere, vuole strapparcelo via. Si porterà tuo figlio in Germania, Bruno; e Anna piange perché lo sa, lui glielo ha promesso: "Ti porterò via tuo figlio" così gli disse, sai.»

«Mario, levamela di qua. Salvatore, portala via. Oltre la chiesa, verso Testaccio. Andatevene, signora Angiolina, io vengo, vengo subito.»

Trattenni Mario per un braccio, mentre Salvatore allontanava la madre di Anna, accompagnato da Firmino, da Elio e dall'orchestra dei patrioti.

«Dammi il fucile» pretesi.

«Perché?»

«Guarda là, eccoli!» finsi di vedere i nemici. «Dammi il fucile, dai.»

Cercai un bersaglio, lo trovai tra le stelle. Andò la mia pallottola radente i cornicioni dei palazzi, le foglie aculeate degli eucalipti; volò sopra il carretto della sanità col morto a bordo, il viso del parà tedesco, la mitraglia, la schiena del granatiere italiano, il cane squartato e l'ala della farfalla bionda; inseguì le sorti dei soldati, le preghiere dei civili, le grida dei feriti, la pace sguaiata dei morti in battaglia e ogni cosa avvitò nel vortice autocentrante della mia volontà di cecchino. Salì alla cresta della parabola, e si arrestò sul ciglio rarefatto del cielo, ne rose il velo leggero che celava il corpo immenso del Caso: gli si gettò nell'occhio sonnoso, lo bucò di un foro netto e lo rese cieco. Colò il sangue bianco di chi non conobbe passioni e il labbro tremolante del moribondo borbottò: perché? cos'è stato? oh niente, risposi con la mia palla nel suo cranio: solo uno sparo, solo un colpo di moschetto, ma che mi trasformò da cronista di guerra in partigiano.

— Tenevo gli occhi chiusi e non lasciavo procedere il tempo per la sua strada. Rallentavo la vita, catturandola nella mia indolenza. Trascorrevo il giorno intero a letto e mi coprivo fino alla testa, poi, sotto il lenzuolo, nuotavo nel mare dei sogni. Questi si nascondevano simili a pesci timorosi e quando fluttuavo sul vuoto profondo temevo che dal sipario dell'abisso si materializzasse il sogno che sognava Carlo: perché c'era un passaggio che collegava il mio mare al suo oceano e dal quale, alle volte, i suoi sogni, pinnati come squali, emergevano nel mio a predarmi la mente.

«Non avrai memoria di me» aveva detto, «non ti permetterò di ricordarmi»; e io già eseguivo il suo volere: poiché dimenticavo lui e ne rivivevo un altro. Era diverso l'uomo che mi aveva picchiato, non assomigliava a colui che più di un anno prima, nella cripta sotto l'altare della basilica di San Lorenzo, mi aveva sedotto baciandomi le mani e i polsi; aveva depredato Carlo della faccia, della voce, dell'odore. Sul ricordo del suo viso innamorato si erano posate espressioni troppo differenti e ogni lineamento era mutato. Il ladro aveva preso il posto di Carlo e con il suo viso aveva rubato anche me: la ragazza che davanti al volto dell'uomo amato era stata felice, bella, forte. Be', la volevo indietro quella me che era mia. Volevo indietro la mia anima innamorata!

Solo il ladro però aveva le chiavi della prigione in cui era rinchiusa. L'avevo blandito, l'avevo pregato, avevo cercato di convincerlo a restituirmi la donna mia in suo potere. Eppure non c'era nessuno con cui parlare: non era nemmeno una persona, il ladro, era solo un'immagine storpiata di uomo.

L'aguzzino mi aveva gettato, di tanto in tanto, un brandello della me trafugata, perché mi accontentassi e rinunciassi al resto della mia felicità. Così mi aveva dato Bruno e si era tenuto me stessa. Però ora gli avevo strappato dalle mani qualcosa di più; ora io aspettavo un figlio. Ora il ladro mi doveva tutto!

«Non ti sarà sufficiente trovarmi odioso e cattivo» aveva aggiunto, «non basterà che ti riesca impossibile ricordare i nostri giorni migliori senza intravedere il mio nuovo volto di nemico, no Anna, ci vorrà di più: dovrai unire alla mia anche la tua immagine peggiore. Risveglierò la colpa e desidererai il mio assassinio; odiando la mia immagine odierai entrambe le tue, quella della mia amante e quella posteriore della donna livida e rancorosa che desiderò la mia morte.»

27.

Giunsi a La Storta con Angiolina e Carra il pomeriggio di sabato 11 settembre, quando tutto era oramai perduto e Kesserling aveva emanato la nuova legge di Roma, governata da un governo servo.

Vidi Anna venirci incontro sull'aia e mi gettai giù dalla macchina di Mario ancora in movimento. Le corsi incontro e l'abbracciai. Scesero dall'auto anche Angiolina e Mario, che si accostarono a noi, impazienti di avere da Anna la conferma di quanto aveva confidato al colonnello tedesco. Ci guardò sorpresa, mentre chiedeva dell'armistizio, dei combattimenti, degli Spaggiari e degli altri conoscenti; intuì subito che sapevamo, ma non come avessimo saputo. Per risparmiarle l'incertezza le dissi: «Tua madre ha voluto incontrare il colonnello von Sybel.» E Anna, con occhi di sasso: «Non è suo!» proclamò ad alta voce. «È tuo figlio, Bruno, il bambino che attendiamo.»

La sottrassi alla premurosa curiosità di Angiolina, di Adele, dei Forti. Salimmo nella sua stanza, sotto il tetto della cascina. Ci gettammo sul letto abbracciati e muti, avendo a guanciale ognuno la guancia dell'altro.

«E adesso cosa accadrà?» mi domandò, fantasticando dietro momentanei pensieri.

«Dovremo nasconderci» suggerii, e quindi aggiunsi: «Lo sai che il re è scappato a Brindisi?»

«Sì, da parecchio.»

«No, come da parecchio: è scappato mercoledì» replicai, senza intendere che aveva confuso la fuga del re, l'8 settembre, con la corsa dell'auto reale sotto la gragnola di sassi che lei stessa le aveva tirato a Porta Maggiore, il 19 luglio.

Quanto era cambiata, Anna, dal giorno del bombardamento; era così diversa, forse più adulta, sebbene lontana; distratta dal suo magnete nella pancia.

Le raccontai i giorni della battaglia di Roma; le dissi che si era organizzato un Comitato Nazionale di Liberazione e che molti vi aderivano per combattere i nazisti. Volevo raccontarle di Firmino: liberarmi del mio dolore, però temevo la sua svagatezza. Cominciai a dirle delle tante donne rimaste uccise negli scontri alla Piramide Cestia e a Testaccio; la rassicurai sugli Spaggiari e Luisa, che quando li lasciammo, per ritirarci a San Lorenzo, stavano bene. Anna invece mi domandò: «Lo desideri davvero nostro figlio?»

«Certo, Anna. Però saranno giorni difficili i prossimi, sai; per questo te ne parlo e ancora non ti ho detto il peggio.»

Eppure non c'era nulla, di quanto le potessi raccontare, capace di scuoterla dalla storditaggine che l'aveva presa. «Anna, hanno ammazzato Firmino» sbottai, non riuscendo più a trattenere le lacrime. «Abbiamo resistito l'intera mattina, poi abbiamo dovuto cedere e ci siamo ritirati verso Porta San Paolo. Alcuni preferirono seguirci e non rientrare nelle case; altri, e fra di loro Firmino, scelsero di piantonare le abitazioni, i negozi, i magazzini, barricandosi dentro, confidando nella protezione dell'abito civile. Anche Elio, Salvatore, Cesare e la banda dei musicanti, cercarono di dissuaderlo, senza successo. Già a sera i paracadutisti tedeschi presero il controllo della zona del gazometro ed entrarono nella Pista Svizzera, sparando ai bicchieri, alle panche, alla fisarmonica di Elio, alle coppe di Firmino sugli scaffali. Saccheggiarono il magazzino, lo spaccio, la cucina, infine avranno sfondato la saracinesca della bottega e devono averli trovati lì, la sora Inciampa e il suo Stinco, assisi sulla cesta delle mele, appoggiati alla cassetta della lattuga: lui con il moschetto, lei con il rosario in mano; e lì pure li hanno ammazzati, con una stessa raffica di mitra. Li abbiamo rinvenuti così, stamattina, prima di fuggire dalla città per venire qui.» Piangevo fra le braccia di Anna, senza cercare di trattenermi; volevo che le lacrime mi lavassero via dalla mente il ricordo dei corpi massacrati, del viso del mio amico lordato del sangue, dei buchi orrendi che gli avevano perforato il torace.

Anna si commosse appena al mio racconto; ricordò il nostro ballo alla Pista Svizzera, rammentò ciò che aveva bevuto e l'espressione innamorata che avevo avuto per lei durante il valzer che ballammo. Mi domandò: «E se poi non ti piaccio più? Se la gravidanza e il parto m'imbruttissero? Sai che i seni si possono smagliare e la pancia non torna sempre come era prima. Io non voglio ingrassare e non voglio dimagrire. Io voglio rimanere quella che sono. Perché si deve cambiare così tanto per diventare madre?» Non sapevo cosa risponderle; suggerii che andassimo da un medico. Non ne conosceva e mi propose Candido. Macché; però, se lo desiderava, dopo la visita da un medico vero avremmo parlato pure con Candido. Anna fece una smorfia di fastidio: aveva voglia di urinare, disse che lo faceva spesso e che non era normale. Insistetti a distrarla con i miei racconti. Roma era stata confermata "città aperta", perché così faceva comodo ai nazisti e sarebbe stata governata da un gruppetto di nostri ex generali. Anna aggiunse che era infastidita da un leggero bruciore interno. «Sai di Adelmo? Lo hanno malmenato e ferito, perché si è opposto a una squadra di tedeschi sbandati che volevano saccheggiare la casa di via dei Sabelli.» Anna si toccava i seni: mi disse che le formicolavano un po' e la stoffa della camicetta le dava fastidio. «Ogni giorno che passa mi sembra di essere un po' diversa e non mi va. Ho sempre sete; ho la bocca cattiva, non sono più io.»

«Anna scusami, non esagerare; vedrai che presto ti abituerai alla nuova situazione. Ora sei spaventata dalla maternità e un po' anch'io sai, è capitato così improvvisamente...»

Ci fu un lampo buio fra di noi: la frana improvvisa di una notte sulla luce degli occhi di Anna. Si annerirono le sue pupille e le palpebre si chiusero a pinza su di me, affinché io non azzardassi più di fraintenderla.

«Cosa dici? "Improvvisamente" che? Ti sei avvicinato a me, mi hai seguito, mi hai aiutato: perché? Perché sei venuto nella mia vita? Ti ho scacciato e ci sei rimasto a ogni condizione. E dici "improvvisamente"? Bruno, tu non stai qui per caso, lo vuoi capire; non sei un ospite di passaggio: la vuoi smettere di avere in faccia quell'arietta d'accidente fortuito? Tu esisti, hai volontà e desideri, sei responsabile di quanto ti capita e che fai capitare agli altri. E ora io sono occupata da un... da non so cosa: lo chiamano figlio, e cos'è un figlio? È una piccola biscia che ti s'infila nella pancia, ci cresce, ti cambia e ti fa sua? Non ne posso più di essere dominata, di essere occupata da mio padre, da sua moglie, da Carlo, da te: questo figlio è vostro, non mio; l'avete voluto voi: è il sigillo della vostra occupazione della mia testa e del mio corpo. Vi odio! Perché sei entrato nella mia vita: tu, che ti fai comandare da chiunque? Sei venuto a ingravidarmi perché te lo hanno chiesto mia madre e il suo amico tedesco? Da quando sei arrivato non mi hai detto nulla di nostro figlio, non hai nemmeno protestato che ne avessi informato Carlo prima di te. Chi sei tu, uno schiavo sei! Ubbidisci a chicchessia e anche a me che mi faccio scopare da tutti, anche da te. Io non ho più fiato per piangere, io voglio avere le mestruazioni come Luisa, e invece lui me le ha tolte, perché ora c'è lui dentro di me o lei: quest'occupante senza sesso, questo ermafrodito che fa battere il suo piccolo cuore accanto al mio, e che me lo sostituirà, che se ne approprierà per il tempo che mi resta. Io non sono pronta, non voglio figli. Aiutami, fai qualcosa. Ora ti chiedo aiuto, capisci? guarda, basta piangere: sono calma, vedi, sono fredda e lucida; so cosa sto dicendo: tu mi devi aiutare contro l'occupante che mi hai infilato nella pancia. Non puoi solo stare lì a guardare, devi proteggermi da lui: deve capire che non sono sua. Ora ti devi trasformare: non si tratta più d'incantare una ragazzina con il tuo ciuffetto biondo e l'occhio di smalto: stop! Non puoi solo attendere che Carlo mi lasci, devi smetterla di fare l'innamoratino sensibile e servizievole, non devi più darmi tempo, Bruno: ora tu mi devi conquistare; capisci? ora o mai più, tu mi devi prendere.»

L'armistizio, la dissoluzione del regio esercito, le catture dei soldati italiani da parte dei tedeschi, le deportazioni in Germania di intere guarnigioni, le fucilazioni, i combattimenti, le leggi di guerra naziste, la vendetta dei miliziani, il saccheggio di Roma: tutto questo convinse Anselmo Forti a ritirare dall'aia le proprie galline.

Era lunedì 13 settembre quando si dispose alla cattura del pollame; il quale, preferendo l'eventuale razzia del cuciniere germanico alla reclusione nella bigoncia del vino, che il Forti gli destinava nell'angolo più buio della cantina, non si faceva abbrancare per nessuna ragione, dandosi al contrario a una fuga sommamente disordinata. Sicché Anselmo, defatigato, aveva ricercato il mio soccorso ponendomi tra le mani una rete da pesca, usata per i capitoni del lago di Bracciano. Secondo lui dovevo lanciarla sulle cocche al modo gladiatorio degli antichi reziari. Ma mentre ci stavamo apprestando all'agone, tre ex soldati mezzi svestiti comparvero all'improvviso dalla strada vicinale. Erano un maggiore del Genio, un sergente e un soldatino. Chiedevano pantaloni da borghesi e qualcosa da mangiare. Venivano dal Grossetano e volevano raggiungere l'Abruzzo marittimo: Pescara, i paesini della riviera. Anch'io ero stato sottufficiale del Genio, cercai di comunicare al maggiore, lui però mi guardò con un'espressione di vaga condoglianza, affatto indisposto a ricordare quanto cercava di dimenticare. Forti promise di aiutarli e stava per l'appunto invitandoli a seguirlo verso casa, quando risuonò inconfondibile il pistone della motocarrozzetta di Rudi Kreutzer.

Fu un attimo: svoltò l'angolo già sbandando a sinistra, ci vide all'ultimo momento, inchiodò le ruote, che slittarono sulla terra battuta e precipitò, sparviero rombante, sul drappello delle gallinelle razzolanti. Due ne ammazzò sul colpo, tre le straziò in più parti. Mentre le sopravvissute assaggiarono l'eccitazione dell'involo, ché la botta le sparò nel cielo come petardi piumati e chioccolanti. Altrettanto, sebbene su rotte più basse, da grilli, da lepri, saltarono via gli ex genieri per i campi: né si voltarono alle mie grida: «Tornate qua; dove andate? Questo è un amico.» Un amico? Forti lo avrebbe decollato con il rasoio delle sole unghie, per lo scempio che aveva fatto delle nostre scorte alimentari e per il mero fatto di esistere, e di esistergli di fronte.

«Hanno liberato Mussolini. Ieri, sul Gran Sasso» disse l'austriaco, per salvarsi dalla vendetta di Anselmo Forti, che intanto si sfogava tirando il collo alle galline superstiti, ma irreparabilmente guastate.

Entrammo in casa; Rudi si diresse subito verso Anna e l'abbracciò da vecchio amico, baciandola sulle guance. Era preoccupato e, forse, commosso. C'informò dei fatti più incresciosi che erano avvenuti dopo l'8 settembre. Si era riaperto il palazzo del fascio a piazza Colonna; le truppe tedesche avevano il pieno controllo del nord Italia e di buona parte del centro; lo sbarco alleato a Salerno era riuscito, sebbene la Wehrmacht avesse bloccato l'avanzata angloamericana e cominciasse a riprendere cuore. Mussolini era stato liberato da un commando di paracadutisti tedeschi e sarebbe tornato a comandarci. Ora i tempi diventavano davvero duri e dicendo così guardava Angiolina: immaginai si riferisse ai loro traffici di borsa nera. Gli domandai se sapeva di Firmino; sì, mi rispose con il suo viso da suino addolorato. Angiolina gli raccontò dell'aggressione ad Adelmo Rabersati e chiese se le macchine utensili fossero in pericolo. La risposta di Rudi fu inequivocabile: «È questione di ore, Angiolina, e te le porteranno via. Non c'è niente da fare; o almeno io non ti potrò aiutare, questa volta.»

«Perché? Cosa succede?» domandò la madre di Anna.

Rudi abbassò lo sguardo a terra: «Sono settimane che non ricevo ordini dal colonnello. Lui vuole che tu credi che non si fida più di me, perché io sono troppo amico tuo. Penso così; non trovo diversa spiegazione. Lui mi offende con un comportamento che non merito; mi ha trasferito di ufficio; e perché lo fa? In cosa l'ho tradito? Nulla; ma lo fa lo stesso. Così tu mi chiedi aiuto e vedi che non te lo posso più dare, perché lui è arrabbiato e tu ti spaventi di più. Ecco perché lo fa.»

E Angiolina, nemmeno le avessero dato una buona notizia, riprese: «Ah bene: dunque fa la manfrina; insomma è solo un cinema il suo.»

Rudi scrollò il capoccione da maialotto viennese: «No. Io credo che Karl non vuole scherzare. È uomo pericoloso, che non capisci mai cosa cerca; lui non pensa da nazista: meglio sarebbe, perché io so come pensano loro. Lui ragiona da uomo tradito...»; quindi rivolgendosi ad Anna: «Bisogna che stai attenta ora, per tuo figlio, dico. Sì lo so: Karl mi ha informato... e auguri, tanti tanti. Però...» Rudi mi guardò serio, triste, brutto. «Cosa?» domandai. Sospirò, si aggiustò la posizione delle larghe chiappe sulla piccola sedia e: «Io non lo so per sicuro» aggiunse, «però ho visto un radiogramma che Karl ha inviato a persone fidate a Colonia.»

Nella cucina dei Forti, nonostante la lunga striscia di carta moschicida che pendeva dalla lampada del soffitto, con il punteggiato trofeo degli imenotteri invischiati, morenti o putrefatti, si udiva solo il ronzare cupo di un moscone.

«Embè» fece Anna, «che c'era scritto?»

«Che ti vuole mandare in Germania, perché lì deve nascere vostro figlio.»

Anna fu la sola a ridere e noi la guardammo storditi: «Cosa dici Rudi? Ha fatto così perché tu lo scoprissi e ce lo venissi a raccontare. Lo sai quanto me che lui è una spia, che dissemina i segnali per giocare alla caccia al tesoro. Dai, non ti preoccupare. Piuttosto, tu ti puoi muovere come vuoi, no? Quindi mi accompagni all'ospedale di Candido Pani, che voglio farmi visitare?»

Sistemammo Anna nella carrozzetta e Rudi le consigliò di otturarsi le orecchie con un po' di cotone, perché avrebbe avuto il cilindro del motore, col tubo di scappamento, proprio all'altezza della testa e ne sarebbe stata assordata. Io, a mia volta, le offrii un fazzoletto da mettere sui capelli e un cuscino sotto il sedere. Scavallai il sedile posteriore e abbracciai l'epa cicciuta dell'austriaco. Partimmo così verso la città e i posti di blocco tedeschi, simili ad agnelli verso il mattatoio; fidando nel servo del macellaio, che avrebbe potuto fare quel teatro solo per guadagnare la nostra fiducia e tradurci consenzienti al macello.

Per la verità avevo cercato di far intuire ad Anna il pericolo; ma non mi ascoltava, forse nemmeno mi vedeva. Da quando mi aveva ordinato di "conquistarla" non si era più lasciata avvicinare, aveva rifiutato le mie tenerezze e le mie parole. Sembrava avercela con me e del resto anch'io ce l'avevo con me stesso. Perché forse nemmeno io volevo il figlio che lei covava in seno e l'inedia in cui ero caduto, la pigrizia e la passività in cui mi dibattevo, ne rappresentavano il rifiuto. Lei si sentiva occupata e io giocato. Però Anna pretendeva che desiderassi così tanto nostro figlio da farlo accettare anche a lei; mentre ero io, invece, che mi sentivo scelto dal figlio che veniva, e catturato dalla sua storia, che giocava la mia vita per essere scritta. Forse erano pensieri immorali i miei; eravamo genitori inadeguati, io e Anna. D'altra parte dovevamo scappare, anziché pensare al figlio: avevamo un assassino alle costole, una spia nazista; mica un paino o un fascistello imberbe. E mi venne da sorridere pensando che eravamo un po' come Giuseppe e Maria; in fondo fuggivamo come loro da uno dei tanti Erode della storia, e l'unica differenza era il mezzo: loro su di un asinello giudìo e noi sulla moto di un maialotto asburgico.

Attraversammo tre posti di blocco tedeschi senza molte formalità. Poi, arrivati all'obitorio, ci accordammo con Rudi perché ci venisse a prendere l'indomani a via dei Sabelli, per riaccompagnarci a La Storta.

Candido al solo vederci saltellò di gioia, chiamando Fosca, correndoci incontro. Non poteva sapere ancora dello stato di Anna e quindi non riuscivo a intuire il motivo di tanta allegria. Ci abbracciammo e baciammo in un ridicolo minuetto: rigidi e impacciati noi, esagerati loro.

«Be', che succede?» domandai.

«Sono liberi Bruno, liberi per sempre» rispose Fosca.

Si riferiva ai parenti rimasti nel campo di Ferramonti. Uno della Delasem le aveva fatto sapere che già ai primi di settembre il direttore del campo aveva lasciato fuggire gli internati, affinché si nascondessero nei dintorni, in attesa delle forze angloamericane che erano molto vicine, e forse per difenderli da eventuali ritorsioni dei tedeschi in ritirata.

«Più veloce cammina ora il mio piede, più leggera è la via» osservò Fosca a margine del proprio racconto, e accesa in viso come dalla fiamma settùplice della sacra *menoràh*.

«Il mio passo è più lento invece. Ma anch'io, pare, ho delle notizie» principiò Anna attirando i loro occhi, e aggiunse: «Credo di essere incinta di Bruno.»

Non precisando se il dubbio espresso nella frase riguardava l'essere incinta o l'identità del padre. Forse solo per questo sentii il desiderio di confermare la mia responsabilità con una precisazione fuori luogo: «Già, però abbiamo molti problemi. Il colonnello von Sybel ha giurato ad Anna di portarci via il nostro bambino.» Anna mi guardò indispettita: «No, scemenze.»

Comunque, sul viso sferico di Candido e sull'ossuto di Fosca, la gioia si moltiplicò per due o per tre, contagiando il nostro malanimo e così, anche noi, abbracciandoli di nuovo, lasciammo sulle loro spalle qualche inattesa lacrima di commozione.

Candido ci trascinò nell'ufficio da dove telefonò al professor Eriberto Tollis, primario d'ostetricia e ginecologia, che accettò subito di visitare Anna, per i diversi favori che doveva al prosettore. Il professore dunque constatò l'amenorrea e la scialorrea, la presenza di fenomeni simpatici, quali nausee, vomiti a digiuno, modificazioni del gusto e diversi altri fastidi assai antipatici ad Anna, nonché l'aumento del volume dell'utero, la mollezza dell'istmo, la contrattilità del miometrio: diagnosticando uno stato di gravidanza di almeno sette settimane. Inoltre, con l'uso del regolo ostetrico, c'informò che la data probabile del parto sarebbe caduta nella prima decade del maggio 1944.

Quando infine tornammo dai nostri amici, Candido prese sottobraccio Anna, molto frastornata, e la portò con sé nell'ufficio; avrei preferito andare con loro, restare prossimo all'inquietudine della mia donna; ma Fosca mi forzò a seguirla, dicendomi che aveva qualcosa d'importante da mostrarmi.

Mi trascinò verso il locale frigorifero e si accertò che non ci fossero altri intorno all'ingresso, poi lo sprangò dall'interno. «Ti ricordi la bomba del signor Ignazio Pesce?» Certo, come scordare quella notte di terrore? Aprì una delle celle ed estrasse il piano scorsoio, che fuoriuscì mostrandomi la cassa di zinco conservata all'interno. D'istinto mi ritrassi indietro, e Fosca: «Non c'è nessuno dentro, non ti preoccupare, guarda...»

Sollevato il coperchio, scorsi diversi pacchetti racchiusi in una carta nera paraffinata e deposti sulla segatura, con un listello di legno a separazione di ciascuno, per far circolare l'aria. Attorno al perimetro c'erano dei pezzi di cloruro di calcio, buttati lì a essiccare l'atmosfera. «Un lavoro da competenti» fu il mio commento, intuendovi la mano esperta di Adelmo Rabersati.

«Che ci volete fare col tritolo?» le domandai.

«Non lo so. Lo abbiamo cavato dalla bomba come il significato dal suo segno; la spiegazione dalla scorza dura della norma tramandata; ma per comprenderla occorre una luce che ancora non vediamo. Tutto è segno, Bruno, tutto è Scrittura.»

28.

— Dopo la visita all'ospedale, avevamo raggiunto San Lorenzo: la casa sopravvissuta a mio padre, alla sua morte, alla mia infanzia e al bombardamento. In quelle stanze di museo Bruno sembrava un fantasma malinconico, incapace di lasciare il mondo per volarsene in paradiso. Gli proposi di andare in una qualche pensione, invece di rimanere nel castello degli spettri. Ma Bruno era solo un pupo accasciato sotto la matassa dei fili gettati dal puparo.

Mentre dormiva, raggiunsi la stanza di Giusto e mi stesi nel suo letto; le imposte spalancate lasciavano entrare la luce della luna. Forse a causa dell'improvviso biancore qualcosa in me si agitò di colpo, fu un'onda alla riva dei sensi: un vento d'acqua che mi perfuse di calore, fino alle guance e alle tempie, come dovessi arrossire di un desiderio della pancia. Era solo una voglia di accadimenti; la reazione all'attendismo di Bruno; comunque un morso orticante che mio figlio m'inferse alla spina dorsale, allontanando il sonno, reclamando nuovi bisogni.

Ero io o lui a desiderare che Bruno entrasse nel ruolo di padre? Ed ero io che avrei sperato di trattenere ancora Carlo al laccio del nostro gioco, ma era mio figlio che m'imponeva di scacciarlo per prenderne il posto.

Attendere un figlio pareva una specie di delirio: l'occupazione della mente da parte di una piccola biscia – e l'em-

brione non era qualcosa di simile? Quando il professor
Tollis aveva pronunciato quel termine avevo immaginato un
vermetto bislungo; anzi, così allungato da avere la testa nel
domani e la coda nel passato: un ponte, per il quale potevo
correre lungo tutte le mie età, fino all'ultima: quando sarei
stata vecchia e lui mi avrebbe accudito. Ora però dovevo
trovare un riparo per entrambi e preparare il mondo ad
accogliere lo sbarco del mio piccolo girino. Avrei impedito
a Bruno l'attendismo e a Carlo l'azione.

La mattina seguente, Rudi non si fece vedere, contravve-
nendo agli accordi presi; né Bruno trovò il coraggio di uscire per cercare di contattarlo; rimanemmo sempre a casa,
nutrendoci soltanto della zuppa di ortiche che Sandrina la
barista cucinava per noi. Ne mangiò due scodelle anche
Adelmo Rabersati, che passava il suo tempo a sorvegliare le
macchine utensili, rinchiuse nel lager dell'officina. Con lui
giocammo a briscola e a tressette, mentre raccontava di
Giovanni, uno degli operai di mamma. Non era mai stato
fascista, ma il giorno prima, all'improvviso, Giovanni aveva
raggiunto Palazzo Wedekind, dove avevano riaperto l'ufficio del Partito, per prendere la camicia nera. Secondo
Adelmo era ammattito; e quando aveva fatto ritorno in officina per riprendere alcune cose, s'era messo a gridare di
non essere un traditore, un infame come Adelmo, il re e la
più parte degli italiani: sicché finirono per picchiarsi e Adelmo ci mostrò i lividi sotto il mento e le mammelle.

Mi domandai se davvero il fascismo potesse rinascere.
L'Eiar* aveva annunciato che Hitler, al rivedere Mussolini
dopo la liberazione, lo aveva addirittura abbracciato; di
conseguenza Bruno e Adelmo temevano che ogni cosa tornasse come prima. Tuttavia parlavano da ombre del passato, senza alcun fiuto per il futuro. Erano maschi, loro, affi-
dati alla miseria di una durata sempre uguale, spezzettabile

* Eiar: Ente Italiano per le Audizioni Radiofoniche (1928-44).

dalle loro menti meccaniche in secondi identici: corpi senza mestruazioni e lune, incapaci d'immaginare un momento di qualità differente.

Venne l'indomani: all'alba il campanello del portone squillò furiosamente. Bruno si alzò dal letto impaurito. «Cosa sarà?» si domandò, brancicando in cerca dei vestiti. Io rimasi calma, invece, ancora un attimo sotto le lenzuola, ad ascoltarmi dentro. Intanto fuori che altro c'era se non la nostra paura di rinascere nuovi e di affermarci nell'impegno di esistere, nell'azzardo di vivere?

«Bruno, come possiamo dare alla luce un figlio se abbiamo paura di imporre al mondo la nostra esistenza di genitori?» Non mi rispose neppure, anzi mi adocchiò frettoloso, incerto, ancora con quella sua arietta fatua da giovanotto toscano, tutto artificio di parole e "ci" aspirate.

Ci destarono di soprassalto; erano i rappresentanti della direzione generale Rüstung und Kriegsproduktion, armamenti e produzione bellica: l'ufficio RuK. Indossai soltanto i pantaloni e le scarpe e mi precipitai a origliare dietro il portone che separava gli uffici dalla strada, per vedere se potessi evitare di aprire, dando a credere che non fossimo in casa. Non avevo che il vecchio permesso del Fabbriguerra con me, già scaduto da mesi e temevo il reclutamento forzato. Pensai addirittura di fuggire, ma così avrei abbandonato Anna nelle loro mani. I crucchi, intanto, picchiavano le losanghe del portoncino con gli scarponi e i calci dei fucili. Presi fiato e aprii. Sembravano in due, uno armato di fucile mitragliatore e l'altro di un grosso registro marrone. Questi, che era un graduato, chiese chi fossi in un italiano irriconoscibile, che mi esagerò l'ebetudine. Si mise a gridare, pensando che il mio problema fosse la sordità. Gli risposi che ero lì a custodire il magazzino e l'officina dei Gatelli, perché ero un tecnico. *Gut*, mi parve di udirgli in gola. Volle registrare subito le mie generalità sul librone e dove risiedessi di preciso: indicai la Pensione Impero a piazza della Pigna. Mentre registrava l'indirizzo, cercai con lo sguardo il mascherone asburgico di Rudi Kreutzer, senza rintracciarlo. Provai a intendere cosa volessero e non fu difficile arguire che pretendevano le chiavi dell'officina per arraffare le macchine utensili e certo anche il furgoncino Balilla, se io e Anna non lo avessimo nascosto nel pagliaio della cascina Forti, già il 26 luglio, dopo la festa della finta liberazione.

Spiegai al crucco che per le chiavi dovevo risalire nell'appartamento: nondimeno preferì cavarmi fuori dal portone e spintonarmi in strada; solo allora vidi il grosso camion Alfa Romeo a tre assi con il quale erano venuti. Alla guida c'era un altro soldato, mentre nella cassa senza tendone, un quarto, che faceva da guardia a cinque uomini vestiti di stracci e, dall'espressione, di certo italiani; forse reclutati al lavoro obbligatorio, sempre che non fossero ex militari del nostro smarrito esercito. Dalla cabina di guida estrassero una grossa tronchese e ordinarono agli italiani di scendere, per tagliare la catena che serrava il cancello dell'officina. I pochi abitanti, tornati nel quartiere dopo il bombardamento, occhieggiavano dalle finestre, forse spaventati dai modi dei tedeschi: modi nuovi, modi da padroni. Anche Sandrina, con i figli alle sottane, restava sulla soglia del bar a osservare la rapina. Arrivò Anna e si avvicinò a me. Il graduato la sogguardò senza alcun interesse, tornando subito a catalogare nel registro le macchine e le attrezzature che ci avrebbe rubato. Rimasi sorpreso; non capivo: se il colonnello voleva Anna, perché perdere tempo a rubare le macchine utensili? Tuttavia lei era certa che il mandante di questi nuovi e diversi tedeschi fosse sempre lo stesso, con lo scopo di rammentarci il potere che aveva su di noi e nostro figlio. Anna, anzi, si fece cupa, rabbiosa. Era stufa di sopportare. Dovevamo agire, per significare al signor colonnello che non gli avremmo permesso di maltrattarci a comodo suo. Cercai di calmarla un po', che almeno parlasse piano. Comunque ero d'accordo, seppure non vedevo cosa avremmo potuto fare. Ed ecco che tra la piccola folla dei curiosi, che erano scesi da casa e stavano per la strada, scorgemmo il viso energico e largo di Adelmo Rabersati. Anna vedendolo si calmò di colpo e di nuovo mi domandò se fossi d'accordo a reagire agli strali del suo ex amante. La questione era mal posta: il problema rimaneva in che modo farlo. «Non lo so ancora» aggiunse. «Però se ci perdiamo di vista, troviamoci questa sera a via Bodoni, sotto casa di Luisa. Va bene?» No, aspetta! Ma si era già allontanata, dirigendosi verso il bar. Intanto gli italiani caricarono sul camion la cavatrice a catena, la trafila, la puntatrice e la vecchia roditrice.

Sarà stato mezzogiorno, quando terminarono e la giornata era calda, quasi afosa. Anna si avvicinò a Sandrina, le sussurrò all'orecchio parole che mi sfuggirono. E forse, mentre ero stato chiamato dal graduato per rileggere la lista delle macchine che ci requisivano, Anna avvicinò Adelmo, che, fumando rabbiosamente, andava avanti e indietro per la via come una belva nicotinòmane. Senonché Sandrina uscì dal suo bar con un grosso fiasco di limonata, mentre i figli portavano una manciata di bicchieri. Cominciò a offrirla ai connazionali stracchi e accaldati, ignorando di proposito i tedeschi, che così invidiarono, per un attimo, i loro schiavi. Un soldato non riuscì a trattenersi e si accostò alla barista con il bieco sorriso del lupo che chieda una gentilezza all'agnello. Sandrina porse al crucco la bevanda e con gesti eloquenti invitò gli altri tedeschi ad avvicinarsi per riceverne a loro volta. Firmai la ricevuta della Wehrmacht e cercai di capire quanto il tedesco mi stava spiegando circa la procedura burocratica di quel furto d'occupazione. Vidi Anna presso il camion, che stava con il motore acceso al centro della strada, pronto a portarsi via le macchine di Angiolina. Adelmo le andò vicino, senza rivolgerle parola.

Sandrina offrì da bere al graduato, che accettò. Allora anche l'ultimo soldato, rimasto alla guida dell'automezzo, pensò di approfittare della pausa e scese dalla cabina, avvicinandosi al bar, dove pure io mi trovai con un bicchiere in mano. Anna mi guardò con il muso della volpe nel viso, e mi fece cenno con la mano di andare... andare? no, di scappare. Salì in cabina, insieme ad Adelmo, che occupò il posto di guida. Sentii il cambio dell'autocarro raschiare il grosso ingranaggio della prima, forzato dallo spingidisco; ma i tedeschi nemmeno si voltarono, quasi ce ne fosse un quinto, fra loro, intento alla manovra. E quando il camion si mosse con un salto in avanti e una nuvola di particolato nero dal tubo di scappamento, capii che Anna e Adelmo avevano rubato il camion ai tedeschi e questi se la sarebbero presa con me. Sgattaiolai nel bar, entrai nel cesso, montai sulla tazza, m'infilai nella finestrella e fuggii dal cortile, sul retro. Alle mie spalle riecheggiarono grida e spari; mi arrampicai sulla rete metallica e fui sui tetti di bandone delle botteghe, da lì penetrai le finestre delle scale del palazzo di via degli Ausoni. In un minuto, forse meno, raggiunsi la strada e camminai verso la Tiburtina come un uomo salvo, uno qualunque, a torso nudo.

— Martedì Anna non tornò a La Storta e non sapevo cosa era successo. Andai allo spaccio, perché magari telefonava: ma attesi invano. La notte passò senza notizie e credevo che il tedesco li aveva rapiti. La mattina Mario cercò di arrivare in città per scoprire qualcosa, e non si sapeva più niente nemmeno di lui. Poi, verso la sera di mercoledì, la Iole viene a dirmi che gli Spaggiari avevano telefonato alla sua bottega per informarmi che «tutti stanno bene, proprio tutti quelli che gli vuole bene la signora Angiolina.»
Era un messaggio di Anna: l'avevo capito, la notte però non dormii lo stesso. E giovedì mattina eccoti Rudi. Voleva sapere da me cos'era accaduto. Da me? Dice che Bruno è

ricercato dalla Gestapo e dalle SS, perché aveva rubato, con dei complici, un camion di macchine utensili requisito dai tedeschi. Io non ci capivo niente. Quali macchine? «Le tue» mi dice Rudi. «Le mie?» e senza rispondermi domandò dov'era Anna. «Qui non c'è» risposi. Quando se ne convinse, «ah bene» commentò, «allora la complice è lei» tirando un sospiro di sollievo.

Mi arrabbiai: volevo che mi spiegava per bene quanto sapeva. Sapeva poco, ma un po' immaginava: forse quando i tedeschi erano andati a requisire le nostre macchine avevano preso solo il nome di Bruno e non quello di Anna; poi lei doveva aver rubato il camion ai tedeschi. Anna? Se era incinta; se non sapeva guidare. Secondo Rudi qualcuno l'aveva aiutata. Comunque cercavano solo Bruno, che era scappato a piedi, per i tetti di San Lorenzo. «Oddio, povero ragazzo, lo puoi aiutare?» Giurò che ci provava; e ripartì con la motocicletta per scoprire cos'era stato di mia figlia.

Chiamai Giusto e Adele accanto a me, gli raccontai ogni cosa e Giusto capì subito che era stato Adelmo ad aiutare Anna e a proteggere le macchine. Perché l'avevano fatto, che bisogno c'era di rischiare la vita per delle macchine vecchie che non funzionavano più? Perché Anna, che era incinta, si comportava così, senza giudizio, meno anche del poco che aveva sempre avuto? E la sera, eccola la risposta: ecco Anna che torna con Mario Carra vicino. Non aveva nessuna paura, anzi sembrava contenta, anzi un po' pazza. «Stai male?» le domandavo; il contrario, diceva che non aveva nemmeno più la nausea e che si sentiva perfetta. Sapeva che Bruno era salvo, perché si erano incontrati, la sera stessa del furto, sotto la casa di Luisa Spaggiari.

«Siete pazzi; lo sapete o no che avrete un figlio? Non sono mica cosa da fare queste, quando si aspetta.» Anna non mi rispondeva neppure, continuava ad avere in faccia un colore da esaltata: «Hai bevuto?» gli domando. E invece lei domanda a me se riuscivo a immaginare dove avevano ficcato il camion con le macchine. Non lo indovinai.

«A trecento metri da dove lo abbiamo rubato; senza rischiare d'andarci in giro.» Basta, non mi piaceva di giocare agli indovinelli. «Da Ignazio Pesce, davanti al Verano, nel capannone dei marmi, e l'abbiamo coperto di paglia e pietre.»

Va bene, ma intanto Bruno veniva ricercato dalla Gestapo e questo sì che era un grosso problema, o no? Non lo capiva lei, che sembrava invasata. «Che farà il colonnello, ora? Può catturare Bruno, gettarlo in galera e ricattarci per avere tuo figlio. Non l'hai pensato questo, eh? come hai fatto a non pensarci?»

«Macché, Carlo non ha bisogno di inviti per esaudire i propri desideri. Sai invece cosa farà? Pensaci bene, mamma, perché solo tu lo puoi sapere; tu che sei così simile a lui.» Tornava ad accusare me per quello che aveva commesso lei.

«Io non lo so, Anna, smettila!»

«Come non lo sai? Vuoi che ti aiuto un po'? Ricordi la scorsa primavera quando mi convocasti in camera da letto per dirmi che mi avevi trovato il fidanzato? Be', allora sapevi, quanto sai oggi, cosa avrebbe fatto Carlo: cioè che non avrebbe reagito alla tua mossa aggredendo Bruno con il suo potere, anzi che avrebbe cercato di inglobarlo nella trama della sua mente di ragno. Vedi? è di nuovo tutto uguale; a parte che questa volta sono stata io a rimettere in gioco Bruno, fra me e Carlo. E dunque, ora, se tu fossi lui, cosa faresti? E dai mamma, torna a essere orgogliosa e piena di te, quale sei sempre stata; ritrovati dura e sprezzante come ti conosciamo, e capirai subito. Dunque, cosa faresti se tu fossi il colonnello e ti avessi offerto Bruno su un piatto d'argento?»

«Non lo mangerei.»

«Brava mamma: risposta esatta. Io, che ho imparato da te, ho posto il padre di mio figlio nelle mani del nostro persecutore: sotto la protezione del suo orgoglio di spia e del suo amore malato.»

— Anna fuggì, abbandonandomi ai numeri ripetitivi e seriali delle mie mezzepersone mentali. Scomparve all'improvviso, con la mia immagine carcerata nella gabbia del suo ventre di mamma. Non sapendo dov'era, Anna era da per tutto. La ricerca tra molti, frammentava il ricercatore e la inseguii con la muta delle mie menti, che latravano il suo nome nel sacco di un calanco di argilla. Il grande mercato delle parti tornò a governare l'universo: l'unità morì nei mille segmenti voraci della tenia che ne banchettava.

«Dove vuoi cercarla ancora?» domandava la voce del mio buonsenso, celata tra le parole di Rudi. «Già due volte hai mandato i soldati a La Storta e hanno perquisito ogni luogo. Il nipote dei Forti si è ribellato alla perquisizione e lo hanno arrestato e picchiato. A cosa ti è servito?» Gli risposi che lo avevo fatto rilasciare. «Nel frattempo però spedivi la nuova polizia fascista a cercare Anna dagli Spaggiari e non trovandola, che altro immaginavi che facessero se non mettere a soqquadro la casa e rubare il rubabile, fracassare il fracassabile? Era necessario incarcerare il marito di Luisa, l'amica di Anna? Lo so: ha sputato contro i nostri soldati e ha provato a schiaffeggiarli; lo credevi fascista e invece lo hai ritrovato antinazista, trasformato dall'armistizio del re; ma infine cosa non ti va in lui, non ti piacciono i voltafaccia? Comunque Anna non c'era nell'appartamento, e Luisa ti ha scritto implorandoti di restituirle il marito.» No! Con la mia voce di spia confermai l'ordine impartito: «La bella donna rivedrà il sedizioso consorte quando confesserà il nascondiglio di Anna.»

«Cosa credi di ottenere con la forza» insisteva il vecchio amico, «a cosa ti serve sapere dove si nasconde una donna che non ti vuole.» Freddo e con un tono da ruscello di montagna fluì il mio canto di stregone: «La verità è sempre

353

il contrario di quanto pensa un sergente ottuso: Anna si nasconde perché mi vuole e così, celandosi, mi celebra.»

«E tu per questo arresti, perquisisci, terrorizzi anche chi con Anna non c'entra niente?» mi domandò la voce di Rudi, eco della mia coscienza.

«Oh, anche tu c'entri con Anna, mio caro compagno, ex servo fidato, anche tu sei un petalo della nostra rosa. Se lascerò che la verità sull'ebrea giunga alle orecchie di Kappler, Anna si sentirà responsabile dell'arresto della sua cuginetta, come se lei stessa avesse scritto la lettera delatoria. Quando Luisa la chiamerà disperandosi per il marito imprigionato senza colpa, Anna proverà il peso della responsabilità che ci lega. Qualsiasi cosa io faccia a voi, Anna è costretta ad agirla con me.»

«E allora Bruno? Com'è che non solo lo lasci libero di girare per la città, ma lo proteggi addirittura: è per questo che lo fai pedinare, vero? Lasciami andare, fammi uscire di qui. Prenderò Bruno e lo porterò in un luogo sicuro; poi, con calma, cercherò di farmi dire dov'è Anna: Bruno si fida di me.»

No, risposi alla voce sergente della mia coscienza bugiarda. «No, tu resti consegnato sulla tua branda e il meccanico non si tocca.»

«Perché?» insisteva ottuso.

«Perché lui è la nostra anima di fuori, Rudi. Il meccanico ce la conserva al riparo dalle nostre menti e neppure tu, nessuno lo dovrà toccare: lui è tabù, capisci? Io sono un gregge di pecore tenute insieme da un pastore cieco e sono allo stesso tempo i lupi che se le mangeranno; ma lui è il vischio sulla quercia a dicembre, è la pianta parassita in cui si rifugia il nostro spirito d'inverno.»

Infine la voce del silenzio mi guardava con gli occhi del servo, ammansito dalla forza del mio belato. «Non ti capisco Karl» mi disse, come fossimo ancora bambini nel giardino della mia villa a Colonia, quando, sotto la tenda che avevamo issato, gli raccontavo i piani dettagliati della mia fantasia di giovane spia. «Non ti capisco» diceva allora il piccolo Rudi, spaventato dal demone del suo amichetto.

«C'è poco da capire» gli risposi ancora una volta, «io, Anna, Angiolina, Carra, tu, l'ebrea, il prosettore e gli altri parenti: siamo un unico corpo mentale e Bruno è il nostro totem: il totem della nostra tribù, piccolo Rudi, e il primo divieto è il divieto di mangiarlo.»

29.

Le spie del colonnello von Sybel cercavano di ridurre la tolleranza dei miei movimenti, affinché la quota della libertà uguagliasse lo zero. Anch'io, lavorando da Cerini, avevo ideato un attrezzo per il recupero del gioco che si generava fra i pani delle fresatrici. Un congegno tipo quello che von Sybel disegnò per me, fatto in modo da annullare anche il poco di libertà che le imperfezioni di un primo livello di spie ancora mi garantiva.

Le prime volte, se uscivo a prendere un po' d'aria verso piazza della Minerva, venivo pedinato dalle spie tedesche a una distanza tale da lasciarmi un'aliquota di apparente libertà. Ma in seguito intervennero gli agenti di secondo livello: i quali, essendosi accorti che sarei potuto fuggire infilandomi nella chiesa dell'Arciconfraternita, uscendo poi nei vicoli sul retro, dislocarono un ulteriore spione a circa la metà dello spazio tra me e il primo livello di spie. Così, azzerata ogni tolleranza a mia disposizione, venni trasformato, con tutte le spie al seguito, in una specie di mostro pluricefalo: un gruppo tentacolare che avanzava per la città con il velenoso incedere del contagio.

Appena fuori dalla Pensione Impero chiunque mi scansava, sapendo bene che ero pedinato e dunque proibito. La gente evitava di mostrarmi la faccia e la volgeva al muro o al selciato sul quale camminavano. Alcuni, se mi scorgevano dalla finestra avanzare con il mio codazzo di delatori, non uscivano nemmeno di casa; e quanti sorprendevo sull'uscio si voltavano di colpo, a dar di naso sul portone richiuso.

La precauzione di evitare inutili contatti con l'appestato, arrivava fino alle parole e, in certi casi, alle parole declinate con le distanze: se m'imbattevo in qualcuno di noto e gli davo il buongiorno, questo prima si allontanava e poi rispondeva al saluto quasi urlando. Non potevo neppure entrare in contatto con qualche oggetto senza indemoniarlo: se camminando trovavo appoggiata al muro la scopa di saggina di uno stradino e sbadatamente la toccavo, un attimo dopo veniva perquisita dai sicofanti teutonici e in alcuni casi fatta a pezzi. Se una vecchia mi avvicinava elemosinando un centesimo e la mia mano lo elargiva, dopo era costretta a grattarsi dalle spie, ben più che dalle pulci, per tutto il resto della giornata. Così vivevo, come un untore che non si decidevano ad arrestare.

Dopo la fuga da San Lorenzo e quando Anna era ormai tornata a La Storta per avvertire Angiolina, prendere abiti nuovi e fuggire nel nascondiglio definitivo, io, l'unico ricercato dai tedeschi, mi ero nascosto a casa di Adelmo Rabersati. Ma circa tre giorni più tardi – e doveva essere sabato 18 settembre, quando alla radio avevano dato il discorso del Duce redivivo – Adelmo arrivò in casa pallido come un marmo e con la fronte imperlata da microgocce di sudore rancido e raggelato. «È finita» mi disse, «sotto ci sono i nazisti.»

Cercai la fuga fuori dalla finestra, su una specie di cornicione del cavedio; però, dopo qualche passo, non riuscii a proseguire e mi fermai abbracciato al tubo della gronda, sotto lo sguardo vitreo di un paio di piccioni caduti negli archetti da bracconaggio dei Rabersati. Passarono in tal modo almeno dieci minuti, infine rientrai nell'appartamento, mentre Adelmo scendeva di nuovo in strada per verificare cosa fosse accaduto, trovandosi quasi di fronte alle spie di primo livello, che lo guardarono sorridendo. Tuttavia ci mettemmo altri due giorni a rassicurarci che non mi volevano prendere; e soltanto il martedì successivo compresi che erano lì addirittura per proteggermi.

All'alba del martedì 21 settembre, infatti, giunse una camionetta tedesca, ne discesero un ufficiale in borghese e tre militari armati. Con il calcio dei fucili bussarono alla porta dei Rabersati. Mi svegliai di soprassalto; i gendarmi della Gestapo erano già nell'appartamento e domandavano ad Adelmo dove mi nascondessi. Non avevo alcuna via di fuga e già aprivo la porta della camera per costituirmi, quando uno di quegli spioni che stazionavano da giorni attorno al palazzo apparve alle spalle dell'ufficiale in borghese, gutturalizzandogli poche sillabe nelle orecchie. Fu un attimo e l'appartamento tornò vuoto.

Dunque, il giorno seguente, ripresomi dallo sbigottimento, decisi che potevo uscire a prendere un po' di sole e a fumarmi una grossa e tabaccosa "popolare". Cominciai a camminare tranquillo; vidi gli scherani del mio protettore seguirmi, distanti cinquanta passi e insieme ci facemmo una bella passeggiata.

Roma appariva irriconoscibile: posti di blocco, reticolati e casematte erano dislocati in un paesaggio ferrato, che chiudeva la "città aperta" nelle maglie della Wehrmacht; dai pennoni dei palazzi, dai balconi dei piani nobili, nelle ville che avevano requisito per gli uffici dei comandi germanici, la bandiera rossa con la svastica nera sventolava come una minaccia di forca.

Anche all'inizio di via del Pigneto, dove mi scappò di urinare, garriva il vessillo di Hitler, e non c'era nemmeno un vespasiano, un bar aperto: nulla, salvo appunto la garitta di legno della Feldgendarmerie con un fante davanti, che gesticolava ai camion militari, quando passavano alla volta della Casilina. Che potevo fare? Controllai se fossi sempre seguito dagli sbirri del colonnello e visto che erano ben vicini, in ottima posizione per proteggermi, decisi di approfittare della gendarmeria alemanna. Il soldato si voltò che già la minzione era in atto, ma gli occorsero parecchi secondi perché gli impulsi della sua retina teutonica, giunti al lobo occipitale, fossero accreditati nella corteccia cerebrale: la quale, dapprima, non ci voleva credere che uno spaghettino d'italianuccio, un *Partizanen* pisciasse sulla baracca della Wehrmacht, e così rispediva gli impulsi alle cornee che, a ogni ritorno dei medesimi, spalancavano ancora di più i palpebroni albini del germanico. Sicché già me lo sgrullavo, quando quella novantina di chili burrosi e arrabbiati s'avventarono addosso ai miei settanta, gettandomeli in terra e mirandoli con la canna tremante del Mauser. Non poté sparare, il povero ragazzone, né ammanettarmi perché rapidi, quali mosche alla merda, e quasi sdrucciolando sul mio piscio, le spie disarmarono le mani e le intenzioni dell'albino, sollevandomi da terra e spintonandomi, da discolo riottoso, verso la casa di Adelmo Rabersati.

Appena lo rividi gli dissi: «Visto che mi sarebbe difficile sfuggire ai miei protettori, tanto vale che ritorno da Italia e Luciano D'Ascenzio. Così potrai muoverti meglio: ricevere notizie di Anna, trasmetterle ad Angiolina.»

Alla Pensione Impero non erano poche le cose trasformate dagli eventi: Luciano, indossato di nuovo il lutto miliziano, aveva cacciato di casa Concetta, minacciandola di consegnarla a chi sapeva lui, se si fosse fatta rivedere. Italia però era riuscita a trattenere con sé il piccolo Gesuè, anche perché Luciano si era dichiarato certissimo che Concetta avrebbe fatto una brutta fine, lasciando alla loro cura amorosa e sempiterna l'orfano della bagascia bolscevica.

Quando c'incontrammo, Luciano mi abbracciò con calore, se pure avevo partecipato alla battaglia di Porta San Paolo. «Avete visto Bruno? Il Duce è tornato: è risorto il fascismo rivoluzionario. Basta Savoia e gerarchi panzoni, pieni di privilegi; basta tatticismi; basta con la merda dei politicanti e dei trasformisti, come il vostro principale, il Cerini Leandro. Ah non sapete? Ha saltato il fosso: il ranocchio è uscito dallo stagno, e sciò alla guerra, ha gridato, gracidando l'armistizio badogliano. Fascista di comodo, come tanti, come troppi sterili campioni nel seno d'Italia. Basta, Bruno. Squadrismo! Ecco la nuova parola di fuoco, ecco il futuro della patria!»

E la patria mi guardò con gli occhi cupi e arrabbiati d'Italia: «Che fate qui, perché non siete con Anna?» Avvertii entrambi che ero pedinato, perché Anna si era rifugiata dove il colonnello non poteva trovarla e lui faceva seguire me nella speranza di rintracciare lei.

«Comunque non dovevate venire» proseguì la padrona di casa. «Vi siete già tanto sbandato nell'inutile tentativo di farvi amare da Anna, che ora sentite il bisogno di essere rimesso insieme dalla colla del nostro affetto? No, troppo comodo! Non saremo il facile rimedio alla vostra delusione; non sfrutterete senza alcun rispetto quanto proviamo per voi.»

Luciano aveva osservato la moglie stupito che sostenesse con tanto ardore il comune sentimento nei miei riguardi, e che mi rimproverasse di averli trascurati: loro, entrambi; pregandola di non essere troppo severa con me. D'altra parte la facoltà di udire i suoni era tanto sviluppata in Luciano D'Ascenzio quanto quella di non comprendere le parole d'Italia: parole che il maresciallo gettava nel profondo mortaio del proprio orecchio, battendole con il pestello d'osso, fino a ridurle in fili sottilissimi di voce e polveri immateriali di sillabe. E sempre a questo fine starnutì: per sturare le orecchie da quel poco che delle frasi della moglie fosse rimasto infilzato sulle picche dei peli ritorti, che gli sortivano dai buchi uditivi come serpi dal cesto del fachiro.

— Gli cavavano i denti, ai morti: che schifo! Offrii quanto c'avevo, però non l'anello di Luigi, la nostra "fede" no; invece la catenina con la medaglia dell'Assunta sì; anche Adele mi consegnò la sua e Giusto i gemelli; ma i morti, cavargli i denti d'oro dalla bocca secca, senza bava e rimetterceli finti per farli sorridere ai parenti, prima del funerale: che idea da diavoli!

Che facevano così me lo raccontò Carra. Era tornato in gran segreto, il 27 sera, per informarmi che le SS dicevano che ogni ebreo valeva duecentocinquanta grammi d'oro di riscatto, e quindi volevano cinquanta chili di preziosi per non prendersi duecento corpi di giudii dal ghetto di Roma. Lui, per aiutare i poveretti, ci metteva l'orologio e noi dovevamo trovare subito altro oro, perché il termine per la consegna scadeva l'indomani.

«E gli ebrei si fidano che poi li lasciano in pace?» interrogavo Mario. Sì, rispondeva, perché gli ebrei erano creduloni.

«Come creduloni, se non hanno creduto nemmeno a Gesù Cristo.»

Comunque abbiamo chiamato subito Adele, Giusto, la famiglia Forti e rastrellato ogni ninnolo d'oro. Mio figlio si offrì di portare il tesoro alla sinagoga perché Carra non poteva: «E perché no?» domandai. «Vuoi che acchiappano Giusto, che magari gli cade addormentato ai piedi per facilitargli il compito? Vuoi che lo spediscono a lavorare in Germania?» Il fatto era che Carra faceva parte della banda di Salvatore Aiello e studiava da partigiano.

«Farò scortare Giusto da Uncino, Tacco e l'Impiccato» che erano i nomi di battaglia dei suoi compagni, «e sarà protetto meglio che se ci andassi io stesso.»

«E tu, come ti chiami da partigiano, tu?» Non me lo voleva dire. Io immaginavo che si chiamava Culatello oppure Cotechino; allora, arrabbiato, confessò che lui era Osso invece, che così lo conoscevano i compagni di brigata.

In ogni caso Giusto non doveva muoversi; quindi decisi di andare io: una vecchia non dava nell'occhio; e potevo sempre chiedere a Rudi di accompagnarmi. No, Carra non voleva: era meglio tenere lontano Rudi dall'ospedale. «Che c'entra l'ospedale?» C'entrava, perché la mattina dopo, e di buonora, prima di arrivare alla comunità ebraica dovevo passare a ritirare l'oro di Candido e di Fosca.

«Che oro vuoi che abbiano» protestavo.

«I denti» mi rispondeva lui, «i denti d'oro dei morti.» Non ci potevo credere; mi si accapponava la pelle.

«È stata tua nipote ad avere l'idea, non appena Candido le ha dato la notizia della taglia. Sono subito corsi a esaminare l'antro orale dei cadaveri, sia di quelli in attesa di autopsia, sia di quanti già necroscopizzati, per estirpare gli eventuali tesori che avessero ancora avvitati nelle gengive assiderate. E pare sia stato un affaraccio, perché tra la contrattura del rigor mortis in alcuni casi, la rigidità del congelamento in altri, l'incompetenza degli improvvisati dentisti: a non pochi deceduti finirono per fracassare gli incisivi, senza i quali la fisionomia di un morto s'invecchia orribilmente, per la caduta dei labbri verso l'abisso boccale. Sicché dovettero fabbricare dei denti fittizi, con schegge di legno, pallottoline di cartapesta e dadi esagonali, svitati dai tiranti delle portantine e incastrati a forza fra le zanne dei più ringhiosi trapassati. Anzi, temendo che al riscaldarsi della salma nell'esposizione rituale del feretro, i labbri sforzati s'arricciassero scoprendo i sorrisi sciupati dei defunti, gli hanno serrato le bocche con un filo di colla da falegname, conferendo a tutti, uomini e donne, vecchi e giovani, la stessa espressione prognata e volitiva del Duce: coi labbroni ermetici, avanzati nel broncio guerriero.»

Insomma c'era da sbrigarsi: dovevo raccogliere le offerte dei morti e poi correre con Candido alla sinagoga prima che scadeva il termine. «Però mi farà schifo toccare quella roba» protestavo.

«Niente affatto. Candido starà già fondendo il cartoccetto delle protesi in un qualche pentolino, separando l'oro puro dagli altri ingredienti fecciosi. Immagino che ti consegnerà dei lingottini o delle medagliette, non so; speriamo solo che valgano almeno per un ebreo intero.»

«Ma tu domani, dopo avermi accompagnato all'ospedale, che c'hai da fare di così importante che non me lo vuoi dire?»

«Non lo sai; davvero non lo immagini? Va bene, te lo dico, Angiolina. Vado ad aspettare in una tranquilla viuzza dell'Aventino; mi porto la cena, da fumare, da leggere e aspetto: ecco cosa devo fare di tanto importante: aspettare. Aspettare il colonnello. Ora infatti non ho più bisogno della tua alta deliberazione: no, ora decido da solo! È accaduto qualcosa che non avevi previsto: l'avvento del figlio di Anna, intendo. È così che càpita d'incontrare il destino: all'improvviso; però perdio! bisogna riconoscerlo e seguirlo o è la fine e ingrigisci, sfumi come una sigaretta nel tuo portacenere di opalina. Fin qui vi ho assistito nel vostro gioco, senonché ora c'è il nipote di Luigi che viene sulla scena e mi libera di voi. È lui, chiuso nel grembo di Anna, che mi riscatta; è per lui che interromperò questo teatro. Dunque aspetterò che il colonnello esca solo per la strada e scenda sfaccendato verso il Circo Massimo a sgranchirsi le gambe. Aspetto di seguirlo e di avvicinarmi passo dopo passo alla sua schiena, fino a quando lo chiamerò e lui si volterà, non meravigliato, neppure spaventato. Allora estrarrò questa pistola, la vedi?, sì proprio questa e mirerò alla sua faccia: "Ti uccido tedesco" gli griderò sparando e lui, Angiolina, lui scomparirà di botto, risucchiato all'istante nel culo sfondato del Niente.»

— Bussarono i miei attendenti, riferendo che c'era un uomo che sorvegliava la villa. Davvero e chi? Domandavano il permesso di arrestarlo. No, un attimo. Dove starebbe? Mi condussero nel giardino e indicarono l'angolo della strada. Lo scorsi, sotto l'oleandro rosso, che leggeva seduto a una panchina. Sorrise la spia nella mia mente, e avanzò divertita fino al muro di cinta, chiedendo il binocolo. Nel circolo dello schermo, al ripiegarsi momentaneo della pagina, apparve la faccia del sicario mandato da Angiolina, l'ingegnere amico del meccanico. Il suo corpo a palla poggiava sulle stecche di legno del sedile, e non rotolava alla leggera pendenza della strada, perché era un po' afflosciato nella postura all'indietro, con le gambe accavallate sul davanti. Si sarebbe detto che attendeva un aperitivo e che per goderselo avesse tutto il tempo di una vacanza. La spia pensò di sparargli, per vederlo avvizzirsi sulla seduta. Chiese la pistola alla guardia, ma quando apprezzò il peso dell'arma percepì che il suo desiderio era più leggero. Si chiese cosa l'uomo volesse e decise che intendeva scoprirlo: dunque inviò la cuoca italiana perché lo domandasse. Dal suo appostamento la spia osservò la donnetta avvicinare il sicario e parlottare con lui. La vecchia scrollava il capo fasciato dal fazzoletto nero, negando qualcosa che la spia non riusciva a intuire. Quando infine tornò dal suo padrone, sostenne che l'uomo della panchina era pazzo, senza aggiungere i motivi della deduzione. La spia dovette alzare la voce per sapere che l'uomo attendeva il momento giusto per ammazzare il colonnello von Sybel. Idiota! pensò la spia, spaventare così questa povera vecchia; la quale intanto era corsa via, cercando conforto tra le pentole della sua cucina. La spia si volse di nuovo a osservare il parricida: era un tipo davvero espressivo, quasi un cartellone pubblicitario, ma di un prodotto, la morte, che la guerra aveva reso a buon mercato. Nondimeno stava agendo un'azione insensata, che forse non proveniva dalla mente di Angiolina, e doveva costituire invece un'iniziativa privata del servo, che ambiva a essere il punto risolutivo nella frase interminabile sproloquiata dal padrone. Eccolo là, spaparanzato in panchina, il grasso punto fermo, che bramava di chiudere la vicenda; e la spia si chiese se fosse ancora possibile smuoverlo da lì, con una giusta tentazione. Avrebbe gradito, per esempio, che la spia facesse arrestare la serva dei D'Ascenzio? Di certo la signora Italia ne avrebbe implorato il rilascio; però il carnoso punto parmigiano, per così poca cosa, avrebbe accettato la prosecuzione della vicenda? Forse no; neanche se avessimo trattenuto la padrona Italia, accorsa a salvare la serva Ada? Ecco, questa poteva risultare una proposta ben più dinamica, perché se la signora D'Ascenzio non avesse indicato il nascondiglio di Anna, la spia l'avrebbe ricattata minacciandola di svelare al marito i trascorsi di letto con il meccanico. E alla resistenza d'Italia la spia avrebbe messo in pratica il piano, infuriando il marito tradito, affinché, scazzottato il giovanotto cornificatore, ci svelasse il segreto celato. Allora sì che sarebbe stato immaginabile vedere l'obeso punto della panchina rotolare altrove, per portare al mondo il proprio inutile soccorso. Per quanto poteva essere ancor meglio coinvolgere da subito qualcuno più prossimo ai Gatelli; per esempio il signor Forti di La Storta, generoso anfitrione di Angiolina e famiglia, nonché amico del parricida dai tempi del sodalizio nella Marina savoiarda; immaginò che se lo avesse fatto arrestare dalla banda fascista del tenente Koch – al solo costo di una cassetta di liquori – più nessuna gravità avrebbe trattenuto sulla panchina l'uomo punto, e un novello rosario di azioni sarebbe venuto snocciolandosi nella vicenda. «Portatemi subito sedia e tavolino» ordinò la spia, «e la penna con la mia carta da lettere.» E lì, di fronte all'immobilità del punto, vergò il secco testo della tentazione: un elenco pignolo delle prossime azioni che avrebbe perpetrato. «Ora andate a piazza della Pigna, alla Pensione Impero» comandò la spia agli uomini di guardia. «Cercate una donna di nome Ada, arrestatela e tenetela in isolamento. Ma prima, uscendo di qui, consegnate all'italiano questa busta e non attendete risposta.» Spiò dal giardino la consegna della lettera e vide la densità sferica della pausa grassa fremere alla lettura di ogni riga, tentata dalla voglia di mutarsi in una virgola degli episodi nuovi. Era d'altronde un'interpunzione cocainomane, quella: facile da sedurre con una promessa d'eccitazione.

30.

Lui si copriva della papalina da giudeo, ma lei gliela gettava in terra, proibendogli l'esibizione rischiosa; lui, ubbidiente, raccoglieva lo zucchetto infilandoselo in tasca; però, quando lei non guardava più, se lo ripiazzava sulla cucùrbita; finché lei non lo scopriva e allora lo rubava di nuovo, per deportarlo infine nell'esilio della borsetta. Li vidi così, Angiolina e Candido, dalla finestra della mia camera, mentre arrivavano a piazza della Pigna da via del Gesù, litigiosi come una coppia di vecchi sposi sul palcoscenico di un varietà.

Erano stati al ghetto: a consegnare l'oro preteso dall'Oberstunführer Herbert Kappler. «In una stanza vicino alla sinagoga» raccontò Angiolina, «c'era un tavolo e sopra le bilancine per pesare l'oro. Fuori era pieno di questurini che vigilavano e chissà quante spie stavano nascoste lì intorno, per segnarsi quelli che andavano ad aiutare gli ebrei. Al tavolo c'erano due uomini, uno che guardava i gioielli e scriveva su un registro, e uno che li pesava; intanto altri li riponevano in diverse scatole di cartone. Anche lì Candido s'è messo quel berrettino in testa: sembrava che gli voleva fare il verso ai giudii. "E che cavolo! comportati da cristiano" gli ho detto io. C'informarono che avevano tanto oro quanto gli bastava, ma ci ringraziavano lo stesso. "Come, non lo vogliono?" avevo domandato a Candido, "si sono offesi?" No, è che ne avevano già più della taglia e non desideravano approfittarsi del nostro buon cuore. Ci tenemmo allora i preziosi nostri, lasciandogli i denti dei morti, perché con i tedeschi era meglio abbondare. I giudii ci fecero tanti inchini e quasi si commuovevano. Poi uno si mise come un ditale nero accanto all'occhio e scrutò i bastoncini di metallo che Candido gli aveva consegnato: li saggiava, si dice così, ed erano buoni e li prese. Be' Bruno, sarà che anche altra gente cristiana li aveva aiutati, sarà che ormai erano fuori pericolo, però c'era una certa serenità nel loro stanzone e li ho invidiati per questo. Sicché *paf*! mi viene l'idea: se gli ebrei si sentono un po' sollevati perché si sono riscattati da Kappler, mi dicevo dentro di me, pure noi possiamo esserlo, se riscattiamo Anna dal colonnello.»

La fermai; le dissi che non aveva senso, che non esisteva una moneta che von Sybel avrebbe accettato. «Forse» acconsentì sorniona, per aggiungere: «Ma c'è un soldo che nemmeno lui può rifiutare.» Non chiesi quale fosse la moneta irrecusabile, provando così a tacitare le stravaganze che pronunciava. Senonché continuò irrefrenata: «E se gli facciamo sapere che possiamo ucciderlo?»

Stavamo seduti nel salotto d'Italia, mentre la padrona di casa dava la pappa a Gesuè in cucina e Luciano era al Partito. Tuttavia temetti che qualcuno ci udisse e mi alzai a chiudere la porta.

«Cosa dite, a proteggerlo c'è l'intero esercito tedesco; siete impazzita?» e intanto guardai Candido che taceva. Non intuiva l'assurdità dell'intenzione di Angiolina? No, lui era più che d'accordo: anzi era l'ideatore dell'arma omicida.

«Bruno» mi domandò il cristiano rinnegato, «ti ricordi l'esplosivo della bomba del povero Pesce?» Certo, stava nella cassa da morto che Fosca mi aveva mostrato all'obitorio. «Sì, bravo. Ebbene, quando ho visto gli ebrei riempire le scatole con i propri risparmi, per comprare il diritto di vivere, ho sperato, Bruno, che l'oro scoppiasse in faccia a

Kappler, a Hitler in persona. Mi sono sentito inutile: uno che difende la ragione dei morti, invece di combattere chi profana la vita. E ho pianto sulle spalle di Angiolina, confessandole il desiderio omicida. Lei invece mi ha chiesto se fosse davvero possibile far esplodere una scatola con dentro il tritolo d'Ignazio Pesce. Credo di sì, le ho risposto; pensando di venire subito da te, perché sei tu l'esperto di esplosivi.»

«E cosa vuoi che importino i dettagli tecnici di fronte all'intenzione folle.»

«Folle? e perché?» obiettò la madre di Anna. «Cosa c'è d'impossibile? Non dico di farlo davvero, di minacciarglielo solo. Nessuno, nemmeno von Sybel, si può sentire al sicuro se decidiamo di accopparlo. Poi gli facciamo sapere che non lo ammazzeremo se ci lascia in pace.»

Mi alzai dalla sedia prendendo tempo, rimandando ogni decisione; cercai anche di cambiare argomento ma Angiolina proseguì: «Ora però dobbiamo disinnescare Carra.» E la mia buona intenzione scivolò come un piede sul lardo del maiale, quando a Chiusi lo si cuoceva per l'aia, nella neve dell'inverno.

Mi spiegò che Mario era andato a fare la posta al colonnello con l'intento di sparargli e io, dunque, dovevo avvertire Salvatore Aiello, perché i partigiani della banda glielo impedissero. «È un suicidio; una follia!» gridai.

E Angiolina: «Perché? Può riuscire a sparargli; guaio è se lo ferisce soltanto.»

Temetti la traduzione in voce dell'emozione che premeva sul retro della fronte, in cerca della bocca da cui uscire.

«Venite a chiedere quale riscatto il colonnello accetterebbe per Anna, mentre già l'avete inviato presso di lui. Non è Mario stesso la merce di scambio? Voi, signora Angiolina, sapete quanto me che Mario desidera essere ucciso più che uccidere; se vi ha confessato il suo proposito e non vi ha udito dire una parola per impedirgli di metterlo in pratica, crederà di aver avuto il vostro consenso, non lo capite? Mario penserà di liberarci dalle pretese del tedesco facendosi uccidere; che il colonnello, macchiatosi di una colpa tanto grande, non osi più rapire Anna o nostro figlio, se ne ha davvero l'intenzione.»

Angiolina mi ordinò di tacere: «Perché parli? Che ne sai tu se è giusto o no che Carra rischia la vita per liberarci dal tedesco. Queste sono cose nostre di cui non sai nulla. Stai zitto.»

«Allora perché venite qui a chiedermi di impedire il suo sacrificio?»

Gelida e dura quanto una lama mi rispose che era stata l'idea della bomba ad averle dato una nuova speranza e un piano migliore per realizzarla. «Perché una speranza di proteggere mio nipote dal tedesco io la devo avere, Bruno, e tu certo non lo sei: tu, che padre di un bambino che sta per nascere in un mondo occupato non muovi un dito per liberarlo; tu che vivi all'ombra di quel crucco, che altri dovranno ammazzare al posto tuo o da cui, al posto tuo, farsi ammazzare.»

Uscii dal salotto di scatto, lasciandomi dietro l'ombra di Angiolina come fosse un fantasma, un incubo. Entrai in cucina da Italia, le chiesi di aiutarci a salvare Carra facendo intervenire Salvatore Aiello, con gli uomini della banda partigiana; poiché io certo non potevo raggiungere Mario trascinandogli addosso il mio codazzo di spie germaniche. Italia doveva solo cercare di contattare Concetta affinché avvertisse il fratello; ero certo che le donne avessero convenuto un modo per scambiarsi notizie almeno sul piccolo Gesuè. E infatti Italia, sebbene spaventata, acconsentì. La ringraziai e le dissi che la madre di Anna le avrebbe spiegato ogni cosa.

Discesi le scale di corsa, nemmeno sapessi dove andare, mentre fuggivo soltanto dagli insulti della vecchia Gatelli. Sulla piazza trovai le spie di primo livello che mi aspettavano.

Entrai nell'osteria di Cesare e mi gettai a bere il suo vino.

Avevo bisogno di Anna, e in particolare del suo odore. Invidiai mio figlio, perché le stava accoccolato in seno. Prima il tedesco e ora lui: Anna mi sembrò di tutti salvo che mia; come mie invece erano le lacrime che gocciolavano dal mento. Cesare mi abbracciò le spalle, senza capire perché le mani si facessero piscina del viso. Non c'era alcun padre in me, né responsabilità, né senso di giustizia, solo una malinconia inacidita dal vino e dalla vigliaccheria.

Entrarono le spie e ci osservarono, deridendo fra di loro la mia disperazione. «Venite» le invitai, e con occhi di nuovo asciutti presi tre bicchieri e la boccia da un litro. «Accomodatevi» aggiunsi, indicando un tavolino. I tedeschi si sedettero, dopo un'occhiata d'intesa. Cesare mi guardava orribile e si teneva in disparte. Mi accomodai con le mie spie a bere dalla stessa bottiglia. Dei tre solo uno accennava qualche sillaba latina. Bevemmo per un po' in silenzio, quindi cominciarono a ridacchiare fra di loro raccontandosi chissà che. Uno soprattutto gesticolava da napoletano e a ogni sorso del vino di Cesare s'infervorava nella narrazione. «Dove sono i commilitoni che vi controllano?» domandai all'unico poliglotta. Faceva finta di non capire. «E dai camerata, sciogliti!» Ammise che nuove esigenze di servizio avevano distolto gli altri. «Lui chi è?» aggiunsi, additando il narratore già mezzo sbronzo che continuava a raccontare. Veniva da Cracovia, sulla Vistola; era arrivato in Italia da poco. Il tipo udì il compagno citare la città polacca e chiese cosa volessi sapere. Risposi con un cenno generico che doveva valere per un "così, si fa per parlare"; ma il soldato, come indispettito della mia curiosità, proseguì con la propria biografia facendo sghignazzare i compagni che lo capivano. «Come?» domandai, «Ordnungspolizei?»: sì, aveva fatto parte dei battaglioni di polizia. Ah, e quali compiti avevano questi battaglioni? Mi fu risposto che sorvegliavano impianti ed edifici, svolgevano normali servizi di polizia ordinaria e a volte andavano anche in guerra. Infine il soldato ubriaco aggiunse qualcosa che voleva mi venisse tradotto dal poliglotta, mentre quello resisteva incerto. «Un altro compito è» disse, decidendosi di colpo, «ammazzare gli ebrei. Capisci tu? Loro li mettono in fila davanti alla fossa e sparano nella testa a uno per uno e si devono fermare ogni tre colpi, per pulirsi la faccia dagli schizzi di cervello.» Sì, capii. Il soldato boia alzò la bottiglia del vino e mi riempì il bicchiere sogghignando di qualcosa. «Vuole che io ti dico quanti ne ha ammazzati. Vuoi tu che io ti dico?» No poliglotta, lo pregai di non dirmelo perché, intanto, prendevo il bicchiere pieno fino all'orlo del camerata boia e versavo un bel po' del suo vino sulla pietra del tavolo, sputandoci dentro.

I più continenti fecero appena in tempo a fermare la mano dell'ubriaco che era andata alla pistola, nascosta nella giacca. Lo trattenevano per le braccia, urlando improperi contro di me e ordini a lui. Cesare accorse per difendermi, e riuscii a fermarlo prima che si facesse sparare dai sobri, che avevano già estratto le pistole e lo tenevano di mira. E appena vidi che retrocedeva verso la cucina, portandosi fuori dal tiro delle armi, mi avventai alla porta d'ingresso e cercai di fuggire tra i vicoli della città.

Mi trovavo ben oltre il Teatro Argentina quando mi fermai in preda a un attacco di tachicardia parossistica, sotto lo sguardo d'avvoltoi delle spie di primo livello, che mi avevano ripreso e, a venti passi da me, mi osservavano tossire con il risucchio, espettorando l'essudato bronchiale.

Non volevo tornare alla pensione, dove Angiolina avrebbe passato la notte; non potevo nemmeno bivaccare all'addiaccio, sotto i musi ringhiosi dei miei cani da guardia. Pensai a Testaccio, alla casa di Luisa Spaggiari, che doveva essere sola, perché il colonnello le aveva fatto arrestare il marito. Luisa mi era stata presentata da Angiolina, tra gli altri Spaggiari, il giorno della battaglia di San Paolo; ma solo quando Anna rubò il camion ai tedeschi e ci ritrovammo sotto casa sua, avevo apprezzato che schianto di femmina fosse: una fresatura a tutto mandrino, come si sarebbe detto in pornomeccanico; ma niente succo e fascinosa magnetizzazione.

Vi giunsi mezz'ora più tardi, tenendomi la milza con le mani. Il portone era piantonato da un soldato tedesco in divisa che mi guardò perplesso, mentre mi avvicinavo alla sua figuretta smilza, da recluta dell'ultima ora, fissata lì a vigilare sull'amica dell'ex amante di un colonnello ignoto. I miei angeli custodi gli fecero un segno e la sentinella s'irrigidì sul piedarm, in attenti, quasi fossi il caporale di muta che gli cambiava la consegna.

Luisa era irriconoscibile: il viso disperato, segnato da due orribili calamai sotto gli occhi, che ne illividivano l'azzurro, incupito dal dolore. Pallida, la pelle stanca e lucida: sembrava non dormisse da mesi; nell'appartamento stagnava un odore di persona malata che non arieggiava le stanze, per asfissiare del proprio respiro.

«Oh Bruno, grazie di cuore» farfugliò, commossa di vedermi.

«Sì sì, ora calmati...» Era agitata di felicità, rispose. Felice per cosa; avevano forse liberato Raimondo, il marito?

«No, non l'hanno ancora liberato; adesso però lo farete scarcerare voi, vero? Per questo sei venuto, per avvertirmi che Anna sta andando dal colonnello a chiedergli di lasciarlo libero. Me lo sentivo che Anna non avrebbe coinvolto mio marito nei giochi amorosi con il suo nazista infame. No, non fare il geloso, non puoi capire la nostra amicizia: è come essere due in uno: trovare in Anna ciò che in me non arrivo a toccare, e vedere che lei me lo porge come un regalo. Cosa c'è che ti sorprende? Pensavi che Anna avrebbe lasciato Raimondo nelle mani delle SS? Ah, non la conosci...»

Mi alzai in piedi, poiché l'avevo fatta accomodare con me sul divano.

«Luisa, le cose non stanno così: sono qui solo per caso. E comunque Anna non andrà a offrirsi al tedesco per riscattare tuo marito e se anche volesse farlo, sarei io a impedirglielo, perché non è giusto. Mi dispiace per Raimondo, non è colpa nostra se all'improvviso è diventato comunista e se ha aggredito i soldati che, in fondo, vi perquisivano solo la casa.»

Allora pure Luisa si alzò dal divano simile a una fiamma dalla brace: «Perché non è giusto? Che vi costa: ecco, dimmi cosa vi costa? Rischiate davvero qualcosa voi? Non vedi che è tutto un gioco di rimpiattino tra Anna e il suo amante tedesco: non lo vedi? Noi che vi siamo intorno, invece, noi soffriamo per davvero: ho visto schizzare il sangue dalla bocca di Raimondo quando l'hanno colpito con i fucili; guarda qua, guarda sulla carta del muro: è sangue vero questo ed erano denti veri quelli spezzati che ho raccolto da terra, veri! non come questa storia infame e immorale di giochi erotici tra voi tre, che fate schifo! E tu poi, come fai a parlare di giustizia tu, che sei protetto dall'amante della tua donna. Vattene via! che sei un fantoccio, e di' ad Anna che la odio, che mi ha tradito, che non la perdonerò mai, mai.» Mi spinse piangendo contro la porta che non si apriva, impedita dall'intralcio del mio corpo.

Ero diventato di cera, con la tipica ottusità di testa e lentezza delle membra che mi prendeva quando un'inaspettata e brillante deduzione cercava di istupidirsi abbastanza per venir riconosciuta dalla mia pigra intelligenza. Sicché, quando compresi il senso del pensiero che mi aveva sforzato l'intelletto, Luisa Spaggiari mi aveva infine sospinto fuori casa, chiudendomi la porta in faccia. Ricordai il giorno del furto del camion, quando Luisa era scesa a salutare l'amica partigiana che aveva dichiarato guerra all'esercito tedesco, rubandone i beni confiscati; ricordai che allora accennammo al prossimo rifugio di Anna in casa di Ignazio Pesce – di cui nemmeno Rudi conosceva l'esistenza – e Luisa di certo ne aveva udito il nome. Se ci avesse traditi? Se ora, dopo le mie parole, avesse tentato di scambiare la libertà del marito facinoroso con l'indirizzo del rifugio di Anna?

Mi accorsi che avevo di nuovo il viso di Luisa davanti: mi guardava allibita che fossi ancora lì. Corse giù per le scale; il picchiettare ansioso dei tacchi sul marmo degli scalini mi sciolse dal torpore e infine intuii che la mia paura si stava realizzando, che Luisa raggiungeva le spie, perché la conducessero dal colonnello, a tradire l'amica da cui si sentiva tradita. Ma avevo un vantaggio: poiché, all'offerta di delazione, le spie si sarebbero confuse e distratte, lasciandomi l'agio della fuga dalla carbonaia del condominio.

Sbucammo quasi insieme nel cortile e mentre la Spaggiari correva verso il soldatino in divisa, m'infilai nelle cantine, per sgusciare poco dopo in piazza Testaccio e dileguarmi nella notte.

Per un paio d'ore fui soltanto un'ombra che si versava in ogni altra ombra, lungo il cammino verso il rifugio di Anna. Luisa non aveva torto e Angiolina aveva ragione: per tutti quei mesi avevo seguito Anna senza essere capace né di aiutarla davvero, né di allontanarmene completamente. Non sapevo risolvermi in una qualche azione che ci traesse fuori dal pantano. Anna sembrava una molla imprigionata fra i cardini del figlio da proteggere e del colonnello da rendere innocuo: quasi l'uno non fosse che lo specchio dell'altro occupante. Karl stava vincendo la partita: ci portava via nostro figlio, sovrapponendo, alla sua immagine di bambino, la propria, di persecutore e di tiranno.

Che insolito pensiero s'intromise allora nella mia immaginazione: come Anna potesse partorire il suo amante e Carlo von Sybel rinascere nel corpo minuto di un nuovo italiano. D'altronde le misteriose vagine delle donne non ingerivano forse, nella cavità del proprio intestino, il nostro membro di uomini per ricavarne, con lo scarto di un'oscura frazione di tempo, un corpo intero di bambino? Pertanto i bambini non sembravano un po' i peni degli amanti, prima catturati e quindi restituiti dal corpo delle femmine, dopo un periodo di mutazioni intestine? Peni propri delle madri insomma, più che forme deambulanti del membro dei padri, cavato dalle vagine.

Comunque basta chiacchiere! Dovevo pretendere Anna, senza ulteriori dilazioni. Dovevo allearmi con mio figlio, perché riscattasse me e la madre dalla voracità della nostra infanzia, che ancora ci teneva legati al mondo trapassato. Sarei riuscito così a superare la testa di spia che ordiva trame nella persona del tedesco, con un'unione maggiore della sua potenza di disgregazione. E allora nostro figlio avrebbe anche potuto ereditare il tedesco amante della madre, perché Anna – come il medico che osservi il virus della malattia a cui non fu immune, ma di cui trovò il vaccino – avrebbe risolto in lui quanto aveva cercato e fallito in von Sybel.

In fondo nessuno di noi fu mai altro che un ruolo in un gioco di sentimenti; l'individualità una farsa; l'anima singola una favola raccontata dai preti nella fantascienza del confessionale. Non era più giusto pensare, per esempio, che ognuno di noi fosse un luogo, in cui voci diverse si raccoglievano a discutere l'argomento di una vita intera? Del resto io, io come luogo, mi sentivo un orecchio e ogni voce che udii fu un'anima che vi venne a stare. Però, come non c'era luogo senza l'occhio che lo delimitasse osservandolo, non c'era nemmeno l'orecchio, senza le voci che vi parlassero dentro. Questo davvero m'impensieriva: che a ben guardare la mia coscienza di orecchio sembrava connaturata ai racconti delle diverse voci che udivo, senza che intendessi da chi o cosa dipendesse la sostanza delle storie che si raccontavano in me. Insomma, ci sarebbe voluto mio cugino Verzili, con la filosofia che gli avevo sentito e risentito da ragazzo, per comprendere chi fosse, veramente, il muto suggeritore della mia vita: il Caso, Gesù Cristo, Dio Jahvè; o chiunque altro potesse costituirmi a orecchio di anime, senza confondermi con le voci loro: per esempio mio figlio, che sarebbe stato certo interessato a pensare il padre, anzi, che avrebbe avuto la necessità di udirmi come una voce sua e forse, fra le sue cento, quella dell'anima narrante. Allora tutta la mia storia non sarebbe stata altro che la voce del padre nel luogo del figlio? No; poteva mai essere? Che assurdità questa, davvero degna di quel somaro di Verzili.

Era mezzanotte quando bussai alla porta di Ignazio Pesce, che ne aprì un piccolo spiraglio per indagare se fosse davvero mia la vocina notturna che millantava il mio nome.

«Cosa c'è? Cosa succede?» Lo rasserenai: ero senza spie a proteggermi e volevo soltanto Anna, per portarla via con me.

«Dove?» mi domandò Ignazio, felice della notizia.

«Scusatemi, non voglio dirvelo; non vi offendete. È cosa che riguarda soltanto noi.»

Anna apparve da una porticina nel fondo del corridoio, con una candela in mano, i piedi nudi e la camicia da notte spiegazzata dal sonno interrotto. «Che sei venuto a fare?» m'interrogò dura come un diamante rilucente alla piccola fiamma.

«Mi avevi chiesto di prenderti: ecco, un po' in ritardo, ma sono venuto.»

Obiettò, domandò e le spiegai delle spie e di Luisa, del suo tradimento: le dissi che si doveva vestire subito, per fuggire da lì, dove, da un momento all'altro, sarebbero arrivate le truppe di von Sybel. «Fuggite pure voi, Ignazio, correte a fare la valigia. Non so dove consigliarvi di andare... ecco sì, bravo, andate alla cappelletta di vostra moglie, seppellitevi là per qualche giorno.»

Intanto Anna resisteva; si muoveva quasi fosse dolorante e all'improvviso scoppiò a piangere, piegandosi sul letto. La incoraggiai; cercai di calmarla: «Vedrai che lasceranno andare Raimondo e con Luisa finirà tutto bene, tornerete amiche, vi spiegherete.»

«Sono io la responsabile del dolore che affligge tanta gente; e Carlo continuerà a provocarne per esagerare la mia colpa. Devo fermarlo, devo parlargli.»

«E se ti cattura e ti porta in Germania?»

«Non lo farebbe mai; lo conosco: questo non è da lui.»

«Però potrebbe rapirti lo stesso, solo per tenerti prigioniera da qualche parte.»

Riuscii a farle la valigia proseguendo il dibattito fuori casa. Salutammo Ignazio Pesce, che si allontanava frettoloso verso il tempietto della memoria e le quattro ossa residuali della defunta consorte. Trascinai Anna a forza, perché l'ansia per Luisa le anchilosava ginocchi e caviglie.

«Nascondiamoci dentro il camion delle macchine che hai rubato rischiando di farmi arrestare: domani mattina poi decideremo cosa fare. Dai vieni.»

Adelmo e Anna, dopo l'azione sovversiva, avevano nascosto il camion sotto un telone di iuta, ficcandolo, con l'aiuto di Ignazio, dietro un muro di casse vuote, lastre di pietra e covoni di paglia, quasi in un doppiofondo del magazzino, che sembrava terminare proprio su quel vallo di cianfrusaglie. E così, protetti dal buio della notte, c'infilammo come gatti nella cassa dell'autocarro, tra la sponda della ribalta laterale e i basamenti delle vecchie macchine dei Gatelli.

«Hai freddo? Rispondimi, ché nel buio non ti vedo.»

«No, sto bene. Starei così bene, Bruno, se non mi sentissi in colpa per quanto succede. Anzi, se in questa situazione non mi sembrasse un sacrilegio, direi che ho voglia di vivere. Ogni trasformazione che avviene nel mio corpo ora mi piace e m'incoraggia, quasi accadesse anche nel resto del mondo, gravido come me di pace nuova.»

«Dunque baciami, Anna, perché anch'io sono nuovo. Ora sì, ora non ti lascerò più: e io e lui – lui nostro figlio voglio dire – saremo per te la soddisfazione di ogni bisogno, nel piacere di essere insieme, racchiusi in tre nel corpo di una sola storia, trasognata dalla medesima mente trina.»

E nuovo fu pure il grembo di Anna, appena rilevato dal piccolo intruso di otto settimane, che in lei si faceva spazio; e forse baciarle la pelle del ventre fu per lui un tuono di richiamo così che io – io meno di niente – divenni Giove per il mio piccolo umano.

Arrivarono le truppe del colonnello: le udimmo sfondare il portone di legno del magazzino e sbraitare parole barbare, in segno di ordini e furia. Posi una mano sopra la bocca di Anna, perché non urlasse l'ansia d'incolparsi di ogni evento e l'abbracciai del mio corpo magro. Fummo macchine ferme, tra motori rotti di vecchie operatrici; fummo utensili poggiati nella cassa di un camion da lavoro: lei fu boccola e io smeriglio; e l'arto calluto del garzone d'officina non ci trovò, nonostante il soqquadro in cui gettarono ogni cosa. Udimmo che se ne andavano, quando l'alba ci illuminò ancora abbracciati.

«Perché piangi di nuovo? Siamo salvi.»

«Luisa mi ha tradito. Avevi ragione: è lei che li ha mandati. Ha creduto alle tue parole, non ha atteso le mie. Una volta Carlo disse che lui era la mia verità. Intendeva questo? Che mi avrebbe costretto ad appurare i sentimenti di tutti per me, come i miei per loro?»

Dopo un paio d'ore sgattaiolammo da sotto il tendone e uscimmo per la strada, camminando vicini e tranquilli, confusi fra la gente che andava a cercare da mangiare. Scendemmo verso il Tevere e superammo il ponte sotto gli occhi delle guardie fasciste, proseguendo verso il mio antico laboratorio, quello di Leandro Cerini. Per fortuna lo trovammo in casa e quando lo ebbi di nuovo di fronte gli domandai soltanto: «Aiutateci, perché so che non siete più dei loro.» E Leandro ci abbracciò, commuovendosi da vecchio qual era diventato in quei pochi mesi, che per lui, e per la nazione, erano stati peggio di anni.

31.

— Bruno era fuggito lasciandomi alla Pensione Impero. La notte non ho potuto dormire: mi chiedevo se era scappato da Anna, se Anna stava in pericolo. La mattina dopo, Candido, che era tornato a dormire all'obitorio per informare Fosca di quanto successo, viene di nuovo alla pensione e mi dice che i fascisti avevano ammazzato il signor Pesce, sulla tomba della moglie. E mia figlia? che era nascosta da lui? Niente, mica si sapeva niente: sparita. I fascisti erano arrivati a notte fonda assieme a pochi tedeschi e avevano messo a soqquadro la casa e il magazzino dei marmi; però non avevano trovato Anna ma i suoi vestiti; allora una spiata, non si sapeva di quale vigliacco, li consiglia di cercare al cimitero e ci acchiappano il povero signor Pesce: lo interrogano a bastonate come fanno loro, e se sapeva, parlava; invece non sapeva, perché gli sparano lì, schiena al muro del mausoleo. E Anna? Candido mi stava dicendo che non l'avevano trovata di certo, perché altrimenti ne parlava il quartiere intero: quando, all'improvviso, le scale e il pianerottolo della pensione si riempiono di tedeschi, che urlano da satanassi. Ci affacciamo appena all'ingresso per vedere di cosa si tratta: il maresciallo Luciano non c'era ed è la signora Italia che li affronta; i crucchi vogliono la serva: l'Ada, che scoppia a gridare come una matta e butta in terra i piatti che c'aveva in mano. La prendono per le braccia e la trascinano nella camionetta. La signora Italia cerca di farsi dire il motivo dell'arresto, e mica rispondono, anzi, se ne vanno di corsa. Dopo un po' che siamo ancora lì a rabbonire la padrona di casa, eccoti il marito. Appena entrato, grida: «Napoli è insorta! Ah, ma li massacreremo a suon di pernacchie: i bolscevichi, i plutocratici e gli ebrei poi: buoni quelli, c'avevano altro oro nascosto nella sinagoga, ladri! comunque, questa mattina, gliel'hanno fatto sputare fuori tutto.» A chi? domandava Candido, che a momenti sveniva. Il fascista spiegava che le SS erano tornate al tempio e avevano requisito soldi e archivi. «E il patto? Il patto» piagnucolava Candido. «Non si viene a patti con i nemici dell'Asse» gli urlava in faccia il maresciallo D'Ascenzio, «mica siamo badogliani qui, e coi savoiardi noi ci beviamo il caffellatte.» Gli dissi che era un traditore; che chi non c'aveva una parola non doveva averci nemmeno la lingua! E se la povera signora Italia non si faceva avanti a difendermi, lui mi metteva le mani addosso. «Me ne vado da sola» gli avevo gridato. Lui voleva spintonarci giù per le scale, a me e a Candido. Però che faccia fece quando la moglie lo avvisò dell'Ada: «Come? Quale affronto; perché prima non l'hanno chiesto a me?»; e io gli sturavo le orecchie che a lui non glielo avevano mica domandato il permesso, perché lui era solo un servo dei nazisti, lui, e il Duce pure, che gli baciava il culo all'Hitler.

Per la strada, mentre tornavo a casa mia, a San Lorenzo, Candido piagnucolava di nascosto: non sapeva come riferire a Fosca del tradimento di Kappler e dell'oro perso. «Se c'avessimo messo dentro la bomba, Angiolina, ecco: ora lo avremmo ripagato con la moneta giusta.» Di chi parlava: di Kappler? Eh sì, voleva far esplodere il maggiore, lui; io invece pensavo al colonnello di Anna, altroché. Quindi pretesi una promessa: «Se avrò bisogno di te mi aiuterai?» Mi abbracciò in mezzo alla strada e mi giurò di sì, dato che era ebreo. Ora che c'entrava questo? Diceva che loro davano più importanza di noi cristiani alle cose di fuori, alle vicende del mondo che c'infettano la mente. E dunque mi avrebbe aiutato in ogni modo a tagliare via l'uomo in più entrato nella testa di Anna. In più, che dici? Per lui la nostra testa era tutta un foro e la gente ci entrava e usciva di continuo, peggio che in condominio. Giurava di aiutarmi a togliere il tedesco dalla mente di Anna, perché non voleva che si trasferiva in quella di mio nipote. A parole andava forte lui, che invece mi guardava intimorito, con dentro gli occhi una fifa che lo gelava. No, capii che non ce l'aveva il coraggio di aiutarmi contro il colonnello, se veniva necessario; per fortuna c'era Fosca vicino al suo cuore e lei era forte davvero: era un sasso, Fosca, una pietra del Signore.

— *Auf Wiedersehen* Anna, addio. Con un gesto solo, senza appello, scendesti nelle profondità di un'assenza severa. Io dormivo e il tuo velo, scivolando via dal mio viso, mi svegliò di soprassalto. La mano provò ad afferrarlo, quando già svolava via con te, che affondavi nell'arcano. Con l'asprezza di un'istitutrice inclemente mi congedasti per soccorrere un nuovo padroncino, che emergeva dalla scura uniforme del tuo ufficio. Né ti dissi di non andare; né ti chiesi di tornare; ma di farti cicatrice sul volto del tempo da cui ti strappavi. Serrami le labbra, t'implorai, e il respiro.

Precipitato nell'attesa della tua pienezza, non fui che lacuna. Apparvi specchio della tua assenza: fui la città che ti celava; fui le truppe che sentisti passare davanti alla porta; i bombardamenti, la guerra, le deportazioni; fui il tuo legame con il mondo che si disfaceva. Non distinguesti più me dalla mia scena: nelle mille morti di ogni giorno immaginasti la lama del mio coltello e nel pugno che lo stringeva sentisti il tuo, compromesso nel gesto assassino. Non capisti che ti tentavo con la tua stessa tentazione di sfuggirmi? Avresti voluto che riposassi nella cassa della morte sorvegliata, sotto la luce del cero e la pesantezza della lapide; e invece anch'io mi dissolsi in un'assenza fuorilegge, sorella della tua, irriconducibile alla certezza del cimitero.

Mi nascosi nell'ultima lezione che m'impartisti, Anna, e fu la lezione somma della croce. La stessa che il nazareno, sadico e megalomane, dispensò agli apostoli trogloditi, facendoli d'incanto filosofi, oratori in mille lingue, dottori della legge e delle anime degli uomini. Che miracolo, l'unico che sopravvisse ai tempi e ancora riluce in questo secolo finale: il miracolo che trasformò l'assenza di Dio in consolazione. La fine della speranza fu ribaltata in una speranza infinita, che sembrò fare di questo mondo orribile qualcosa di più bello, perché scenario di un dio che si era ritirato per fare spazio alla nostra immaginazione.

Ebbene dimmi, non fu il più mentale dei miracoli? A questo ti alleverà la mia scomparsa, piccola cristiana: all'espiazione della ricerca, all'angoscia per la domanda inevasa, alla certezza di scontare una colpa, che non ricordi di aver contratto presso alcun atto preciso, se non nel mio letto di mitologico passato. E quando questo viso ti apparirà confuso ai mille volti fra i quali lo avrai cercato, allora nel nostro cuore cristallizzerà la fine di questo amore vizio, che non vorremo mai più ricordare, che non potremo mai più tradire; perché di lui non si farà né merce né scambio, per lui non si darà alcuna democrazia nuova, perché, come un'iscrizione su una pietra antica, sarà stato scritto in una lingua morta, richiusasi muta sul seme infecondo della propria poesia.

— «Dici davvero Candido? Sono andati nel ghetto e hanno scacciato i fratelli dalle loro case? Li hanno raccolti come bestie nelle strade; hanno ucciso i fuggiaschi e picchiato i vecchi; il pianto dei bambini non li ha commossi e nemmeno alle donne che partorivano è stato risparmiato il viaggio nella nuova Babilonia del nord, dove un nuovo vecchio eterno Nabucodònosor li terrà per schiavi o li supplizierà?

Ma è davvero questo, un giorno peggiore di ieri? Ieri non ci rubarono l'oro? E dieci anni fa, quando mio padre vestiva la divisa di ebreo fascista, eroe della guerra del '18: era davvero un giorno, nell'intimo del suo essere, un giorno migliore di oggi? O diversa era soltanto la nostra fantasia che nutre l'illusione? Non senti il peccato in questa nostra follia? Dimmi, amore mio, ché altro uomo io non ho mai conosciuto simile al mio Candido, che è un albero senza corteccia; dimmi: non sono proprio i giorni più belli i più astuti nell'ingannarci? Candido, credi che il Santo, sia Benedetto il Suo Nome, gioisca di saperci felici nell'esilio in cui siamo? Credere nei giorni è idolatria, amore mio, quanto venerare un agnello d'oro. E quando il messia verrà non credo che avrà alcuna immagine; nessun segno di questo mondo infangherà la sua luce; nessuna parola si salverà allora, nessuna figura: nemmeno il viso puro di un bimbo neonato, ma l'intero creato trasfigurerà nell'unico Essere Vero, che perdemmo e che fu più bello di ogni tramonto, e più sublime di ogni arte, di ogni canto, e rimarremo finalmente senza più bellezza, senza forme, senza poesia, senza limiti. Non voglio vedere, come mi chiedi, i fratelli chiusi nei carri del treno, alla stazione Tiburtina; non voglio raccogliere le loro grida e piangere la lista dei loro poveri nomi. I nazisti, i caldei, gli amaleciti, i futuri popoli che ignoro e le folle dei perseguitati, i diversi, i poveri: questa misera umanità geme attorno al mio cuore di reclusa nella casa dei morti; ma onorarla e piangerla davvero, Candido, è guardare alla vita come a uno spettacolo falso, nel quale recitiamo le prescrizioni della Torah solo per non perdere la malinconia del Vero.

Dunque nella piazza assolata, quando i giorni cercheranno di sedurci con i propri frutti, là noi esploderemo la nostra bomba che, come il fumo di un antico sacrificio, salirà al cielo per destare chi ci aspetta. Cos'altro può essere infatti l'azione umana se non una preghiera: un desiderio che sale a Colui che l'attende? Chi agisce erra e pecca, perché crede di poter trasformare il mondo e morde il peccato originario di sentirsi pari al Santo, sia Benedetto il Suo Nome. Noi non crederemo in quello che agiremo, mai! non chiederemo ai nostri atti di redimere i giorni irredenti e irredimibili. Non è questo lo scopo dell'azione; perché essa è solo preghiera, è professione di fede. Ma se non pregassimo nemmeno con la disciplina delle nostre azioni; se non avessimo cavato i denti d'oro dai corpi dei morti; se non ci ribellassimo all'esilio e patissimo senza agire, amore mio, non saremmo simili agli atei che si rivolgono al nulla? No; noi ci segneremo invece di quanto desideriamo! Tu, che ti sei segnato della circoncisione e hai professato il patto di Elia, tu mi hai insegnato, come nessun altro nella mia breve vita, che dobbiamo vestirci noi per primi con gli abiti della festa, se chiediamo al Santo, Benedetto il Suo Nome, di portarci alla Festa. Ecco dunque che le nostre azioni devono ispirare il Santo, sia Egli Benedetto, e se aspettiamo la fine, che ci porterà la Sua restituzione, non incalzeremo quella stessa fine con atti finali? Perché mai ci dovrebbe essere concesso ciò di cui non siamo pronti a segnarci? Noi imiteremo la fine dei tempi Candido, la evocheremo dall'alto dei cieli, perché essi ci piovano addosso convinti dalla nostra dedizione; squarceremo con l'esplosione del nostro segno il velo della storia, e in una luce di stella caleremo nell'aldilà, intanto che *i popoli si affaticheranno per nulla, e le nazioni si stancheranno in favore del fuoco che le brucerà.*»

— La colpa era una lama che mi separava da me stessa. Cercava di tagliare via la parte di Anna riprovevole dalla restante, al cui giudizio la sottoponeva. Questa però, che non si percepiva slegata dalla prima, non poteva condannarla senza condannarsi, mentre si sentiva vittima e non carnefice. Tra le diverse requisitorie del processo trascorsero più di due settimane, nella tana in cui c'eravamo nascosti.

Il commendator Cerini scendeva verso sera nel suo vecchio laboratorio aeronautico, ormai chiuso per la mancanza delle macchine requisite e degli operai deportati dalla Todt; veniva a nutrirci delle poche cose che riusciva a racimolare per cena e mentre sorbivo affamata la mia povera scodella, parlottava con Bruno degli ultimi fatti del mondo di fuori: che la linea Gustav teneva, che Kesserling era più forte e abile della lumaca Clark, e che, soprattutto, il 13 ottobre, il Regio Governo del sud d'Italia aveva dichiarato guerra alla Germania, ispirato d'improvviso chissà da cosa. Comunque mormoravano in segreto, quasi apprendere quei fatti, nel mio stato, fosse sconsigliabile.

La gravidanza mi aveva resa sacra e il commendator Cerini sembrava addirittura intimidito di guardarmi. Sennonché era vergogna, non umiltà: le mie labbra che avevano baciato la bocca tedesca, ricordavano a Cerini la sua stessa prostituzione, la lascivia con la quale aveva strisciato nell'ambasciata degli ex alleati, per strappare una commessa di lavoro o soltanto un plauso, uno *schön*! Quando i nostri occhi s'incrociavano, i suoi vedevano un giudice nei miei e se lo ringraziavo della cena le sue guance arrossivano di colpo, poiché si reputava ben più colpevole di me, e quell'uomo quasi vecchio, avrebbe preferito sopportare il mio peccato, piuttosto che bruciare del suo.

Bruno mi riferiva i racconti del commendatore pesando ogni parola, cercando i lati descrivibili di ogni infamia e dubitò a lungo prima d'informarmi che Rudi Kreutzer si era di nuovo fatto vivo e proprio con Cerini, nemmeno avesse intuito la nostra presenza lì, sotto lo scudo dell'ex legionario fiumano. Del resto i due si conoscevano dai tempi del servizio di Rudi all'ambasciata tedesca di Roma, e sembrava possibile quindi che avesse immaginato il laboratorio, nel quale Bruno aveva lavorato a lungo, come un nostro probabile nascondiglio; tanto più che doveva aver saputo del rifiuto del commendatore di aderire al nuovo fascismo repubblicano. Sicché Rudi aveva addirittura pregato il commendatore di farci sapere, qualora ci avesse incontrato, che si considerava ancora nostro amico e che von Sybel, non fidandosi più di lui, lo aveva consegnato in caserma per le due ultime settimane. Quindi Cerini gli aveva chiesto come mai fosse stato liberato, ma l'austriaco non lo sapeva: aggiunse tuttavia che il colonnello era scomparso, perché forse aveva assunto una nuova missione fuori città o addirittura in Francia, dove si ventilava lo sbarco alleato.

«E poi? Rudi ha aggiunto altro?» domandai con insistenza, parendomi che Bruno fosse evasivo. Infatti solo con difficoltà, tra diverse omissioni, venni a sapere che il sergente aveva anche riferito dell'arresto, senza ragione, di una donna delle pulizie alla Pensione Impero.

«E perché mai?» dissi, non rivolgendo la domanda tanto a Bruno, ma a Carlo: a quanto in me ne restava. Perché voleva che la nostra fine coinvolgesse tanta gente estranea?

«Non è colpa tua, Anna» ripeteva il padre di mio figlio.

«Non è colpa mia se Carlo ha fatto fermare... o forse devo dire Karl, anzi il colonnello tedesco, la spia di Hitler, insomma non è colpa mia se ha fatto arrestare una povera ragazza innocente?»

Eppure, quasi un atto potesse pareggiarne un altro, Bruno aggiunse della liberazione del marito di Luisa. Cercava di legittimare ai miei occhi quegli eventi ingiustificabili. «Smettila!» gli gridai, «non sei tenuto a consolarmi per forza.» Solo allora si sentì autorizzato a raccontarmi del ghetto, della razzia e della deportazione su vagoni piombati di centinaia di romani. Non aveva il viso di chi confidasse nella realtà dei fatti che mi rappresentava: gli chiesi se fosse sicuro di quanto diceva. No, riferiva solo le notizie avute dal nostro ospite e a questo attestate dallo stesso Rudi. Donne, malati, bambini? Non riusciva ad ammettere che erano stati deportati i vecchi, i neonati e balbettava, perché le parole sembravano troppo gravi per corrispondere alla realtà.

«Ecco, almeno questa non sarà colpa tua» suggerì severo, cercando di arginare l'angoscia senza forma che sempre più spesso ci avvolgeva nel buio del laboratorio desolato.

«Perché, credi che io possa fare qualche differenza, fra quanto ordina il colonnello von Sybel e quello che comandano i suoi colleghi?»

«Certo, devi! O vuoi incolparti di tutta la guerra?»

Ma lui non aveva amato Carlo; per lui il colore, la foggia, i bottoni della divisa da ufficiale tedesco erano solo un segno chiaro del nemico; non così per me. Come non ricordare quando levavo la giacca dalle spalle di Carlo e prima di riporla sulla spalliera ne fiutavo l'odore, invidiando la stoffa che se ne impregnava così tanto? E se non erano state le belle mani di Carlo a firmare l'ordine di deportazione della gente del ghetto, le sue stesse dita lunghe e delicate, dalla pelle di borotalco, mica si erano levate contro l'infamia della razzia, né avevano stracciato la divisa dell'esercito che quelle azioni eseguiva. Se poi era vero che aveva tentato di destituire Hitler, perché, al fallimento del tentativo, non aveva ipotizzato di disertare? C'era davvero una differenza fra inseguire me, perché fossi riportata da lui, e dare la caccia ai ragazzi italiani per obbligarli a lavorare nella fabbrica della guerra tedesca? Quale differenza? non la vedevo più. Nel mio sentimento di disperazione e di offesa, c'era un dubbio che faceva più rovente l'ingiuria subita; come se vittima – anzi proprio perché vittima – fossi la colpevole principale della nostra storia. Questo era il chiodo che mi torturava la testa. Poteva una vittima ipotizzare che nella propria misteriosa natura ci fosse la stregoneria che aveva trasformato Carlo, un uomo buono, in Karl, un carnefice? C'era in me qualcosa di orribile che aveva permesso a Carlo di diventare quale ora mi appariva? E se invece Carlo era sempre stato la persona che constatavo, cosa mi aveva impedito di riconoscere che un uomo così non si poteva amare?

Amare, che cosa infame era quest'amare, se aveva avuto la forza di adescare la mia coscienza di ragazza tanto da legarmi a un uomo perverso. Perché la gente considerava l'amore un sentimento nobile, quando era invece una passione accecante che trascinava nel male? Già da bambina avevo visto brillare negli occhi di mia madre un amore malsano per mio padre, che le aveva cancellato dal cuore ogni affetto per i figli. Tutto era malato in amore: questa pantomima irresponsabile, che toglieva dignità e restituiva solitudine e rimorso. Era un sentimento inadatto al mondo, quell'amore dei poeti, della mia fantasia di ragazza: un'emozione contraria alla vita quotidiana, alle necessità, al rispetto per gli altri e per noi stessi, ai bisogni della gente; una passione senza giustizia, ecco cos'era l'amore: un inganno emotivo, una truffa morale! Io però ero stata una martire colpevole; e se ora temevo Karl e i suoi colleghi era perché me ne sentivo complice; e ogni loro atto faceva più sporco e osceno il ricordo dei miei baci, lasciati sulle labbra di un nazista che solo il mio bisogno di orfana rancorosa aveva trasfigurato in uomo favola, in un azzurro Führer del riscatto.

Lo starnuto del carburatore spernacchiava dalla valvola a farfalla con una nasalità peculiare, che nel monocilindrico di Rudi Kreutzer si complicava oltretutto di un tipico succhio post-tossivo, tale da farmelo smascherare anche se lo avessi udito nella costipatissima corsia di un tubercolosario. E invece lo percepii fuori dal portone del laboratorio di Cerini, confuso agli altri strepiti della strada.

Era la fine? Il suino austriaco ci aveva denunciato al padrone renano? Non dissi nulla ad Anna, che leggeva un vecchio esemplare della *Domenica del Corriere* e mi spostai verso l'ingresso posteriore del laboratorio, per valutare se pure quella via di fuga, attraverso la carbonaia delle fabbriche circostanti, fosse già sorvegliata e impedita. Nessun armato affacciava ancora il grugno crucco dai tetti di bandone; dunque tornai indietro: nella strada c'era di nuovo silenzio, non lo scalpiccio dei coturni fascisti o degli scarponi teutonici. Anzi, poco dopo udii lo schiocco dell'avviamento a pedale della motocarrozzetta di Rudi e gli *eccì* delle ripetute cilecche dell'accensione, quindi le pernacchie grasse della difettosa miscelazione che si allontanavano clamorose lungo il viale dell'ex re.

Anche Anna, allora, udì il passo affrettato di Cerini che discendeva la scala di ferro con la quale raggiungeva il laboratorio dalla sua abitazione sovrastante. «Che succede?» mi chiese. Intanto Leandro bussò il codice convenuto contro la botola rugginosa sul nostro soffitto e io aprii il passaggio. Entrò sgomento e balbuziente.

«Era Rudi, vero?»

«Sissì» bisillabò.

«E che voleva?» domandò Anna; ma il nostro ospite aveva distratto le poche risorse mentali di uomo invecchiato di botto, a ruminare l'attendibilità della notizia che stentava a comunicarci. E quando infine si decise c'infettò dello stesso torpore, della medesima incredulità.

«Mario, Mario Carra sapete?» Certo, sapevamo bene chi era. Era morto? L'avevano arrestato? domandava Anna.

«No, state tranquilli, è che... non so se è vero: vi fidate del sergente Kreutzer, voi?» Alzai la voce: gli imposi di essere chiaro e non tenerci così sulle spine. Diceva che non era sicuro di aver capito bene, e aggiunse: «Ha denunciato il colonnello!»

«Chi?» domandò Anna.

«Mario Carra, lui: sì, è andato all'ambasciata germanica e ha denunciato il colonnello von Sybel di tradimento.»

Anna mi guardò, come a chiedermi se Leandro fosse affetto da demenza senile multinfartuale, o di origine infettiva, magari luetica. Il quadro morboso, pur evidente, sfuggiva però a un'irrecusabile identificazione clinica, sicché, invece di risponderle, preferii procedere subito all'anamnesi dell'ammattito. «Che dite Leandro? Non vi sentite bene?» gli chiesi irritandone la suscettibilità senile.

«Niente affatto, sto meglio di voi. Vi dico che è così, e se mi fate parlare arriverete a capirci qualche cosa. Il vostro amico ha accusato il colonnello di tradimento, perché loro, i nazisti, considerano gli ebrei dei nemici veri e propri, simili agli americani e agli inglesi, anzi peggio.» Anna si era seduta di nuovo, e non sapevo se per intuizione della verità estenuante o per timore che le sorgessero le varici nella gambe. «Dunque loro non possono nascondere israeliti di sorta, sarebbe come se aiutassero il nemico a vincere la guerra, per questo Carra ha potuto denunciarlo di tradimento, comprendete?»

No, gli dissi; non si capiva niente: come aveva fatto Mario a sapere che il colonnello aiutava gli ebrei? Leandro questo non lo sapeva, Rudi non glielo aveva spiegato.

«Infatti non è vero» ribatteva Anna, scuotendo il capo, «non è vero: Karl non aiuta nessuno, non ci credo.»

«Che cosa vuol dire che non ci credete: non è vostra cugina quella che nasconde?»

«Fosca?»

«No, Rudi ha detto un altro nome: Regina Salonicchio, mi pare.»

Basta. Chiusi la bocca al mio ex principale, doveva capire che stava dicendo sciocchezze, prive di ogni senso; sicché lo aggiornai di come stavano le cose.

«Ah, ora ho capito» terminò, «scusatemi tanto, non conoscevo questa storia. Adesso è chiarissimo.»

«Un accidente!» proruppe oltre il muro del silenzio l'impazienza di Anna. «Insomma diteci le esatte parole di Rudi, una dopo l'altra, a memoria!»

Chiesi scusa a Cerini per il tono di Anna: non potevo permettermi di litigare di nuovo con lui.

«Va bene» rispose duro e accigliato alla madre di mio figlio, «il sergente ha detto proprio così: "Se vi capita d'incontrare Bruno e Anna dite loro che questa mattina l'ingegner Carra ha accusato per iscritto il colonnello Karl von Sybel di proteggere e nascondere l'ebrea apolide e fuggiasca Regina Salonicchio."»

32.

Verso la metà di novembre si determinò l'ossificazione dello scheletro di nostro figlio e i suoi occhi, dalla posizione laterale, si stabilirono definitivamente nella frontale, caratteristica delle scimmie antropomorfe e della specie umana.

Ma con il suo corpo nuovo, che si covava nel ventre ogni giorno più ovato della madre, mi pareva che si andasse calcificando anche la nostra vita di ricercati, che da settimane non lasciavano il rifugio, che non ricevevano visite, e di quanto avveniva in città non conoscevano se non quello che riferiva l'intelletto stanco e l'animo provato di un ex legionario fiumano.

Sapevamo che la serva dei D'Ascenzio era sempre nelle mani dei nazifascisti, sospettata di tresche partigiane, alla faccia delle reiterate proteste del maresciallo Luciano, alle quali i cortesi poliziotti hitleriani replicavano ogni volta con l'alemanno *raus*! Tra i partigiani, invece, sembrava che si fosse imboscato il Raimondo Favoriti, il marito della Luisa Spaggiari, dileguatosi tre giorni dopo la fortunosa scarcerazione. Del resto in città con la fame, lo sconforto, i rastrellamenti tedeschi, gli arresti, cresceva il numero dei nostri ribelli, che piazzavano i chiodi a tre punte lungo le strade e che – era già accaduto – sparavano contro i tedeschi facendoli cadere morti, quasi fossero umani. Tuttavia la più parte della gente si comportava come noi: imitava nostro figlio nel seno della madre e si riparava nella clandestinità delle basiliche, delle catacombe, delle soffitte, addirittura delle fogne. Eravamo un popolo di embrioni sonnecchianti, eppure già capaci di qualche scatto d'incoercibile movimento. In quei casi Anna mi guardava spalancando gli occhi e la bocca: «Ho sentito qualcosa. Mi sa che si è mosso.» Rimanevo incredulo: mosso? Nulla attorno a noi si era mosso; era stato forse un movimento privato, senza statuto pubblico: una cosetta carminativa, peristaltica, di genere improferibile e inannusabile. Anna invece sosteneva il contrario: non era mossa sua, piuttosto un colpo interno, un urto, autonomo dal suo corpo. Sentiva in sé un centro di volontà e di comando eccentrico al suo e che, di tanto in tanto, le inviava impulsi cinematici, improvvisi quanto indecifrabili. Poi mi guardava, chiedendosi perché mai stupissi delle sue dichiarazioni: non era sempre stato così? Non avevo anch'io l'impressione che la meccanica della mia mente non dominasse il mondo, ma questo avesse altrove un governo le cui decisioni decidevano anche di me? Ora lei, quel principio eccentrico, ministro di un potere autonomo, se lo sentiva in pancia, quando fino ad allora l'aveva intuito da qualche parte fuori di sé. «Nel colonnello tedesco vuoi dire?»

Di Karl von Sybel nessuno aveva più saputo nulla. Ciononostante verso la fine di ottobre ci fu una retata a La Storta e alcune pattuglie di repubblichini rastrellarono le campagne limitrofe in cerca di renitenti alla leva militare e al lavoro obbligatorio. Una di queste era capitata al casolare dei Forti, catturando il padrone di casa e un contadino che stava con lui; per mero caso non vi avevano trovato Giusto Gatelli e i due giovani figli del padrone di casa: spediti da Angiolina a scavar chiaviche lungo il rivo, per meglio adacquarci l'orto.

La madre di Anna, per fortuna, aveva sostenuto con austero coraggio la minaccia delle armi, evitando per altro d'insolentire le teppe saloine, mentre trascinavano via gli uomini rastrellati. Alla narrazione dei fatti da parte di Leandro, Anna si era domandata ansiosa: «Sarà stato lui, vero?» E le avevo subito replicato: «Certo. Chi altri vuoi che ci perseguiti così?» Leandro eccepì invece che era la nazione intera a essere angariata, non afferrando l'intenzione della mia risposta.

D'altra parte non poteva sapere che giorno dopo giorno l'immagine di Karl si andava vaporizzando nella memoria di Anna; e che io, mentre solo un mese prima avrei festeggiato il processo di fusione vitrea, che riduceva l'amante della mia donna a un leggerissimo e latente vuoto di pensiero, allora, invece, lo temevo: perché sottraeva ad Anna ogni riparo dagli strali della coscienza ed essa, incapace di distinguere Karl (così gassificato) dal resto degli ufficiali nazisti, si sentiva coinvolta in ogni loro turpitudine.

«Voglio andare a vedere cosa succede di fuori» sentenziò Anna alzandosi a cercare il cappotto. «Stare qui è diventato inutile, perché Karl mi copia: si nasconde se mi nascondo, e per evocarmi dal mio rifugio uccide, picchia, tormenta e violenta, nelle spoglie di altri che sono come lui.»

No, il colonnello non era un negromante, le dicevo, non s'impossessava dei corpi altrui per commettere i propri misfatti.

Ma, del resto, come sapere se dietro le cose che accadevano c'era davvero von Sybel o soltanto la degenerazione della guerra e il martirio definitivo del nostro popolo di apatrioti? Leandro Cerini ci raccontava di arresti, delazioni, fucilazioni e tradimenti d'italiani contro italiani, quasi il nostro unico potere fosse di combatterci fra di noi.

«No, figlia mia» le disse Leandro, vedendola con il cappotto, «che vai a fare? Il colonnello non si trova e non è solo il sergente a braccarlo invano, c'è anche il vostro amico Carra, che ora, sapete, lo va a cercare nei comandi tedeschi.» Questo non l'avevo detto ad Anna, però non riuscii a bloccare la logorrea del vecchio ardito.

«Sì, pare assurdo; eppure Rudi Kreutzer ha incontrato Carra all'Albergo Flora, sede del comando tedesco, che chiedeva del colonnello von Sybel, sostenendo di esserne un fido informatore e che aveva per lui notizie urgenti, inconfessabili a terzi, sebbene di grado maggiore.»

«Oddio» fu il commento di Anna e tornò di nuovo a sedere.

«Ah, fosse solo questo» proseguì il reduce fiumano. «Ogni giorno il vostro amico torna davanti alla villa del colonnello e si siede in una stessa panchina, per scrutare un segno di presenza, un movimento dietro le tende delle finestre; poi, poco prima del coprifuoco si allontana aggrondato. Vi pare un comportamento salutare questo? Rudi Kreutzer ha tentato in ogni modo di farlo desistere dall'inutile appuntamento; sebbene senza successo, perché Carra non crede che il colonnello abbia lasciato Roma. E meno male che lo prendono per pazzo, ora che quel sergente, saputo della denuncia del folle contro von Sibel, ha redatto e diffuso negli uffici giusti una cartella clinica falsa, nella quale risulta che se non è scemo di guerra poco ci manca; però, dico io, la fortuna ha sempre un limite e un giorno o l'altro qualche pattuglia tedesca finirà per arrestarlo. Dunque, ragazza mia, se non trova lui il colonnello, a rischio della pelle, volete andarci voi, ad azzardare la vita vostra e del figlio che portate in seno?»

«Sì! Andiamo Bruno» fu, per tutta risposta, il commento di Anna; mentre Leandro mi faceva segno, con i folti sopraccigli, che un certo comportamento mattoide era tipico delle donne incinte, poiché il feto gli batteva in testa e ne svalvolava le già irregistrabili punterie della testata.

«Andiamo noi a convincere Mario che Carlo non c'è più, che forse non c'è mai stato, se non nel mio bisogno di pensarlo; che rimangono soltanto i suoi sgherri, i commilitoni, gli occupanti: questa collina di sassi che ci opprime e vuol essere esplosa via dalla rabbia della nostra impazienza.»

L'immagine del colonnello nel ricordo di Anna era ormai diventata simile a un calco, che la guerra riempiva di male ed efferatezza. Si trattava forse dello stesso vuoto minaccioso che occupava la città, e che alle volte spiavo dalla serratura del portone: la sensazione di non essere più, e come di non essere mai stati, che gli eventi di settembre avevano lasciato in noi ex italiani, orfani di patria, apolidi tanto quanto l'ebrea Salonicchio. Invidiavo allora il ventre tondeggiante di Anna, il suo pieno di tempo futuro. Perché io senza utero, senza sacro e solo profano, io che pieno, che patria avevo più? Anna era la mia donna, non la mia patria. Lo era la Toscana forse; forse Chiusi o Torrita di Siena dove nacqui. Lo era il basco che mio padre portava sulla testa pelata e il suo sguardo di bue magro. Era l'odore delle mani di mia madre. Era il puzzo di sudore che emanava dalla camicia sudata di Verzili, quando si faceva la lotta sul prato di Chianciano. Se la patria era tutto questo, allora faceva da ponte tra il di dentro e il di fuori, sicché la patria mi rendeva più esteso. Ecco perché ci sentivamo tanto costipati nel buco del culo di quella fogna di laboratorio! Perché c'avevano ridotti alla sola ombra del di dentro: come le nostre anime fossero tutte femmine, senza le metà maschi, senza più esterni accoppiamenti.

— Si era fatto dicembre: sotto le finestre della mia pensione le strade erano attraversate dalle camionette naziste, grigie e scure quanto i tappeti di nuvole che accecavano i cieli. Eppure, con Gesuè in braccio, stavo quieta, serena; né gli arresti né le violenze riuscivano a sciupare la sensazione di alba fresca che mi sorgeva in cuore. Per Luciano, invece, sembrava già il tramonto e il suo bel viso pacioso scompariva sotto la caligine della rabbia e di un risentimento astioso.

Si era fatto violento, lui che era sempre stato un agnello; gridava parole oscene, beveva; aveva anche imparato a fumare e gli veniva da tossire: e più tossiva più bestemmiava. D'altra parte ogni giorno respirava il clima della nuova repubblica senza speranza, costruita sul rancore.

«Perché vai con loro se temi la sconfitta?» gli domandavo, per farlo sfogare.

«Non è questa a essere inaccettabile, non capisci niente» mi rispondeva, «è l'umiliazione di aver dovuto subire il tradimento: ecco ciò che è insopportabile. Se il re ci avesse guidato fuori della guerra in modo decoroso, avrei obbedito. Ma fuggendo, cambiando fronte da rinnegato, da gaglioffo, come si può? E la mia giovinezza, e i nostri ideali? Devo dargli un colpo di spugna? Sì, Hitler perderà la guerra e il Duce con lui: lo sappiamo, embè? Cambia qualcosa, si ha onore solo se si vince? Se tradito, mi tradissi, darei ragione a chi mi tradì. Proprio perché ci tradirono imponendoci una figura da rinnegati, ora non possiamo che combattere ancora e rimanere con i nostri odiati alleati. Certo, potrei starmene in casa ad aspettare l'arrivo dei vincitori, come i milioni d'infingardi e vigliacchi che lo fanno, eppure non posso: non posso ti dico! Devo rispettare il mio sentimento. Chi ha la possibilità di scegliere se andare da una parte o dall'altra, vuol dire che crede un po' a entrambe le opportunità e ci fa sopra un ragionamento di testa; poi scelta una, magari si pente e torna a scegliere l'altra: ce ne sono tanti oggi così, che saltano da un campo all'altro, finché li fissiamo noi con una bella fucilata. Io no, Italia, io non ho bisogno di scegliere ciò che sono già. Non appartengo né ai pentiti, né ai ribelli: non ho voluto la guerra, però ho creduto nel fascismo, nei suoi ideali nuovi e se il Duce ha sbagliato a mettersi con Hitler, io non ho sbagliato a credere in Mussolini, che ha fatto di un paese del secolo scorso una nazione moderna, che l'ha unita per davvero e l'ha salvata dai bolscevichi. Non si possono rinnegare i propri sbagli, Italia; non si può chiedere che ci vengano rimessi con un colpo di furbizia, una badogliata qualsiasi. Non è dignitoso, non è onesto. Quindi capisci che non ho scelta, perché chi mi ha tradito ha già scelto per me: mi ha dato un orgoglio, una parola; portandomi via la buona fede mi ha conferito la volontà di essere fedele.»

Luciano era un uomo legato a un carro senza futuro, in compagnia di altri rancorosi, appassionati della sconfitta. Quanta più gioia vedevo nei garibaldini come Concetta. Quando veniva a visitare di nascosto il piccolo Gesuè, arrivava che sembrava il vento: felice, gioviale, quasi la guerra fosse già finita; mi abbracciava con un trasporto da commuovermi e mi baciava ringraziandomi e accendendomi di calore: perché quella ragazza scottava nel cuore. Diceva sempre di stare benissimo. Vestiva che sembrava un uomo e girava armata, con la pistola nella tasca. Era orgogliosa di far parte dei gruppi più ardimentosi: aveva già partecipato a due sabotaggi. Mi raccontava che erano sempre di più quanti si davano alla macchia e che molti fascisti cambiavano fronte e si redimevano. Era sicura che dalle ceneri della guerra sarebbe nata una nazione nuova e già la intravedeva negli sguardi dei suoi compagni di ribellione. Lì, tutti la trattavano come una di loro: le donne erano pari agli uomini e nessuno più ci pensava che era stata una puttana; però lei se lo ricordava: diceva che nella prossima nazione non ci dovevano più essere le case chiuse. Con il suo italiano burino, che capivo poco, almanaccava i problemi del dopoguerra, perché il nostro paese sarebbe stato sconfitto e vittorioso insieme. Poi mi domandava di Bruno e della sua fidanzata: ma non ne sapevo più nulla. Mi sentivo responsabile, le confessavo, dell'arresto della povera Ada, perché forse era stato davvero il colonnello von Sybel a farla arrestare, affinché la barattassi con qualche informazione sul nascondiglio di Anna. D'altra parte, anche avessi voluto e potuto, dove stava più il colonnello? Nemmeno Luciano era riuscito a saperne qualcosa, anzi, un colonnello von Sybel forse, nell'esercito tedesco, non c'era mai stato. Come? avevo domandato; intendeva dire che, a forza di cercare, si arrivava a un grado della gerarchia tedesca dal quale non ci si poteva più aspettare risposta, quasi il colonnello appartenesse a uno strato della Wehrmacht dove l'esistenza o meno della gente rimaneva ancora possibile, sebbene poco reale. E così, infatti, avevano risposto a Luciano, che pretendeva di sapere se un tal colonnello esistesse davvero: è possibile, allusero, a ogni modo era sconsigliabile insistere a chiederne conferma.

Intanto Ada restava in galera. Sicché il 4 di dicembre, all'insaputa di Luciano, mi ero decisa ad andare al comando SS di via Tasso e avevo chiesto di parlare con il comandante; non fui nemmeno ricevuta, ma un graduato mi fece sapere che la ragazza era sotto la custodia delle forze italiane e che dovevo rivolgermi a un certo tenente Pietro Koch, presso la Pensione Oltremare. Giunta alla villetta indicata, non riuscii a parlare con nessuno, perché i militi alla porta mi scacciarono in malo modo. Tornata a casa detti la buona notizia a Luciano: Ada la tenevano i camerati italiani e quindi lui avrebbe potuto sapere di cosa l'accusavano e aiutarla. Luciano, al nome del Koch, cambiò viso e gelandomi il sangue disse che era un farabutto, usato dai tedeschi per i lavori più sporchi; comunque aggiunse che l'indomani avrebbe tentato di parlargli. E vi andò davvero: si litigarono e si picchiarono addirittura. Visto che non tornava a cena, chiamai il suo ufficio, mi dissero che c'erano stati dei problemi, in ogni caso durante la notte il maresciallo sarebbe ritornato. Difatti arrivò a notte fonda. Aveva due grossi lividi violacei sul volto e la camicia strappata. Gridai e feci per sostenerlo: mi scansò con una spinta. «Ti hanno picchiato?» domandai e mio marito, senza nemmeno guardarmi, sedendosi in cucina davanti al vino, mi disse che avevano fatto bene, perché era un somaro che non voleva imparare e andava bastonato per aiutarlo a capire. E Ada? Sì l'aveva vista. E allora? Stava bene? Perché la trattenevano? Mi rispose che stava lì, alla Pensione Oltremare, per fare i servizi. «Quali servizi?» Luciano alzò gli occhi pesti su di me: due larghe macchie d'inchiostro sul lenzuolo bianco del suo viso smunto e mi rispose che erano gli stessi servizi che, nella nostra pensione, avevo fatto a quel vigliacco di Bruno.

Il peso, di cui l'ansia mi aveva caricato, scivolò via come una grossa coperta di lana che mi cadesse dalle spalle ed ebbi l'impressione di levitare, sobbalzata in alto dallo svelamento improvviso del segreto. Avrei dovuto spaventarmi al pensiero del modo in cui Luciano avrebbe potuto reagire, cupo e depresso com'era; eppure fui colmata di leggerezza, come quando, in una giornata grigia, entrava in casa un raggio di sole e sbaragliava, della sua luce, l'ombra pesante della malinconia. Quale promessa poteva celarsi nella rivelazione del mio tradimento? Immaginai che mio marito mi comprendesse, domandandomi perché non mi fossi confidata con lui, lui mi avrebbe capito: poiché, come me, s'inaridiva nel nostro matrimonio, che era un legame sbagliato. Una parte di me aveva considerato l'ottusità di Luciano nei riguardi del mio adulterio, quale espressione di un inconfessabile consenso: in quanto lui, che diceva di avere un udito finissimo, non aveva avvertito il frastuono della passione che mi aveva affamato di Bruno, dei suoi occhi di cristallo, del suo respiro di aquilone. Ora però la rivelazione del segreto sembrava promettere una soluzione tra di noi, un abbraccio che ci facesse accogliere l'un l'altra, per liberarci della medesima sconfitta. Peccato che fosse solo un'illusione.

Mi sedetti anch'io al tavolo della cucina e gli dissi: «Ma l'ho amato, Luciano; mi dispiace, me ne sono innamorata.»

Non rispose. Raccontò che si erano incaponiti a interrogarlo su Concetta Aiello: come mai l'avevamo ospitata e se, per caso, aveva fatto marchette pure da noi. Luciano aveva reagito, colpendo con uno schiaffo il Koch: c'era stata una zuffa e mio marito le aveva prese. Gli ordinarono di confessare ogni cosa, se voleva provare a discolparsi. Luciano non riusciva a comprendere cosa volessero sapere, quindi furono più espliciti. «Bruno Lucatti» gli domandarono, «si scopava anche la servetta Ada o si accontentava di Concetta Aiello e di tua moglie? Eh? E la tariffa per la triplice intesa? Qual era la tariffa?»

Forse solo allora, guardandolo in faccia, si accorsero che non sapeva nulla della mia relazione con Bruno. «Davvero? Davvero ti facevi cornificare così, in casa tua, senza accorgertene?» Lui si riprese un attimo e chiese le prove di quelle insolenze. Avevano più delle prove, aggiunse, avevano un testimone.

«Impossibile!» protestai. «Ti hanno ingannato.»

«No» riprese mio marito, «Ada ha confessato davanti a me che sei stata l'amante del meccanico dalla fine dell'anno passato. Lei l'avevano arrestata in base a una denuncia che la dava per sovversiva, seguace della puttana bolscevica; ma poi, sottoposta all'interrogatorio, aveva confessato diverse piccanti stranezze avvenute qui, in casa mia, che quelli se ne sono incuriositi, promuovendola sull'istante a serva di caserma, quanto dei loro più lascivi piaceri. Questo è tutto! Il resto non hanno avuto bisogno di dirmelo, ci so arrivare da solo. Ora però, e te lo dico una volta sola, devi rivelarmi dove si nasconde il tuo amante, perché ci voglio parlare.»

Lo sguardo di Luciano mi attraversava: non guardava me; non so cosa osservassero i suoi occhi tumefatti. Risposi che non conoscevo dove fosse Bruno e che la relazione avuta con lui era ormai finita, da mesi. Luciano non ci credeva.

«Se vuoi che faccio liberare Ada, se vuoi stare ancora in questa casa, se vuoi tenerti Gesuè, mi devi dare Bruno. Hai capito bene, Italia? Noi non possiamo vincere gli angloamericani, non possiamo combattere con loro ad armi pari, loro li lasciamo ai camerati tedeschi; ma i traditori, no, sono nostri! C'è una razza peggiore dei rinnegati, dei banditi e dei ribelli badogliani: i vigliacchi, i renitenti, gli sbandati, che lasciano il sacrificio agli altri, che si traggono fuori dalla mischia e passano la mano, che vivono irresponsabili delle loro stesse azioni, che della vita evitano il peso, questi parassiti, Italia, sono coloro che hanno rovinato la nostra patria e lo stesso fascismo, ideale troppo alto per una massa di tali debosciati; e un loro campione ha confuso anche te: ha preso per fidanzata un'altra, che era di un altro, mentre faceva l'amante tuo, che eri mia moglie e che mi dovevi dare un figlio. Questa massa di inerti, che ha mal combattuto o non combattuto affatto; questa massa, che trovi ben rappresentata nella persona del tuo amante, ci ha rovinato e ti ha avuta, Italia: si è presa la tua età e la tua buona fede, per farne un piacere da bordello; perché non so se tu lo hai amato davvero, ma so per certo, io che conosco Bruno, che lui ti ha soltanto chiavato.»

33.

— Perché sopportavo ancora la reclusione e il rancore? La pazienza sembrava un'attesa ed era invece un'azione prepotente, ma rivolta in dentro, pervertita: un velo ipocrita sotto il quale si celava il piacere della sottomissione. Dovevo riscoprirmi impaziente e irosa.

«Uffa! Andiamo fuori» dichiarai, incamminandomi verso l'uscio in fondo al laboratorio. «Un attimo, avverto Cerini» rispose Bruno, correndo dalla parte opposta, per salire all'appartamento dell'ex principale. Meglio così: volevo uscire sola, e non attesi il suo ritorno.

Svanii in una città di sole donne, che camminavano curve, con le mani al seno per trattenere gli scialli sobillati dalle raffiche di tramontana. Si trattava quasi sempre di vecchie e di bambine, poche invece le ragazze, che fuggivano più in fretta delle altre nelle botteghe o nei portoni dei palazzi. Mi parve di essere una straniera, appena giunta nella città delle donne dal paese dei maschi, e le ammiravo stupita di trovarle tutte zitelle. Avrei voluto fermarne alcune per dirgli che ero incinta, però non sapevo se di una piccina e allora tacevo, per timore di sciupare con l'attesa di un bimbo l'incantesimo di quel mondo di femmine. Avrei desiderato passeggiare con Luisa, tra le donne che si ammiccavano in segno di farina, cicoria e pane nero. Non c'era pazienza sotto le loro gonne, ma calze grosse, di lana, con gli elastici alle cosce e i rammendi sulle stoffe; c'era, protetta dalle loro sottane, la vita che si consumava nelle case, sui soliti fornelli, nei letti, nei bagni, nelle cucine senza pietanze. E lì, avevano nascosto i loro figli, i mariti, i padri, gli innamorati: per salvarli dai rastrellamenti degli occupanti. Avevano sottratto gli uomini dalla superficie del mondo, come fossero agenti pericolosi, e li avevano sistemati negli asili delle lavanderie, tra le ceste dei panni: ad asciugare i malati umori di maschi. Perché in noi donne c'era una creatività cavernosa, istintiva, non dominabile dalla volontà e per la quale portavamo in pancia sempre e comunque un'alternativa. Vedevo le mie compagne muoversi presciolose di rientrare nei marsupi domestici, dove allevavano i propri uomini, in una seconda gestazione di perfezionamento: preparandoli a risorgere, quasi fossero sempre neonati e noi ogni volta bisognose di divaricarci i corpi, per lasciarli rinascere; continuamente dedite alla tessitura del mondo, che essi torneranno a tarmare di nuovo, quali tignole voraci e cieche.

Risalivo verso il Tevere per raggiungere la villa di Carlo, dove volevo incontrare Mario Carra, se poi era vero che sostava lì ogni pomeriggio, prima del coprifuoco. E in effetti lo trovai seduto sulla panchina: solo, sotto l'ombrello, per proteggersi dalla pioggia che lo avvolgeva fitta e chiara come un velo da sposa.

Mi fermai a osservarlo: non leggeva, non si guardava attorno; fissava la villa quasi che il muro di cinta, i rami spogli degli alberi e la vetrata dello studio in fondo al giardino, fossero l'orizzonte di un naufragio. Scrutava le tende, che s'intravedevano dai vetri e ne contava le onde, cercandovi il frangente dal quale emergesse la forma del naso o un dito, o la mano intera del mio ex amante, che vi si era inabissato.

Era molto invecchiato negli ultimi mesi e sebbene i grassi e tondi mi paressero sempre uguali, sotto la pelle tesa e lucida, senza rughe e senza età: Mario, simile a una matrioska, aveva cavato da sé un sé più piccolo, quasi l'invecchiamento per lui non consistesse nello sciuparsi della forma, bensì nel ridursi della figura. Eppure non riuscivo a sentire pietà per lui, solo sbigottimento, alla constatazione che nemmeno i carcerieri della mia infanzia rimanevano immuni dalla degenerazione degli anni.

Mi vide all'improvviso e lasciato cadere l'ombrello corse verso di me che camminavo verso di lui. «Che fai qui? Che succede? Sei pazza, devi nasconderti.»

Raccolsi l'ombrello e lo calmai; gli dissi che ero lì perché Karl non sarebbe più tornato. E poiché non ci credeva, aggiunsi che non c'era più bisogno che tornasse, avendo lasciato ai suoi prodi commilitoni il compito di rendermi impossibile ricordare i nostri giorni più belli, se non confusi ai peggiori. Mario scrollò il capo: sosteneva che Karl credeva suo il figlio che portavo in seno e per questo sarebbe ricomparso. «No» ribattevo alla sua testa rimpicciolita, «Karl crede di poter annettere alla propria le menti degli altri, come Hitler ha annesso l'Austria. Per lui Bruno non è che una maschera esterna di se stesso, incapace di azioni proprie. Così pensa il mio ex amante, che del nostro amore ha fatto la ragione del mondo. Dunque non tornerà per un figlio che crederebbe suo: dato che ritiene suo anche Bruno; suo il passato e suo l'avvenire, che lui ha creato in noi, con questa storia che crede la sua invenzione.»

«Comunque lo aspetterò» insisteva, «perché forse ha ragione Candido quando parla della forza dei segni; e io, stando seduto qui, in faccia alla sua villa, Anna, io lo sfido: sono una domanda troppo misteriosa e accattivante perché una spia resista alla tentazione di rispondermi. In ogni caso ci vuole pazienza, perché i segni hanno una natura riflettente, e devi dare il tempo a Narciso d'innamorarsi di ciò che vede nel segno e di cascarci dentro.»

Che c'entrava Candido adesso? E Mario, poi, sembrava farneticare. Gli restituii l'ombrello: era suo, no? E che se lo tenesse, almeno questo! Perché, per il resto, ogni sentimento migrava tra le nostre anime come un uccello di frasca in palo: ora Candido aveva invaso Mario con le sue fandonie, tanto quanto Mario era riuscito a intromettersi un po' nel pensiero di Karl, il quale aveva infettato tutti, e me più di chiunque altro. I corpi non costituivano difese sufficienti per proteggerci dall'invasione delle anime altrui. E queste premevano, simili a bacilli, attorno ai miei pori per contagiare il sangue del mio secondo cuore. Perché là, volevano discendere quelle teste consumate di vecchie persone: dove mio figlio le rigenerasse del suo nuovo principio. Ma finché fosse stato in me, io, con la placenta del mio pensiero, lo avrei protetto dal contagio del pensiero loro.

«Certo Anna: Candido, ho detto. I giorni scorsi l'ho convocato qui e gli ho chiesto di soccorrermi nel rilevare qualche traccia del colonnello nell'anatomia della villa, perché lui è davvero un semeiotico profondo, che ha occhio per i segni dei corpi inanimati. Ci siamo seduti su questa stessa panchina e mi ha suggerito i luoghi da osservare con più attenzione, là per esempio: la porta che s'intravede dietro l'oleandro. È stato lui a farmi capire che perseverando costringo la villa a svelare i suoi segreti, per scambiarli con la mia domanda. E quando avrò avuto il segno di risposta e saprò che il tuo ex amante è tornato in casa, io e Candido posizioneremo la bomba: là, guarda! presso lo studio, alla vetrata e la faremo esplodere mentre il colonnello mi spierà da dietro la tenda. Ecco il nostro piano. Come quale bomba? La bomba che confezioneremo con l'esplosivo del povero Ignazio Pesce: sarà anche la sua vendetta. Per questo Candido ha difeso il nostro esplosivo dalle mire di Salvatore: certo, c'è stata una lite, non lo sai? Salvatore Aiello lo voleva usare per un'azione di sabotaggio ed era andato da Candido a chiederglielo; ma lui no, non lo consegnava. Salvatore non riusciva a capire cosa Candido volesse farci dell'esplosivo e così, dopo qualche giorno, arriva all'obitorio con la banda al completo, per intimidire il settore. A un certo momento parla un ex capitano del Genio e gli dice che loro non possono permettergli di sottrarre del materiale tanto utile alla guerra di liberazione e quindi, pure controvoglia, doveva requisirlo. "Però dovete trovarlo" gli risponde Candido, serafico. Allora entra in scena Fosca, che intavola una trattativa commerciale: loro sarebbero disposti, dice, a dare qualche chilo di tritolo in cambio di due o tre capsule detonanti e magari anche di un dispositivo per l'accensione ritardata. L'affare è fatto: hanno consegnato cinquanta chili di esplosivo, su almeno cento che ne avevano. E così ora abbiamo tutto il necessario per la bomba, ci manca solo lui, Anna, il tuo ex amante: da far esplodere in mille pezzi, da disperdere in fumo.»

— Il primo dell'anno c'era stato un nubifragio; a San Lorenzo molte case già danneggiate dal bombardamento erano crollate a terra. E la mia? Aveva subito danni, chi me lo poteva dire? Non si riusciva nemmeno a telefonare, e nessuno ci visitava più, il terrore di nuovi rastrellamenti teneva gli uomini nascosti. Neanche Rudi era tornato a trovarmi dopo l'ultima volta, quando mi aveva raccontato della cattura di Adelmo. Eh già... lo avevano preso a dicembre, sotto casa, poveretto.

Arrivarono dalla Prenestina e da via di Fortebraccio; scesero tedeschi e repubblichini, a centinaia; isolarono due o tre strade e catturarono i maschi, ragazzini e vecchi; via, sui camion! con Adelmo. Quando Rosaria venne a sapere che gli avevano preso il marito non si perse d'animo e corse subito ad avvertire i comunisti del *Bandiera Rossa*, che convocarono Salvatore Aiello, perché era diventato molto amico di Adelmo, da quando avevano preso la bomba del povero signor Pesce. Salvatore aveva già saputo ogni cosa, pure che il giorno dopo, rilasciati i più giovani e i più vecchi, i tedeschi volevano portare gli altri al piazzale della stazione Tiburtina, da dove li facevano partire per il nord.

La stessa voce era arrivata alle famiglie dei prigionieri: e così, l'indomani, accanto agli autocarri c'era tanta gente che cercava di salutare i parenti; però i fascisti stavano attenti che nessuno si avvicinava. E non fu un brutto tiro della sfortuna se tra quei bacherozzi ci stava anche Giovanni: l'operaio nostro, diventato fascista e che odiava Adelmo, perché era stato il suo capo nella mia officina; macché, fu che ce lo mandò apposta il colonnello, ne ero sicura, per metterci gli uni contro gli altri.

Salvatore, che non conosceva Giovanni, si era accorto che avevano messo Adelmo nell'ultimo camion della fila e teneva gli uomini pronti ad agire, ben nascosti fra la gente per non essere rastrellati. Avevano le mitragliatrici sotto i cappotti, e le donne mantenevano le biciclette pronte per la fuga: ché ancora, al 15 di dicembre, non le avevano proibite.

Salvatore riuscì a farsi vedere da Adelmo, che lo riconobbe subito e capì al volo che il suo amico stava per tentare qualcosa. Quindi si fece avanti nella cassa del camion e si mise proprio accanto alla ribalta, per sfruttare il momento giusto, saltare giù e sparire tra la gente. A un certo punto si udirono delle grida, perché una povera donna voleva liberare il figlio catturato. Le guardie tedesche si voltarono verso il primo autocarro della fila e Adelmo, pensando che era il momento buono, cominciò a scavalcare la ribalta, mentre Salvatore e gli altri si preparavano a coprirgli la fuga con le armi. Invece no: c'era il rinnegato, che non era mica andato con i nazisti a picchiare quella povera madre, no: lui aveva un'altra preda per le sue sgrinfie e cogliendo Adelmo con una gamba già di qua dal camion, sparò una raffica in aria, dando l'allarme ai commilitoni. I partigiani si confusero tra la folla che si disperdeva. Giovanni ordinò ad Adelmo di scendere e lo schiaffeggiò sotto gli occhi di Rosaria che, trattenuta dai tedeschi, gridava e piangeva dalla paura che gli ammazzavano il marito. «Dove credevi di scappare, vigliacco!» gridava Giovanni. «Faremo giustizia dei pa-

412

droni traditori e dei loro servi. E a te, che eri il loro cane preferito, ci penseranno i camerati tedeschi a farti sgobbare; senza più privilegi, senza più ossi gettati dalla tavola dei ricchi.» Adelmo cadde a terra, mentre Giovanni e altri commilitoni suoi lo prendevano a calci e manganellate. Poi lo rigettarono nel camion come un corpo morto. Salirono due guardie naziste e dopo poco la colonna partì, lasciandosi alle spalle i fascisti, che scacciavano via i parenti dei prigionieri.

Anche i partigiani si ritirarono, meno Salvatore e Roncola: loro seguirono gli squadristi che se ne andavano con le automobili verso le caserme, cantando canzonacce di trionfo. La macchina che trasportava Giovanni, seguita dalle biciclette dei partigiani, si fermò poco prima di entrare nella caserma, e ne discese solo il rinnegato, dirigendosi a piedi verso un borsaro nero che stava all'angolo della strada. La macchina degli altri entrò nella caserma. Salvatore pedalò più veloce, seguito da Roncola. Giovanni comprò delle sigarette e stava già pagando, quando Salvatore gli gridò: «Fascista voltati!» e si voltò per prendersi tre colpi di pistola nella faccia.

Insomma, senza Adelmo, non c'era più nessuno che mi poteva dire se la mia casa era allagata dal nubifragio; e allora ci andai io a vedere di persona.

Lasciai la cascina Forti che era l'alba del mercoledì e arrivai fino alla strada statale, per aspettare un camionista buono, che mi prendeva su. È così che incontrai Galiè, Rosalindo Galiè: che sarebbe rimasto con noi per tutti gli anni del dopoguerra. Faceva il militare della Polizia dell'Africa Italiana e portava le provvste da Viterbo alla caserma. Al principio non voleva farmi salire, quando però gli sventolai sotto il piccolo nasino che c'aveva, perché era minutino lui e pure i baffetti alla Hitler ce li aveva piccoli e irsuti, quando vide la mezza gallina che tenevo nella borsa, come se la prese subito, facendomi posto tra i broccoli e le rape. «Io passo sempre di qui» mi diceva ringalluzzito, «e se volete scendere a Roma più spesso vi faccio da autiere.» Va bene, rispondevo; intanto pensavo che prima di fidarmi dovevo conoscerlo meglio e lo invitai a venire alla cascina Forti, dove gli potevo offrire qualcosa di buono da mangiare. «Chiedete allo spaccio, v'indicheranno la strada.» Comunque, di condurmi fino a San Lorenzo non se ne parlò proprio, perché aveva già ritardato troppo e alla caserma lo aspettavano da tanto. Mi scaricò al Circo Massimo, sotto la pioggia; indicandomi però il tranvai che «se passava» disse, mi portava fino a casa.

Non appena scesa mi guardai intorno e, capito dov'ero, mi ricordai di Carra, che tutti i pomeriggi andava alla villa del colonnello: là, sul colle Aventino, proprio di fronte a me.

La casa del colonnello me la ricordavo bene, ma arrivarci era un altro discorso. A un certo punto credevo che mi ero persa; quando mi volto ed eccoti che li vedo ambedue, in uno slarghetto davanti alla villa, seduti su una panchina, sotto l'ombrello. Cos'era successo? Perché Anna non stava nel nascondiglio; e Bruno, dov'era mio genero? Non mi veniva la voce, non c'avevo l'aria da respirare; solo il cuore batteva tanto forte, e mica correvo, anzi stavo impalata dallo spavento. Se Anna era lì, c'era soltanto una spiegazione: che il pericolo era finito; che il colonnello non ci minacciava più. Era stato arrestato e fucilato da Hitler? «Anna, Mario» cercai di gridare a bassa voce, «Anna, Mario che fate? Che succede...»

Sbottai fuori dal laboratorio di Cerini come un tappo di sughero dal collo di una bottiglia di lambrusco. «Anna!» chiamavo, ma era già sparita. E se pure si pensava che il turacciolo portasse fortuna al cranio intersecato dalla traiettoria di ricaduta: a me non interessava per niente di portarne a quello suino di Rudi, sul quale l'energia cinetica del mio slancio stellare si annullò di colpo.

«Olà Bruno, da dove sbuchi?» grugnì, fingendo d'ignorare la nostra tana. «Hai visto Anna?» domandai, manco fosse normale chiederglielo, dopo che per quasi tre mesi eravamo sfuggiti a lui e ai commilitoni suoi. Rispose di no; intanto ravvisai, nel volto proboscidato di mammifero artiodattilo non ruminante, l'impressione che gli faceva il mio aspetto sconvolto, travagliato e omerico.

«Allora che vuoi? Cosa cerchi?» Era venuto a informare Leandro che i suoi cari amici D'Ascenzio ne stavano passando di brutte, e per causa mia. Il giorno prima, infatti, alla Pensione Impero, Luciano aveva sparato a Concetta Aiello. No, non l'aveva ammazzata, soltanto ferita e poi l'avevano arrestata.

«E Italia?» Fuggita, fu la risposta di Rudi. Luciano aveva saputo della relazione tra me e la moglie dagli squadristi di Pietro Koch e da allora il maresciallo mi cercava ovunque. Era andato anche a San Lorenzo, per vedere se fossi nella casa dei Gatelli; infine aveva messo una taglia sulla mia testa, spargendo la voce tra tutti i delatori e i rinnegati della città.

«Fuggita» ripetei automatico e stupefatto. Sì, perché dopo la sparatoria, mentre Luciano seguiva i banditi del Koch che trascinavano per i capelli Concetta Aiello, Italia aveva preso Gesuè ed era scappata. «E di Concetta cos'altro mi dici? Perché è stata così stupida da tornare alla pensione se c'era Luciano?»

«Il maresciallo» spiegò l'austriaco, «ha preparato una trappola per catturarla, sicuro che la ribelle sa dove ti nascondi.»

Avrei voluto trovarmi in una fitta massa di persone, in un'adunanza, in una piazza, dove il coefficiente di assorbimento delle onde del suono fosse moltiplicato dalla porosità di chilometri e chilometri di pelle umana, dai quintali di ossa cartilaginee, dalle tonnellate d'intestini flatulenti, ariosi come oboi, dai millilitri di sangue lipidoso; avrei voluto trovarmi in un uditorio tanto infinito da assorbire ogni suono; essere due sole e piccole orecchie tra trilioni di grossi orecchi, così da sconfondere la destinabilità delle parole di Rudi.

Era colpa mia! Presa al mio posto! L'avrebbero torturata per farle confessare il mio nascondiglio, che non conosceva.

«Il maresciallo» proseguì Rudi, «ha saputo, dalla domestica in mano a Koch, che quando era fuori casa per servizio, l'Aiello tornava alla Pensione Impero a riabbracciare il figlio. La signora Italia aveva convenuto con l'amica un segnale di via libera: la persiana mezza aperta di una precisa stanza del terzo piano, di solito serrata. Quindi, Bruno, è stato facile per il maresciallo costruire una trappola in cui farci cadere la partigiana. Questa, visto il segnale stabilito, è entrata dal portone principale, ignara della milizia fascista che l'aspettava. Alla pensione però, accolta da un'inserviente mai vista prima, si è insospettita, cercando di scappare per le scale. Il maresciallo D'Ascenzio non ha gridato nemmeno l'alt, ha sparato dal pianerottolo mirando alle gambe e colpendola a quella destra. La tua amica, sebbene ferita, stava per afferrare la rivoltella, ma la milizia l'ha disarmata in tempo. A questo punto la padrona di casa, la signora Italia, deve aver approfittato della confusione perché da allora è sparita e con lei è scomparso pure il bambino dell'arrestata.»

Sì, ma io dovevo inseguire Anna, che forse era andata alla panchina di Carra, o cercare Italia? Sola, senza aiuto; e Concetta? potevo fare qualcosa per lei: avvertire Salvatore per esempio, o riscattarla consegnandomi a Luciano D'Ascenzio.

«No Bruno, non lo fare: non servirebbe a niente» mi esortò il sergente con l'espressione del maiale amico. «L'Aiello è nelle mani delle SS italiane che sono ben più spietate con voi connazionali che con i nemici catturati al fronte; inoltre, lo sai anche tu, è una sovversiva, l'hanno segnalata da tempo quale partigiana e diversi fermati hanno fatto il suo nome sotto interrogatorio. L'occasione di catturarla l'ha offerta il maresciallo, però la cercavano già da settimane, e neanche lui può salvarla, se pure lo convinci; e non credo che tu...»

Cosa aveva detto? Che l'odio civile tra i fratelli di una stessa nazione era di una densità ben maggiore dell'odio militare, che opponeva soldato a soldato di un popolo differente? E l'odio stesso mi pareva il sentimento gemello della colpa, che dai suoi becchi di saldatrice sentivo scintillare nella mia anima, crucciata dal pensiero di Concetta.

Il ricordo del viso della mia amica al bordello, la sua gioia, il suo dialetto, come la sua immagine di tormentata nel buio di una prigione, profondavano l'uno sull'altra fondendosi in un nodo doloroso nel mio petto. E se non potevo che essere io l'operaio che sovrapponeva i diversi ricordi quali punti di differenti lamiere, la saldatrice, invece, che con un cortocircuito da cinquanta kilowattora li fondeva d'un baleno in un viluppo insolubile del pensiero: be', quella era la colpa che, come l'odio, costituiva una trappola dell'emozione, un pozzo elettrosaldato di pensieri e sensazioni differenti; ognuno per sé accettabile, ma che fusi insieme generavano un delirio, un luogo tirannico che arrestava il pensiero. Pozzi gemelli dunque: l'odio, sulla strada del pensiero rivolto agli altri, la colpa, sulla via che scendeva verso se stessi.

Pietà per Concetta, per la sua anima bella e la sua giovinezza; per il suo ottimismo e la sua forza, per il coraggio di una giovane italiana che aveva una lingua nuova da parlare alla nazione; pietà per la compagna dei miei Bisticci di parole; pietà, chiedevo per lei: circondata soltanto dai nostri deliri, dall'odio dei fascisti e dalla colpa degli amici.

34.

— Infine alla panchina di Carra, come a un'aula di tribunale, arrivarono anche mamma e Bruno: lei testimoniando l'assassinio di Giovanni e l'arresto di Adelmo, lui quello di Concetta Aiello, che non avevo mai visto, ma di cui immaginai la gamba sanguinante e il volto tumefatto dalle percosse ricevute.

C'era una bocca di bestia che andava azzannando le persone per la città occupata e io temevo fosse la mia: una parte implacabile di me stessa che sfregiasse del suo rancore i volti più cari, gli amici, la gente di Roma. Per questo non avevo labbra per commentare i racconti delle nefandezze che la bestia, metà tedesca e metà italiana, perpetrava contro la mia volontà. Temevo che in me ci fosse una piccola indemoniata e che il mio odio di orfana si agitasse ancora a difesa di una coppia morbosa. Avevo amato Karl come fosse un pozzo in cui affogare e nel nostro desiderio c'era stato un disprezzo, per chiunque non fosse lui e me. Vogliosi di un passato da rendere eterno, annullammo ogni voce che dicesse di no. Sollevato il demonio fra noi, non riuscimmo a scacciarlo, quando il noi non ci fu più. Ed era questo fantasma orribile di una coppia primitiva e famelica ad affliggere la gente che amavo. Eppure sentivo che la bambina feroce stava morendo nell'anima della madre di mio figlio, che presto avrebbe accolto lui quale compenso per il lutto di lei.

«Direi di andarcene da qua» consigliò il buonsenso del mio meccanico, «siamo troppo esposti.» Sicché mia madre, come riavutasi da un momentaneo incantesimo, riprese a protestare la follia di Carra, che si era piantato lì, costringendoci a seguirlo; e lui replicava: «Non ve l'ho chiesto io di venirci! Tornatevene nelle vostre tane.»

«*Scscsc*, per carità. Zitti!» faceva mamma alla volta degli uomini, assai meno chiassosi di lei.

«Perché, chi vuoi che ci senta» le rispondeva Carra, «qui non c'è nessuno. La villa è disabitata. Ah no, non sei sicura? e allora stai a vedere.» Scattò in piedi e preso un sasso dall'aiuola terrosa di un alberello prossimo alla panchina, lo scagliò contro la persiana del secondo piano. Un toc acuto e sinistro risuonò nel silenzio sgomento dei miei parenti; ma non comparve un tedesco, un fascistello, un paino: nessuno. Ricaddero tutti e tre sulla panchina, svuotati e depressi.

«Karl vi manca, eh?» domandai loro ed essi, tristi, intimiditi, consapevoli della rarefazione del confine mentale delle proprie teste, non belarono nemmeno una sillaba di risposta. «È stato la colla dei vostri pensieri. Senza di lui non concatenate più gli atti con alcuna intenzione. State seduti di fronte alla sua villa nemmeno foste davanti alla pietra da cui inizia il trattturo della transumanza. Cosa la guardate a fare? Mica è di vetro e mica è magica che vi mostra il futuro. Via su, andiamo a San Lorenzo, torniamo a casa.»

Alzandomi però percepii il calore di una bava densa che mi scendeva per le cosce. «Oddio l'aborto!» gridò mamma, toccandomi il bordo del vestito macchiato. Allora, d'un tratto, risuscitarono tutti scattando in piedi. Mi fecero stendere sulla panchina, mentre mia madre pretendeva di aprirmi le gambe per tamponare l'emorragia con il fazzoletto di Bruno.

«Va portata all'ospedale» ordinava agli uomini. No! Preferivo andare a casa, volevo lavarmi via la bava della bocca di bestia, che ora aveva morso anche me dopo aver straziato il mondo e la città intera.

Passò un vecchio su un triciclo da trasporto, con la cassa da carico davanti e il sellino di dietro. Bruno lo fermò bruscamente: sembrava quasi lo volesse aggredire. Mi sollevarono di nuovo, lui dai piedi e Carra dalle spalle. Mi dimenavo perché non volevo che mi poggiassero sulla cassa sporca del velocipede a tre ruote. «Anna andiamo dai» diceva il padre di mio figlio, «non può nascere ancora: ha solo venticinque settimane, capisci? pesa mezzo chilo.» Cosa? Di che parlava: un pezzo d'abbacchio? Inorridii, c'era solo sangue attorno a me, ovunque: la strada, le case, i volti dei miei erano ricoperti da una patina rossiccia, che mi calava sugli occhi a insanguinare ogni cosa. Mi adagiarono di colpo sull'assito sconnesso del triciclo. Bruno, scavalcato il sedile della canna, prese a pedalare sul trabiccolo, intanto mamma mi teneva la mano, correndomi a fianco. Carra e il povero vecchio derubato c'inseguivano scivolando e caracollando tra i lapilli della grandine, che, secca e bollente, ci lapidava dal cielo.

— Residuavo nella mente di von Sybel come il figlio di Anna nell'ampolla subacquea del suo corpo di madre. Lui avanzava e io mi ritiravo. Il bambino crescendo avrebbe fratturato il ventre clessidra di Anna, mentre il mio riassorbimento nel corpo di un tempo in agonia mi avrebbe tumulato nel futuro cadavere del mondo.

Lui conquistava di ora in ora lo stagno della madre, la spia invece di giorno in giorno s'impadroniva di nuovi eventi e di assalti, trame, tradimenti. Eravamo entrambi genitori io e Anna: lei di un mondo a venire, io di una passione che aveva fatto naufragio. A noi spettava di ritirarci perché loro, la fine e il nuovo, ci ereditassero. E di me, del mio mondo aguzzo e abissale, si facesse pianura; di lei, del suo corpo villaggio, una città nuova.

Lui cresceva e io implodevo, schiacciato dalla visione apocalittica della spia, che spadroneggiava su ogni pensiero.

421

Cosa poteva importare, a me, se von Moltke era stato arrestato in gennaio e se i collaboratori dell'ammiraglio Canaris sarebbero stati catturati nelle prossime settimane e fra loro, forse, anche il mio ospite: von Sybel il colto, il sadico sagace, il vigliacco? Niente; era solo roba da spie. Soltanto i referti polizieschi sui Gatelli, il parricida e gli amici loro, riuscivano a interessare il micropunto etico in cui ancora residuavo: d'altra parte erano state sette voci influenti, nella storia dell'amore provato per la madre del piccolo feto, con cui mi andavo identificando. E il quale, entro poche decine di anni, avrebbe immaginato, sulla cronaca delle loro gesta, il lungo racconto della sua caduta nel canestro di Giocasta: creandosi un mito fondativo, una spiegazione paranoica della propria ingiustificabile esistenza. E io, attimo di una coscienza senza più corpo e racconto; io, sfrido mentale di un personaggio storico, tramite il quale avevo amato la madre del figlio; io già facevo parte della sua storia di prossimo nato, senza essere di preciso né la voce della spia né quella di Karl von Sybel, sebbene fossi di certo la voce dell'amante. Ma non ero tedesca, non ero italiana, non avevo nazione, appartenenza, tempo: non ero che la voce, tra un'incarnazione e l'altra, del medesimo amore.

E se la spia si accresceva di ogni fatto nuovo nella vicenda dei Gatelli e dei loro propinqui: io invece non avevo più che un'attenzione di feto alla sorte loro, o della signora D'Ascenzio, avvedovata dall'assassinio del marito Luciano. Lo aveva ammazzato Salvatore Aiello, per vendicare l'arresto e la fine della sorella Concetta. Con la divina ebetudine del disinteressato anch'io, a mio modo, ciucciavo il dito pollice, mentre Italia, completava la sua sorte, finendo vedova di un fascista e con un orfano a carico, figlio di una prostituta comunista. Inoltre, come avrebbe potuto più interessarmi sapere il modo in cui Bruno aveva appreso la morte della sua amica di bordello e di Bisticcio? Udii appena ciò che fu riferito alla spia: dissero che la ragazza fu uccisa durante gli interrogatori e che confessò ogni azione di sabotaggio, ogni nome di compagno; rivelò indirizzi, recapiti e nascondigli di armi, di provviste. Più la picchiavano e più si fece puntiglio di ricordare ogni dettaglio cruciale, per poi riferirlo agli aguzzini, subito e con dovizia di particolari. Eppure fu inutile, perché essi non capirono un'acca delle sue confessioni, rese in una lingua del tutto inventata, che dell'italiano ebbe solo il suono, la rima, e nessun significato. Né io, grande oramai come un feto a termine in una malplacentata e nullipara testa di spia, tenevo più a conoscere le reazioni del padre del figlio. Lo avevo sempre pensato un uomo in anticipo, già proiettato nel mondo delle coscienze a venire: osmotiche, permeabili a ogni sentimento e al suo contrario: inconsistenti, ancora capaci di malessere benché non più capaci di soffrire. Bruno, dunque, alla notizia della morte dell'Aiello, avrà versato qualche lacrima e ricordato i disusati amplessi. Sì, ma infine? Non avrà infine seppellito l'acume del dolore nella bambagia cotonosa dell'autocommiserazione? Non c'era forse la guerra e il colonnello tedesco a giustificare il male? Non c'eravamo forse noi, voci di quella storia nel canestro di Anna, a sedare con il nostro chiasso i singhiozzi di ciascuna?

E se l'imbuto immane ci avesse inghiottiti? Se Anna avesse abortito, e la chiusa dell'utero fosse saltata via dalla sua sede? Il cielo stesso non avrebbe retto al proprio peso e si sarebbe accartocciato, ingoiato dallo sgrondo del mondo. Le facciate delle case sarebbero crollate nell'abisso del crepaccio e giù gli alberi con le piume nei nidi, le strade, le biciclette scavallate dai ciclisti; giù i padiglioni dell'ospedale e le palle fioche dei lampioni dai soffitti; giù i nostri volti, le mani brancicanti e le grida degli amici; giù Candido e Fosca, giù Carra e Angiolina, il tedesco e Italia, Concetta: giù tutti nella chiavica squarciata del fondo di Anna.

L'artiglio potente del futuro si sarebbe schiantato e il

vortice defluente del passato, senza più un domani che gli facesse da contrappeso, ci avrebbe risucchiato in un unico, orribile, pensiero mai pensato: in una sterilità senza scampo, dove ognuno di noi non sarebbe stato più che saliva, rappresa e calcinata, ai bordi di una bocca cocciutamente muta.

Temetti che in Anna non ci fosse più la facoltà di generare una vita nuova; che il tanfo acre delle bombe, appestando l'aria della nazione, costituisse un abortivo troppo potente per le carni debilitate delle nostre gestanti.

Temetti che Anna non volesse più essere raccontata dal figlio, per non farsi concepire dall'emozione di un amante troppo perspicace.

«Cosa gli diremo di noi?» mi aveva domandato, mentre riposava tra gli scabrosi lenzuoli dell'ospedale.

«Non so» risposi, «quanto di volta in volta ci sembrerà giusto.»

«Ci giudicherà, senza capire la nostra situazione» diceva il suo viso aureolato dai capelli di castagna, perfusi sulla canapa del cuscino.

Non temevo quello, io; gli avremmo spiegato la nostra vita e lui avrebbe capito di certo. Lei sorrise di un'osservazione sottile: «Tu sai che quanto gli diremo sarà rimescolato e reinventato dalla sua fantasia. Vero che lo sai? Perché anche tu hai ripensato i tuoi genitori e io addirittura mio padre che quasi non conobbi.»

«Sì Anna» risposi, «però non credi che lui immaginerà la nostra vita come gli avremo immaginato la testa? Saremo noi in fondo le cause della sua mente e ciò che di noi lo influenzerà verrà da questa vita che oggi influisce su di noi, no?»

Anna mi guardò già complice di un reato che non intuivo: «Vuoi fabbricarti un giudice conciliante e indulgente? È illusione Bruno. Lui coglierà di noi un aspetto soltanto e lo renderà estremo, poi sulla base di questo riscriverà la nostra vita intera.»

Le presi una mano da sotto il lenzuolo e la portai alle

labbra, sussurrandole: «Anna, dimmi la verità, ti prego: è per questo che hai cercato di abortire? Perché temi il pensiero di nostro figlio?»

Anna si sollevò di scatto sul letto: «Cosa dici, sei matto: io non ho cercato di abortire. C'è stata solo una piccola perdita. Da dove ti viene un'idea del genere. Forse sei tu che hai sperato di perdere il nostro bambino. Sei tu che ti senti catturato da lui e da me, e forse vuoi scappare. Se è così, però, dimmelo.»

Io l'abbracciai, invece, di nuovo felice di ritrovare la compagna di una destinazione ignota. «Scusami: hai ragione. Non c'è niente di male ad aver paura di conoscere cosa capirà di noi nostro figlio. I genitori ti generano, come noi che ora generiamo lui, e quindi in realtà non ti pensano mai, sei piuttosto una loro responsabilità e da questa sono rimbambiti: ti vivono, non ti pensano. Né ti pensa chi ti ama: ti intuisce, ti sente, ti cerca, ha bisogno di te, ma non ti pensa. Un figlio invece guarda i genitori quali enigmi, lezioni difficili, impartite da un professore poco dotato e ci si sforza sopra, in ogni modo possibile. Neanche noi pensiamo a noi stessi con una tale attenzione: noi siamo noi e pertanto abbiamo l'impressione di essere nello stesso tempo la domanda e la risposta. Per nostro figlio, invece, saremo solo problemi, assoluti e puri, da pensare con dedizione e cura, perché per lui rappresenteremo qualcosa d'inseparabile dall'essenza della sua stessa persona. E se tu avessi abortito, Anna, chi mai ci avrebbe pensato a noi: due insignificanti ragazzi di un mondo in guerra? Per chi mai avrebbe senso ciò che viviamo? Non per me e te, perché per noi il senso è la vita stessa: noi viviamo ciò che ci accade; mentre quando lui la penserà, questa nostra vita, ne farà il proprio fondamento e io, Anna, io voglio essere pensato! Sì, voglio un figlio che si chieda chi sono e come sono e dalla casualità della mia persona tragga la ragione della propria esistenza.»

— Era piccolino però beveva, Rosalindo Galiè. C'era venuto per davvero alla cascina dei Forti, affamato peggio di un cane randagio e pure assetato. Anche Bruno e Anna, dopo la settimana di ospedale, erano tornati a La Storta, sotto la scorta di Rudi, che era subito rientrato a Roma; mio genero rimaneva molto nervoso lo stesso: non si fidava che il colonnello tedesco era sparito sul serio.

«Signor Rosalindo, spiegateci proprio bene che lavoro fate con il camion» gli domandavano Adele e la moglie di Forti deportato, poveretto. C'eravamo messe tutt'e quattro, con Anna in mezzo, vicino all'ometto coi baffi, per ubriacarlo del vino canaiolo e vedere se ci cavavamo qualche cosa: un po' di farina dell'esercito, del caffè o il tabacco da fumare. Quando Adele gli parlava, quello si prendeva vergogna: che lei era civetta e lui, invece, gufo. Diceva di essere solo al mondo: non c'aveva moglie, nessuno.

«Forse ve lo meritate» ribattevo io, «perché siete con i tedeschi, voi dell'africana.» Faceva no con la testa, e poco poco, sennò gli sbruffava fuori dalla bocca il rosso che s'era scolato e che gl'impastava la parlata.

«Come no?» insisteva Adele.

«No no» tubava il colombo, e lei: «Via: guardatevi i baffini all'Hitler che c'avete.» E lui, o per la sbronza o per le accuse, scoppia a singhiozzare col gorgoglio del tacchino, facendo spallucce su e giù. Li odiava anche lui i tedeschi, da soldato però doveva ubbidire; e i baffi li portava solo per darsi un contegno mascolino.

«Già, viene qua, beve un bel po', fa su la scena e noi ci crediamo: *zsè*, stai fresco» lo sfotteva mia cognata.

A questo punto Galiè scattò in piedi e fece per andarsene via, invece barcollò e patapùnfete: prese in faccia lo spigolo della porta. Poi tra sangue, lacrime, lamenti e pezzoline d'acqua gelata ci confidò che faceva un lavoro sporco: che sì, recapitava le provviste alla caserma, ma di tanto in tanto portava i morti al camposanto.

426

«Quali morti?» gli avevamo domandato in coro.

«I partigiani fucilati» ci disse con un filo di voce. «Non mi fanno nemmeno scendere: perché i morti, dopo l'esecuzione, li vogliono caricare loro; io sento solo i tonfi dei corpi nella cassa del camion. Guido fino al cimitero, dove arriviamo che è notte fonda. C'è sempre un'altra camionetta delle SS che ci aspetta. Mi dicono di proseguire fino alla fossa comune, e neanche lì mi fanno scendere. Buttano giù i corpi e li seppelliscono alla svelta; e guai se guardo, mi minacciano con il mitragliatore. Comunque io non manco di fare la mia guerra, che credete voi, che sono un vigliacco? E invece informo il Tarantola e la squadra dei becchini partigiani: gli dico dove ho fermato il camion e dove devono scavare.»

«Perché riscavate i morti?» faccio io.

«Dobbiamo provare a dargli un nome, o almeno a registrare ogni indizio utile per l'identificazione futura, quando i parenti verranno a cercarli.»

Anna pretese chiarimenti, e non era la sola a non capirci niente.

«Il Tarantola e gli altri» proseguì Rosalindo, «con il favore della notte, tornano alla fossa comune e disseppelliscono i corpi. Gli cercano dentro le tasche, per vedere se ci trovano qualcosa che li informa sulle generalità del morto. Descrivono ogni cosa su una scheda: sesso, età, fisionomia, vestiti, oggetti e in che modo è stato rinvenuto il cadavere, con le mani legate davanti o dietro e quante ferite aveva e se portava i segni delle torture. Alla fine rinterrano la salma in un luogo diverso, apponendovi una croce numerata, che corrisponde alla scheda redatta.»

Continuavo a non capirci niente e non volevo nemmeno che me lo spiegavano meglio. Dicevo a Bruno di portare via Anna, perché gli ritornavano le perdite a sentire certe cose e poi ce lo faceva lì, in cucina, mio nipote.

«L'altro giorno c'è stata ancora un'esecuzione e mi hanno gettato nel camion sei corpi di condannati; ma uno di questi lo trasportarono all'ultimo momento e da una direzione differente. I cinque fucilati erano uomini, mentre quello aggiunto era una donna. L'ho capito per i capelli che sbucavano dalle coperte in cui l'avevano avvolta: li portava corti, a caschetto. Doveva essere una ragazza giovane e un repubblichino c'ha fatto pure un verso sopra, perché diceva che era stata una prostituta.»

Io mica ho capito subito perché Anna abbracciava Bruno, che si era alzato dal tavolo bianco come un lenzuolo.

«Galiè, la donna l'hai vista in faccia?» gli domandò mio genero. No, l'aveva appena intravista sotto la coperta. Allora Bruno alzò la voce, manco se Galiè mentiva. «Dimmi tutto quanto ricordi di lei. I capelli, li aveva biondi i capelli? Era bassa?»

«No, era alta, e più che bionda, direi ossigenata. Non ho visto molto; a parte il mignolo destro, che spuntava da sotto il panno.»

«Il mignolo destro? com'era il mignolo» ripeteva Bruno allarmato.

Il paino invece domandò: «Dimmelo tu come deve essere il dito per corrispondere alla donna a cui stai pensando.»

«Un po' storto, con l'ultima falange all'infuori.»

Insomma Bruno pensava a Concetta Aiello, la sorella di Salvatore, che c'aveva un dito malformato.

A questo punto il povero Galiè, costernato dall'orribile coincidenza, non trovò parole e fece appena sì con la testa; mentre Bruno gettò il viso tra le mani, rimanendo in piedi, senza un sospiro, un mugolio e sembrava un seminarista raccolto nella preghiera.

A Galiè gli dispiacque tanto di averci portato la triste notizia; così aggiungeva che, forse, la ragazza trasportata al cimitero non era la morta di Bruno, perché, in fondo, un dito non era una gran prova. «Appunto» fece mio genero all'improvviso, «voglio vedere se è davvero il cadavere di Concetta.»

Fu inutile ad Anna a me ad Adele cercare di dissuaderlo; però non lo potevamo mandare da solo, né farlo accompagnare da mia figlia. Così, oltre al Galiè, per i contatti con il signor Tarantola, pensammo a Candido, che della morte non aveva mica paura. Avrebbe preso mio genero sottobraccio e dolce dolce lo avrebbe accompagnato a guardare in faccia la partigiana, morta per restituirci la libertà. E forse così anche Bruno imparava che non sono ideali leggeri questi, che si fanno realizzare senza dolore; ma si devono strappare con la forza, invece: perché il nostro mondo ce l'ha carcerati dentro e a cavarli via gli si taglia il cuore, e senza cuore la nostra epoca di lotte, di conflitti, la nostra età polemica muore, e noi, figli suoi, con lei, con i nostri ricordi, con i nostri sorpassati affetti.

Alla luce di pochi lumini ad acetilene, accesi dai fossori sovversivi intorno alla buca, intravidi la lunga statura di canna, flebile e flessuosa, del corpo di Concetta. Chiesi loro di posare le pale e a Candido di aiutarmi a liberarle il viso dalla mota del campo bagnato. Appena la mia mano toccò i lineamenti interrati, il ricordo degli occhi, del naso, del sorriso di Concetta sbaragliarono la mia coscienza impossessandosi del respiro. Avrei voluto spogliarla della terra; avrei voluto cantarle gli endecasillabi dei nostri Bisticci. Ma tremavano le labbra e piangevano gli occhi; le mani dissotterravano le sue membra sussultando, senza alcuna perizia e con crescente orrore. Il cadavere di Concetta, con la sua brutalità di corpo vilipeso, arrestava ogni ricordo di noi, né mi consentiva di provarne pietà, ché più forte era il ribrezzo. Gli occhi fuggivano la sua vista e le dita preferivano toccare la terra, piuttosto che la pelle umida e raggelata. Ultimo arrivò l'odore del marcio: il senso dolciastro del sangue, misto al tanfo acre dei lucignoli che bruciavano. Candido, perché mi proteggessi l'olfatto, mi porse un fazzoletto bagnato di colonia, che cercai di passare sulla fronte di

Concetta, cadendo, con la punta del dito, nel pozzo della sua ferita. Sobbalzai e ritirai la mano; Candido alzò il lume sul volto morto e vedemmo il foro sfrangiato e annerito del colpo assassino. La terra era anche negli occhi, che la mano del boia non aveva avuto la carità di chiudere. Le caddi quasi addosso, singhiozzando. Candido mi sollevò con l'aiuto dei becchini; piangeva pure lui, che non l'aveva mai conosciuta. «Perché piangi?» gli domandai geloso, «che c'entri tu?» Non mi rispose nemmeno, ma mi tenne presso di sé, abbracciato. A Concetta lui doveva Fosca, mi sussurrò nell'orecchio; a quel corpo morto di giovane madre, lui doveva l'incontro con il proprio destino. «Càlmati, amico mio: ora la pulirò bene, disporrò le vesti a dovere, le darò un po' di profumo e tu cerca un fiore tra le tombe qua vicino. Poi torna a salutarla, vedrai, la troverai come la ricordi.» Mi allontanai un poco e vidi Candido alle mie spalle inginocchiarsi a terra, presso il corpo di Concetta, mentre apriva la borsa di cuoio che aveva portato con sé. Per mezz'ora si dedicò alla salma; infine mi chiamò perché le portassi i fiori e li ponessi fra le sue mani. La vidi di nuovo, adagiata in una semplice cassa di compensato, composta, pulita; aveva nel viso una naturalezza quieta che in vita non le avevo mai conosciuto. Non era più che una malinconica immagine della fine e a essa apparteneva ormai, nell'atteggiamento ieratico: concentrato su un pensiero lontano. Candido le stava accanto e pensai non fosse vivo nemmeno lui: lui che era l'imbroglione dei morti, un fattucchiere e toccando i cadaveri li trasbordava alla riva di una quiete apparente, che invece fluiva rapida all'ultimo deliquio, all'insulto del tempo indietro. Avrei voluto gettarmi ancora sulla salma fangosa della ragazza del bordello, dell'amica generosa, che non mi odiò quando la comprai; ma Candido me l'aveva trasformata in un manichino da funerale, senza più urlo, senza sguaiataggine e tragedia: alla vittima di una tortura, Candido, aveva sottratto la protesta dell'espressione, sconciata dal dolore. Pensai di aggredirlo e picchiarlo, mentre il mio Io callo se ne stava discosto qualche metro da me e pregava solitario, come da ragazzo gli avevano insegnato i catechisti. «Che fai Bruno» gridò Candido, «dove vai, vieni qua, dammi i fiori.» Dove mi chiamava? Il cimitero era ovunque: in me e fuori di me. Non c'era che un siparietto fatto da una doccia di lacrime fra noi e loro e niente più. Solo Candido, come un presentatore di avanspettacolo, entrava e usciva per annunciare chi tra gli spettatori dovesse cambiare lato della scena, trasferirsi al di là e chi invece restare di qua. Infine assolute, pure differenze tra le nostre schiere di vivi e morti, c'erano solo loro, le argentine e stellanti lacrime del rito: espressività di occhi troppo deboli e commiseratori; ridicoli compatimenti gettati senza orgoglio sulla faccia asciutta della morte.

35

Camminavamo muti, sotto la coltre di nuvole che opprimeva Roma come un manto di lardo rancido e giallo. Ma i lardatoi dell'aurora già tagliavano la cotenna di quel cielo maiale in una mezzaluna di luminescenza, che gocciolò a illuminarci la via del ritorno dal cimitero di Concetta alla casa dei morti, al castello obituario di Candido Pani.

All'interno i corridoi erano ancora bui e vuoti e i passi cadenzati vi rintoccavano come le oscillazioni di un orologio a pendolo. Finché nel muro nero della nostra meta fiorì lo spiraglio di luce di una candela di stearina: era il solo e piccolo fanale della camera dove Fosca ci attendeva per rincuorarci e servirci la colazione.

Aveva preparato due tavolinetti ed entrambi per tre persone. Uno, con le gambe di legno, era il minore; mentre l'altro, di metallo, presentava delle rotelle di gomma ed era più esattamente una bascula semovente.

Un lenzuolo ospedaliero, bianchissimo e inamidato, apparecchiava ciascuna tavola. Sulla minore mancavano i piatti, ma c'erano alcune fette di pane e tre tazze, attorno a un bottiglione con il latte che, il giorno avanti, avevo portato da La Storta insieme a una chiocciolante gallinella. Il tavolo maggiore, invece, ostentava stoviglie e posate oltre alla brocca dell'acqua.

Fosca mi invitò a seguire Candido che si stava lavando il

viso, le braccia e soprattutto le mani, ancora sporche di terra. Anzi, l'apòstata si cambiò la camicia e sfoggiò uno zucchetto nuovo di lana nera, che la sua promessa sposa gli aveva lavorato all'uncinetto. Del resto lei era coperta di un bel velo blu intenso, simile a un cielo australe e insieme sembravano più una coppia di sacerdoti, che una squadra di becchini tuttofare.

Terminate le abluzioni ci sedemmo presso il tavolo di legno, perché era senz'altro meglio cominciare la colazione dal latte; in seguito ci saremmo spostati al secondo desco, per sfamarci con i filetti di petto di pollo, opportunamente sciacquati e arrostiti su apposita graticola. Dapprima mi sorpresi del menu di carne per colazione, ma Fosca intendeva ritemprarci le forze, disperse al cimitero durante la notte e condividere insieme i doni culinari inviati da Angiolina; comunque precisò, avremmo potuto addentare la carne soltanto un'ora più tardi.

Mi chiesi a quel punto se stessi partecipando a una qualche funzione misterica: a un rito, a una cerimonia; e pretesi spiegazioni circa la distribuzione delle nostre pietanze in tempi differenti. Dichiararono che era vietato dalla loro religione mangiare la carne del figlio con il latte della madre. Embè: cosa c'entrava il latte vaccino con la gallinella dei Forti?

«Non ne intuisci la bestemmia?» replicò l'ebrea, scandalizzata e stupefatta che non udissi il terrifico brontolio del sacrilegio scuotere le fondamenta della mia coscienza di metalmeccanico.

«Per niente. Come faccio a considerare la gallina figlia di una mucca; a parte poi che i pennuti non sono nemmeno mammiferi. Quindi è assurdo, vaneggiate!»

Candido m'invitò a considerare i divieti della loro legge in modo più simbolico di quanto mi venisse naturale. E, del resto, era proprio un grande sacrificio distinguere i momenti, le tovaglie e le posate e perfino le bocche con le quali avremmo goduto del latte e della carne?

«Le bocche?»

Certo, le nostre bocche, chiarì Candido, che avremmo dovuto sciacquare con attenzione da ogni residuo di latte, prima di avventarle sul tessuto pettorale dei galliformi.

«Ma voi ci credete davvero in queste regole?» domandai, disperato dall'impossibilità di seguirli nei loro astrusi ragionamenti di fedeli.

«Ognuna di esse rimanda a un mistero insondabile, che non dando tregua alla nostra riflessione ci impedisce di vivere come bruti, nella melma dell'abitudine quotidiana. Forse la proibizione di sfamarsi con la carne e il latte insieme, riguarda il tabù dell'incesto; e in tal caso non sarebbe giusto ricordare questa proibizione ogni giorno? Non mangiare il corpo del figlio nel latte della madre vorrebbe dire dunque non sottomettere la tua vita all'attaccamento per il passato; non avvilire la promessa dei tuoi anni futuri al giogo di quanti già trascorsi, lascia invece che la storia possa esistere e in essa la tua responsabilità di persona.

«Quando sarà arrivato il momento abitua tuo figlio a mangiare *kasher*, come diciamo noi, a sapersi diverso e distinto da Anna: perché la fantasia di un bambino è ben più capace della nostra di cogliere il simbolico e fare, della camera della propria bocca, l'alcova di un incesto, che avrebbe paura anche solo di sognare.»

A queste parole di Candido non ricordai soltanto mia madre e le sue bave di mamma affettuosa, ma nondimeno Luigi, il padre di Anna: pensai che c'eravamo liberati da quei fantasmi di genitori invasivi: io, lasciando Italia, perdendo Concetta e i nostri Bisticci di ragazzi; Anna, negandosi a von Sybel, ombra del padre, per offrirsi a me, che ne fui la faccia esteriore, la superficie, infinitamente sollevata sopra il lato profondo delle cose.

Non replicai nulla all'amico rabbi, e anch'io, consumato il pasto iniziale e disbrigata la sciacquatura dei denti, attesi un'ora che la lipasi gastrica frammentasse i trigliceridi del latte e nell'intestino tenue si desse avvio all'emulsione con la quale i sali biliari disperdevano i grassi.

Solo allora, in quel tempo sacro che allontanava il figlio dalla madre, Fosca ci chiese di Concetta, della sua terribile esumazione.

«Infine riposa» commentò Candido, però l'ebrea eccepì: «Com'è ingiusta questa pace della morte, perché è di tutti, tanto della vittima quanto del persecutore: Concetta Aiello dorme nel tiepido della terra, e Luciano D'Ascenzio è placato dal gelo del ghiaccio.»

«Cosa è successo? Luciano è qui, nei vostri frigoriferi?»

Risposero di no, che assiderava nei venti gradi sottozero dell'obitorio comunale di piazzale del Verano: ce lo aveva trasportato la polizia dopo che i colpi sparati da Salvatore Aiello, per vendicare l'arresto di Concetta, lo avevano raggiunto sul piazzale della stazione Termini, davanti al palazzo dell'Atag.

«E Italia?» domandai allarmato. Era ancora nel palcoscenico dei vivi o Candido aveva accompagnato pure lei nella platea dei defunti?

Da quanta morte veniva sostenuta la nostra poca vita e come mi parve esiguo il confine tra quelle dimensioni estreme. La mia testa era gremita di gente che a volte sapevo viva, tipo Candido e Fosca di fronte a me, mentre più spesso potevo solo augurarmi che fosse tuttora tra noi, non avendola davanti agli occhi: Anna per esempio, o mia madre, mio padre; inoltre una folla di altri, di cui non sapevo dire se fossero o meno di questo mondo, si accalcava lo stesso nella mia poca testa, ed erano persone perse di vista nel corso degli anni; poi ci stavano i morti certi, simili a mio nonno, che avevo constatato nella cassa dell'esequie o Concetta nella terra del Verano, i quali, ciononostante, perduravano vivacissimi tra i miei affetti; infine venivano i personaggi storici, libreschi, che chissà se erano mai stati vivi: tipo Dante, Giulio Cesare o Bernoulli, quello del teorema. In ogni caso tutta questa gente, dal momento che mi entrava in testa, ci stava secondo le regole d'etichetta del mio luogo cerebrale: sicché, sotto la mia volta cefalica, vivi e trapassati si comportavano in una stessa maniera. D'altra parte lo avevo ben chiaro, oramai, che ero una specie di luogo io, e che, come ogni località, anche il mio non conosceva distinzione tra i vivi e i morti, ma soltanto relazioni spaziali, geometriche, sicché un morto centrale valeva ben di più di un vivo laterale.

Comunque mica consistevo solo nella testa: avevo un cuore, e questo ci teneva a sapere d'Italia. Candido mi rassicurò: erano venuti a conoscenza della sorte di Luciano proprio da lei, che dovendosi recare al riconoscimento della salma maritale aveva sbagliato, portandosi da Candido invece che all'obitorio comunale.

«E domani ci saranno i funerali» precisò Fosca.

«Voglio parteciparvi anch'io; devo scusarmi con Italia.»

Fosca e Candido pensavano che sarebbe stato pericoloso: erano esequie ufficiali, promosse dal Partito e sia Italia, sia il feretro, avrebbero lasciato l'obitorio scortati da repubblichini, poliziotti e forse dalle SS. Decisi comunque che mi sarei trattenuto lì e che avrei cercato di avvertire Anna del mio ritorno posticipato, magari con l'aiuto di Galiè.

«Non ti sentire in colpa Bruno» mi incoraggiava Candido, «non sei tu a stare dalla parte del torto. Se c'è un uomo ingiusto in questa storia è colui che non lascia libera la tua promessa sposa: che la occupa quasi fosse tuo figlio e ne avesse il diritto. È lui che scatenò gli aguzzini che hanno massacrato Concetta. È lui che ordisce le disgrazie che ci capitano: lui ha fatto rivelare al signor D'Ascenzio i tradimenti della moglie, sospingendolo a odiare la povera Concetta e a morire del medesimo rancore. È lui che ha devastato i nostri cuori, deportando il popolo del ghetto; e che fino all'ultimo cercherà di strapparmi questa donna bellissima, tanto generosa da legare la sua giovinezza alla mia incipiente vecchiezza. È lui che fa uccidere e rastrellare persone come cartacce da un giardino; che le manda nei campi dello sterminio; è lui che dobbiamo fermare, Bruno, non te. E lui uccideremo macchiandoci della scelta vietata. Ma lo faremo lo stesso, perché c'è forse un peccato sacro, amico mio, questo lo devi sapere: un compimento della Torah che può coincidere con la sua violazione.»

«Chi vuoi ammazzare... che ti prende? Parli che sembri Mario.»

«Mosè scendeva dal Sinai con le Tavole del Signore Benedetto sulle quali c'era scritto di non uccidere, poi vide il popolo adorare il vitello d'oro e allora, frantumato l'idolo, giustiziò i colpevoli. Per la religione di Fosca e mia aspirare alla Giustizia è l'obbligo fondamentale e questa non è qualcosa che ti cade addosso come lo Spirito Santo. No. La Giustizia si costruisce con la tua scelta, Bruno, ed è con essa che la devi evocare.»

«Sembri un prete, Candido, davvero! Ti sollazzi del rito, della forma, dei segni: che se li chiami: *drin drin* rispondono, manco fossero alla cornetta del telefono; anche se non ne comprendi il senso, celato nel silenzio di un Dio muto, o distratto o proprio assente. Basta, l'ho capita questa storia dei segni! Ne hai contagiato il povero Mario, che crede di costringere von Sybel a riemergere con la sola forza della sua attesa sulla panchina. Siete entrambi patetici.»

«Hai ragione» ammise Fosca. «Seguiamo il senso letterale della Torah, perché non conosciamo quello spirituale. Nondimeno lo cerchiamo e lo tentiamo. Il paradosso non ci deve impaurire: la vita a volte si trova nella morte; la voce del Signore, sia Benedetto il Suo Nome, si è ritirata nel silenzio; e se il Santo si nasconde nell'Esilio, Bruno, non potrà l'uomo pio celarsi nella disubbidienza?»

«Ci sono dei peccati» precisò Candido, «che vogliono essere forzature interpretative dei segni. E questi sono peccati sacri. Non nascono dall'abiezione, dalla mancanza di scelta, dal lasciarsi andare alla confusione della vita, all'abiura del popolo e del nostro destino: no; ci sono peccati che nascono dal bisogno di ascoltare Dio e forzarlo a una risposta.»

«Mio padre» fece Fosca, guardandosi i palmi delle piccole mani raccolti in giumella, «aveva dimenticato la Torah, si era assimilato, si era confuso nella idolatria fascista. Mio padre si è tolto la vita per non mettere il Signore, sia Benedetto il Suo Nome, in condizione di perdonarlo.»

«Volete dirmi che può esserci un suicidio giusto, o addirittura un omicidio?»

Candido scattò in piedi: «Oh no, assolutamente!» Non avevano detto per nulla così, anzi il contrario. Ideale Salonicchio si era macchiato di vera ingiustizia. Se non comprendevo il suo sacrificio non potevo coglierne la magnanimità.

«Solo un Giusto soffre il martirio nel gravarsi dell'ingiustizia. Il suicidio sarà in ogni caso un peso ingiusto, un peccato sacro! E la colpa che sta nell'omicidio, seppure nell'omicidio del Male, Bruno, non credi che sia un orribile peccato di cui solo il Giusto sa gravarsi, perdendosi nell'ingiustizia paradossale del Bene preservato?»

«Anna davvero: fu un funerale in grande stile» le raccontai il pomeriggio del giorno seguente, appena tornato a La Storta. «Stavo nascosto sul retro dell'obitorio comunale: dalla parte che dava sulla città universitaria e spostandomi dietro i cespugli di pitosforo, che bordavano la recinzione, riuscii a seguirne la cerimonia. Arrivarono i gerarchi con un reparto di squadristi, che si schierò a picchetto d'onore, per intonare il grido di guerra con il pugnale al cielo, quando le spoglie del maresciallo fossero transitate su un nastro di spalle virili, verso il Walhalla degli eroi. Io intanto m'interrogavo circa la possibilità che l'orecchio d'animale, di cui Luciano aveva sempre goduto, avesse udita la pallottola di

Salvatore che arrivava a sfondargli la cassa del timpano, per proseguire, muta come la luce, a spegnergli ogni pensiero. E me lo chiedevo a spregio del suo ricordo; d'altronde sembrava proprio che detestassi quell'uomo, che nulla mi aveva fatto e al quale non era stato nemmeno concesso di protestare il mio tradimento contro la sua lealtà. Ma era che in lui disprezzavo qualcosa di me. Forse incolpavo Luciano della stessa sordità che ha ammalato anche il mio orecchio. Anna, puoi aiutarmi a capire? Ho forse detestato in Luciano l'ottusità che permetteva a lui di accettarmi accanto a Italia, come a me di accettare von Sybel accanto a te?

Arrivò all'improvviso una bella 2800, che sembrava un coleottero gigante con le elitre di vernice nera. Intuii che trasportava Italia, sebbene dapprima ne discendesse una vecchia, forse la madre, e Gesuè, tutto vispo, che indossava dei calzoncini grigi alla zuava e una giacchetta scura, con il papillon a lutto sulla camicia bianca. Non sembrava nemmeno lui; te lo ricordi com'era figlio di nessuno, quando lo vedemmo la prima volta giocare con i soldatini, nella sabbia del casolare degli affidatari? Invece, l'avessi visto: un principino. Già la sua immagine, così curata e allegra, mi fece presagire che a Italia dovesse essere accaduto qualcosa di buono e risolutivo. Eccola che scese; sembrava ringiovanita: alta, sui mezzi tacchi, chiusa in una gramaglia attillata e la veletta sotto il cappello di raso. Prese Gesuè per la mano e si diresse lenta e solenne alla camera mortuaria. Traversò la piccola folla come una regina di dolore ed era invece raggiante, seppur di nero. Ora lo so, me ne rendo conto: io presi un po' il posto di Gesuè e me la sentii camminare al fianco. Quasi ricordo il fruscio della gonna sulle calze e il profumo che emanava. La gente ci guardava ammirata e io ero il suo gioiello speciale, ero parte di lei, della sua bellezza che arricchivo della mia, riflesso della sua. Anna dico davvero: facevamo una coppia tanto impossibile quanto superlativa. Tiravo indietro la poca pancia di bambino e gonfiavo i polmoni, dando in fuori il petto. Guardavo i suoi piedi incedere dritti e lunghi, negli stivaletti che le salivano alle caviglie. Ero orgoglioso di noi e geloso di lei: ero un figlio che giocava a fare il papà, ero un bambino che voleva diventare marito. Fluttuavo in una specie di estasi, in un goditoio fantastico, quando percepii un'oscurità oltre il corpo d'Italia, che le camminava accanto. Forse la sua ombra proiettata dal sole? Il sole però non c'era. Per caso era l'oscillare della borsetta che mi dava quell'impressione? Eppure la borsetta cadeva a piombo dall'avambraccio. Allora cos'era? Mi volsi a guardare, ed era un tipo alto, con le gambe lunghe dentro ai calzoni larghi che garrivano, oltre i polpacci velati d'Italia. Alzai gli occhi verso il viso dell'uomo che rimaneva coperto dal viso d'Italia e vidi solo le tese del suo cappello di feltro.

Però io non ero Gesuè, e quindi perché mi sentii furioso contro quel tale la cui semplice presenza accanto a Italia riportava me al ruolo modesto di ragazzino? D'altra parte Gesuè, il bambino reale che i miei occhi vedevano e non l'immagine emotiva che mi portavo in cuore, Gesuè zompettava tranquillo, come fosse ai giardinetti e mica al funerale del suo quasi padrino. È che Italia, in fin dei conti, è sempre stata un'immagine di mia madre Maddalena, sai Anna? forse quanto Leandro un vicario di mio padre Alfredo. Ah sì, certo: perché era Leandro Cerini che accompagnava Italia camminandole al fianco. E stupisci? Lo sai che Leandro conosceva i D'Ascenzio da sempre; non ti ricordi che fu lui a indirizzarmi alla loro pensione? In fondo è vedovo anche lui, e si sarà fatto avanti per aiutare la sua bella e sfortunata conoscente, che del resto gli era sempre piaciuta.

No, non sono più sceso dal dosso dell'università per salutare Italia; non so spiegarti perché, ma quando la cassa di Luciano fu sistemata nella carrozza, quando tutti si disposero in fila dietro il feretro, e ho visto Leandro accompagnare Italia alla prima fila del corteo, ho provato un sentimento di liberazione, nemmeno vedessi i miei genitori andare al funerale della mia infanzia. Sì Anna, una nuova leggerezza mi riempì alla scena funesta. Basta, immaginai di dirti, con gli incesti di questo mondo centenario. Liberiamo pure noi, come Candido e Fosca, il futuro dalle spoglie proibite del passato; facciamoci *kasher*: adatti quindi alla responsabilità del nostro domani. Finiamola qui con l'amarci nei panni di altri, quasi non fossimo mai pronti a prenderci cura dei nostri stessi sentimenti. Che muoia davvero, in noi, l'amante inadeguato ad amare senza un complice, che più o meno spaventosamente gli faccia da spalla.»

36.

— «Io sono la goccia dell'arcobaleno dimenticata in cielo dalla caduta della pioggia. Sono il teatro in cui s'inscena la guerra fra l'acqua e la luce: tu mi secchi, ma io bagno ancora la lama del tuo raggio.» Queste furono le parole di un sogno; però la voce che le pronunciò vibrò nel mio orecchio come vera e mi alzai di colpo cercando il viso di Carlo. Eppure c'era solo l'acqua, che gocciolando fitta lungo i vetri della finestra mi ricordò le minacce di Carra, lanciate dalla sua panchina, prima che ci raggiungessero Bruno e mamma, il giorno del mio aborto minacciato.

«Se non eliminassi il colonnello» mi aveva detto, «avviliresti tuo figlio del peso del vostro passato. Tra noi sono l'unico capace di uccidere; è tutta la vita che mi alleno, per recuperare il ritardo su un atto che non mi trovò pronto.»

Non sapevo bene cosa fosse il passato e credevo che passasse soltanto, simile al tempo che ne era il padrone. «Ebbene sbagli, Anna» aveva aggiunto Mario. «Sei tu che devi decidere ciò che passa e ciò che permane: nella mente il passato è sempre il prodotto di una decisione, di un assassinio premeditato.»

Mi fu impossibile distoglierlo dal suo delirio, comunque avevo obiettato che l'assassinio del proprio passato assomigliava molto a un suicidio e Carra era stato risoluto nell'ammetterlo: secondo lui per continuare a vivere occorreva innanzitutto saper morire.

«Ti conosco bene, Anna: anche da bambina non eri forte nelle scelte e ti baloccavi nell'indecisione. E se ora ti sembra di aver dimenticato il colonnello, è solo per la forza attrattiva della calamita che ti cresce in seno. Però non c'è determinazione dentro di te, non c'è taglio netto. Pertanto devo essere io a scegliere al posto tuo: a costituire la divergenza assoluta del futuro dal passato e lo farò, Anna, con la cesura imprescindibile della morte. Altrimenti cosa sarebbe del futuro tuo, di tuo figlio e di Bruno, se non riuscissi a uccidere l'amante del vostro passato? Non hai la forza per fare una scelta tanto drastica, lo so; a suo tempo neppure io ho trovato il coraggio necessario e ho sbagliato sì: ebbi solo un istante per separare l'immagine di un padre tirannico da quella di un uomo ferito e non ce l'ho fatta, io non ho potuto. Ecco perché farò per te ciò che nessuno fece per me.»

Forse, uccidendo Karl, Mario voleva riappropriarsi della scala temporale e uscire dal monotono ritmare della propria mente. E Karl era un obiettivo perfetto. Mario e Karl si attraevano a vicenda, poli di una stessa materia: l'uno andava alla casa dell'altro, come un singolo Momento poteva andare al castello del Tempo, per chiedere di passare. Ma il Principe del castello non lo permetteva, perché aveva il terrore di consumarsi, se anche l'ennesimo Momento fosse volato via. Così lo teneva incatenato presso una panchina. Il Momento, per essere un momento, doveva passare; invece il Tempo, che era un tempo terrorizzato dall'idea di potersi esaurire, ne voleva fare un Momento permanente: perciò ideò di essere ucciso da quel Momento, affinché a questo, che così avrebbe preso il suo posto, fosse negata proprio la natura spaventosa del Tempo, appena assassinato, e il Momento assassino, sebbene fatto Principe, fosse condannato ormai a regnare in eterno. D'altra parte il Momento desiderava davvero uccidere il Tempo che lo incatenava al presente, negandogli la fuga che era nella sua natura di nulla, di essere già passato. Quindi le loro intenzioni opposte andavano allo stesso fine; che era poi la conclusione che io stessa intuivo per questa favola e forse già attendevo, con inquietudine, dolore, ma nondimeno con speranza, perché erano tempi malati, quelli, senza alcuna soluzione grammaticale.

Dunque anch'io tanto quanto Bruno acconsentii al piano di mamma per distogliere Carra dal suo intento, o almeno dalla panchina sulla quale passava la giornata. Una bugia: in ciò consisteva la trappola di Angiolina. Bastava che Rudi preparasse un falso documento tedesco comprovante la morte del colonnello. Mario un po' di tedesco lo sapeva e poteva cascarci.

Così mamma spedì Bruno e Galiè in cerca dell'austriaco e lui venne subito a rapporto dalla sua nuova colonnella. Dopo qualche giorno tornò con una copia del fonogramma con il quale il comando centrale della Wehrmacht aveva avvertito la famiglia di Karl dello sciagurato decesso del nobile von Sybel.

Fu deciso che Bruno accompagnasse Rudi da Mario, per aggiungere un po' di patos italiano all'ambasceria austriaca.

«Come l'ha presa?» domandai a Bruno, quando tornò.

«Malissimo; dapprima non ci aveva creduto e continuava a leggere il fonogramma sperando di trovare un'interpretazione alternativa per le poche, inequivocabili, parole. In seguito si è alzato e fatto qualche passo si è messo a girare su se stesso, con la testa all'insù, verso le nuvole. Io e Rudi ci guardavamo incerti. Ha finito per perdere l'equilibrio, appoggiandosi alla panchina per non cadere in terra. Abbiamo fatto per sorreggerlo e ci siamo accorti che piangeva. Poche lacrime asciutte, dure, che gli scendevano per la barba come fossero di smalto. L'ho abbracciato e si è messo a imprecare contro il caso. Io mi sentivo in colpa: era una bugia e lui ci si disperava. "Andiamo a casa" gli dicevo, ma si reggeva alla panchina e continuava a guardare la villa.

"Perché la guardi ancora? Vieni via, dai." Appena riuscimmo a metterlo sulla motocarrozzetta, si mise a strepitare: "Ferma Rudi, ferma la moto, ferma! Vi voglio fare una confessione. Sapete perché intendevo uccidere il tedesco di Anna? Mica crederete che lo volessi fare per liberarvi di lui, vero? Mica sono altruista, io. Volevo scoprire se riuscivo ancora a provare una gioia, un rimorso, qualcosa, perché è tutta la vita che non sento niente. Magari un attimo prima di sparargli mi avrebbe tremato la mano; mi sarebbe venuto da piangere o il tedesco mi avrebbe fatto pietà e non avrei sparato, concedendogli la vita. V'immaginate che scena: io invaso da un sentimento; uno qualsiasi, e pieno, un'irrefrenabile inondazione. Ora invece come faccio? Me l'hanno ammazzato gli altri e così, ancora una volta, non sapremo se sarebbe morto con il mio conforto o con il mio colpo di grazia."»

Erano i primi di marzo del 1944. La gravidanza di Anna si avviava a conclusione, mentre i tedeschi continuavano a perdere la loro guerra con troppa lentezza. Hitler, almeno sul piano diplomatico, aveva rabberciato le crepe che si erano aperte nel Grande Reich, dopo le ultime sconfitte in Italia e sul fronte orientale; si aveva l'impressione però che i satelliti della Germania fossero allo stremo e cominciassero a balbettare parole nuove, chi in russo e chi in inglese. Tutto sembrava prematuro, ma per poco: la vascolarizzazione polmonare era compiuta e crescevano unghie e sopracciglia; un pannolino di adipe bianco si addensava sottopelle e se un fiammifero si fosse acceso nel grembo di Anna, la pupilla di nostro figlio avrebbe reagito con lo spasmo di un sonno non ancora approdato alla soglia del risveglio.

Mario, dopo una settimana di apparente tranquillità trascorsa nel lutto per la morte fasulla della sua vittima predestinata, era infine tornato alla villa del colonnello, non più per spiarla dall'amata panchina, bensì per occuparla, dissecarla alla maniera di Candido e poi darle fuoco, gettandoci nell'ansia non mitigabile, per un amico la cui mente ci stava abbandonando.

Vi arrivò di notte e scavalcato il muro di cinta riuscì a forzare la porta d'ingresso, senza che nessuno lo scorgesse. Vi abitò per quattro giorni. Dormì nel letto di von Sybel, mangiò nei suoi piatti, ne indossò il pigiama, ne violò il pennello da barba; lesse le lettere di famiglia, i saluti che il colonnello riceveva dai figli e dalla moglie; osservò le fotografie di Anna sul ripiano della libreria e sul comò della sala da pranzo, molte altre ne trovò nei cassetti, con diversi biglietti affettuosi. Infine raccolse ogni cosa che le fosse appartenuta in un bauletto guarnito di raso: perché anche Candido, durante l'esame autoptico, riponeva in un contenitore apposito il bolo digestivo rinvenuto nello stomaco, per esaminarlo a parte, non appartenendo tanto al cadavere quanto alla sua predazione.

Esplorata con attenzione la villa, incise a tutto spessore il mobilio, recidendolo da ogni ligamento elettrico o tessutale; scuoiò divani e poltrone, ne segò gli scheletri, ne divelse le molle. Uno dopo l'altro i molteplici organi della casa furono escissi dalla struttura a ventaglio della planimetria. Ogni quadro venne schiodato dalle pareti e appoggiato nella carbonaia; ogni singolo soprammobile, dopo attenta pesatura tra le mani del necroscopo, fu avviato alla cremazione nella caldaia, di cui le tende, le biancherie, gli abiti, i libri e i documenti costituirono i combustibili; i vasellami e le cristallerie invece furono resecati uno per volta, con pazienza peritale e i resti taglientissimi raccolti nella vasca da bagno, che troneggiava tra i sanitari. Da ultimo, quando il mesentere della grande fossa ventrale fu snudato d'ogni filo venoso e i tramezzi, le putrelle e le travi, alle quali era stata fissata la complessità degli arredi, furono ripuliti: cominciò a gettare per le scale e raccogliere nel salone d'ingresso i mobili periziati in precedenza. Sullo scatafascio di legni versò ogni tipo di liquore, cognac, benzina per smacchiare e alcol per disinfettare, reperito nel riscontro autoptico. Sebbene più volte appiccasse il fuoco, più volte la scintilla fece per spegnersi, nonostante gli inneschi alcolici, i cui vapori nondimeno riuscirono a sbronzare il piromane, digiuno com'era dai giorni avanti. Dunque, quando Rudi, passato alla villa per l'abituale controllo e intravisto un ricciolo di fumo svitarsi dal camino, si precipitò in essa con la veemenza di un cinghiale, sgrugnandosi contro Mario sporco, ferito, ubriaco completo: la fiamma stava cominciando giusto allora a divorare i legni stagionati dei mobili più antichi e una densa nuvola grigia sbuffava lungo i soffitti. Il sergente però, invece di aprire le finestre e dare così l'allarme ai vicini e un soffio di fresco comburente al piccolo incendio, si legò un asciugamano bagnato attorno alla bocca, gettando secchi di acqua gelida sulle tiepide vampe, mentre le più roventi bestemmie danubiane cadevano su chi, intanto, se ne stava ciucco, seduto in terra, con la schiena al baule delle cose di Anna, contento e soddisfatto dalla pignola dissezione perpetrata sulle spoglie abitative del colonnello von Sybel.

Spento il fuoco, arieggiate le camere, Rudi trasportò Mario a spalla fino alla carrozzetta della moto e proseguì alla volta dell'obitorio, per consegnarlo a Candido Pani. Infine corse da noi, a La Storta, e ci riferì che il nostro amico parmigiano dormiva un sonno profondo, ma chimico, in un letto di contenzione del reparto alienati dell'ospedale.

— C'avevo creduto un po', sì; e perché no? Di von Sybel non si era più sentito nulla e magari lo avevano ammazzato per davvero da qualche parte, come un cane. Mi ero illusa, da povera vecchia, che potevo aspettare la fine della guerra senza più tragedie. In fondo i tedeschi mica avevano saputo chi aveva appiccato il fuoco alla villa. Rudi aveva fatto sparire ogni traccia di Mario e anche del baule con le fotografie e le lettere di mia figlia. Dunque non c'era pericolo che la polizia arrivava fino a noi.

Mario, intanto, stava in un bel letto bianco, controllato e curato, con Candido e Fosca vicini, che gli carezzavano la fronte. Mi raccontavano che dormiva tutto il giorno e quando si svegliava sorrideva o vaneggiava. Per i dottori soffriva di un "delirio lucido" e gli davano i sonniferi per scurirglielo. Sicché cominciò a rincicciottirsi, migliorando di giorno in giorno.

Anche Anna aveva preso una decina di chili e aveva quasi finito il tempo. Si era fatta bella, con una pelle così lucida e chiara che pareva una pesca. Io no, ero una mela avvizzita, io. Nella specchiera del comò c'era una vecchia che mi guardava. Una mattina mi sorrise appena e disse che stava per diventare la nonna di mio nipote. Era lei l'unica Angiolina rimasta. Solo quella vecchia era sopravvissuta alla vedovanza di Luigi.

Le sere, per passare il tempo, o si giocava a carte o a sciangai, con gli stuzzicadenti. Prendevo in mano la fascina degli stecchini e la lasciavo cadere di colpo: così si affastellavano gli uni sugli altri e il gioco cominciava. Si doveva riuscire a prenderne uno per volta senza far muovere la massa degli ammonticchiati. All'inizio era facile: si cominciava da quelli che il caso aveva gettato all'esterno del fascio e che erano quasi slegati dal resto. Poi, proseguendo, diventava sempre più difficile sottrarne qualcuno senza scuotere quanti gli stavano appoggiati addosso. Allo stesso modo la guerra si avvicinava a noi: eravamo gli stuzzicadenti più interni al mucchio, più nascosti, riparati dalla massa degli altri, ma per ognuno che la mano ferma del nemico toglieva dal gioco, sentivamo farsi più vicina la nostra ora. E così, all'inizio di aprile, mentre la guerra infuriava e il fronte italiano rimaneva immobile a Cassino; mentre Roma vedeva sfilare le colonne dei prigionieri americani catturati nelle battaglie e avviati al nord, verso i campi di prigionia; mentre solo i russi avanzavano in Crimea, conquistando paesi dai nomi incredibili tipo Kertsh o Vitebsk, che chissà se era vero e comunque senza nessuna conseguenza per l'Hitler; io, povera nonna, dovevo tenere al riparo di una piccola catasta di stecchini la mia famiglia e Anna con mio nipote dentro.

Eppure c'avevo creduto; anch'io avevo finito per farmi convincere dalla bugia che avevamo raccontato a Carra: che il colonnello era morto, che se n'era andato per sempre. Però alla metà di aprile – ed era una bellissima giornata con gli alberi di pero tutti bianchi, i mandorli rosa e le forsizie gialle – arriva Galiè, col camion che faceva un grande fumo nero. Lo vediamo che si ferma nell'aia ed esce di corsa dalla cabina, correndo verso di me. «Signora, signora» mi gridava, «è tornato è tornato.»

«Respira» gli ordinai, che non riusciva a spingere avanti le parole. «Respira. Che c'è? Chi è tornato?» E il cuore di vecchia, nel mio petto di nonna, sobbalzava e mi veniva da piangere e non volevo che Anna sentiva, ma era lì accanto e io non la guardavo per non incontrare gli occhi di mia figlia.

«Mario Carra è tornato a casa. No, anzi: è scappato a casa.»

«Perché? Cosa è successo per scuotere Mario dall'abbrutimento in cui i dottori lo hanno ficcato?» Non lo sapeva, poveretto. Anna però gli domanda se l'ammalato aveva parlato con qualcuno. Con Rudi, che era stato a visitare Mario, ci disse Galiè; e per dirgli cosa? «Mah» rispose il paino baffuto.

«Mamma, è tornato. Lo sento. Non può essere che così: Karl è tornato a Roma e ha ordinato a Rudi di avvertire Mario. È la fine, mamma: si uccideranno. E io ho paura. Ho paura; io non voglio! Dov'è Bruno, chiamatelo...»

«Buona Anna, buona: eccolo, guarda» le dissi indicando dalla finestra la collina dirimpetto, «è là, lo vedi?, sul poggio, che fa cicoria con Giusto.»

450

37.

«Credere all'evidenza, Bruno» dissertava Mario dal pulpito dell'amata panchina, «è un atteggiamento che va evitato come la peste se si vuole permanere nello stato ipnotico, che è il più adatto a sopravvivere. È indubitabile che nulla ha valore, che ogni cosa passa per perdersi nel passato, senza rimedio, senza alcuna speranza; che sei solo un attimo di emozione sofferta, raccolta nella pelle di un animale evoluto da leggi casuali, su un pianeta vorticante tra miliardi di pianeti lanciati nel nulla. E che fai, se ormai preda della chiarezza non riesci più a stordirti con eccitanti teologici o fandonie d'altro tipo? Se, puta caso, tendi a vivere secondo il giudizio del tuo pensiero, al quale si arrendono i buoni sentimenti, gli amori e gli affetti: "Siamo solo illusioni" gli confessano; sì, illusioni che sarebbe meglio non provare, intanto non ti salvano dalla fogna in cui si versa il tempo. Che fai? Forse cerchi di imitare il niente; e allora pensi che dovresti non respirare, non amare, non soffrire, non gioire: non essere, pur essendo il racconto di te stesso al tuo solo orecchio. Però non ci riesci e dunque ti sforzi di tornare nella bella ipnosi in cui vivono gli spensierati menefreghisti dell'evidenza. Ma mettiamo che un fatto sia accaduto nella tua vita a impedirtelo, che ti sia capitato un incidente, quando eri ancora in trance e tutto sembrava di cotone; be', mettiamo che ti sia capitato di vedere uccidere tuo padre e

451

di non averlo soccorso, perché lo ritenevi immortale e per questo anche lo odiavi. Capisci come sia difficile, in tale eventualità, trattenersi nella cipria vaporosa dell'istupidimento ipnotico? Magari ci provi lo stesso; ma l'incantesimo è rotto e il mondo, non più protetto dal velo sotto cui l'avevi celato, chiuso nel tuo bel cellofan di trance, emerge inesorabile. Ogni cosa è vivida e la durezza di una vita senza significato ti salta dentro l'occhio, t'acceca il sentimentalismo, ti asciuga le lacrime e si porta via il sonno. Metti che ti succeda, cosa ti rimarrebbe se non la coerenza e, diciamo, un bacato amore per la verità? Nient'altro e dunque cercheresti di perfezionarti almeno nell'annullamento, che è l'unico legittimo modo di esistere in questo mondo che è nulla. Così ora puoi capirmi un po' di più: è che mi sto perfezionando, ecco; e credo che un gesto significativo sia quello che cerco o piuttosto un atto teatrale, che rappresenti nella sua semplicità la follia della mia storia e ne snodi l'annodatura principale. No, non pretendo che tu mi comprenda in questo. Da qui devo proseguire senza di te, Bruno: m'incolperò e discolperò da solo della morte di mio padre e lo farò con un'azione perfetta, che non ammetta alcun Cristo rompicoglioni, un'azione senza alcuna redenzione.»

Com'era calmo Mario, la mattina di giovedì 20 aprile del '44, seduto con me davanti alla villa di von Sybel. Discettava tranquillo, senza il sarcasmo che condiva sempre le sue tirate.

«Mario, sai che fra dodici giorni sarà un anno?»

«Un anno da quando t'incontrai sul ponte Garibaldi, mentre andavi dal tuo Cerini, con il disegno del Supporto Rotante? Un anno da quando ti dissi dei Gatelli e tu, a momenti, ti pisciavi sotto? Certo che me lo ricordo. Io soffro di una memoria prodigiosa, Bruno; segno inconfutabile di necrofilia: di occupazione degenerativa dell'intelligenza da parte del già noto, del morto e sepolto.»

«Ti devo Anna e mio figlio eppure non riesco a dirti grazie.»

«Ma grazie di che? L'idea di presentarti Anna me la diede Concetta. E poi ci sei servito, quindi non devi ringraziare nessuno.»

«A cosa vi sono servito?»

«Ci hai aggiustato, signor meccanico. Il nostro motore andava in folle e le pulegge non ingranavano; ci occorreva un giunto, una frizione, una favola in cui calarci per ritrovare il senso degli avvenimenti. Candido direbbe che ci hai fornito un messia. Ti pare poco?»

«Smettila! Stai zitto. Non voglio più sentirti; usi le parole alla maniera di candele nebbiogene e occulti i sentimenti nei loro fumi di fosforo. Basta. Ti dico che ti voglio bene, Mario. Mi hai usato, non mi hai mai detto la verità su nulla; però nel tuo modo aspro, ambiguo, sordido che hai sempre avuto, sei stato generoso. Nessuno ha riempito di possibilità la mia vita come hai fatto tu e non ti devo nemmeno gratitudine; sei riuscito a darmi tutto quanto potevi, senza che io mi senta in debito con te.»

L'avevamo cercato per due giorni, dopo che Galiè aveva portato la notizia della sua fuga dallo psichiatrico. Sfruttando il passaggio sul camion dell'autista paino ero subito rientrato in città, scendendo sotto casa di Mario. Avevo interrogato i vicini che lo avevano visto tornare nell'appartamento, ma giusto un attimo, dissero, e si era allontanato di nuovo con un fagotto tra le mani, per non ricomparire più. Ero riuscito a prendere contatto con il gruppo partigiano di Salvatore Aiello sperando che Mario avesse cercato ospitalità presso i loro covi. Niente: di Osso, loro, non sapevano nulla. Così, dopo aver passato una notte all'obitorio di Candido, decisi di scendere a San Lorenzo per controllare la casa Gatelli e lì, inaspettatamente, lo trovai; cioè trovai i segni del suo passaggio: i piatti sporchi, il cappotto, l'agendina con gli indirizzi dei pochi amici e a terra, vicino alla porta del bagno, una cartaccia di giornale unta di morchia. Guardandola, e fiutandone l'odore d'idrocarburo paraffinato, pensai avesse contenuto un meccanismo metallico ben lubrificato, tipo la pistola Beretta 915, che Mario teneva nascosta nel suo appartamento.

Corsi al bar di Sandrina, per farmi prestare la bicicletta e sperando di non incappare in un rastrellamento pedalai controvento, con un risentimento doloroso alle placche motrici dei muscoli striati. Cercavo di forzare la pedalata alzandomi sulla sella, invece le magre botticelle, che erano diventate le mie gambe, disubbidivano al comando protestando l'acido lattico. Possibile che desiderassero un o-micidio? Che non raggiungendo Carra in tempo, quelle gambette di ometto magro, tramassero la morte di von Sybel per mano di Mario? Erano pazze, gambe di pulcinella, da prendere a calci. Pedalate, leve ossute, pedalate! gridavo giù per il pozzo della mia gola, verso i quadricipiti della coscia; non il tedesco, farete morire, ma l'amico mio, il parmigiano alienato.

Arrivai che erano le quattro del pomeriggio e lo trovai seduto alla panchina. La villa era chiusa: calate le serrande delle finestre, vuoto e secco il giardino, senza alcuna guardia che rondasse attorno alla cinta. Ero incerto se avvicinarmi a Mario o rimanere nascosto dietro l'angolo della strada, sotto una lussureggiante calata di glicine lilla. Provai a chiamarlo e lui si volse dalla mia parte; gli feci cenno di raggiungermi: no, non voleva, che andassi io da lui, piuttosto.

«Perché sei scappato dall'ospedale? Ci hai fatto spaventare.»

«Mi stavano uccidendo con quegl'intrugli; non voglio morire in un letto di contenzione, come un vecchio pisciasotto.»

«Perché sei tornato alla panchina? Il colonnello è morto; hai già dissacrato e svuotato la villa: che senso ha stare ancora qui ad aspettare?»

«Aspetto la sua anima dannata. Deve tornare da me,

perché io sono un segno imprescindibile; indico la sua porta per l'inferno.»

Volevo dirgli di non fare il matto, di non provare nemmeno a vaneggiare perché lo conoscevo bene e a me non m'ingannava con tanta facilità; ma era distratto, guardava un camion tedesco che risaliva lento la strada, seguito da altri autocarri e vetture. Scattai in piedi: «Andiamo via, nascondiamoci, vieni.» E Mario, questa volta, mi seguì sotto il glicine, oltre l'angolo.

La colonna si fermò davanti al cancello della villa. C'erano due autocarri di soldati tedeschi e tre Mercedes, poi un camion Fiat con gente in canottiera: manovali italiani, pensai. Il tono atrioventricolare delle mie valvole cardiache generò una spinta tale da sollevarci oltre duecento millimetri di mercurio; e con il respiro non ci ossigenai più niente. Mario invece era tranquillo, accosciato accanto a me.

Dalle Mercedes scesero diversi ufficiali germanici, di cui intravedemmo solo le caviglie, perché un autocarro ci parava la visuale. Furono alzate le serrande della casa, aperte le finestre.

«È lui, è tornato» dedusse Mario.

«No, è che vanno a sistemare la villa per qualche altro papaverone.»

«Guarda lassù, al secondo piano: è Rudi, lo vedi?» Sì, dietro la luce di una finestra, voltato di tre quarti sembrava proprio Rudi.

«Se c'è Rudi allora c'è anche lui.»

«No. È che Rudi era l'attendente del colonnello, dunque sta a lui passare le consegne della villa.»

Mario non mi ascoltava più. Si alzò in piedi e in un attimo svoltò l'angolo, uscendo in mezzo alla strada. «Colonnello von Sybel» gridava a squarciagola, «colonnello esca, sono qua. Colonnello von Sybel.»

«Torna indietro, Mario!» gli sussurrai appresso, rimanendo nascosto.

I soldati, che erano ancora presso gli autocarri, si accorsero di lui e si voltarono a guardarlo avanzare.

«Colonnello, sono io che ti ho devastato casa. Esci fuori, tu sai che ci dobbiamo incontrare.»

Un paio di militari si avvicinarono per chiedergli spiegazioni e lui ci parlò con il suo tedesco stentato, che non udii perché era ormai lontano.

Uno dei due ritornò sui propri passi per riferire ciò che Mario aveva detto. Intanto io... io che dovevo fare? Uscire dal mio riparo e chiamare Rudi perché intervenisse? Sì! Esatto. Quindi mi alzai in piedi e feci per avanzare, ma vidi che dal cancello della villa stava uscendo un ufficiale e camminava deciso davanti al soldato che lo aveva avvertito. Era lui? Stavo guardando l'ex amante di Anna? Per la seconda volta nella mia vita m'imbattevo in quell'uomo che non ricordavo bene; che per me era solo l'immagine sfocata di un tipo che si allaccia la cinta dei pantaloni, socchiudendo la porta della villa, quando Anna ne usciva come una rondine, per scontrarsi con me. Era lui davvero? Volevo guardarlo bene negli occhi e farmi vedere anch'io. Però Carra mette una mano in tasca e non ho tempo di fare niente: ha estratto la pistola, la punta contro l'ufficiale che lo ha raggiunto, e non spara; sta lì, un attimo, senza parlare, senza sparare: che fa? si gira dalla parte mia; perché? mi cerca con gli occhi mentre ha la pistola puntata contro un ufficiale tedesco che è spaventato, e tira fuori la sua ed esplode un colpo, lo colpisce una volta, due volte e i fili impercettibili che lo radicano al cielo si spezzano e il corpo del mio amico si affloscia senza tonfo, senza grido e Mario è una grossa goccia che vedo colare viscida e densa in terra, finché non la riconosco più, perché è solo uno schizzo vischioso di rosso, che sanguina, si sparge e allaga il selciato.

Rimasi al centro della via senza fare un passo: incapace di scegliere e di volere. Guardavo il corpo di Mario, guardavo i soldati tedeschi che, intorno all'assassino, mi osservavano chiedendosi se dovessero sparare anche a me. Forse pensarono che fossi un passante non partigiano e mi risparmiarono, gridandomi parole che non capii.

Dal cancello uscirono altri militari: un capannello di corpi in divisa intorno al colonnello; unico in borghese. Non era alto e meno robusto di quel che ricordavo; anzi era asciutto, di statura media. Vestiva elegante, un abito scuro in doppio petto; sembrava un diplomatico più che una spia.

Si avvicinò al corpo di Mario, che era riverso su un fianco, dalla parte della villa. Gli si fermò davanti e zittì le bocche di quanti aveva intorno con un gesto di comando. Nel silenzio osservò il viso di Mario, che forse aveva ancora gli occhi aperti, e lentamente sollevò i suoi verso di me, a cento passi, fisso sulla strada come uno zimbello al palo.

— Bruno mi disse che Carlo gli fece un cenno con la testa, a intendere: ecco fatto, ora me lo poteva venire a raccontare; ora c'era una morte davvero vicina alla nostra famiglia: il suo piano di spia si compiva e la mia memoria ne sarebbe rimasta devastata.

I soldati fecero per raggiungere Bruno, ma Carlo li fermò e restarono irrigiditi, in posa, di fronte al padre di mio figlio, quasi dovesse imprimerseli bene nella mente. E a Bruno sembrò che lo guardasse l'intero popolo tedesco: arreso, ormai confinato oltre il vallo invalicabile del corpo del nostro amico partigiano.

«Sono fuggito quando ho visto Rudi apparire dietro il gruppo dei tedeschi e avvicinarsi a Mario, curvarsi a toccarlo. Mi chiamò e fece per venirmi incontro. Io invece mi allontanai; e sai cosa accadde allora? Quando, prima di voltare l'angolo e correre verso Testaccio, mi sono girato a dare un'ultima occhiata alla scena che mi era insostenibile, sai cosa ho visto? sì, dietro i soldati e Rudi fra loro, che forse mi chiamava di nuovo, io ho visto il colonnello che mi salutava: capisci Anna? lui in posa, davanti al cadavere di

Mario, alzava la mano a salutarmi, come un amico che se ne vada. A quel gesto inaspettato sono corso via, temendo mi seguissero, o forse solo per sedare l'angoscia acida che mi bruciava il petto, che mi chiudeva la gola. E poi temevo che tu stessi partorendo; sì, mi era venuto in mente che l'insensato saluto del colonnello fosse il gesto dell'ostetrico che mi chiamava al tuo letto; e ripensai al corpo accasciato di Carra, che sanguinava in terra, neanche fosse la tua placenta già vomitata dal secondamento.

Avrei voluto tornare subito a La Storta per gettarmi tra le tue braccia e piangere, Anna, provando a distogliere la mente dal ricordo del volto di Mario, che si volge a me sbigottito di aver frainteso l'identità del bersaglio.

Vagai cercando un passaggio su qualche torpedone che risalisse la Cassia, senza successo e quando infine non ebbi più speranza di riuscire a raggiungerti per la sera, decisi di tornare da Candido e Fosca. Volevo raccontare almeno a loro cos'era accaduto, sfogarmi dell'ansia, della colpa, del dolore. E invece già dal corridoio li sentii lamentarsi, sicché entrai di colpo nella stanza urlandogli: "Che succede?"

Fosca mi annunciò che Carra era morto, che l'avevano ammazzato.

Senza stupirmi troppo che già conoscessero l'accaduto mi sfogai del mio racconto tutto d'un fiato, finché Candido per consolarmi commentò: "Eppure è morto con il sorriso sulle labbra." Come poteva saperlo? Mi ci ero trovato io, non lui; e nemmeno io avevo visto il viso di Mario da morto, perché era rimasto rivolto verso la villa. "Allora vuoi vederlo ora?"

Hai capito cosa mi domandò? E certo, Mario era là: dai suoi amici; anche se morto all'Aventino. Rudi piuttosto di trasportarlo all'obitorio comunale, aveva preferito portarne il corpo da Candido, contando che nessuno di noi avrebbe protestato con le autorità italiane. Anna, mi ascolti?»

Sì ascoltavo, ma cominciava a far caldo, finiva aprile e alcune mattine non tirava un alito di vento. Alle volte mi sembrava di faticare a respirare; ne avevo parlato a mamma e lei aveva fatto venire la Miriam, che faceva la levatrice a La Storta, sebbene sembrasse proprio una contadina, con le mani che odoravano di cipolla. Comunque disse che stavo bene: il collo dell'utero era morbido e rilassato. «Sei pronta: mancherà una settimana, non di più» decretò, mentre con la mano estranea mi frugava la vagina.

Già, il tempo sembrava proprio finito e quelli erano gli ultimi giorni di una gestazione lunga tutta la mia vita. Ero grassa e affaticata; gonfia di attesa e impaurita; ero stanca di portare il peso dei giorni passati, che avevano spogliato il mondo, brano a brano, per vestirne il corpo minuto del mio bambino. Temevo il parto, che la pancia dovesse scoppiarmi sotto l'eruzione di un vulcano. Non riuscivo a immaginare la nascita come un processo di ore; me la figuravo rapidissima, improvvisa: un'esplosione. E quando sentivo arrivare qualche leggera contrazione che mi prendeva ai fianchi e mi faceva arcuare la schiena per farla sgrondare via, immaginavo di spegnere una miccia che bruciava scintillando lungo la spina dorsale. Ricordavo gli scoppi crepitanti degli spezzoni durante il bombardamento di San Lorenzo e pensavo all'onda d'urto che mio figlio avrebbe provocato sulla mia vita. Ricordavo i corpi straziati dei morti sotto le macerie: mi immaginavo dilaniata, quasi le labbra del sesso salissero su per la pancia e la dilatazione del parto coinvolgesse l'intera lunghezza del mio corpo vagina. Non riuscivo nemmeno a temere il dolore, perché l'esplosione del parto sarebbe stata così improvvisa da non darmi il tempo di provarlo; e io, nello scoppio, mi sarei trasformata in una donna differente, in un'Anna non più ragazza, in una me Angiolina.

38

«Non gli devi fare l'autopsia. Hai capito, a lui no. Lascialo in pace.» Così avevo ordinato a Candido, prima che
Galiè mi riportasse a La Storta, il giorno dopo l'assassinio
di Mario. Il settore mi aveva guardato con commiserazione:
«Cosa mai credi che siano i corpi? O ti preoccupi della
persona che Mario è stata? È lui, la sua persona, che vuoi
difendere dal mio coltello? Eppure questa consisteva soprattutto nella sua mente, che io non tocco, se anche scoperchio la calotta del cranio. Non c'è mente sotto lo scalpo
che disseco in due labbri baffuti di capelli. Da giovane
anch'io mi chiedevo se avrei offeso il defunto, mentre ne
scollavo il cuoio capelluto e rimuovevo il pericranio con lo
staccaperiostio. Al momento di segare e infilare lo scalpello
nel taglio, per procedere allo scoperchiamento del cervello,
mi turbavo e temevo di toccare, nel morto, il vivo della
mente. Perché quando asporti la calotta cranica, Bruno, il
cervello non ti appare subito, ma dapprima ti viene incontro la sua dura madre, vestita di una tunica bianco grigia,
trasparente, in apparenza leggera. E t'incute sempre un
imbarazzato rispetto; come fosse il broccato che trovi appeso davanti all'Arca Santa, in sinagoga e che separa il luogo
sacro del Patto con il Signore dal resto dello spazio profano. Ciononostante ne ho tagliate di dure madri, sapessi,
quante tu ne hai acuminate di punte ai lapis, sui tavoli da

disegno. Ho spogliato le tre meningi di ogni cranio, penetrando nel sacello più segreto dei pensieri e delle passioni: ma non li ho trovati. Tu stesso vedresti, sotto l'umida e trasparente velatura delle leptomeningi, apparirti l'opalescente chiocciolatura della corteccia cerebrale, eppure ti sembrerebbe solo una specie di dolmen: un monumento funerario della mente. Tante volte ho ficcato le tre dita della sinistra tra i lobi frontali delle salme, e sollevati questi ho resecato con il coltello i nervi olfattivi, i tratti ottici, le carotidi interne, il peduncolo dell'ipofisi e gli oculomotori; ho sezionato il margine aderente del tentorio cerebellare e ho estratto l'intero encefalo, depositandolo sul tavolo. No, è gelatinoso: non liquido e non sgocciola via. Ebbene se ora avessi in mano il cervello di Mario, non sosterrei nemmeno un grammo della sua mente. Perché questa eri tu, che sei ancora qui, e io che ti sto parlando: eravamo noi e lui insieme; inoltre il colonnello von Sybel e Anna e Luigi Gatelli e tutti quelli che rivolsero la parola al nostro amico. È che la mente non è personale, come una parte anatomica; no, io dico, Bruno, che la mente è collettiva, ed esiste solo se la si pensa almeno in due.

E allora piangi, disperati con me, perché non saprò consolarti per la morte di Mario, che ci ha sottratto una parte intima, forte, appassionata della nostra mente e ci ha fatto più stupidi, più vecchi e sclerotici, più incapaci di pensare.

Infine quando immagini tuo figlio non ti accorgi che è già cosa mentale, pensata insieme ad Anna e a noi, che con voi lo aspettiamo? Be', mica crederai che sia solo il piccolo feto che si asserpa nell'utero di Anna, vero? No, anche tuo figlio appartiene alla nostra mente, che lo pensa quale un mistero imminente e da lui di nuovo la nostra mente verrà pensata.»

Candido era così basso e rotondo che abbracciarlo sembrava impossibile, nondimeno riuscii a stringerlo a me, senza che rotolasse lontano.

«Come sono felice che occupi la mia testa, Candido;

come sono grato alla nostra mente di averti portato tra i miei pensieri. Tu allarghi la mia coscienza e annulli la solitudine; cancelli i confini fra i nostri corpi e fai della mia vita un ricco mercato, dove la gente più bella è venuta per incontrarsi. Tu hai trovato un senso a questi anni di guerra; e oggi, unico amico rimasto, dici che sono, che siamo, già figli di mio figlio? Perché io che lo immagino, sono per ciò stesso fantasticato da lui, protagonista della mia stessa fantasia che mi pensa? Mi sveli così, sulla soglia di questa porta d'obitorio che lui è già con noi nella nostra mente, se questa ha avuto bisogno di immaginarlo e di cercarlo, fino a trovarlo nella pozza dell'utero di Anna? Questo mi hai detto, vero? Sì, perché il presente della nostra mente, dici tu, si estende oltre le date degli anni, dotata com'è dei corpi plurimi di tutti i suoi pensati. Davvero Candido? Davvero questo momento potrebbe essere parte della sua immaginazione di uomo adulto in un anno lontano, legato come sarà ai pensieri delle nostre teste di genitori, di congiunti, di avi, di predecessori? E un'ultima cosa, Candido, poi ti lascerò in pace: davvero volevi dirmi che questa mia storia di un anno, io e mio figlio, l'abbiamo capita insieme, io vivendo e lui narrando?»

— «Anna è stata uccisa da una vostra pattuglia, e prima di restituire il cadavere alla famiglia, te lo porteremo a casa: devi vedere con i tuoi occhi cosa le hai fatto.» Così Candido e Fosca avevano detto al colonnello, telefonandogli all'alba.

«Chi è all'apparecchio?» gridò lui. «Con chi parlo?» Silenzio. Pensò a una trappola: un attentato partigiano; chiamò rinforzi e fece convocare Rudi per chiedergli di verificare se davvero Anna era stata uccisa. Rudi però, a venire qui, in casa Forti, ci poteva mettere mezza giornata. «Allora vai al comando e mandaci qualcuno dai posti di blocco più vicini.» Rudi obbedì, allontanandosi dalla villa. Arrivarono i soldati, e nella strada non entrava più nessuno, nemmeno chi ci abitava, figurarsi il furgone con la bara: lo fermarono subito coi fucili spianati.

Mentre Rudi, che infine era venuto a La Storta, mi raccontava questi fatti tremendi io non sapevo più come dividermi: volevo capire bene cosa era successo ma avevo anche Anna in solaio che si lamentava per i dolori del travaglio.

Aveva scelto di sistemarsi lassù per la pace che c'era e l'ostetrica, la Miriam, aveva imposto a Bruno e Giusto di portare in soffitta il tavolo della cucina, perché al momento buono era su quello che Anna doveva partorire. Avevamo pulito bene ogni cosa: strofinati con acqua e spirito le pareti, i mobili, fino gli stipiti degli abbaini; smontato il letto, per lavarlo pezzo a pezzo; avevamo fatto il bucato, preparando due cambi di lenzuola fresche: uno per il parto e l'altro per dopo; ero andata a comprare apposta una bella tela cerata per non sporcare i materassi; Anna invece aveva pensato alla biancheria necessaria per sé e il bambino. Bruno aveva riverniciato un vecchio canterano per attrezzarlo a fasciatoio; si era occupato dei catini e delle brocche per l'acqua, che aveva voluto nuove e delle lampade di scorta, nel caso che il figlio gli nasceva di notte.

Il travaglio era cominciato la sera prima quando Anna, appena finito di rinfrescare l'orto, sentì inumidirsi le gambe di qualcosa di tiepido: si erano rotte le acque. Bruno, che stava aggiustando la sarchiatrice del povero Forti, voleva avvertire subito la Miriam. «Stai fermo» gli dicevo, «c'è tanto da aspettare, calma.» «Non è vero» faceva lui, «la nascita è cominciata e le membrane fetali liberano le prostaglandine per eccitare l'utero.» Anna, poverina, cercò di sorridere a quelle stupidaggini, finché s'irrigidì di colpo e spalancò bocca e occhi. «Mamma!» gridò, inorridita dalla prima doglia vera. La notte passò faticosa, il travaglio fu lento e alla mezza, all'arrivo di Rudi, Miriam vedeva appena la testa del mio nipotino affacciarsi dal fondo della mia bambina.

«Sono morti, Angiolina, sono tutti morti!» aveva gridato il sergente appena ero scesa a incontrarlo.

«Che dici?» e mi prese un colpo a vederlo piagnucolare in tedesco e in italiano.

«Non ho potuto fare niente... Sono arrivati con il furgone fino alla villa.»

«Calmati e dimmi quale furgone, di chi parli?» E allora si spiegò per benino, dall'inizio, e parlando si quietava, ma a me mi faceva scoppiare il cuore.

Candido e Fosca non erano mica andati a Parma per portare Mario alla tomba di famiglia come avevano detto, macché! Dopo la morte di Mario, avevano aspettato più di una settimana a partire, e credemmo che era per fare i documenti del trasferimento della salma fino alla città natale, invece no. Avevano spiato la villa del colonnello per vedere se ci tornava a vivere. Io gli avevo pure prestato la nostra Balilla furgonata per andare fino a Parma, mentre l'avevano usata per trasportare il cadavere di Mario dal colonnello, e proprio la mattina del 2 maggio, che Anna travagliava.

«Ma chi gli ha dato il telefono di von Sybel?» gli chiesi. Rudi pensava che doveva essere stato proprio Carra, durante il ricovero all'ospedale. Comunque Candido e Fosca si erano presentati lì, con il furgone che non gli entrava dentro tutta la cassa da morto e un pezzo spuntava da dietro, legato agli sportelloni e al paraurti. Candido guidava e Fosca gli stava vicino. I soldati li avevano bloccati all'imbocco della strada e li avevano fatti scendere a mani in alto, sotto gli occhi del colonnello, che si era affacciato dal giardino per guardare. Non vide partigiani, non vide gente armata; anzi, doveva aver escluso l'ipotesi di una trappola, e temuto per davvero la morte di Anna. Dunque ordinò di far avvicinare il furgone con i fermati.

Intanto Adele era scesa di sotto a dirmi di preparare l'acqua tiepida per lavare il mio nipotino che stava per nascere.

«Fai tu» risposi a mia cognata, «e non dire di Rudi ad Anna o Bruno, a nessuno; hai capito? Ora vengo.»

Il sergente riprese a raccontarmi dei soldati, che avevano fatto arrivare l'automezzo davanti al cancello della villa, e del colonnello che aveva interrogato Candido e Fosca, al quale dovevano aver risposto con la stessa bugia recitata al telefono. Von Sybel forse si fece pensoso, incerto. «Aprite la bara» comandò e i soldati eseguirono l'ordine.

«Mamma ti vogliono su: Anna sta per partorire, corri» mi chiamò Giusto, pencolando dalle scale. «Digli che vengo.» Fece per risalire, e dopo due o tre gradini rallentò il passo, si appoggiò al muro e si accucciò per addormentarsi. «Giusto no!» gridai e quella volta, d'un colpo, si scantò perdendo il sonno, come guarito.

«Aprirono la cassa» proseguì Rudi, «e Karl, sporgendosi all'interno del furgone, avrà intravisto il viso di Carra, lo avrà riconosciuto.» Comunque ordinò di ispezionare la bara, frugando attorno al corpo di Mario, nei vestiti, tra le gambe, sotto i piedi: niente, era tutto a posto.

A questo punto von Sybel doveva aver pensato che la messa in scena era solo una provocazione per vendicare la morte di Carra e quindi comandò di richiudere il coperchio della bara, di trattenere il furgone e di scacciare via Candido e Fosca che l'avevano guidato fin lì. Loro non se ne volevano andare e protestarono, chiedendo indietro la salma; ma i soldati, imbracciati i mitra, li spinsero via, lungo la strada che proseguiva in discesa. Il colonnello invece rimase pensoso, in piedi, presso il feretro: così almeno avevano raccontato i commilitoni al povero Rudi. Forse von Sybel cercava una qualche ragione per la resistenza di Candido e Fosca ad abbandonare il camioncino. Non capiva, e una spia non poteva non capire. Intanto i due si erano arresi e scendevano la via mesti, tenendosi per mano. Infine il colonnello decise di dare un'ultima occhiata al corpo di Carra.

«Anna la cerca, venga su, che fa?» mi rimproverò Bruno, affacciato a metà delle scale; poi scorgendo Rudi, piagnucoloso, agitato, rimase sbigottito.

«Bruno, sono morti tutti, tutti» fece l'austriaco correndo verso di lui quasi volesse abbracciarlo. «Karl ha sollevato di nuovo il coperchio della bara e forse ha fatto appena in tempo a scorgere qualcosa di strano, del fumo, non so e tutto è scoppiato, Bruno!, la pancia di Mario era piena di tritolo, hai capito? ce lo aveva messo Candido con l'autopsia; e forse doveva esplodere appena aperta la cassa, facendo saltare in aria anche lui e l'ebrea; ma qualcosa non ha funzionato. Comunque il furgone è esploso e ha distrutto la villa, ha ucciso i soldati, ha devastato il giardino e di Karl non si trova più niente, niente!» Aveva ripreso a piangere a dirotto.

Mio genero mi guardò sconcertato. «L'esplosivo della bomba di Ignazio Pesce...» suggerì. E certo, non poteva essere che quello.

«Ma Fosca e Candido?» domandai.

«Morti» fu la risposta.

«No! Avevi detto che erano stati scacciati via» replicai incredula.

Un soldato scampato all'esplosione, precisò Rudi, si era rialzato da terra, dove lo aveva gettato lo spostamento d'aria, e vedendoli in fondo alla strada, ballare felici e saltellanti, gli aveva sparato una raffica di mitra ammazzandoli sul colpo.

«Perché mi guardi così, Bruno; non ci credi? e invece è vero: sono morti.»

«Sostieni che è appena successo e sei venuto qui, a dircelo subito; perché? Chi te lo ha comandato se il colonnello è morto?» Rispose che non sapeva dove andare, non sapeva a chi dirlo; infine, aggiunse, che così avrebbe voluto il suo colonnello. E Bruno gli fa: «Ma tu chi sei, Rudi? Chi sei? Io non ti ho mai capito.»

«Basta, vieni via» mi intromisi fra loro per sospingere

Bruno a tornare di sopra, «andiamo da Anna; e non fare domande stupide...»

Rudi reagì e allora mi fermai, perché lo fece con le parole che pure io avrei voluto dire tante volte ad Anna, quando non riuscivamo a parlare senza litigare su Luigi e sui nostri tempi, quasi fosse un'epoca morta la nostra, che loro, i giovani, non potevano più capire. «Io sono un servitore» disse Rudi, «come lo sono stati i miei genitori e i miei avi; forse sono l'ultimo di una lunga genealogia di servi. Non c'è alcun mistero in me; tu non capisci nemmeno più il significato della parola antica all'ombra della quale fui allevato: la dedizione, ecco Bruno, solo la dedizione è la chiave del mio segreto.»

Sì, la dedizione: il sentimento che legandomi a Luigi mi aveva reso forte e severa; quell'emozione che mi aveva donato una dignità di cui ero nata orfana e che mi aveva indicato il percorso della vita; eccola dunque, quella dedizione alla mia famiglia, ai figli di Luigi, ad Anna, che portava la testa del padre nella sua, eccola che tornava, dalle parole di Rudi, per accompagnarmi finalmente alle soglie del compimento.

Si aprirono i muscoli antagonisti, sotto il torchio del diaframma; si dischiuse il pavimento delle pelvi e si distese il breve canale tra i diametri obliqui. Apparve il rialzo a coppa del perineo e la schiusa progressiva della bocca vagina. Lei spinse ringhiando e lui piegò il mento sul petto, avanzando la più piccola delle sue fontanelle; lei gridò e lui ruotò da sinistra a destra per quarantacinque gradi; lei prese fiato, aggrappandosi alle mie spalle, per incalzarlo di più e lui, discendendo la curva gronda della madre, ne divelse l'imene. «Vieni» implorò la madre piangendo e lui, ubbidiente, scivolò la nuca sotto l'osso di Venere; poi, nel silenzio improvviso della soffitta, mentre Anna, semiassisa sul tavolo da cucina, strizzava gli occhi e mordeva i denti, io, Angiolina e Adele vedemmo sorgere, all'orizzonte del suo pube glabro, la testa nuova che ci avrebbe pensato.

Entrò muto nel mondo e con la fronte all'ingiù, verso il lenzuolo sporco delle sue schiume di palombaro. Si volse di nuovo a sinistra e ne vedemmo, alla rima sanguinolenta del sesso di Anna, il piccolo viso schiacciato, le rughe aggrondate, gli occhi pesti e caseosi. «È maschio» disse la levatrice che gli pulì la bocca e il naso; cercò poi con le dita il collo ancora sommerso, per constatarlo libero dal cordone dell'ombelico. Lui divincolò una spalla dal canale vagino e dimenò il braccio; un vagito acuto ci avvisò che era un uomo vivo. Anna si piegò ad arco, sostenuta dalle mie braccia, per sorridergli, per guardarlo in volto, quando in un ultimo spruzzo, dalle acque rosse del suo pozzo, veniva alla luce il corpo intero del nostro mondo fanciullo.

Lo sollevò la levatrice, fino a su, fino al soffitto; e lui, piangendo da quel cielo capovolto, ci guardò con un occhio solo. Gli tagliò poi il funicolo placentale e gli annodò il moncone perché ne risultasse l'ombelico. Allora nostro figlio aprì il secondo occhio per vedersi com'era: se centro dislocato lontano dalla sua circonferenza; se puntino geometrico esploso dal suo stesso teorema. E pianse rabbioso, grondando ancora muco e sangue.

Sorrideva Anna con il suo ragnetto in seno, aggrappato al petto, come alla maniglia dell'unica stella scintillante nell'infinità cattiva. «Ce l'hai fatta» le dissi, «hai visto? è fuori: l'hai messo nel mondo.» E con lui ero fuori anche io: il passato era sorto davvero; era venuto a raccogliersi in una goccia di cielo sopra l'anima nuova.

Fu partorita l'immaginazione e la mia consistenza di padre, come una favola feconda, si andò raccontando nella fantasia del figlio novizio, perché, al rantoloso tettare delle sue labbra di lattante, noi tutti si venisse alla luce: chi con voce propria, chi ritualmente segregato nella voce altrui, a causa della forma di questa lettura luogo, scaturigine e culla della tua mente diffusa.

Stampato da
Grafica Veneta S.p.A., Trebaseleghe (PD)
per conto di Marsilio Editori® in Venezia

EDIZIONE

10 9 8 7 6 5 4 3 2 1

ANNO

2005 2006 2007 2008 2009